# SISTEMAS REALIMENTADOS

Blucher

Luis Antonio Aguirre

# SISTEMAS REALIMENTADOS
## Uma abordagem histórica

*Sistemas realimentados: uma abordagem histórica*
© 2020 Luis Antonio Aguirre
Editora Edgard Blücher Ltda.

1ª reimpressão - 2020

Imagem da capa: acervo do autor

# Blucher

Rua Pedroso Alvarenga, 1245, 4º andar
04531-934 – São Paulo – SP – Brasil
Tel.: 55 11 3078-5366
**contato@blucher.com.br**
**www.blucher.com.br**

Segundo o Novo Acordo Ortográfico, conforme 5. ed.
do *Vocabulário Ortográfico da Língua Portuguesa*,
Academia Brasileira de Letras, março de 2009.

É proibida a reprodução total ou parcial por quaisquer
meios sem autorização escrita da editora.

Todos os direitos reservados pela Editora
Edgard Blücher Ltda.

Dados Internacionais de Catalogação na Publicação (CIP)
Angélica Ilacqua CRB-8/7057

Aguirre, Luis Antonio
  Sistemas realimentados : uma abordagem histórica
Luis Antonio Aguirre. -- São Paulo : Blucher, 2020.
  362 p. : il.

  Bibliografia
  ISBN 978-85-212-1919-4 (impresso)

  1. Sistemas operacionais (Computadores) I. Título.

120-0265                                    CDD 005.43

Índice para catálogo sistemático:
1. Sistemas operacionais (Computadores)

*Havendo Deus, outrora, falado, muitas vezes e de muitas maneiras, aos pais, pelos profetas, nestes últimos dias, nos falou pelo Filho, a quem constituiu herdeiro de todas as coisas, pelo qual também fez o universo.*

Hebreus 1:1, 2

# Conteúdo

| | |
|---|---:|
| **Apresentação** | **13** |
| **Prefácio** | **17** |
| **Créditos** | **23** |

**1 Realimentação**                                       **25**

1.1 Realimentação . . . . . . . . . . . . . . . . . . . . . . . . 27

    1.1.1   Otto Mayr . . . . . . . . . . . . . . . . . . . . . 29

1.2 Dois tipos de realimentação . . . . . . . . . . . . . . . . 30

1.3 Primeiras menções de realimentação . . . . . . . . . . . 31

1.4 Alguns dos primeiros sistemas realimentados . . . . . . . 34

    1.4.1   Tesíbios . . . . . . . . . . . . . . . . . . . . . . 34

    1.4.2   Philon e Heron . . . . . . . . . . . . . . . . . . 39

1.5 Uso de realimentação na medição do tempo . . . . . . . 40

1.6 Sistemas do século XVII e depois . . . . . . . . . . . . . 46

1.7 Considerações finais . . . . . . . . . . . . . . . . . . . . 49

**2 Moinhos e máquinas a vapor**                          **53**

2.1 Moinhos . . . . . . . . . . . . . . . . . . . . . . . . . . . 55

    2.1.1   A patente de Edmund Lee . . . . . . . . . . . . 57

    2.1.2   Detecção de velocidade . . . . . . . . . . . . . . 64

2.2 Regulação de velocidade . . . . . . . . . . . . . . . . . . 65

2.3 Máquinas a vapor . . . . . . . . . . . . . . . . . . . . . . 67

    2.3.1   A válvula governadora de Watt . . . . . . . . . 71

    2.3.2   Primeiras tentativas de análise e solução de problemas . . . 75

2.4 Considerações finais . . . . . . . . . . . . . . . . . . . . 79

# 8 · Sistemas realimentados: uma abordagem histórica

**3 Análise de dispositivos governadores**    **83**

3.1 A análise de Airy . . . . . . . . . . . . . . . . . . . . . . . 86

   3.1.1 O pêndulo centrífugo . . . . . . . . . . . . . . . . 89

   3.1.2 O pêndulo centrífugo amortecido e forçado . . . . . . . . 90

   3.1.3 O complemento de 1851 . . . . . . . . . . . . . . 91

   3.1.4 A análise de Fuller . . . . . . . . . . . . . . . . 91

3.2 O Artigo *On Governors* . . . . . . . . . . . . . . . . . 92

   3.2.1 Moderadores e reguladores . . . . . . . . . . . . . 95

   3.2.2 O dispositivo de Fleeming Jenkin . . . . . . . . . . 99

   3.2.3 Os governadores de Thomson e de Foucault . . . . . . 102

3.3 A análise de Wischnegradski . . . . . . . . . . . . . . . . 104

3.4 Considerações finais . . . . . . . . . . . . . . . . . . . 107

**4 Estabilidade de sistemas lineares**    **113**

4.1 Resultados preliminares . . . . . . . . . . . . . . . . . 116

4.2 Resultados no Reino Unido . . . . . . . . . . . . . . . . 120

   4.2.1 O critério de estabilidade de Routh . . . . . . . . . 122

   4.2.2 Edward John Routh . . . . . . . . . . . . . . . . 124

4.3 Resultados na Europa continental . . . . . . . . . . . . . 127

   4.3.1 Aurel Stodola . . . . . . . . . . . . . . . . . . . 127

   4.3.2 Adolf Hurwitz . . . . . . . . . . . . . . . . . . . 129

   4.3.3 O critério de estabilidade de Hurwitz . . . . . . . . 130

4.4 Resultados na Ásia . . . . . . . . . . . . . . . . . . . . 133

   4.4.1 O critério de estabilidade de Mikhailov . . . . . . . . 133

4.5 Considerações finais . . . . . . . . . . . . . . . . . . . 135

**5 Estabilidade no sentido de Liapunov**    **141**

5.1 Estabilidade de Liapunov . . . . . . . . . . . . . . . . . 143

   5.1.1 O primeiro método de Liapunov . . . . . . . . . . . 145

   5.1.2 O segundo método de Liapunov . . . . . . . . . . . 147

5.2 Alexander Mikhailovitch Liapunov . . . . . . . . . . . . . 149

5.3 Considerações finais . . . . . . . . . . . . . . . . . . . 154

**6 Amplificador com realimentação negativa**    **157**

6.1 Os desafios . . . . . . . . . . . . . . . . . . . . . . . . 160

6.2 A solução de Black . . . . . . . . . . . . . . . . . . . . 163

6.3 As características do novo amplificador . . . . . . . . . . . 166

6.4 O surgimento de uma nova área . . . . . . . . . . . . . . 169

6.5 Considerações finais . . . . . . . . . . . . . . . . . . . 173

*Conteúdo* 9

## 7 Estabilidade de sistemas com realimentação — 177

7.1 Cauchy e o princípio do argumento . . . . . . . . . . . . . . . 180

    7.1.1 Augustin-Louis Cauchy . . . . . . . . . . . 181

7.2 O critério de estabilidade de Nyquist . . . . . . . . . . . . . 182

    7.2.1 O contexto . . . . . . . . . . . . . . 182

    7.2.2 O procedimento de Nyquist . . . . . . . . . . . . 184

    7.2.3 Harry Nyquist . . . . . . . . . . . 188

7.3 Desdobramentos do artigo de Nyquist . . . . . . . . . 190

    7.3.1 O critério de Nyquist e o princípio do argumento . . . . . 191

    7.3.2 A primeira aplicação do critério de Nyquist . . . . . . 195

    7.3.3 A generalização do critério de Nyquist . . . . . . . . . 198

7.4 Outros estudos de estabilidade . . . . . . . . . . . . . . 201

7.5 Considerações finais . . . . . . . . . . . . . . . . 204

## 8 Servomecanismos — 207

8.1 Sistemas elétricos: estabilidade e modelagem . . . . . . . 209

8.2 Computação analógica . . . . . . . . . . . . . . . . 212

8.3 Carregamento: o problema e a solução . . . . . . . . . . 215

8.4 Teoria de servomecanismos . . . . . . . . . . . . . . 220

    8.4.1 Servomecanismos do tipo relé . . . . . . . . . . . . 221

    8.4.2 Servomecanismos de controle contínuo . . . . . . . . 224

    8.4.3 Harold Hazen . . . . . . . . . . . . . 226

8.5 O método do lugar das raízes . . . . . . . . . . . . . 228

    8.5.1 Síntese de controladores pelo método do lugar das raízes . . 228

    8.5.2 Dinâmica de sistemas de controle . . . . . . . . . . 231

    8.5.3 Walter Evans . . . . . . . . . . . . . 233

8.6 Outras iniciativas . . . . . . . . . . . . . . . . . . 234

8.7 Considerações finais . . . . . . . . . . . . . . . . . 235

## 9 Análise no domínio de frequência — 241

9.1 A gênesis da análise de Fourier . . . . . . . . . . . . . 243

    9.1.1 O desenvolvimento inicial de Fourier . . . . . . . . . 245

    9.1.2 Desenvolvimentos subsequentes . . . . . . . . . . . 248

    9.1.3 Jean-Baptiste Joseph Fourier . . . . . . . . . . . 251

9.2 Resposta em frequência . . . . . . . . . . . . . . . . 252

    9.2.1 A relação ganho-fase . . . . . . . . . . . . . . 255

    9.2.2 Margens de ganho e de fase . . . . . . . . . . . . 260

    9.2.3 Hendrik Wade Bode . . . . . . . . . . . . . 261

# 10              *Sistemas realimentados: uma abordagem histórica*

9.3   Considerações finais . . . . . . . . . . . . . . . . . 263

## 10 Análise no domínio de Laplace         269
10.1 A contribuição de Laplace . . . . . . . . . . . . . . . . . 270
    10.1.1 Formulação atual da transformada de Laplace . . . . . . 273
    10.1.2 Pierre-Simon Laplace . . . . . . . . . . . . . . 275
10.2 O cálculo operacional . . . . . . . . . . . . . . . . . 278
    10.2.1 Resultados do cálculo operacional de Heaviside . . . . . 279
    10.2.2 Admitâncias, impedâncias e séries . . . . . . . . . . 281
    10.2.3 Oliver Heaviside . . . . . . . . . . . . . . . 285
    10.2.4 A controvérsia com a Royal Society . . . . . . . . . . 286
    10.2.5 Um aliado em Cambridge . . . . . . . . . . . . 289
10.3 Funções impulso e degrau . . . . . . . . . . . . . . . 290
10.4 Uso do cálculo operacional e da transformada de Laplace . . . . . 294
10.5 Considerações finais . . . . . . . . . . . . . . . . 297

## 11 O controlador PID         301
11.1 Ações P, I ou D ao longo da história . . . . . . . . . . . 303
11.2 A lei de controle PID . . . . . . . . . . . . . . . . 304
    11.2.1 Prolegômenos . . . . . . . . . . . . . . . . 304
    11.2.2 Dispositivos da primeira classe . . . . . . . . . . 306
    11.2.3 Dispositivos da segunda classe . . . . . . . . . . 308
    11.2.4 Influência do atraso de transporte . . . . . . . . . 309
    11.2.5 Nicolas Minorsky . . . . . . . . . . . . . . 310
11.3 Controladores PID . . . . . . . . . . . . . . . . 312
11.4 Sintonia do controlador PID . . . . . . . . . . . . . . 316
    11.4.1 Sintonia em malha fechada . . . . . . . . . . . 317
    11.4.2 Sintonia em malha aberta . . . . . . . . . . . 319
    11.4.3 Nathaniel Nichols . . . . . . . . . . . . . . 321
11.5 Considerações finais . . . . . . . . . . . . . . . . 325

## 12 Notação e nomenclatura         327
12.1 Sinais elementares . . . . . . . . . . . . . . . . 329
12.2 Integrais de Convolução e de Duhamel . . . . . . . . . . 331
12.3 Funções complexas e transformadas . . . . . . . . . . . 332
12.4 Termos técnicos . . . . . . . . . . . . . . . . . 334
12.5 Simbologia . . . . . . . . . . . . . . . . . . 339
12.6 Considerações finais . . . . . . . . . . . . . . . . 341

# Conteúdo

**Bibliografia**     **345**

**Índice remissivo**     **355**

# Apresentação

O conhecimento é uma das mais preciosas conquistas de nossa espécie. Ao longo do tempo, aguçados pela curiosidade, procuramos entender a natureza, criando um amplo conjunto de princípios, leis e fórmulas que nos trouxe das ferramentas primitivas de pedras e metais aos dispositivos capazes de, ao manipular grandes massas de dados, transformar a vida das pessoas.

Entretanto, parece que cientistas e pensadores vivem em mundos diferentes. Os cientistas procurando novos experimentos, aprimorando modelos, levando a tecnologia quase aos limites da ficção. Os pensadores tentando entender como o mundo se rearranja e como as populações reagem a cada nova invenção.

Entender como os processos tecnológicos mudaram a história e a correspondente realimentação (*feedback* ou retroalimentação), isto é, como a história acelerou a tecnologia, não é tarefa simples. Requer conhecimento científico, leitura, diálogo e pesquisa.

Esse foi o caminho escolhido pelo engenheiro, professor e pesquisador Luis Antonio Aguirre. Ainda jovem, tornou-se um dos cientistas mais respeitados de sua área: Dinâmica e Controle de Sistemas.

Como professor, esmerou-se em brilhantes aulas de graduação e pós-graduação, formando outros jovens engenheiros e pesquisadores, mas seu espírito de pensador irrequieto levou-o a refletir sobre a necessidade de seus alunos conhecerem a História da Engenharia de Controle, entendendo suas origens e as mudanças que ela produziu na sociedade.

Sem abandonar seu dia a dia de desenvolvimento tecnológico, foi às origens, pesquisou documentos, dialogou com pessoas de diversas áreas e nos deu este presente: "Sistemas Realimentados: Uma Abordagem Histórica".

A riqueza do conteúdo deste livro não cabe em uma simples apresentação. Assim, destaco alguns pontos que considero notáveis, a começar pelo principal conceito, de realimentação, e de como uma mera questão semântica separou, no Brasil, engenheiros (realimentação) de biólogos (*feedback* ou retroalimentação).

Superada essa questão, explica o sistema de abertura de portas atribuído a Heron de Alexandria (10 d.C. a 80 d.C.) e, aproveitando-se do funcionamento da engenhoca grega, esclarece o conceito de realimentação sob o ponto de vista de Arnold Tustin (1952) e Norbert Wiener (1954).

Dada a relevância e a multidisciplinaridade do conceito, mostra sua importância social, em Aristóteles (384 a 322 a.C.); filosófica, em David Hume (1711–1776); e biológica, em Claude Bernard (1813–1878). Essas ideias são agentes motivadores para o uso da teoria de controle nas mais diversas áreas, nos dias atuais.

Transitando pelo período do Iluminismo, percebemos que o homem começa a sentir a necessidade de melhorar seus processos de produção, criando as primeiras máquinas com processos mais sofisticados, como moinhos de vento com controle da velocidade de suas pás.

As patentes de Edmund Lee (1745) e Thomas Mead (1787) aparecem explicadas engenhosamente, mostrando os primeiros sistemas mecânicos de controle de velocidade, cujos princípios básicos estão nos automóveis e máquinas de alta tecnologia de nosso século atual.

Um fato histórico relevante é a atuação de James Clerk Maxwell (1831–1879) nos problemas relativos aos reguladores, dispositivos derivados dos inventos de Lee e Mead, desenvolvidos por James Watt (1736–1819) e Fleeming Jenkin (1833–1885).

O trabalho de Maxwell enfatiza a preocupação com a evolução temporal das variáveis de estado, tipicamente de interesse de um físico, considerando apenas de passagem o fato de o erro de regime do regulador de Watt ser diferente de zero e de o regulador de Jenkin anular-se.

Tratando do mesmo problema, Edward John Routh (1831–1907), enfatiza uma possível metodologia de escolha de parâmetros para a estabilidade do estado estacionário, preocupação típica de um engenheiro.

Assim, o leitor pode desenvolver a percepção do segundo conceito fundamental em sistemas de controle realimentados: o cálculo dos erros de regime e como projetar sua estabilidade.

Ainda sobre a questão da estabilidade, há uma discussão conceitual de grande conteúdo matemático, devida a Aleksandr Lyapunov (1857–1918) e a Henri Poincaré (1854–1912), que passou a ser de grande relevância para a Engenharia de Controle a partir da segunda metade do século XX, quando os modelos e dispositivos não lineares se tornaram amplamente utilizados e difundidos.

Na primeira metade do século XX, os Estados Unidos da América iniciaram um forte movimento no sentido de aprimorar as comunicações com e sem fios a longas distâncias. Como parte desse esforço foram criados, em 1925, os Bell Telephone Laboratories, fortemente voltados ao projeto de sistemas de telecomunicações.

# Apresentação

Um grande problema a ser resolvido era como recuperar os sinais que percorriam longas distâncias, sendo atenuados e distorcidos. Coube à genialidade de Harold Stephen Black (1898–1983) apresentar a ideia de amplificadores com realimentação e, aproveitando-se dos conceitos de resposta em frequência, desenvolver novas técnicas de projeto.

Assim, a Engenharia de Controle ganhou das Telecomunicações um terceiro conceito: resposta em frequência de sistemas realimentados. Nascia, então, uma nova engenharia de ampla aplicação, combinando realimentação, estabilidade e resposta em frequência.

É nesse ponto que há de se ressaltar o trabalho de Hendrik Wade Bode (1905–1982), que propôs, demonstrou e sistematizou o projeto de sistemas de controle.

Hoje, não há indústria que não tenha um ou mais controladores PID (Proporcional, Integral, Derivativo) fazendo parte de seus processos produtivos. É essa história que este livro conta, de maneira ao mesmo tempo fluida e rigorosa, que nos faz entender essa importante engenharia dos pilotos automáticos, das colunas de destilação, dos freios de automóveis, dos satélites em órbita, dos respiradores artificiais e de tantas outras maravilhas tecnológicas.

Caro leitor, aproveite.


José Roberto Castilho Piqueira

# Prefácio

Em janeiro de 2007 fui convidado por meu amigo e companheiro de pesquisa, o Prof. Christophe Letellier, da Universidade de Rouen, na França, a dar uma palestra sobre "controle" para uma plateia de físicos. A referida palestra seria – e foi – realizada um mês depois. Sendo a *engenharia de controle* uma área tão vasta, a simples escolha do foco para a palestra era um grande desafio. Após alguma consideração, concluí que, qualquer que fosse o subtema escolhido para a palestra, não poderia, nem deveria, entrar em detalhes. Contudo, uma tarefa muito mais desafiadora, e que ainda deveria ser realizada, era definir sobre o que falar, ou seja, delimitar o escopo da palestra.

Poucos anos antes eu havia comprado um par de livros sobre a história do controle, que ainda não havia lido. Lembrei-me desses livros e, possivelmente influenciado de maneira inconsciente por Christophe Letellier – pois um de seus interesses de pesquisa é a história da ciência –, decidi falar das origens do controle automático. Em menos de um mês li os dois livros e preparei a palestra. O gosto pelo assunto foi tão intenso e gratificante que, mesmo sem a necessidade de proferir alguma palestra, desde então continuo a leitura de aspectos históricos de uma das áreas mais fascinantes em ciência e tecnologia: o controle automático. O gosto pelo controle automático, lembro-me muito bem, iniciou em 1986, quando cursei a disciplina Controle de Sistemas Lineares, ministrada de forma envolvente e cativante pelo Prof. Ronaldo Tadêu Pena. A minha história pessoal com os sistemas realimentados começou naquela ocasião.

No segundo semestre de 2007 o Departamento de Engenharia Eletrônica da UFMG ofereceu uma disciplina, em caráter provisório, que foi chamada "Problemas em controle: uma perspectiva histórica". A receptividade da disciplina por parte dos alunos foi boa, o que serviu de maior incentivo para dedicar-me a esse assunto. Uma das dificuldades mais concretas na ministração dessa disciplina não foi a escassez de material – ao contrário, há muito nessa área –, mas o fato de a informação estar espalhada nas mais diversas formas. Para fins de organização pessoal, e para não esquecer de tantos interessantes detalhes e anedotas históricas relacionados ao tema, decidi organizar por escrito o material garimpado. Foi assim que nasceu este livro.

## Engenheiros devem estudar história?

Por que estudantes de engenharia devem estudar a história pertinente? As razões e justificativas são diversas. Para muitos, inclusive para mim, o fato de ser simplesmente interessante e fascinante já seria suficiente. Contudo há outras razões, conforme apontado por especialistas. Reproduzo a seguir algumas de suas razões.

> "A História nos ajuda não apenas a entender, mas também a modificar o mundo em que vivemos. Ela ilustra as aspirações humanas e o incrível progresso alcançado graças à imaginação do homem. A História delimita nosso lugar na linha do tempo. Ao entender a História, podemos aprender com as falhas e os sucessos do passado, podemos reutilizar o conhecimento previamente criado e, além disso, aprender as – intencionais e não intencionais – consequências socioeconômicas da tecnologia."[1]

> "(...) o profundo conhecimento de precedentes históricos pode subsidiar tanto a intuição quanto uma decisão consciente (...)"[2]

Em seu artigo, Adrain Jarvis questiona se o mercado de trabalho deseja um profissional com uma "formação redonda, versátil e capaz de se assumir liderança em dez anos" ou se prefere um profissional "barato, operador e contratável por períodos curtos" (Jarvis, 2001, p. 97). Possivelmente, boa parte do mercado prefere a segunda descrição à primeira. Jarvis oferece essa constatação como uma explicação para a falta de disciplinas de história da ciência e história da tecnologia nos atuais currículos de engenharia. Felizmente, diversas universidades no Brasil, apesar de conhecer e procurar atender demandas do mercado, entendem que seria inadequado – e um desserviço a seus alunos e à sociedade em geral – deixarem o mercado de trabalho ditar temas e abordagens a serem seguidos na educação de pessoas formadas para exercerem liderança. Portanto foi um gratificante desafio preparar o presente livro, o qual dedico aos alunos e professores da área de controle automático.

---

[1]Citado de (Condoor, 2004, p. T2G-7).

[2]Citado de (Jarvis, 2001, p. 97).

# Organização do livro

O objetivo das citações feitas anteriormente não é discutir nem polemizar sobre a questionável *necessidade* do ensino da história da tecnologia aos alunos de engenharia, assumindo que, no mínimo, é *pertinente*. Mesmo que concluísse que tal ensino é necessário, por não ser um historiador, não me sinto habilitado a "ensinar história". Tendo dito isso, as seguintes palavras merecem destaque:

> "Cada pesquisador é um historiador. Você não pode abordar um problema sem ter alguma ideia do que ocorreu anteriormente. O objetivo da pesquisa é construir, tendo por base resultados anteriores bem-sucedidos, substituindo alguns e fortalecendo outros. Assim, um pesquisador deve entender e reconhecer a história da sua área de estudo, história essa que inclui sucessos e falhas. Todos estamos comprometidos com a história da nossa área de pesquisa, uma vez que todos estamos criando tal história."[3]

O presente livro apresenta uma solução de compromisso, que é o estudo de problemas técnicos utilizando conceitos e linguagem técnicos, mas sob uma perspectiva histórica. Sendo assim, este livro pode ser utilizado como livro-texto em uma disciplina sobre a história da tecnologia, na área de sistemas realimentados, e também pode ser útil como leitura complementar para alunos cursando disciplinas de controle, especialmente o assim chamado "controle clássico". Contudo, seria recompensador saber que este livro é lido como uma atividade de lazer, quiçá durante aqueles raros momentos em que o estudante de engenharia se concede a oportunidade de ler algo pela pura satisfação da leitura. Para permitir isso, o livro não se detém em aspectos técnicos. Nas instâncias em que foram incluídos, por serem de interesse ao desenvolvimento da área, tais aspectos podem ser pulados sem comprometer a leitura.

Mesmo uma investigação superficial sobre a história do controle automático revelará que a Segunda Guerra Mundial foi um divisor de águas. Muito do conhecimento atual nessa área teve início ou foi fortemente influenciado por esse evento na primeira metade do século XX. No contexto da história do desenvolvimento da área de controle, o período de 1790 a 1940 foi chamado do "período do inventor" (Bennett, 1979, p. 3). De maneira geral, a Segunda Guerra Mundial foi usada para delimitar o escopo do presente volume. Com a exceção de um par de assuntos, todos os demais temas abordados originaram-se antes e durante a referida guerra.

---

[3]Citado de (Bernstein and Bushnell, 2002).

Na abordagem dos temas escolhidos, a ênfase recairá sobre os problemas que originalmente serviram de motivação para o desenvolvimento de técnicas e ferramentas usadas na área de controle automático. Especial atenção é dada aos personagens que foram chave para tais desenvolvimentos. Se, por um lado, existem diversos volumes que compilam as biografias de matemáticos e cientistas que marcaram a história da ciência, por outro não parece haver o equivalente para aqueles que fizeram história na área de controle. O presente volume procura, ainda que de maneira modesta, sanar parcialmente essa deficiência. Assim, o livro inclui diversas notas biográficas de personagens na história do controle.

Os principais pontos e fatos históricos são descritos no corpo dos capítulos. Em notas de rodapé o leitor encontrará diversas notas com detalhes sobre a origem do material citado, detalhes mais técnicos, notas biográficas, anedotas e curiosidades. Na era do hipertexto, ter que pular algumas linhas para ler uma nota parece tornar-se cada vez mais antiquado e tedioso. Contudo, o presente livro reserva algumas "pérolas" em tais notas para recompensar os leitores que, vencendo a amolação de ter que pular algumas linhas, as lerem junto com o texto.

As fontes do material consultado são citadas. Livros e artigos consultados são citados ao longo do texto. Praticamente a totalidade do material consultado encontra-se em inglês. Como será observado ao longo do livro, até a Segunda Guerra Mundial, havia importantes desenvolvimentos na área de controle em países cuja língua oficial não é o inglês. Em particular a Alemanha e a Rússia foram berços de vários trabalhos e de gerações de pesquisadores de controle. Mesmo existindo alguns livros que foram traduzidos para o inglês, é praticamente inevitável que a versão da história do controle que se tem em mãos seja tendenciosa. Felizmente, graças ao acesso a livros traduzidos e à disponibilidade de artigos de historiadores da área de controle que investigaram desenvolvimentos realizados fora do Reino Unido e Estados Unidos, é possível ter uma visão mais equilibrada da história do controle automático. O volume de informação sobre esse tema atualmente disponível na Internet é surpreendente e, em particular, a Wikipedia[4] merece especial menção. Muitas das imagens, especialmente fotos, utilizadas neste livro foram obtidas dessa fonte e utilizadas sempre que estivesse indicado que tais imagens estavam em domínio público. Registro aqui minha sincera gratidão à incontável hoste de pessoas que contribuíram na formação desse acervo. Agradeço também ao Prof. José Roberto Castilho Piqueira pelo companheirismo e apoio ao longo de muitos anos e por ter prontamente aceitado escrever a apresentação deste livro.

---

[4]http://www.wikipedia.org/. Ao longo do texto as referências à Wikipedia serão feitas da seguinte forma: (Wikipedia, ano), indicando o ano do acesso.

Minha lista de agradecimentos nunca será completa, mas desejo mencionar em particular minha querida esposa Janete, que tem feito parte de minha história por mais de trinta e cinco anos, e nossas preciosas filhas Priscila, Nerissa e Pauline. E ainda aqueles que deram início à minha história, meus amados pais: Antonio e Amparo.

Luis Antonio Aguirre
Belo Horizonte, janeiro de 2019

# Créditos

Um grande número de ilustrações deste livro foi obtido de páginas de Internet ou de documentos publicados. As fontes são referenciadas na legenda das figuras ou no texto quando elas são chamadas. A maioria das imagens está em domínio público, conforme pode ser constatado nas próprias páginas da Internet. Quando esse não foi o caso, permissão para uso da figura foi solicitada.

Agradeço a paciente companhia de minha esposa Janete por me acompanhar em "andanças à caça de moinhos", alguns dos quais estão ilustrados no Capítulo 2. O pêndulo centrífugo mostrado na Figura 2.11 foi construído no Centro de Pesquisas Hidráulicas da Universidade Federal de Minas Gerais por Luciano Barros de Oliveira, orientando do Prof. Danilo Amaral. A montagem me foi apresentada pelo Prof. Carlos Barreira Martinez, a quem agradeço a gentileza.

Agradeço à Dover Publications pela permissão para reproduzir a Figura 7.3, que mostra o frontispício do livro (MacColl, 1945), e as figuras 7.7 e 7.8 publicadas em (Black, 1999).

A reprodução da Figura 8.4, Figura 8.7 e Figura 8.8 é feita com a devida autorização do *MIT Museum* mediante acordo de reprodução dessas imagens.

Recebi de Gregory Walter Evans o retrato de seu pai e a permissão para reproduzi-la nesta obra na Figura 8.10, foto essa que está sendo publicada agora, pela primeira vez. Não apenas sou grato por essa gentileza, como também pelo envio de notas biográficas de seu pai que ele mesmo escreveu visando a uma publicação que ainda não ocorreu.

Agradeço à Nokia Corporation por ter autorizado a reprodução das Figura 7.2, Figura 7.9, Figura 9.6 e Figura 9.7. As últimas três foram originalmente publicadas em (Bode, 1940).

A despeito de esforços e muitas correspondências, o autor não conseguiu descobrir se algumas figuras têm direitos autorais e, em caso afirmativo, quem são os detentores de tais direitos. Elas são aqui reproduzidas de boa-fé, sempre indicando a fonte. O autor ficará agradecido por quaisquer informações sobre possíveis detentores dos direitos, no caso de as imagens não estarem em domínio público.

# Capítulo 1

# Realimentação

"Esse controle de uma máquina — usando o desempenho atingido, em vez do desempenho esperado — é conhecido como *realimentação* e envolve sensores (...), que são elementos que indicam o desempenho. A função desses mecanismos é controlar a natural tendência à desorganização, em outras palavras, é produzir uma reversão localizada e temporária da direção normal da entropia.

"Essa função (...) é chamada *realimentação*, que é a propriedade de ser capaz de ajustar o comportamento futuro baseado no desempenho passado.

"Repito, *realimentação* é um método de se controlar um sistema que insere novamente, nesse mesmo sistema, os resultados de seu desempenho passado."[1]

Norbert Wiener, 1954[2]

---

[1]Citado de (Wiener, 1954, pp. 24, 33, 61).

[2] Norbert Wiener (1894–1964) foi um matemático que teve importantes contribuições em diversas áreas da teoria de sinais e do controle. Wiener é considerado um dos maiores matemáticos nascidos nos Estados Unidos (Daintith, 2009) e o pai da cibernética, assunto abordado de forma filosófica e do ponto de vista social no livro de onde foram retiradas as citações que abrem este capítulo. Foi considerado uma criança prodígio, tendo se formado em matemática pela Universidade de Tufts com apenas 14 anos de idade e obtido seu título de doutor em matemática aos 18. Algumas de suas principais contribuições para a área de controle incluem o uso de funções de correlação na análise de sinais com ruído. Como resultado disso, Wiener teve um importante papel em processos estocásticos, análise espectral generalizada, e é conhecido também pelo filtro que leva seu nome. Conhecido também por haver formulado a teoria do movimento Browniano (1920), análise harmônica, fluxo de informação (1925), comunicações e controle em sistemas mecânicos e biológicos. Durante a Segunda Guerra Mundial trabalhou com o projeto de sistemas de radar. Ocupou posições nas Universidades de Harvard e Maine, bem como no MIT (Hall, 2008), em que ingressou em 1919 (Gleick, 2011, p. 236).

"Realimentação: é o princípio fundamental que está subjacente a todos os sistemas autorregulados, não apenas máquinas, mas também os processos de vida."[3]

Arnold Tustin, 1952[4]

Quando fazemos algum exercício físico percebemos um aumento nas frequências cardíaca e respiratória, ou seja, o coração bate mais depressa e ficamos ofegantes. Qual é a causa desse aumento e qual é seu objetivo? Ao aumentarmos a atividade física, o consumo de oxigênio aumenta e, portanto, a disponibilidade de oxigênio no sangue diminui. Ao respirar de maneira mais intensa e frequente, a troca de gases nos pulmões se intensifica. Com o aumento da frequência cardíaca ocorre também o aumento da circulação sanguínea e a melhor distribuição do oxigênio adicional. Em outras palavras, o aumento das frequências cardíaca e respiratória tem efeito *regulatório* pois atua no sentido de corrigir a redução de oxigênio disponível.

Esse mecanismo envolve *realimentação*, que permeia praticamente todos os aspectos da vida, e não apenas sistemas tecnológicos. Apesar de serem utilizados há séculos em sistemas construídos pelo homem, a compreensão de alguns aspectos fundamentais de sistemas realimentados começou a se concretizar somente na segunda metade do século XIX.[5]

Antes de considerar em maior detalhe o conceito de realimentação e como foi sendo utilizado ao longo dos séculos, mencionaremos, a título de curiosidade, um conhecido mecanismo automático para abertura das portas de um templo, ilustrado na Figura 1.1. Tal invenção é atribuída a Heron,[6] que será mencionado novamente na Seção 1.4.2. Para abrir as portas do templo era necessário acender o fogo sobre o "altar" A. À medida que o ar no compartimento A aquecia e se

---

[3]Tustin, A., Feedback, *Scientific American*, **9**:58–55, Sept. 1952.

[4]Arnold Tustin (1899–1994) foi um influente professor britânico de Engenharia Elétrica na Universidade de Birmingham. É conhecido por suas importantes contribuições para a área de teoria de controle e sua aplicação em máquinas elétricas (Wellstead, 2010). Ele participou na aplicação de métodos de controle avançado em sistemas de transporte, especialmente no sistema de metrô da cidade de Londres (Editorial Board of Scientific American, 1955, p. 1).

[5]Bennet vai mais longe e afirma que, "em geral, considerava-se que a realimentação era uma das descobertas realizadas no século XX" (Bennett, 2002, p. 29).

[6]Heron de Alexandria (c. 20–c. 70) foi um engenheiro, cientista, matemático e inventor grego. Fez importantes contribuições nas áreas de geometria, mecânica, máquinas (alavancas, polias, rodas, planos inclinados, rodas denteadas, máquinas a combustão), turbinas a vapor, técnicas de medida (Hall, 2008). Escreveu diversos livros, dentre eles *Metrica*, *Pneumatica* e *Mechanica* (Daintith, 2009).

expandia, a água do recipiente B era "empurrada" para o balde C. Depois de transferir uma certa quantidade de água para o balde C, este ficava mais pesado que o contrapeso E e, pela ação das polias e dos eixos D e D', as portas se abriam. Uma vez consumido o "sacrifício sobre o altar", o fogo, aos poucos, se extinguia. Com a contração do ar no recipiente A, que voltava a esfriar, o efeito oposto era verificado. Apesar de *automático*, o procedimento de abertura de portas atribuído a Heron não usava realimentação, que requer o uso de informação para definir a ação. Basta notar que em nenhum momento a posição das portas era informada ao sistema que as movimentava.

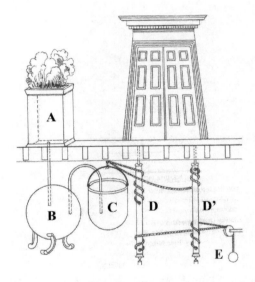

**Figura 1.1.** Sistema automático de abertura de portas de um templo atribuído a Heron. Figura adaptada de (Woodcroft and Greenwood, 1851), (Wikimedia, 2018).

Um outro interessante exemplo de um sistema que operava sem realimentação será discutido na Seção 1.4.1. Contudo, o assunto central deste livro é o de sistemas com realimentação, conceito esse abordado a seguir.

## 1.1 Realimentação

Ao considerar o tema de realimentação, é necessário enfrentar uma dificuldade com a nomenclatura, o que não é incomum na literatura técnica. O conceito ao qual se refere o presente capítulo é o de *feedback*, que, em inglês, tem o sentido de "alimentar de volta" ou "alimentar para trás". O termo em português "realimentação", por sua vez, transmite o sentido de "alimentar novamente", o que claramente não descreve a ideia subjacente ao termo *feedback*. Em português, os termos "retroalimentação" e "retroação" procuram aproximar-se da terminologia em inglês, mas o fazem com alguma dificuldade. Em situações como essas, o melhor parece ser utilizar o termo mais comumente empregado pelas pessoas da área, e assegurar-se de que o conceito referido seja o mesmo.

No Brasil, o termo *realimentação* é o mais utilizado, sendo que *retroalimentação* é preferido em Portugal, assim como *controlo* é preferido a *controle*, sendo este o termo utilizado no Brasil. Ao longo deste livro será utilizado o termo *realimentação* para referir-se ao que, em inglês, se designa pela palavra *feedback*.

Mas, enfim, o que é realimentação? Considere um sistema com uma entrada (uma causa, uma "alimentação") e uma saída (um efeito). Realimentação implica utilizar informação da saída para influenciar a entrada. Esse *retorno* de informação da saída para a entrada (Figura 1.2) — para a *alimentação* — é o que se deseja expressar com os termos realimentação ou retroalimentação. Nas palavras de Arnold Tustin:

> "As duas grandezas são interdependentes. Ambas são causa, e ambas são efeito, uma da outra. Em tais casos temos uma cadeia ou uma sequência fechada— o que os engenheiros chamam de 'malha fechada'.
>
> "A distinção é muito subjetiva. 'Causa' é o que, concebivelmente, pode-se manipular. 'Efeito' é o que, concebivelmente, pode-se almejar."[7]

Na Figura 1.2, o ramo de realimentação é aquele indicado pela seta que flui da direita para a esquerda, na parte inferior do diagrama de blocos. No caso particular ilustrado nessa figura, esse ramo de realimentação é unitário e, portanto, o sinal realimentado é a própria saída.

**Figura 1.2.** Diagrama de blocos de um sistema realimentado geral.

---

[7]Citado de (Tustin, 1955, pp. 11, 23).

# Realimentação

No caso de um sistema sem realimentação, é natural considerar o sinal de entrada como *causa* e o sinal de saída como *consequência*. Contudo, para o caso de um sistema com realimentação percebe-se que essa interpretação é mais difícil de ser aplicada, pois a própria saída é parte da causa (Figura 1.2). Um resultado prático dessa característica é que o desempenho de sistemas com realimentação deve ser analisado para o sistema como um todo, o qual é referido como o "sistema em malha fechada". Essa necessidade motivou o desenvolvimento de algumas das técnicas a serem abordadas no presente volume.

Em seu livro "As origens do controle realimentado" (*The Origins of Feedback Control*), Otto Mayr apresenta um cuidadoso levantamento dos primeiros sistemas realimentados dos quais se tem alguma documentação. A fim de levar a cabo esse estudo, foi preciso definir o que seria considerado um sistema realimentado. A definição de trabalho utilizada por Mayr consiste de três critérios (Mayr, 1970):[8]

1. o propósito de um sistema de controle realimentado é executar comandos; o sistema mantém a variável controlada igual ao sinal de referência, a despeito de distúrbios externos;

2. o sistema opera como um laço fechado (ou malha fechada) com realimentação negativa;

3. o sistema inclui um elemento sensor e um elemento comparador. Ao menos um deles deve constituir um elemento físico separado.

## 1.1.1 Otto Mayr

O engenheiro mecânico (1956) alemão Otto Mayr é um dos pioneiros no estudo da história do controle automático. Após quase dez anos de experiência como engenheiro mecânico, instrutor e professor nos Estados Unidos,[9] Mayr voltou à Alemanha, onde conseguira uma posição no Museu Deutsches, como assistente de pesquisa. Foi então que começou a investigar as origens de mecanismos com realimentação. Em 1968 foi-lhe concedido o título de doutor pela Universidade Técnica de Munique por esse trabalho sobre a história do controle. Publicou seu primeiro livro – baseado em sua tese de doutorado – em alemão em 1969 e a versão em inglês foi publicada um ano depois. Aposentou-se em 1992, depois de haver

---

[8]Sobre seu próprio livro, Otto Mayr escreveu: "Hoje, mais de 30 anos depois, percebo que é um livro simplório e ingênuo. Dificilmente pode ser chamado de uma história. Mas o livro fez a sua parte: respondeu algumas perguntas, convidou outros a entrarem nessa área e foi meu ponto de partida como historiador de tecnologia" (Mayr, 2002, p. 90).

[9]Mayr chegou aos Estados Unidos em 1956 aos 25 anos de idade (Mayr, 2002, p. 88).

trabalhado em museus nos Estados Unidos e na Alemanha. Recebeu o Prêmio Abbot Pauyson Usher, pelo artigo intitulado *Yankee practice and engineering theory: Charles T. Porter and the dynamics of the high speed steem engine*, bem como a Medalha Leonardo da Vinci, que é a mais elevada honraria concedida pela *Society for the History of Technology*. Ao longo da carreira, Mayr publicou vários livros e artigos. Alguns deles foram listados e comentados em (Bennett, 2002).

Encerraremos esta curta nota biográfica de Otto Mayr com duas citações. Na primeira ele conta como tomou conhecimento da palavra *feedback* e, na segunda, Mayr descreve como decidiu tornar-se um historiador da área de tecnologia.

> "Devo ter ouvido a palavra *realimentação* muitas vezes antes de perguntar a meu tio[10] o que significava. Suas explicações eram abstratas e generalistas, possivelmente inspiradas por Norbert Wiener. Depois de algum tempo exclamei: 'você quer dizer que realimentação funciona como o dispositivo governador de uma máquina a vapor?' Eu sabia, claro, o que era um governador, bem como um termostato ou um regulador de nível baseado em boia, mas nunca havia considerado que todos eles compartilhavam o mesmo princípio de operação."[11]

> "Um dia em 1964 vi um artigo publicado por Lynn White no *Journal of Engineering Education*. O autor era um conhecido historiador da Universidade da Califórnia em Los Angeles que acabara de publicar um livro sensacional: *Medieval technology and social change*. O artigo apontava a falta de historiadores de tecnologia e sugeria que havia oportunidades de emprego para pessoas interessadas nessa área com formação em engenharia. A queixa de White era que muitos historiadores eram tecnologicamente analfabetos e que muito da história havia sido escrita sem levar em conta as contribuições da tecnologia. Imediatamente escrevi para White perguntando-lhe como alguém poderia se tornar um historiador na área de tecnologia."[12]

## 1.2   Dois tipos de realimentação

No segundo critério utilizado por Mayr encontramos a expressão *realimentação negativa*. Na maioria das vezes em que se usa o termo *realimentação*, deseja-se

---

[10]Mayr passou a morar com seu tio em Cambridge, Massachussets, quando chegou aos Estados Unidos, para estudar inglês (Mayr, 2002).

[11]Citado de (Mayr, 2002, p. 88).

[12]Citado de (Mayr, 2002, p. 89).

fazer referência à realimentação *negativa*. Contudo, o fato de a realimentação ser negativa *não* está implícito no termo *realimentação*, que tanto pode ser positiva como negativa. Por essa razão é importante procurar, sempre que possível e necessário, qualificar o tipo de realimentação em questão. Em termos práticos, os efeitos das realimentações negativa e positiva são radicalmente distintos.

Com referência à Figura 1.2, o que determina se a realimentação é positiva ou negativa é a maneira com que o sinal realimentado é utilizado na lei que determina a entrada, a lei de controle. Nesta discussão inicial, a realimentação será considerada *negativa* se um aumento (diminuição) no sinal realimentado (que, no caso da Figura 1.2, é o próprio sinal de saída) resultar em uma variação do sinal de entrada tal que o sinal realimentado diminua (aumente), ou seja, há uma ação *regulatória*. Respectivamente, se o aumento do sinal realimentado resultar em uma mudança do sinal de entrada tal que o sinal de saída aumenta ainda mais, então a realimentação é dita *positiva*. Pela descrição anterior percebe-se que na realimentação positiva *não há* ação regulatória.

No exemplo dado na abertura deste capítulo, a *diminuição* de oxigênio disponível no sangue resulta no aumento das frequências cardíaca e respiratória, que, por sua vez, provoca o *aumento* de oxigênio no sangue. Portanto esse é um exemplo de realimentação negativa.

Com essas definições em mente, não é difícil observar que a realimentação negativa tem um potencial regulador, não necessariamente aproveitado. Por outro lado, a realimentação positiva tem um potencial desestabilizador. Como no primeiro critério utilizado por Mayr o objetivo é o de controle (regulação), não é de surpreender que, no critério 2, a realimentação considerada seja a negativa.

## 1.3 Primeiras menções de realimentação

Segundo o historiador da área de controle Stuart Bennett, a palavra *feedback* foi originalmente utilizada em 1920 no *Oxford English Dictionary* na seguinte frase: "Uma realimentação indutiva em relação ao sistema secundário provoca oscilações locais" (Bennett, 1979). O contexto dessa declaração não deixa dúvida de que se trata de realimentação positiva.

Apesar de o termo *feedback* ter sido utilizado apenas a partir do início do século 20, anteriormente utilizavam-se outros termos para referir-se ao mesmo conceito; nos Estados Unidos utilizava-se o termo "ciclo fechado" (*closed-cycle*) e, no Reino Unido, utilizava-se o termo *reset*. Logo após o aparecimento do termo *feedback*, em 1920, os engenheiros de telecomunicações da Bell Telephone

Laboratories passaram a adotá-lo, o que garantiu a consolidação do seu uso nas comunidades técnico-científicas (Bennett, 1979).

Será interessante buscar as origens do conceito de realimentação, sem a preocupação da terminologia utilizada para descrevê-la, uma vez que, na ciência, a regra é utilizar conceitos antes de formalizá-los e rotulá-los, à semelhança de uma criança que aprende a usar sua mão muito antes de saber que tal membro do corpo chama-se mão.

Um dos primeiros registros do conceito de realimentação parece encontrar-se nos escritos de Aristóteles[13] (Figura 1.3), que entendia que o fundamento de um estado estável era o equilíbrio. Segundo ele, a constituição deveria garantir o equilíbrio de forças entre a aristocracia e a democracia. Outros detalhes sobre as origens mais remotas do conceito de realimentação podem ser encontradas em (Bennett, 1979), e uma lista de quase duzentas referências, em (Bissell, 1991).

Avançando diversos séculos na história, voltamos a encontrar o conceito de realimentação (mais especificamente, o de regulação) claramente mencionado nos escritos sobre política econômica do filósofo escocês David Hume[14] (Figura 1.3):

> "Imagine que quatro quintos de todo o dinheiro da Grã Bretanha sejam aniquilados em uma noite (...) qual seria a consequência? O preço de bens e serviços necessariamente deveria reduzir na mesma proporção (...) Que nação poderia disputar conosco em qualquer mercado internacional (...) vendendo seus produtos ao mesmo preço? Esse cenário seria para nós muito lucrativo. Assim, em pouco tempo, o dinheiro perdido seria trazido de volta. À medida que isso acontecesse, os preços se elevariam gradualmente até atingir os mesmos níveis dos países vizinhos. Chegando a esse patamar de preços, perderíamos as vantagens associadas aos bens e serviços baratos, e, devido à nossa nova condição de abastança, cessaria o fluxo de dinheiro.

---

[13]Aristóteles de Stagira (384–322 a.C.) foi um filósofo e cientista grego. Estudou assuntos como o arco-íris, reflexão da luz sobre a água, espectro de cores, leis do movimento e mecânica. Escreveu o primeiro tratado de engenharia conhecido (Hall, 2008). Dedicou-se também ao estudo de biologia, tendo escrito as obras *De Partibus Animalium* e *De Generatione Animalium* em que mencionou nada menos que 500 espécies de animais (Daintith, 2009).

[14]David Hume (1711–1776) nasceu em Edimburgo, onde também estudou. Imaginava estudar Direito, mas dedicou-se à sua paixão: a filosofia. Trabalhou como bibliotecário para Faculdade de Direito de Edimburgo, e durante esse período escreveu a obra *A História da Inglaterra* em 6 volumes. A sua obra mais famosa, publicada em 1738, é *A Treatise of Human Nature* tendo proposto diversos conceitos como o empiricismo e a indução (Daintith, 2009).

Supondo que todo o dinheiro da Grã Bretanha fosse multiplicado por cinco em uma noite, por ventura não seria observado o efeito contrário? (...)"[15]

Um século depois, o fisiologista francês Claude Bernard[16] (Figura 1.3) descreveu diversos mecanismos fisiológicos em que se constata a realimentação negativa. Em 1932, o fisiologista americano Walter B. Cannon[17] publicou um livro "A Sabedoria do Corpo" (*The Wisdom of the Body*) no qual estudou sistematicamente os diversos mecanismos de controle no corpo. Ele propôs e desenvolveu o conceito de *homeostase*, que é a propriedade de um organismo regular seu interior, a fim de manter uma condição estável e balanceada.

**Figura 1.3.** Da esquerda para a direita: Aristóteles (384–322 a.C.), David Hume (1711–1776) e Claude Bernard (1813–1878), (Wikipedia, 2012; Wikepedia.pt, 2012).

Os exemplos citados nesta seção nasceram em áreas outras que não a área de ciências exatas e engenharias. Assim, não é de admirar que, apesar de o conceito de realimentação ser bastante antigo, o desenvolvimento sistemático de

---

[15]Hume, D., *Essays, Moral, Political, and Literary*, Part II, Essay V: *Of the Balance of Trade*, Indianapolis, IN: Liberty Fund, Inc., ed. Eugene F. Miller, 1987. Disponível em: http://www.econlib.org/library/LFBooks /Hume/hmMPL28.html; acesso em: 26 jul. 2007; Internet. Nesse documento encontra-se a seguinte frase: "Nossa inveja e ódio da França são ilimitados".

[16]Claude Bernard (1813–1878) estudou medicina e desenvolveu pesquisa nessa área no Collège de France. Em 1865 escreveu seu famoso trabalho intitulado *Introduction à la Médicine Expérimentale*, que foi uma das razões por ter sido eleito membro da Academia de Ciências da França em 1869 (Daintith, 2009).

[17]Walter Bradford Cannon (1871–1945) graduou-se na Universidade de Harvard em 1896, onde foi professor de fisiologia de 1906 a 1942. Seu assunto principal de pesquisa foi o estudo de como o sistema nervoso regula diversas funções do corpo por meio da manipulação de hormônios (Daintith, 2009).

sistemas realimentados é muito mais recente, pois para isso foi necessário esperar que se encontrassem maneiras de descrever tais sistemas de forma precisa. Um dos primeiros trabalhos a abordar e analisar de forma matemática um sistema realimentado foi o artigo do conhecido físico e matemático escocês James Clerk Maxwell[18] intitulado *On Governors* (Maxwell, 1868). Esse e outros trabalhos contemporâneos serão investigados com um pouco mais de detalhe no Capítulo 3.

## 1.4 Alguns dos primeiros sistemas realimentados

Na seção anterior foram mencionados exemplos que ilustram o fato de que o conceito de realimentação já era conhecido, ainda que não muito bem compreendido, muitos séculos atrás. Nesta seção, contudo, seguindo o cuidadoso estudo de Otto Mayr (1970), serão mencionados os primeiros sistemas construídos, ou seja, os primeiros mecanismos que usavam realimentação e que se encontram descritos na literatura.

### 1.4.1 Tesíbios

Um dos problemas que ocupava a atenção dos cientistas e engenheiros há mais de dois milênios era o da medição do tempo. Algumas das primeiras alternativas que não dependiam do sol foram os relógios de água. A ideia fundamental era despejar água com fluxo constante em um recipiente onde se encontrava uma boia. Sobre essa boia era montado algum dispositivo para indicação do movimento vertical sobre uma escala "calibrada", a partir da qual era possível ler o tempo.

Para se ter o bom funcionamento de tal dispositivo era necessário garantir um fluxo de água constante. Sendo assim, pode-se dizer que um dos primeiros problemas de controle descritos na literatura é o de controle de fluxo de água. Como frequentemente acontece, o controle da grandeza em questão não era um fim em si mesmo, mas constituía-se em uma etapa fundamental na resolução de um outro problema mais abrangente, a medição do tempo.

O relato de um sistema com essas características é atribuído a Tesíbios[19] (Figura 1.4), que viveu em Alexandria possivelmente na primeira metade do terceiro século a.C. Tesíbios é considerado um dos três nomes com os quais culminou a

---

[18]Ver Nota 2 do Capítulo 3 para uma breve nota biográfica de James Clerk Maxwell (1831–1879). Seu retrato é mostrado na Figura 3.3.

[19]Tesíbios (285–247 a.C.) foi um físico e inventor grego, que investigou sistemas como: a bomba, órgão a água, órgão de tubos, teclado musical, molas metálicas, relógios a água (Hall, 2008). Outras grafias de seu nome são Ctesibius e Ktesibios.

tecnologia antiga, durante o período helenístico (Mayr, 1970). Alguns de seus contemporâneos o equipararam a Arquimedes.

Entre as muitas invenções atribuídas a Tesíbios, consta a do relógio de água, que incluía um sistema com realimentação negativa para o controle do fluxo de água. Esse tipo de relógio, chamado às vezes de *clepsidra*, foi o mais preciso da época, até ser suplantado pelo relógio de pêndulo inventado nos dias do físico holandês Christian Huygens (1629–1695). Mais detalhes sobre o contexto da invenção do relógio a pêndulo serão fornecidos na Seção 1.5.

Antes de prosseguir com parte do legado de Tesíbios, deseja-se mencionar uma interessante citação sobre relógios d'água, que serve de preparação para a descrição do sistema de Tesíbios, ilustrado na Figura 1.5:

> "Um antigo uso de realimentação para regular relógios d'água foi atribuído a James Watt, que aparentemente utilizou uma bomba d'água para manter constante o nível de um reservatório de onde fluía a água [para um outro reservatório]. A vazão de água deveria ser constante a fim de que o nível em um outro reservatório, o que recebe água, indique o tempo corretamente. Há muitos anos, em Cantão, na China, uma cascata de reservatórios foi usada para manter a vazão de água praticamente constante por um curto período de tempo. Esse relógio era conhecido como 'Hon-woo-et-low' (jarras de cobre que gotejam água). James Arthur viu esse relógio em 1897 e foi-lhe dito que tinha 3000 anos de existência, sendo conhecido como o relógio da rua do arco."[20]

**Figura 1.4.** À esquerda encontra-se uma gravura de Tesíbios (c. século III a.C.), à direita, uma de Vitruvius (c. século I a.C.) pintada por Vincenzo Raggio (Wikimedia, 2009, 2018).

---

[20]Citado de (Bateman, 1945, p. 622).

A documentação deixada por Tesíbios não sobreviveu, mas, sim, a de um de seus leitores, o engenheiro e arquiteto Marcus Vitruvius Pollio[21] (Figura 1.4), que descreveu o que se conhece das invenções de Tesíbios.

A Figura 1.5 mostra um esquema do relógio de Tesíbios, conforme reconstrução do historiador Hermann Diels.

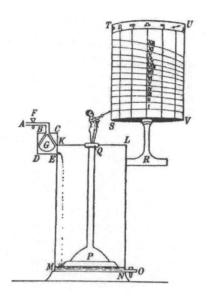

**Figura 1.5.** Relógio de água inventado por Tesíbios, conforme reconstrução de Hermann Diels. Figura adaptada de (Mayr, 1970).

A parte que corresponde ao sistema realimentado é composta pelo duto de suprimento de água A, pelo vaso de regulação BCDE e pela boia G. Se a água fosse despejada diretamente no recipiente principal do relógio, no qual está a boia P, a vazão dependeria diretamente da pressão em A. Se a água viesse de algum outro recipiente maior, à medida que o nível desse recipiente mudasse, mudaria também a pressão em A e, portanto, a vazão. Para entender os mecanismos básicos da regulação nesse sistema, suponha que a vazão de água seja inicialmente ajustada para o valor desejado, utilizando-se o registro F. Tal vazão implicará uma certa quantidade de água no vaso de regulação BCDE e, portanto, uma certa posição da boia G. Se a vazão de água vinda de A aumentar, o nível de água em BCDE tenderá a aumentar, elevando a boia.

---

[21]Marcus Vitruvius Pollio, que viveu no primeiro século a.C., foi um arquiteto e engenheiro militar romano. Estudou materiais de construção, planejamento urbano, a construção de anfiteatros e arquitetura clássica. Inventou o hodômetro romano (Hall, 2008).

# Realimentação

Essa elevação, devido ao formato da boia, resultará em uma diminuição da vazão de água de entrada em BCDE. Se a vazão de água vinda de A diminuir, a boia G descerá, reduzindo a resistência hidráulica e, portanto, permitindo a regulação da vazão de água. Esse sistema conseguia garantir em BCDE um nível de água aproximadamente constante e, assim, garantia uma vazão de entrada no tanque do "relógio" aproximadamente fixa.

Fica como exercício para o leitor verificar que esse sistema atribuído a Tesíbios satisfaz os três critérios indicados no início do capítulo, sendo, por essa razão, considerado o inventor do primeiro dispositivo realimentado (Mayr, 1970).

## Uma interessante aplicação em malha aberta

Antes de passar a outros dois nomes de grande destaque da antiguidade no que se refere à tecnologia, é interessante mencionar uma aplicação do uso de relógios água, porém em *malha aberta*, ou seja, em um contexto em que não há realimentação.

O conceito de aceleração linear foi constatado por Galileu Galilei[22] em um experimento realizado em 1604, que os educadores de Física costumam chamar de Experimento Alfa (Crease, 2006).

De maneira a observar o processo de aceleração de um corpo "em câmera lenta", Galileu concebeu o experimento do plano inclinado para substituir uma alternativa (frustrada) anteriormente utilizada: observar a queda do corpo imerso em líquido translúcido. No experimento do plano inclinado, havia um pêndulo conectado a um sino mestre e diversos sinos móveis distribuídos ao longo de uma calha sobre a qual rolava um peso esférico. O experimentador deveria posicionar os sinos móveis de maneira que tocassem em sincronia com o sino mestre (acionado pelo pêndulo) à medida que o peso se deslocava do topo ao fundo do plano inclinado. Uma vez

---

[22]Galileu Galilei (1564–1642) foi um físico italiano, que também fez importantes contribuições para a matemática, astronomia e filosofia. Matriculou-se na Universidade de Pisa para estudar medicina, mas não conseguiu concluir o curso e acabou apaixonando-se pela matemática (Daintith, 2009). Seu nome está intimamente ligado a um suposto experimento realizado na Torre de Pisa, em que ele teria mostrado que dois corpos de massas diferentes levam o mesmo tempo para cair da mesma altura. Alguns autores consideram esse suposto experimento ser folclore (Daintith, 2009), sendo que o que foi realmente realizado foi o experimento com planos inclinados, brevemente descrito na Seção 1.4.1 (Crease, 2006). Galileu, investigou, em alguns casos pela primeira vez, diversos sistemas, entre eles o princípio do pêndulo (1581), o equilíbrio hidrostático (1586), uma máquina de irrigação (1594), um termômetro chamado de termoscopo (1607), relógios a pêndulo (1641), compasso proporcional (1606) e construiu um telescópio astronômico (1608) (Hall, 2008). Foi professor de matemática em Pisa de 1589 a 1591. Em 1592 assumiu essa cátedra na Universidade de Pádua (Daintith, 2009).

ajustados os sinos, era possível constatar que a distância percorrida pelo peso era proporcional ao quadrado do tempo gasto.

Um dos resultados dessa experiência de Galileu foi perceber que o tempo era uma variável independente e, portanto, deveria ser determinado.[23] Essa mudança demandou que Galileu medisse o tempo. Em seus escritos, o físico italiano descreveu que media o tempo utilizando um relógio de água e que conseguia atingir uma resolução de até um décimo de segundo. Esse dado impressionante foi contestado por vários historiadores da ciência, sendo que um deles chegou a dizer:

> "Uma bola rolando numa ranhura de madeira 'suave e polida'! Um vaso de água com um furinho através do qual o líquido escoa e é coletado num copinho para ser depois pesado, e assim medir o tempo de descida. (...) que acúmulo de fontes de equívocos e inexatidão! (...) É óbvio que os experimentos de Galileu são completamente destituídos de valor: a própria perfeição de seus resultados é a prova rigorosa de sua incorreção."[24]

Em reação a tal afirmativa, o estudante de história da ciência Thomas Settle decidiu fazer uma montagem do experimento, utilizando dispositivos e procedimentos disponíveis para Galileu e que não fossem melhores do que os que o italiano teria utilizado. O resultado foi publicado em 1961 na revista *Science*.[25] "Settle percebeu que poderia obter excelentes informações, de acordo com a lei de Galileu, e concluiu que o experimento fora 'perfeitamente factível para ele' [Galileu]. Mais ainda, descobriu que, com prática, o cronômetro feito com um vaso de flores poderia marcar com precisão o quase décimo de segundo obtido por Galileu" (Crease, 2006, p. 53).

A medida de tempo feita por Settle, e possivelmente pelo próprio Galileu, era relativamente precisa graças à curta duração do experimento. Nesse caso, a constante de tempo do sistema formado pelo vaso de flores cheio de água com um

---

[23]Até aquela época, em tais experimentos, media-se a velocidade de um objeto a partir do espaço por ele percorrido.

[24]Citado em (Crease, 2006) de Koyré, A., An experiment in measurement, *Proc. American Philosophical Society*, n. 97, 1953, 222–237. Não há dúvida de que a citação de Alexander Koyré está carregada de preconceito. Isso não é difícil de entender à luz da seguinte declaração feita sobre ele: "Koiré tinha uma visão platônica da ciência, de acordo com a qual esta procede por meio do raciocínio teórico, e o experimento era 'teoria encarnada'." (Crease, 2006, p. 52).

[25]Settle era aluno de pós-graduação da Universidade de Cornell nos Estados Unidos. Seu experimento foi publicado em Settle, T. B., An experiment in the history of science— With a simple but ingenious device Galileo could obtain relatively precise time measurements. *Science*, 133(344):19–23, 1961.

furo no fundo era suficientemente grande comparada à duração do experimento. Assim, o nível de água no vaso podia ser considerado constante — e, portanto, a vazão de saída também — durante o período em que a medição era feita. Caso o experimento fosse mais longo, seria necessário algum mecanismo para garantir que a vazão de água fosse regulada. Um tal mecanismo já havia sido concebido por Tesíbios (ver Figura 1.5).

### 1.4.2 Philon e Heron

Os outros dois nomes associados ao ápice da tecnologia antiga, junto com Tesíbios, são o de Philon,[26] que viveu uma geração após Tesíbios, e o de Heron (Figura 1.6a), que viveu no primeiro século desta era.

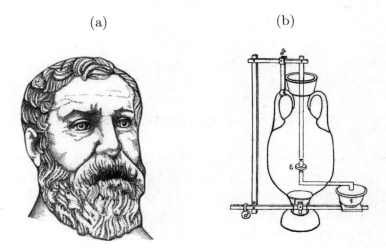

**Figura 1.6.** (a) Heron de Alexandria (Wikimedia, 2011); (b) máquina de servir vinho de peso controlado, inventada por Heron. A ação de controle é o movimento da haste vertical ($\pi$) e a variável controlada é o peso do copo de vinho ($g$). Figura (b) adaptada de (Mayr, 1970).

Nos escritos de Philon e Heron também encontram-se dispositivos que faziam uso de realimentação negativa. Em particular, Philon desenvolveu um sistema realimentado para regular o nível de óleo em uma lâmpada. Uma análise cuidadosa

---

[26]Philon (ou Philo), que fez importantes contribuições no período de 250–230 a.C., foi um engenheiro militar grego. Ficou conhecido por seu trabalho com catapultas, cuidadosos estudos sobre mecânica e o desenvolvimento de dispositivos pneumáticos (Hall, 2008).

desse dispositivo revela que se trata de um sistema de controle liga-desliga (Mayr, 1970, pp. 16–18).

Os trabalhos de Heron cobrem uma ampla gama de assuntos, como matemática, óptica e engenharia mecânica. Escreveu livros sobre mecânica, pneumática, máquinas de guerra e relógios de água. A descrição de dispositivos realimentados negativamente são encontrados na sua obra intitulada *Pneumatica*.

Um desses dispositivos é chamado "máquina de servir vinho de peso controlado", mostrada na Figura 1.6b. A variável controlada é o peso do "copo" de vinho $(g)$. A ação de controle é o movimento da haste vertical $(\pi)$ que termina com a tampa $(\varepsilon)$ do tubo por onde o vinho escoa para o copo. A referência é determinada pelo peso $(\delta)$ dependurado no lado esquerdo da haste horizontal sobre a qual se apoia o copo de vinho. Essa haste faz o papel do sensor de peso e do comparador com a referência. A comparação é feita pela subtração dos conjugados (torques) produzidos pelo copo e pelo peso-referência. O ganho da lei de controle é determinado pela posição do pivô $(\vartheta)$, localizado no topo da montagem. Possivelmente a invenção mais conhecida atribuída a Heron seja aquela ilustrada na Figura 1.1.

## 1.5   Uso de realimentação na medição do tempo

Na Seção 1.4 foi visto como a realimentação foi usada por Tesíbios em um relógio de água. Há muito que a medição do tempo é um desafio para a humanidade. Os primeiros "relógios", que utilizavam o sol e o movimento da terra para indicar o tempo surgiram no Egito por volta de 3000 a.C., tendo sido seguidos pelos de água, na Grécia, por volta de 400 a.C. (Harms et al., 2004). A procura por relógios cada vez mais precisos ainda não parou. A história dessa procura revela a engenhosidade de muitos e a utilidade de realimentação, ainda que não reconhecida por seus inventores.

Na história do desenvolvimento de relógios, uma importante marca foi a invenção de um dispositivo conhecido como *verge and foliot*. Esse dispositivo surgiu na segunda metade do século XIII, mas o seu inventor não é conhecido (Harms et al., 2004).

Se fosse possível manter constante a velocidade de uma roda denteada, seria possível também marcar o tempo por meio de um (ou mais) ponteiro ligado a essa roda, direta ou indiretamente. Apesar de conceitualmente simples, o problema à época era tecnologicamente difícil, pois não se conheciam formas eficazes de controle de velocidade angular. O *verge and foliot* foi concebido para conseguir manter a velocidade média de uma roda denteada aproximadamente constante.

# Realimentação

Para apreciar o funcionamento do *verge and foliot* seguiremos, de maneira bastante simplificada, o estudo quantitativo descrito em (Lepschy et al., 1992). Um interessante relato qualitativo do funcionamento e desenvolvimento dos primeiros relógios pode ser encontrado em (Headrick, 2002). Considere uma roda denteada, que chamaremos de coroa, acionada por um conjugado $T$. Fazendo algumas considerações e desprezando o atrito, a relação entre $T$ e a velocidade angular $\omega$ da coroa é dada por $\omega(s) = (K/s)T(s)$, em que $T(s)$ e $\omega(s)$ são as transformadas de Laplace de $T$ e $\omega$, respectivamente. Portanto, para um conjugado constante, a velocidade angular da coroa aumentaria uniformemente *ad infinitum*. Se o atrito não for desprezado, a relação é da forma $\omega(s) = (K/s+a)T(s)$, $a > 0$, e a velocidade tende a um valor final finito, ainda que bastante elevado.

Nos relógios do século XIII, o conjugado constante, ou aproximadamente constante, era conseguido pela ação de pesos ou de molas. Independente de como era gerado o conjugado $T$ aplicado sobre a coroa, era necessário atuar para manter a velocidade $\omega$ constante em torno de um valor adequado. O *verge and foliot* provia essa ação (Fig 1.7[27][28]).

O ponto central no funcionamento desse dispositivo é notar que a relação $\omega(s) = (K/s)T(s)$ é válida quando a coroa (C) gira livremente, antes que um de seus dentes impacte com uma das paletas (p ou q) presas na verga (V). Após o impacto, a coroa precisa "carregar" a verga e o braço com os pesos. Em poucas palavras, durante os períodos de movimento livre, a coroa acelera e, durante os demais períodos, graças aos impactos, sua velocidade reduz de maneira significativa. O diagrama de blocos na Figura 1.8 ilustra o sistema como um todo. Acredita-se que o primeiro relógio a utilizar esse sistema existiu por volta do ano 1285 (Headrick, 2002).

Pelo diagrama da Figura 1.8 percebe-se que, nos períodos em que a coroa roda livremente, o sistema está em malha aberta. Sob a ação do conjugado $T$, a velocidade da coroa $\omega$ aumenta rapidamente. Quando a coroa atinge um determinado ângulo $\theta_\alpha$, o bloco B fecha a chave e, portanto, a malha de controle. Deve ser notado que essa ação corresponde ao impacto de uma aleta (p ou q) com a coroa. A partir desse momento o sistema opera em malha fechada e a coroa "carrega" o conjunto *verge and foliot* — até "livrar-se" da paleta e voltar a girar em malha aberta novamente.

---

[27]A imagem da Fig 1.7a vem de Henry Evers (1874), *A Handbook of Applied Mechanics*, William Collins & Sons, London.

[28]A imagem da Fig 1.7b está disponível em: `http://www.abbeyclock.com/anchor.html`; acesso em: 25 ago. 2009.

(a) (b)

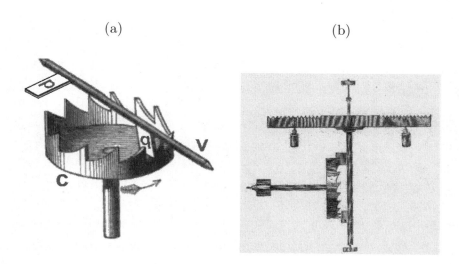

**Figura 1.7.** Em (a) tem-se a coroa C e a "verga" (*verge*) V. Sob a ação dos impactos das paletas p e q com os dentes da coroa, a sua velocidade média era mantida aproximadamente constante. Gravura de Henry Evers (1874). Em (b), além da coroa e da verga com as paletas (na vertical), pode-se ver o braço oscilatório (*foliot*) com os dois pesos. Dispositivo do relógio de De Vick, construído em 1379. Gravura de Pierre Dubbois (1849), (Wikipedia, 2009).

Em malha fechada, a relação entre o conjugado $T$ e a velocidade da coroa $\omega$ passa a ser:

$$\frac{\omega(s)}{T(s)} = \frac{1/J}{\frac{1}{KJ}s + 1}. \tag{1.1}$$

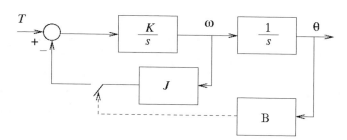

**Figura 1.8.** Diagrama de blocos da coroa acoplada ao dispositivo *verge and foliot*. O bloco B aciona a chave para determinados valores do ângulo da coroa. A realimentação negativa pode ser claramente constatada neste diagrama. Adaptada de (Lepschy et al., 1992).

Portanto, desprezando-se o atrito, em malha aberta a contante de tempo é infinita, bem como o ganho em estado estacionário. Ao fechar a malha — que ocorre quando do contato de alguma paleta com a coroa —, como pode ser visto pela Equação 1.1, a constante de tempo e o ganho passaram a ser finitos. Como consequência, há uma rápida (constante de tempo pequena) redução de velocidade (ganho pequeno, relativo ao anterior), até que a malha volte a abrir, quando o procedimento se repetirá. Um gráfico da velocidade da coroa revela uma certa periodicidade. O período é determinado pelo número de dentes da coroa e pelos pesos no braço (*foliot*), cujo valor e posição são utilizados para determinar o momento de inércia do conjunto. O primeiro registro documental de um dispositivo desse tipo é atribuído a Giovanni de Dondi,[29] que construiu um relógio em meados do século XIV em Pádua, Itália (Figura 1.9[30]).

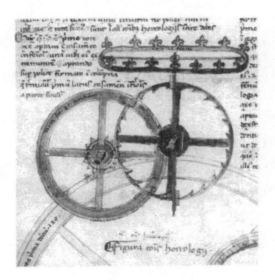

**Figura 1.9.** Desenho da verga de um relógio astronômico atribuído a Giovanni de Dondi, que escreveu *Tractatus Astrarii*, 1364 (Wikipedia, 2009).

Um dos problemas diretamente vinculados à medição de tempo era o da navegação. Uma das formas de os marinheiros do século XVII determinarem a sua longitude em alto-mar era por meio de relógios. O procedimento consistia em acertar um relógio com o tempo local (no porto), logo antes da partida, e verificar

---

[29] Giovanni de Dondi e seu pai Jacopo de Dondi viveram em Pádua, Itália, no século XIV. São reconhecidos como pioneiros no projeto e construção de relógios.

[30] A imagem da Figura 1.9 vem de John David North, *God's Clockmaker: Richard of Wallingford and the Invention of Time*, Hambleton & London Co., London, 2005.

a que horas, no porto, o sol se encontrava no ponto mais alto de sua trajetória. Depois de haver navegado por algum tempo, para determinar a longitude era necessário saber a que horas o sol atingia o ponto mais alto no céu. Determinava-se a diferença entre o horário em que o sol atingia esse ponto e o horário em que o mesmo ocorria no porto de onde haviam partido. Cada hora de diferença corresponde a 1500 km, que é 1/24 do comprimento da linha do Equador. Os relógios baseados no *verge and foliot* acumulavam erros de centenas de segundos por dia,[31] o que era desastroso para aplicações em navegação.

A necessidade de aumentar a precisão na medida do tempo motivou muitos,[32] como o holandês Christian Huygens[33] (Figura 1.10), a desenvolver projetos alternativos. Em 1657, Huygens produziu o primeiro relógio de pêndulo (Bernstein, 2002, p. 56). Uma das principais modificações em relação aos relógios baseados no *verge and foliot* foi a substituição do *foliot* por um pêndulo.

Uma maneira conveniente de interpretar o funcionamento do relógio com pêndulo é considerar o relógio sem atrito. Nesse caso, o pêndulo teria período constante, o que garantiria regularidade de movimento. Contudo, ao levar em conta o atrito, o pêndulo tende a parar. Mesmo que o pêndulo não parasse, ainda haveria um outro problema, pois o período do pêndulo depende da amplitude da oscilação. Huygens propôs soluções para os dois problemas.

Para não permitir que o pêndulo deixe de oscilar, é necessário repor a energia dissipada pelo atrito. Huygens utilizou o mesmo conceito da coroa interagindo com paletas (em inglês isso é chamado de *escapement*, pois é permitido à energia

---

[31]Uma estimativa menos otimista é que tais dispositivos podiam acumular erros de várias horas (Headrick, 2002, p. 43).

[32]Os polpudos prêmios oferecidos eram provavelmente a real motivação. Com respeito a isso, Fuller disse: "Em 1599 Filipe III da Espanha havia oferecido uma recompensa de dez mil coroas para a pessoa que conseguisse determinar a longitude em alto-mar; e, em 1714, o governo britânico anunciou que pagaria uma generosa recompensa de vinte mil libras (cujo valor possivelmente fosse o de um milhão de libras ou dois milhões de dólares nos dias de hoje) por um dispositivo que contasse o tempo e que permanecesse preciso em alto mar" (Fuller, 1976a, p. 109).

[33] Christian Huygens (1629–1695) foi um cientista e inventor holandês. Aperfeiçoou a qualidade dos relógios a pêndulo, especialmente para aplicações em alto-mar (1649). Investigou outros temas e fez outras invenções, entre elas: o motor a pólvora, métodos para polir lentes para telescópios (1655), impacto de corpos elásticos (1669), relógio a mola (1675), teoria ondulatória da luz (1678) e teoria de probabilidades (Hall, 2008). Foi um dos membros fundadores da Academia de Ciências da França. Escreveu diversos trabalhos, entre eles *Horologium* (1658), *Horologium Oscillatorium* (1673), *Discours de la Cause de la Pesanteur* (1690) e *Traité de la Lumière* (1690) (Daintith, 2009).

"escapar" toda vez que um dos dentes da coroa é liberado (Headrick, 2002, p. 42)) para aplicar pulsos de energia, um a cada período. Um processo semelhante ocorre quando se empurra alguém em um balanço. A cada período, um pulso é aplicado ao balanço, em uma *fase adequada*, para manter o sistema oscilando com amplitude e período constante. Esse é o papel da coroa e as paletas. A determinação do momento (fase) adequado para aplicar o novo impulso, no diagrama de blocos da Figura 1.8, é feita pelo bloco B.

**Figura 1.10.** Christian Huygens (1629–1695), (Wikipedia, 2009).

Para contornar o problema resultante da dependência do período do pêndulo com a amplitude da oscilação, Huygens projetou uma superfície curva, que recebeu o nome de *tautochrone* — que é um cicloide —, sobre a qual parte do pêndulo tocava. Com isso, a amplitude "aparente" da oscilação era mantida constante (Fuller, 1976a). Essa curva está ilustrada na Figura 1.11a.

Na Figura 1.11b[34] mostra-se um desenho de Huygens de um de seus relógios. Uma solução alternativa ao uso da cicloide, também inventada por Huygens, foi o uso de uma outra estrutura curva, que tinha o mesmo papel. O resultado é conhecido como o relógio cônico de Huygens (Fuller, 1976a).

Com as novas propostas, os relógios de Huygens tinham uma incerteza da ordem de dez segundos por dia. Apesar disso, ao que tudo indica, ele nunca ganhou algum dos prêmios da época.

---

[34] A imagem da Figura 1.11b vem de Harold C. Kelly, *Clock Repairing as a Hobby: A How-To Guide for Beginners*, Skyhorse Publishing, 2007.

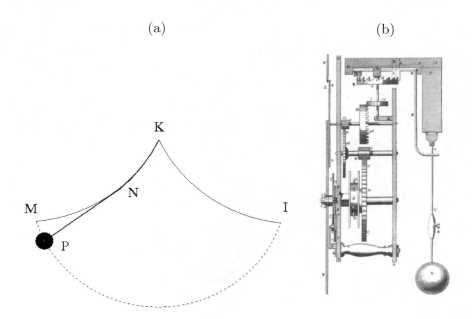

**Figura 1.11.** (a) Desenho proposto por Huygens. A curva MPI é uma cicloide. A estrutura KM e KI é tal que o período do pêndulo P independe da amplitude. (b) Desenho de um relógio de Huygens, em seu *Horologium Oscillatorium*, publicado em 1673. Na parte superior desse desenho, pode ser vista a coroa e as paletas utilizadas para repor ao pêndulo a energia dissipada pelo atrito (Wikipedia, 2009).

## 1.6 Sistemas do século XVII e depois

O holandês Cornelius Jacobszoon Drebbel[35] (Figura 1.12) inventou a estufa ilustrada na Figura 1.13.[36] Esse dispositivo foi originalmente concebido como incubadora de ovos de galinha, e é considerado o primeiro dispositivo realimentado de origem puramente europeia (Mayr, 1971a).

A descrição do dispositivo e seu funcionamento, conforme relatada por Mayr (1970), é a seguinte. Na parte inferior, indicada por A–A, encontra-se o fogo, que é separado do corpo da estufa por uma placa de ferro com uma abertura

---

[35] Cornelius Jacobszoon Drebbel ou Drubbel (1572–1633) foi um engenheiro e inventor holandês que trabalhou com o abastecimento de água para cidades. Em 1604 mudou-se para a Inglaterra, onde trabalhou para a marinha e, em 1620, inventou o primeiro submarino navegável. A ele são atribuídas as invenções do torpedo, a incubadora ilustrada na Figura 1.13 e o aperfeiçoamento de termômetros (Hall, 2008).

[36] Cambridge University Library, Manuscript number 2206, L1.5.8; Catal. IV (1861), p. 63. Citado por Jaeger, *Cornelis Drebbel* pp. 135–138.

central. A caixa incubadora está desenhada com linhas tracejadas, e é composta de paredes e piso ocos, cheios de água, que é abastecida pela mangueira (C).[37]

**Figura 1.12.** Cornelius Jacobszoon Drebbel (1572–1633). Gravura de autoria de C. van Sichem (1631), (Wikipedia, 2009).

Os fumos resultantes da combustão passam pelo piso e paredes da incubadora, antes de sair pelo orifício (E). Na base da incubadora encontra-se o sensor de temperatura (D), também mostrado no detalhe, feito de vidro e cuja extremidade direita encontra-se fora do corpo da estufa. O sensor (D) tem uma parte cilíndrica preenchida com álcool, e uma parte em U, na extremidade direita, cheia de mercúrio. O nível de mercúrio no lado aberto do tubo em U varia de acordo com a expansão do álcool, que, por sua vez, depende da temperatura da parte cilíndrica do sensor. Essa temperatura reflete a temperatura da água no piso da incubadora. Flutuando sobre o mercúrio encontra-se uma vareta (B) que se conecta com a haste (H), que, por sua vez, pivota em G, provocando a abertura ou fechamento do orifício basculante (F), por onde entra o ar necessário para a combustão. O fechamento de F resulta em menos ar e, consequentemente, uma redução na temperatura da incubadora. A vareta (B) e a haste (H) são ajustáveis. Dessa forma é possível ajustar a sensibilidade do ramo de realimentação (via B) e o ganho na lei de controle (via H).

A estufa de Drebbel é precursora das caldeiras industriais. Alguns dos princípios utilizados por Drebbel foram posteriormente empregados no controle de temperatura de ambientes e de caldeiras. Uma importante mudança foi o uso de elementos bimetálicos no lugar do conjunto DBH (Figura 1.13), que, pela primeira vez em 1830, foram chamados de *termostatos* por Andrew Ure.

---

[37] O leitor com algum conhecimento de caldeiras não terá dificuldade de reconhecer na estufa de Drebbel o precursor das caldeiras a vapor.

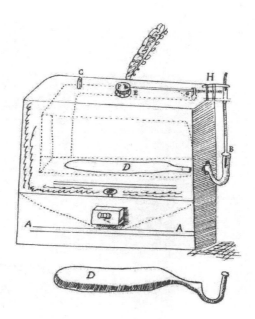

**Figura 1.13.** Estufa de Drebbel originalmente concebida como incubadora de ovos. A variável controlada é a temperatura na caixa da incubadora, indicada por linhas tracejadas. Um elemento fundamental é o sensor de temperatura (D), ilustrado também no detalhe. O funcionamento está descrito no texto. Figura adaptada de (Mayr, 1970), conforme manuscrito da Universidade de Cambridge.

Pouco depois da morte de Drebbel, os responsáveis pela gerência de seu patrimônio conseguiram, em favor dos herdeiros, uma patente britânica para a estufa inventada.[38]

Outros importantes dispositivos realimentados inventados depois da estufa de Drebbel foram a válvula de segurança de pressão, inventada em 1681, pelo matemático e físico francês Denis Papin,[39] e o sistema de Edmund Lee,[40] patenteado em 1745, para o posicionamento e controle de velocidade de cataventos

---

[38] Patente britânica (série antiga) número 75, 1634: Hildebrand Prusen and Howard Stachy, *Stoves and Furnances for the Manufacture of Salt*. Essa é certamente uma das primeiras patentes de algum dispositivo realimentado.

[39] Denis Papin (1647–c.1714) graduou-se em medicina na França, mas preferiu trabalhar como físico e inventor. Começou sua carreira como assistente no laboratório de Christian Huygens (ver Nota 33 deste capítulo) em Paris. Construiu a primeira máquina a vapor em que a condensação do vapor era usada para gerar vácuo. Inventou também a panela de pressão ou autoclave (1679) quando trabalhava com Robert Boyle na Inglaterra (Daintith, 2009), a válvula de segurança de pressão, a máquina a vapor (1690) e um tipo de bomba centrífuga (Hall, 2008).

[40] Edmund Lee era um ferreiro inglês, que patenteou o leque de cauda para moinhos. Trabalhava na forja Brock Mill, em Wigan, ao norte da Inglaterra (Wikipedia, 2011).

# Realimentação

49

de moinhos. Mas detalhes da patente de Lee serão vistos na Seção 2.1.1. Nos próximos dois capítulos, outros dispositivos, relevantes na história de sistemas automáticos, serão mencionados.

Em um interessante livro, Khramoi descreveu dezenas de sistemas que em algum aspecto são automáticos inventados e construídos na Rússia (Khramoi, 1969). O foco do livro é sobre sistemas de automação e, portanto, sistemas chaveados (comandados por relés e dispositivos semelhantes) dominam largamente sobre sistemas de controle regulatório. A maioria dos sistemas descritos foram concebidos a partir da primeira metade do século XVIII. Ainda que os sistemas, na sua maioria, não sejam sistemas regulatórios, dois aspectos que chamam atenção na engenharia da Rússia são i) o amplo uso de eletricidade em relés, motores, regulação de lâmpadas a arco ainda no século XIX e ii) a preferência por sistemas chaveados, em oposição a sistemas regulatórios. Nesse livro, escrito para promover os inventores e engenheiros russos, o autor afirma que o primeiro regulador para uma unidade industrial foi desenvolvida por I. I. Polzunov[41] em 1765. Apesar de todo o entusiasmo de Khramoi, o esquema descrito tem alguns elementos parecidos aos da máquina de servir vinho de Heron (Figura 1.6b) e sua operação está mais próxima de um sistema liga-desliga do que de um sistema de regulação contínua.

## 1.7 Considerações finais

O objetivo do presente capítulo foi o de brevemente descrever algumas menções antigas do conceito de realimentação. Alguns dos primeiros sistemas realimentados foram mencionados a título de ilustração e para dar ao leitor uma ideia da época em que a realimentação começou a ser utilizada.

Espera-se que o leitor perceba que, ao contrário do que pode parecer, o conceito de realimentação não é uma contribuição do século XX. Sim, foi nesse século que o termo *feedback* passou a ser usado, mas o conceito já era conhecido de muito tempo, e começara a ser formalmente estudado no século XIX, por exemplo com o trabalho de Maxwell *On Governors*. Neste ponto o leitor pode se exercitar e, mentalmente, tentar explicar qual é, em sua opinião, a contribuição do século XX para a área de sistemas realimentados, ou sistemas de controle.[42]

---

[41]O russo Ivan Ivanovich Polzunov (1728–1766) foi um notável engenheiro mecânico e de calor, que inventou uma máquina a vapor de operação contínua e um regulador automático de admissão de vapor (Khramoi, 1969, p. 222).

[42]Supondo que o leitor já tenha feito seu exercício de reflexão, oferecemos a seguinte citação: "A noção geral de controle automático pode ser antiga, mas a formulação de seus princípios

# 50           *Sistemas realimentados: uma abordagem histórica*

A fim de ajudar o leitor em seu exercício, serão citados trechos de dois dos livros mencionados neste capítulo. O primeiro é o trecho do livro de Otto Mayr:

> "Tanto Philo quanto Heron demonstram uma certa satisfação no puro princípio de suas invenções. Essa satisfação parece independer de qualquer uso prático ou de algum ganho comercial. Essa atitude difere da abordagem utilitarista da tecnologia moderna, mas demonstra que esses cientistas helenistas eram capazes de pensar em termos de sistemas causais, em malha fechada."[43]

Um dos pontos a destacar dessa citação de Otto Mayr é que, desde a sua origem, a área hoje conhecida como controle automático inclui, entre aqueles que a desenvolvem, pessoas que veem mérito na pura concepção de ideias, sem a preocupação de alguma aplicação imediata. Ao longo dos anos, entre outras razões, essa postura resultou em um certo distanciamento entre a teoria e a prática do controle automático. A aproximação desses dois igualmente importantes aspectos da área de controle tem sido um dos desafios das últimas gerações, as quais, ironicamente, são as que mais contribuíram para o distanciamento quase irreversível entre a teoria e a prática.

Segue o segundo trecho, extraído do livro de Stuart Bennett:

> "O caminho em direção a uma clara compreensão e formulação matemática da teoria de sistemas realimentados foi alcançada por meio da engenharia: primeiramente mecânica (. . .) e, à medida que as dificuldades de análise de sistemas mecânicos começaram a impedir maiores progressos, [esse caminho em direção a uma teoria de sistemas realimentados deu-se] posteriormente por meio da eletrônica, em particular, pela necessidade de alcançar baixa distorção na amplificação e transmissão de sinais de telefonia.

> "Essa fase durou 150 anos, aproximadamente de 1790 a 1940. O progresso foi irregular. A prática dos engenheiros normalmente estava muito além da compreensão teórica daquilo que desejavam alcançar. Foi o período do inventor (. . .) uma linguagem comum para descrever

---

foi alcançada recentemente. O uso sistemático desses princípios — a sutileza de sua elaboração teórica e sua aplicação de longo alcance — deve ser atribuído ao século XX (. . .) Há, certamente, uma profunda diferença entre o reconhecimento primitivo de que alguns mecanismos são autorregulados e outros não, e a invenção de uma teoria que não apenas explique os principais fatos, mas que também possa ser utilizada na construção de novos sistemas" (Nagel, 1955, p. 2).

[43]Citado de (Mayr, 1970, p. 26).

os sistemas de controle ainda não havia sido desenvolvida (...). Foi durante a Segunda Guerra Mundial,[44] com a necessidade de servo-mecanismos que operassem de forma muito mais rápida do que antes imaginado, que engenheiros e matemáticos criaram o engenheiro de controle."[45]

O texto de Bennett levanta diversos pontos muito interessantes, alguns dos quais salientamos para a reflexão do leitor. O início do desenvolvimento da área de controle deu-se no seio da engenharia mecânica. Coube à engenharia elétrica tomar o bastão do desenvolvimento da teoria de controle, quando o desenvolvimento parecia saturado[46] no contexto da engenharia mecânica. Um dos empecilhos ao desenvolvimento da teoria de controle era a falta de uma linguagem que fosse adequada para descrever sistemas realimentados.[47] A prática da engenharia de controle estava muito adiante da teoria. Esse cenário parece ser exatamente o oposto àquele observado na atualidade. Tentar determinar a época e as principais razões para essa inversão são ótimos desafios.[48] Por fim, Bennett aponta para o fato de o engenheiro de controle ser um profissional com formação sólida tanto em matemática aplicada quanto em engenharia. Ao longo dos próximos capítulos será possível constatar a veracidade dessa observação.

---

[44] Apesar de a Segunda Guerra Mundial ter tido papel fundamental no desenvolvimento da área de controle, é verdade que guerras em geral tiveram esse papel: "Não deve ser negligenciado que as guerras em que a Rússia foi atacada (guerra com Napoleão em 1812 e a Guerra da Crimeia de 1853 a 1856) produziu um entusiasmo patriótico que se refletiu também em ciência e engenharia, em particular em áreas relacionadas com defesa, como minas automáticas e controladas remotamente, foguetes, dentre outros" (Khramoi, 1969, pp. 12–13).

[45] Citado de (Bennett, 1979, p. 3).

[46] Por *saturado* refere-se ao fato de que, no fim do século XIX e início do século XX, havia se tornado muito difícil construir sistemas mecânicos que viabilizassem testar novos conceitos teóricos na área de sistemas realimentados. A nova "plataforma" de desenvolvimento foi provida, naquela época, pela área de eletrônica, especialmente com aplicações em comunicações.

[47] Acredita-se que aqui também haja razões para a engenharia elétrica ter tomado a dianteira no desenvolvimento da teoria de controle. Aqueles pesquisadores e engenheiros de projeto envolvidos na área de telecomunicações, tipicamente, tinham uma formação matemática superior à média da pessoas em outras áreas da engenharia, como mecânica e sistemas elétricos de potência. Dois nomes-chave na nova teoria de controle foram Harry Nyquist (Seção 7.2.3) e Hendrik Bode (Seção 9.2.3); ambos eram doutores com sólida formação matemática.

[48] O leitor encontrará algumas dicas sobre essa inversão de tendências na Seção 11.5.

# Capítulo 2

# Moinhos e máquinas a vapor

"($\cdots$) para regular a pressão ou a distância entre a mó superior e a inferior de tal maneira que, quanto maior for a velocidade da máquina, mais próximas estarão as mós e, quando a máquina para, a mó é levantada. Acredito que a principal vantagem dessa invenção é tornar fácil operar a máquina, pois a mó superior não pode pressionar a inferior enquanto o moinho não estiver em plena operação. Isso é produzido pela força centrífuga de dois pesos de chumbo que se levantam com o movimento e descem quando o movimento é menor, atuando sobre uma alavanca que opera em uma proporção de trinta para um, mas para explicá-lo um desenho torna-se necessário."[1]

Matthew Boulton, 1788[2]

Como girar uma roda usando água? Como fazer um moinho girar aproveitando a força do vento? Apesar de importantes, essas perguntas têm respostas simples e que podem ser facilmente verificadas. Contudo, uma pergunta muito mais difícil de responder é: como fazer o moinho girar a velocidade constante mesmo quando atingido por uma rajada de vento? A busca por respostas a essa última pergunta desafiou os mais engenhosos inventores por dois séculos.

---

[1]Trecho da carta escrita por Boulton, no dia 28 de maio de 1788, para James Watt, ao observar o sistema de regulação de velocidade inventado por Thomas Mead e instalado em um dos moinhos da Albion Mills em Londres (Mayr, 1970, p. 110).

[2]Matthew Boulton (1728–1809) foi um engenheiro e construtor inglês. Em 1762 fundou uma fábrica e, por volta de 1767, contactou James Watt procurando meios de melhorar a fonte de alimentação (vapor) de suas máquinas. Começava, então, uma longa e bem-sucedida parceria. Boulton é conhecido pela siderurgia, incrustações em aço e máquinas a vapor para cunhagem (Hall, 2008).

Na história da humanidade, um evento-chave foi a revolução industrial. É muito difícil determinar quando foi que começaram os desenvolvimentos tecnológicos que culminaram em tal revolução. Há indícios de que a água já era usada como força motriz dois milênios atrás (Fasol, 2002). Onde quer que se coloque o marco zero dessa tecnologia, é inegável que as rodas-d'água, desde o século X, desempenharam um papel importante no desenvolvimento da sociedade europeia.

Em 1500 as rodas-d'água eram a mais importante fonte de energia. Por volta de 1826 já havia uma boa teoria sobre tais dispositivos e até mesmo esquemas de controle começaram a ser propostos, apesar de não haver evidências de sua implementação à época (Fasol, 2002). Às rodas-d'água seguiram-se os moinhos de vento, que, por sua vez, foram sucedidos pelas máquinas a vapor, que, do ponto de vista tecnológico, foram a força motriz da revolução industrial.

As máquinas a vapor que permitiram tal revolução tinham duas características que as diferenciavam das máquinas a vapor desenvolvidas um século antes, a saber: melhor eficiência e a regulação automática de velocidade, proporcionada pela válvula governadora de Watt. Esse dispositivo não apenas desempenhou um papel central na revolução do século XIX, como também ocupa um papel de destaque na história do controle,[3] a ponto de ser considerado "o ponto inicial do desenvolvimento do controle automático como uma ciência" (MacFarlane, 1979, p. 250).

Antes de abordar alguns dos aspectos envolvidos na invenção da válvula governadora de Watt, será importante conhecer um pouco de seus antecessores: as rodas-d'água e, principalmente, os reguladores de moinhos, que serão mencionados nas próximas seções.

O presente capítulo tem por objetivo cobrir alguns aspectos históricos sobre sistemas de controle de moinhos e a válvula governadora ou o regulador de Watt. O período coberto, portanto, estende-se aproximadamente do século X ao início do século XIX, com uma clara ênfase em alguns desenvolvimentos do século XVIII. Uma abordagem detalhada do desenvolvimento de válvulas governadoras, seus principais personagens e acontecimentos pode ser encontrada em (Bennett, 1979).

---

[3]Esse papel é ilustrado pela menção feita pelos professores Plínio Castrucci e Celso Bottura ao escrever a apresentação da *Enciclopédia de Automática*: "Em termos históricos mundiais, o problema do controle mostrou sua magnitude no Século XIX, quando a Revolução Industrial teve na indústria têxtil europeia um de seus mais ativos setores. Naquela época, a força motriz dos teares foi a *máquina a vapor*, e um fator crítico para garantir qualidade e produtividade é a constância da velocidade de rotação, que depende da pressão do vapor na caldeira, por sua vez perturbada pelo ritmo do foguista, pela qualidade do carvão, pelo clima, por outros usos inesperados do vapor, dentre outros" (Castrucci and Bottura, 2007, p. 9).

*Moinhos e máquinas a vapor* 55

Os primeiros trabalhos sobre a análise matemática de dispositivos governadores começaram a ser publicados no século XIX. Entre tais, encontram-se os trabalhos de George Airy (em 1840) e James Clerk Maxwell (em 1868). Tais trabalhos são considerados por muitos como marcos iniciais da área de teoria de controle. Os desenvolvimentos referentes a esses artigos e as suas consequências serão abordados no Capítulo 3.

## 2.1   Moinhos

Moinhos foram muito utilizados ao longo da história para permitir a conversão da energia. Inicialmente, os moinhos mais comuns eram acionados por rodas-d'água. O maior engenho romano, que se localizava na França, operava 16 rodas-d'água e moía 28 toneladas de milho por dia (Bernstein, 2002). Os primeiros moinhos a vento apareceram na Pérsia no século VII e sua principal aplicação era irrigação. O fortalecimento da produção de alimentos observado no século X foi associado ao uso de moinhos (de farinha), a ponto de o moinho ter sido chamado o "motor da revolução industrial da Idade Média" (Hémery et al., 1993, p. 119).

Os moinhos baseados em rodas-d'água eram projetados em diversas configurações, sendo que os verticais eram normalmente de três tipos: de pás com acionamento inferior, de caçambas de acionamento superior e caçambas de acionamento lateral. A eficiência dessa configurações era de 20%, 70% e 60%, respectivamente. Contudo, a grande crítica aos moinhos era a irregularidade de funcionamento, que era fortemente influenciado pelo volume de água disponível.

Algumas estatísticas sobre o crescimento do número de moinhos de água na Europa Ocidental são surpreendentes. Por volta do ano 800 havia algumas dezenas de moinhos na Europa Ocidental; próximo do fim do primeiro milênio era possível contar algumas centenas; e, ao fim do século XI, havia mais de dez mil moinhos somente no reino da França (Hémery et al., 1993). Com um crescimento tão vertiginoso, não é de admirar que, ao fim do século XIII, o aproveitamento dos rios e bordas marítimas de alguns lugares da Europa estivesse saturado.

Assim, os moinhos de vento, que existiam desde o século VII, começaram a encontrar aceitação no século XIII como fonte de energia complementar.[4] Com o passar do tempo, as rodas-d'água foram perdendo espaço para os moinhos de vento, cujas aplicações permaneciam essencialmente inalteradas, como o bombeamento de água e o acionamento de uma pedra (mó) usada para moer grãos.

---

[4]Existem registros de moinhos na Inglaterra desde os séculos XI e XII. Contudo, a tecnologia de moinhos recebeu seu primeiro grande impulso especialmente na Inglaterra e na Escócia, no século XVIII.

Mais recentemente é que estruturas semelhantes (turbinas[5] eólicas) passaram a ser utilizadas para a geração de energia elétrica.

Um dos principais problemas dos moinhos de vento era a falta de regulação de velocidade. O problema se fazia sentir de maneira mais dramática nos moinhos utilizados para moagem de trigo. A distância entre as mós (pedras de moinho, ver Figura 2.1) mudava com a velocidade. A fim de garantir farinha com granulometria aproximadamente constante, era necessário regular a velocidade das pás dos moinhos, o que, por sua vez, resultaria na regulação do espaçamento entre as mós. Um passo importante nessa direção foi uma patente britânica concedida em meados do século XVII (cf. Seção 2.1.1).

O desenvolvimento de sistemas de controle para moinhos teve papel fundamental na teoria de controle. Uma sequência simplificada de fatos é: o desenvolvimento de sistemas de regulação de velocidade de moinhos serviu de base para o desenvolvimento do pêndulo centrífugo, que, por sua vez, foi o objeto de estudo dos primeiros artigos sobre a análise matemática de sistemas realimentados. Tais artigos,[6] considerados por muitos como o início formal da área de controle, serão considerados em mais detalhes no Capítulo 3.

**Figura 2.1.** Pedra de mó usadas no moinho Stevens Mill na região de Cambridge, Inglaterra.

---

[5]"O nome *turbina* foi provavelmente utilizado pela primeira vez em 1824 pelo engenheiro francês Claude Burdin (1790–1873) (Hall, 2008; Fasol, 2002, p. 68).

[6] Airy, G. B., On the regulator of the clock-work for efficient uniform movement of equatoreals, *Memoirs of the Royal Astronomical Society*, 1840, vol. 11, pp. 249–267; Airy, G. B., Suplement to a paper 'On the regulator of the clock-work for efficient uniform movement of equatoreals', *Memoirs of the Royal Astronomical Society*, 1851, pp. 115–119; Maxwell, J. C., On governors, *Proceedings of the Royal Society*, 1868, vol. 16, no. 100, pp. 270–283.

## 2.1.1  A patente de Edmund Lee

Um nome relacionado ao desenvolvimento de sistemas de controle de moinhos é o do ferreiro Edmund Lee, que, em 1745, conseguiu patentear[7] dois dispositivos de "controle" para aplicações em moinhos. O *primeiro* deles, conhecido como "leque (ou leme) de cauda" (*fan-tail*),[8] consistia de um mecanismo (estrutura E na Figura 2.2) que girava a cúpula do moinho de maneira que as pás principais deste sempre ficassem de frente para o vento.

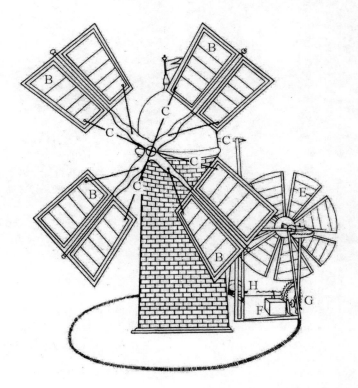

**Figura 2.2.** Esboço de um moinho de vento que incorporava as duas propostas patenteadas por Lee em 1745. Segundo a sua proposta, o "leque de cauda" (estrutura E) e a cúpula giravam em torno do eixo longitudinal do moinho. O peso F e as estruturas H e C faziam fechar as velas (venezianas) B quando a velocidade do vento diminuía. Figura adaptada de (Mayr, 1970).

---

[7] *Self-regulating wind machine*, patente britânica, No. 615 (série antiga), 1745 por Edmund Lee.

[8] Em junho de 2001 o historiador da área de controle Otto Mayr deu uma palestra na *American Control Conference*. Nessa palestra ele revelou que seu "controlador" favorito é o leque de cauda de moinhos (Bernstein and Bushnell, 2002, p. 23).

A Figura 2.3b mostra a cúpula de um moinho francês, que era movimentada por meio de uma longa haste. Em 1773, John Barber conseguiu uma outra patente na área de siderurgia, em que fez uso do conceito de Lee. A proposta de Barber, contudo, era mais prática, pois instalava o leque de cauda diretamente sobre a cabeça giratória do moinho. A proposta de Barber foi largamente utilizada no Reino Unido no século XIX.

**Figura 2.3.** Moulin à vent de Moidrey, França. (a) Vista frontal do moinho. As velas desse moinho, não mostradas na foto, não são do tipo venezianas, como as da patente de Lee. (b) Vista posterior do moinho. A cúpula pode ser posicionada por meio da haste vista em primeiro plano. Esse moinho não tem o leque de cauda.

O *segundo* dispositivo patenteado por Lee foi um sistema que permitia alterar o ângulo de ataque — ângulo entre as velas e o vento — das velas instaladas nas pás do moinho (estruturas C na Figura 2.2), graças à ação de um contrapeso.[9] A Figura 2.4 mostra o detalhe de uma estrutura semelhante de um moinho francês. Quando a velocidade do vento aumentava, as velas (estruturas B na Figura 2.2) abriam, reduzindo o ângulo de ataque, diminuindo a transferência de energia

---

[9]Aparentemente, a proposta original de Lee baseava-se no uso de um contrapeso, mas uma alternativa posterior, proposta pelo escocês Andrew Meikle (1719–1811) em 1772, substituiu o contrapeso por um conjunto de molas.

do vento para o moinho. O contrário acontecia quando a velocidade do vento diminuía. Nesse sistema a variável controlada, que é a velocidade do moinho, não é realimentada. Por essa razão, alguns autores não consideram a proposta de Lee um sistema realimentado (Mayr, 1970).

**Figura 2.4.** Moulin à vent de Moidrey, França. Detalhe do mecanismo utilizado para abrir e fechar as velas do moinho.

A mudança do ângulo de ataque das velas almejava alcançar um certo nível de regulação da velocidade do moinho, e o dispositivo "leque de cauda" permitia ao moinho "acompanhar" a direção do vento. Sob esse aspecto, o "leque de cauda" foi interpretado como um *servomecanismo* (Mayr, 1970; Bernstein, 2002). É possível também classificar tal dispositivo como um regulador, uma vez que a variável controlada nesse caso é o ângulo entre o vento e esse "leque", sendo que o ângulo almejado é sempre nulo. Para atingir esse propósito, a variável manipulada é a posição angular do moinho, que, por consequência, acaba por acompanhar a mudança de direção do vento, garantindo que este será ortogonal às pás do moinho.

Apesar de a patente de Edmund Lee ter sido concedida em meados do século XVIII, o uso de moinhos tornou-se amplo e comum no Reino Unido somente um século depois. Uma possível razão para isso foi proposta por Rex Wailes[10].

---

[10]Rex Wailes (1901–1986) foi um historiador e engenheiro mecânico inglês que se dedicou ao estudo da história da engenharia e da arqueologia industrial. Entre seus principais temas, constam os moinhos de vento e moinhos hidráulicos.

Esse historiador sugeriu que era necessário que a siderurgia e o consequente uso do ferro fundido se desenvolvessem para permitir a construção das diversas engrenagens requeridas para a movimentação do moinho. Até o século XVIII tais estruturas eram de madeira.

O "leque de cauda", que gozou de grande sucesso no Reino Unido, não contou com a mesma aceitação na Europa continental. Esse fato pode ser constatado observando que nenhum dos moinhos franceses mostrados nas Figs. 2.3 e 2.5 têm o leque de cauda. Em meados do século XIX o uso desse dispositivo tornou-se comum na Alemanha, Dinamarca e Bélgica, mas não achou acolhida nos demais países da Europa, inclusive a França.

**Figura 2.5.** Moinho de vento localizado em Pays de Dol, Bretanha, França. A cúpula do moinho é movida pela haste. As pás do moinho são recobertas com velas de tecido, portanto não são formadas por venezianas, como é o caso dos moinhos mostrados nas Figuras 2.8 e 2.9b.

Assim como a patente de Lee propunha um esquema em que as venezianas que formavam as pás dos moinhos poderiam ser movimentadas para conseguir alguma regulação de velocidade, na área de turbinas hidráulicas ocorreu algo análogo. Por volta de 1860 já havia turbinas hidráulicas do tipo Francis com pás cujo ângulo de ataque poderia ser ajustado para alcançar a regulação de velocidade por meio de um pêndulo centrífugo (Fasol, 2002, p. 68). O desenvolvimento de tal dispositivo e seu uso na regulação de velocidade será apresentado na Seção 2.2.

Em 1880 o professor de Física russo Ivan Mikhailovich Khainovskii projetou um regulador de velocidade para um moinho de vento que incorporava elementos não só da patente de Edmund Lee, mas também daquela de Thomas Mead, a ser descrita na Seção 2.1.2. À semelhança de Lee, Khainovskii usou venezianas cujo movimento era utilizado para alterar a área efetiva das pás. À semelhança de Mead, o projeto de Khainovskii incluía um pêndulo centrífugo para a regulação de velocidade. A novidade no projeto russo era o uso de água que era bombeada para tanques de maior elevação quando havia vento e era liberada em casos de pouco vento ou mesmo na sua ausência (Khramoi, 1969, p. 141). A regulação de velocidade em tais casos não era possível com as soluções de Lee e Mead.

**Figura 2.6.** Moinho Great Chishill, constuído em 1819, na região de Cambridge, Inglaterra.

Um aspecto muito interessante na solução de Khainovskii é que o pêndulo centrífugo por ele utilizado tinha os pesos ocos de maneira que água entrava e saída, dependendo da velocidade. Como a massa do pêndulo variava com a velocidade, esse regulador era não linear.[11] Com relação a isso foi observado que:

"A importância da invenção de Khainovskii torna-se aparente à luz das modernas [1956] técnicas que usam elementos não lineares, pelos quais

---
[11] De fato, era mais não linear que o pêndulo centrífugo convencional, como será visto ao fim deste capítulo.

os reguladores podem ser radicalmente melhorados. De fato, essa é a tendência mais promissora na moderna engenharia de regulação."[12]

Um outro inventor russo que lançou mão do mesmo princípio que Edmund Lee foi Vasilii Petrovich Davydov, que em 1894 propôs um projeto de um moinho de vento autorregulado. A regulação era conseguida, à semelhança da proposta de Lee, pelo movimento de venezianas que respondiam à ação do vento (Khramoi, 1969, p. 142).

O moinho Great Chishill (Figura 2.6) é semelhante em vários aspectos ao mostrado esquematicamente na Figura 2.2. Mesmo tendo sido construído antes que o Great Chishill, o moinho Wicken (Figura 2.7) mostra alguns aspectos mais modernos. O Foster Mill (Figura 2.8) mostra claramente o leque de cauda e o sistema de ajuste do ângulo de ataque (ver detalhes na Figura 2.9). Esses sistemas tiveram origem com as patentes de Lee, mas no Foster Mill a implementação é mais moderna que aquela proposta pelo ferreiro inglês.

**Figura 2.7.** Moinho Wicken, constuído em 1813, na região de Cambridge, Inglaterra.

---

[12]Citado de (Khramoi, 1969, p. 142).

Moinhos e máquinas a vapor

**Figura 2.8.** Foster Mill, construído em 1857, na região de Cambridge, Inglaterra.

**Figura 2.9.** Moinho Foster Mill: à esquerda: leme de cauda e à direita: detalhe do sistema que movimenta as venezianas a fim de ajustar o ângulo de ataque.

## 2.1.2 Detecção de velocidade

A proposta de Lee permitia uma certa "regulação" de velocidade do moinho. Tal efeito não é uma regulação propriamente dita, pois a variável controlada, a velocidade do moinho, não era medida e, portanto, não era realimentada. Ao fim do século XVIII surgiram alguns resultados importantes na tecnologia de moinhos, que se propunha a detectar mudanças de velocidade e utilizar tal informação na definição de uma ação regulatória.

Uma solução para tentar manter constante a distância entre as pedras do moinho foi patenteada em 1785 por Robert Hilton.[13] A sua proposta incluía um dispositivo para "medição" de velocidade. A velocidade angular da mó superior era transmitida por polias e acionava um ventilador centrífugo montado no centro de uma estrutura em forma de caracol. Próximo à ponta desse caracol havia um basculante cuja posição dependia da velocidade do ar dentro do caracol, que, por sua vez, dependia da velocidade do moinho. A partir da posição do basculante, atuava-se de maneira a manter constante a distância entre as pedras do moinho.

Em 1787, Thomas Mead conseguiu uma patente[14] na qual propunha uma solução alternativa à de Hilton. O sistema de atuação sobre as pedras do moinho era muito próximo ao proposto por Hilton. A principal diferença encontrava-se no sistema de detecção de velocidade angular. Mead propôs utilizar um pêndulo centrífugo como meio de detectar a velocidade angular.[15] O movimento vertical do pêndulo resultante da velocidade angular era utilizado para posicionar as pedras do moinho. O esquema proposto por Mead é considerado por alguns como o antecessor da válvula governadora de Watt:

> "O princípio [do regulador centrífugo] foi tomado emprestado da patente de meu falecido amigo Mead, que, muito antes do Sr. Watt ter adaptado o plano [regulador centrífugo] na máquina a vapor, utilizou precisamente o mesmo princípio para regular, nesta região da cidade, moinhos de vento que, até o dia de hoje, continuam sendo assim regulados."[16]

---

[13] *Windmills*, patente britânica, No. 1484 (série antiga), 1785 por Robert Hilton.

[14] *Regulator for wind and other mills*, patente britânica, No. 1628 (série antiga), 1787 por Thomas Mead.

[15] Em seu trabalho extremamente informativo do ponto de vista do desenvolvimento da área de controle, Bateman atribui a Huygens a invenção do pêndulo centrífugo, deixando para Mead a tarefa de adaptação desse dispositivo aos moinhos de vento (Bateman, 1945, p. 606). O artigo de Bateman é um dos capítulos em (Bellman and Kalaba, 1964). Bateman prossegue informando que a análise teórica do "regulador de Huygens" foi realizada em Poor, V. C., The Huygens governor, *American Math. Monthly*, 32:115–121, 1925.

[16] Dr. Alderson, presidente da Hull Mechanics Institute, em 1825 (Bennett, 1979, p. 10).

*Moinhos e máquinas a vapor*                                                    65

Acredita-se que as palavras de Matthew Boulton, com as quais começou o presente capítulo, descrevem o regulador de velocidade de Mead, instalado em um dos moinhos da Albion Mills em Londres, empreendimento seu que permitiu o desenvolvimento da válvula governadora.[17]

O conceito do pêndulo centrífugo como maneira de detectar velocidade foi também utilizado por Stephen Hooper, em uma patente britânica concedida a ele em 1789.[18] No século seguinte, o impacto do dispositivo de Mead em muito ultrapassaria as limitações impostas pelas aplicações em moinhos.

## 2.2 Regulação de velocidade

Na sua patente, Thomas Mead descreveu um sistema baseado no pêndulo centrífugo que, em vez de atuar na posição da mó, atuava no ângulo de ataque das velas que compunham as pás do moinho. Nesse caso, a variável controlada deixava de ser a distância entre as pedras e passava a ser a velocidade angular. Do ponto de vista da distância entre as mós, como não havia medição dessa variável, o sistema como um todo não caracterizava um sistema regulatório propriamente dito, pois a variável controlada (ou qualquer estimativa dela) não fazia parte do laço de realimentação. Por outro lado, do ponto de vista da velocidade do moinho, essa grandeza era "sentida" e realimentada pela posição do pêndulo centrífugo, caracterizando um sistema de velocidade regulada propriamente dito.

A Figura 2.10 mostra um esboço do sistema proposto por Mead na patente que obteve em 1787.

A velocidade angular do disco 29 é sentida pelos pesos 30 e o movimento resultante é transmitido pelo conjunto de estruturas 46, 32, 45 e 44 à luva 34, que desliza sobre A. O movimento de 34 é transmitido por meio da polia 38 e das roldanas 39 para as velas (venezianas) montadas sobre a pá do moinho C. Dessa maneira, uma variação de velocidade angular de 29 é utilizada para

---

[17]Bennet sugere que a inauguração da Albion Mills, um engenho para moagem de milho, foi levada a cabo por Boulton e Watt para promover o uso comercial da máquina a vapor e, assim, conseguir publicidade. Para supervisionar a construção do engenho, Boulton e Watt contrataram John Rennie (1761–1821), um engenheiro meticuloso que havia sido treinado por um famoso engenheiro escocês, Andrew Meikle (ver Nota 9). Ao que tudo indica, foi Rennie quem adaptou o pêndulo centrífugo patenteado por Mead para funcionar como regulador de velocidade de uma máquina a vapor. O Albion Mills foi destruído em um incêndio em 1791. Comercialmente o empreendimento foi um fracasso, mas dele saíram muitas ideias de grande impacto tecnológico para a época (Bennett, 1979).

[18]*Regulating wind and other mills*, patente britânica, No. 1706 (série antiga), 1789 por Stephen Hooper.

atuar no ângulo de ataque das velas em C de tal maneira a contrapor a variação de velocidade original. Trata-se de um claro exemplo de realimentação *negativa* (Seção 1.2).

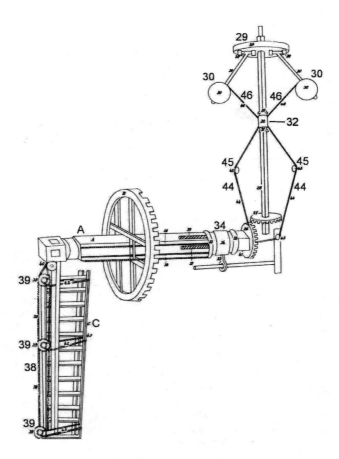

**Figura 2.10.** Esboço do regulador de velocidade proposto por Mead em sua patente de 1787. O pêndulo centrífugo é composto pelo disco 29, pelos pesos 30 e dispositivos auxiliares. A figura indica apenas uma pá (estrutura C) do moinho. Figura adaptada de (Mayr, 1970).

O problema de regulação de velocidade era de importância marcante para a época. Diversas alternativas continuaram a ser propostas, mas não há evidências históricas que permitam avaliar até que ponto tais soluções foram, de fato, implementadas na prática. Quanto às patentes de Mead e Hooper, a menos do depoimento otimista do Dr. Alderson, anteriormente citado, pode-se imaginar que tais soluções gozaram de aceitação limitada à época. No caso de vento forte, soluções mais baratas tinham desempenho melhor, e nenhuma alternativa era eficaz no caso de vento fraco.

A Figura 2.11 mostra um exemplar de pêndulo centrífugo, em uma concepção mais próxima daquela que posteriormente foi utilizada para regulação de velocidade em máquinas a vapor. A altura da luva que desliza sobre o eixo vertical relaciona-se à velocidade angular. Essa relação, apesar de não linear (ver Figura 2.16 e comentários), foi utilizada para acionar uma válvula e, assim, fechar a malha de regulação por meio de realimentação negativa.

**Figura 2.11.** Exemplar de pêndulo centrífugo. À esquerda, as esferas do pêndulo estão na posição mais baixa, indicando que a sua velocidade angular é nula. À direita, a posição das esferas, mais elevada, corresponde a uma determinada velocidade angular.

Mesmo não sendo uma solução eficaz para o problema de regulação de velocidade de moinhos, a concepção do pêndulo centrífugo foi de importância incalculável em outra aplicação em que se consagrou: regulação de velocidade de máquinas a vapor, como será visto a seguir.

## 2.3 Máquinas a vapor

A mudança da roda-d'água para o moinho de vento se deu parcialmente devido à saturação do recursos hídricos. O moinho de vento, por sua vez, daria lugar à máquina a vapor, mas não pela mesma razão, pois, em princípio, um moinho de vento poderia ser instalado em qualquer lugar. Uma das principais razões pelas quais o moinho de vento cedeu lugar para as máquinas a vapor foi a limitação de potência, além dos conhecidos problemas de regularidade de comportamento, que tentaram ser aliviados com soluções como as de Lee e Mead.

Provavelmente uma das primeiras máquinas rotativas movidas a vapor tenha sido um dispositivo cuja invenção é atribuída a Heron de Alexandria no primeiro século (Harms et al., 2004). A eolípila concebida por Heron era uma esfera com saídas de vapor que consistiam de tubos tangenciais ao movimento rotativo da esfera (Figura 2.12a). O vapor produzido dentro da esfera pelo aquecimento da água escapava pelos tubos, o que resultava em movimento rotativo.

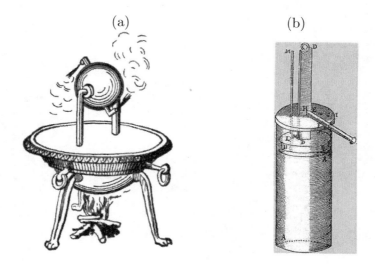

**Figura 2.12.** Esboços de (a) eolípila de Heron (c. 100 a.C.) e (b) primeira máquina a vapor de Denis Papin (século XVII), (Wikipedia, 2011).

Em 1679 o francês Denis Papin (Figura 2.14)[19] mostrou que era possível movimentar um pistão dentro de um cilindro (Figura 2.12b) utilizando a condensação de vapor. Foi o início da concepção de uma máquina a vapor que fazia uso de válvulas e um pistão para realizar trabalho. Papin chamou esse dispositivo de máquina atmosférica (Harms et al., 2004, p. 86).

---

[19]Denis Papin (1647–c.1712) foi um físico-matemático francês que, em 1679, inventou o que veio a ser o precursor da panela de pressão. Ao final do século XVII, trabalhou com Christian Huygens em Paris.

*Moinhos e máquinas a vapor*

As primeiras máquinas a vapor "de grande porte" foram desenvolvidas por Thomas Savery (Figura 2.13),[20] em 1698, e Thomas Newcomen,[21] em 1712. "O mecanismo desenvolvido por Savery transformou-se na primeira máquina a vapor — ou máquina 'de fogo', como ficou conhecida — com sucesso comercial da história, pois passou a ser utilizada em larga escala" (Braga et al., 2005, p. 32). A contribuição de Newcomen foi a de introduzir um êmbolo que se movia no interior de um cilindro, conectado a um sistema de braços oscilantes. Com isso sua máquina dispensava o uso de um cilindro com vapor a alta pressão, com era o caso da máquina de Savery.

**Figura 2.13.** Thomas Savery (c. 1650–1715), (Wikipedia, 2007).

Mesmo apresentando importantes diferenças, o problema motivador para as máquinas de Savery e Newcomen era o mesmo: o de bombear água para fora de minas de carvão, o que normalmente era realizado utilizando cavalos.[22] Como

---

[20]Thomas Savery (c. 1650–1715) foi um engenheiro militar inglês que, em 1698, patenteou uma máquina a vapor para bombear água. Acredita-se que foi a primeira máquina a vapor desse tipo a ser comercialmente bem-sucedida. Inventou também um odômetro para navios (Hall, 2008),

[21]Thomas Newcomen (1663–1729) foi um engenheiro e inventor inglês. A sua máquina a vapor atmosférica, que conjuga ideias de Savery e Papin (ver página 48 e Nota 19), foi inventada por volta de 1712 e é conhecida como a máquina de Newcomen (Hall, 2008).

[22]O seguinte contexto é instrutivo: "Uma importante aplicação da máquina [a vapor] cilíndrica foi prontamente identificada. Tal aplicação teve sua origem no interesse nacional por navios de madeira, o que pagava elevados preços por grandes árvores. De fato, a Europa havia sido devastada de suas grandes árvores, pois até mesmo um navio de porte médio requeria em torno de 2000 árvores de carvalho adultas. Além disso, a madeira transformada em carvão era um desejável combustível para as indústrias de fundição e metalúrgica. Como consequência da redução da disponibilidade da madeira para queima, a mineração de carvão tornara-se uma importante

apontado em (Hémery et al., 1993, p. 160), as minas de carvão proveram não apenas o combustível, mas também a principal aplicação para a nova tecnologia das máquinas a vapor. Newcomen aproveitou ideias de Savery e Papin, sendo que sua máquina, ao contrário da de Savery, possuía um pistão e era mais eficiente do que a de seu conterrâneo. Alguns historiadores atribuem a Newcomen a produção em 1712 da primeira máquina a vapor operacional (Harms et al., 2004, p. 86). Esses mesmos autores apontam que em meados do século XVIII havia nas minas de carvão inglesas em torno de 100 máquinas de vapor e que até o final do século mais 1500 unidades haviam sido construídas para uso do mercado interno de mineração e para exportação. Considerando outras áreas de aplicação, além da mineração, ao final do século XVIII havia em torno de 2500 máquinas a vapor operantes apenas na Inglaterra (Harms et al., 2004, p. 90).[23]

Problemas comuns às máquinas de Savery e de Newcomen eram o baixo rendimento e a falta de controle que garantisse um funcionamento regular. Ambos os problemas encontrariam soluções nas máquinas a vapor construídas por James Watt (Figura 2.14),[24] que incluíam condensadores onde era formado o vácuo. Assim, o cilindro de vapor não precisava ser resfriado, o que aumentava significativamente o rendimento, mas não resolvia o problema de regulação.

O primeiro protótipo foi construído por Watt em 1765 como resultado de seu trabalho na Universidade de Glasgow, onde havia uma miniatura de uma máquina a vapor de Newcomen que requeria frequente manutenção. Watt não apenas aumentou a eficiência da máquina a vapor, como também comparou a sua

---

atividade para prover uma fonte de energia alternativa (. . . ) Mas havia um problema grave: assim como em toda atividade de mineração, infiltração de água requeria bombeamento, caso contrário a profundidade em que faria a mineração seria grandemente limitada. O bombeamento era normalmente efetuado por cavalos que puxavam uma cadeia de baldes ou acionavam uma manivela presa a uma bomba de sucção. Uma máquina cilíndrica poderia ser convertida em uma eficaz bomba hidráulica" (Harms et al., 2004, p. 86).

[23]Uma interessante aplicação do uso de vapor era a navegação. As primeiras iniciativas modestamente bem-sucedidas no uso de vapor em barcos começaram por volta de 1780 com John Fitch (1743–1798) no Rio Delaware, na costa leste dos Estados Unidos da América. O primeiro barco comercialmente bem-sucedido movido a vapor foi projetado e construído por Robert Fulton (1765–1815), em 1807, e operava no Rio Hudson, em Nova Iorque. Em 1819, o primeiro barco a vela com tração a vapor, batizado no ano anterior, cruzou o Oceano Atlântico (Harms et al., 2004, p. 93).

[24]James Watt (1736–1819) foi um inventor e engenheiro escocês, cuja contribuição mais importante foi a do desenvolvimento da máquina a vapor. Watt era *fellow* da *Royal Society of Edinburgh*, da *Royal Society of London*, e era um dois oito membros estrangeiros da Academia Francesa de Ciências. Sua primeira patente foi concedida em 1769 pela proposta de incluir um condensador nas máquinas a vapor da época. O novo dispositivo tornava a máquina mais rápida e eficiente. Em 1784 patenteou a locomotiva a vapor.

potência com a dos cavalos na tarefa de bombear água: surgiu, assim, a unidade cv (cavalo vapor).[25] A máquina a vapor tornou-se uma peça chave da Revolução Industrial do século XIX,[26] como apontado por James Gleick:

"O vapor era o acionador de todo motor, o capacitador da indústria. Ainda que por umas poucas décadas, essa palavra [vapor] represente potência e força, bem como tudo que era vigoroso e moderno.[27]

**Figura 2.14.** Da esquerda para a direita: Denis Papin (1647–c.1712), James Watt (1736–1819) e Matthew Boulton (1728–1809), (Wikipedia, 2009, 2015, 2009).

### 2.3.1 A válvula governadora de Watt

O desenvolvimento do que veio a ser conhecido como a válvula governadora de Watt foi concomitante às patentes de Hilton, Mead e Hooper. O pêndulo centrífugo, tão comumente associado à válvula governadora de Watt, ao que tudo indica, foi uma invenção de Thomas Mead, incluída na patente em 1787.[28] Contudo, não resta dúvida de que o impacto causado pela válvula governadora de Watt foi muito maior do que o do pêndulo centrífugo de Mead, ainda que este último dispositivo fosse a peça fundamental. A válvula governadora de Watt foi

---

[25]Um cavalo vapor é igual a 745,7 W.

[26]As outras duas revoluções energéticas foram a do petróleo em torno de 1850 e a nuclear, em meados do século XX (Harms et al., 2004, p. 89).

[27]Citado de (Gleick, 2011, p. 92).

[28]Foi uma satisfação pessoal constatar que Phillips e Harbor claramente indicam Thomas Mead como o inventor do pêndulo centrífugo, descrevendo-o como "uma importante invenção no controle de velocidade tanto de moinhos como de máquinas a vapor" (Phillips and Harbor, 2000, p. 10).

desenvolvida para regular a velocidade de máquinas a vapor, mas esse mesmo dispositivo também foi utilizado por ele para regular outras variáveis, como o nível de água e a pressão de vapor.

Boa parte do impacto alcançado pela descoberta de Watt foi devida à coincidência de diversos fatores. Em primeiro lugar, era necessário que o processo a ser controlado (a máquina a vapor) estivesse tecnologicamente maduro. No caso das máquinas a vapor com eixo rotativo, a maturidade industrial foi atingida por volta de 1783.[29] Além disso, era necessário contar com uma equipe de engenheiros que incluísse tanto projetistas experientes, como Boulton e Watt, como um bom número de engenheiros mais novos, com talento e capacidade criativa. Isso também foi observado, uma vez que a empresa Boulton & Watt havia se lançado em um grande empreendimento: a construção do Albion Mills, em Londres, que entrou em operação em 1786, com uma máquina a vapor. Por fim, eram necessários os principais dispositivos para compor a válvula governadora. Por um lado, o pêndulo centrífugo estava disponível desde 1787; por outro, em maio de 1788 aproximadamente, foi desenvolvida uma válvula de ajuste manual, mas que poderia ser facilmente adaptada para receber a ação de controle do pêndulo centrífugo. A combinação desses elementos, na segunda metade de 1788,[30] culminou na conhecida válvula governadora[31] (Mayr, 1970). Por fim, foi um jovem engenheiro da Boulton & Watt, John Rennie,[32] que adaptou o pêndulo centrífugo de Mead e o maquinário correspondente para aplicação nas máquinas a vapor. Uma de suas principais contribuições foi a substituição da madeira pelo ferro fundido.

Para a surpresa de alguns, James Watt nunca patenteou a válvula governadora. Pela documentação deixada por ele, bem como pelo relato de alguns contemporâneos, tudo leva a crer que Watt via a sua contribuição como sendo "simplesmente" a de combinar diversos elementos conhecidos. De fato, alguns historiadores suspeitam que o próprio Watt não compreendia a generalidade e as implicações da realimentação negativa (Mayr, 1970). Contudo, é consenso que a aplicação de Watt (regulação de velocidade de máquinas a vapor) era uma aplicação inédita pela qual ele e a sua empresa, Boulton & Watt, merecem todo crédito.

---

[29]A primeira máquina a vapor de operação rápida foi vendida por James Watt nesse ano.

[30]Trinks fornece, sem explicação, o ano de 1784 como a data da invenção da válvula governadora de Watt (Trinks, 1919, p. 16).

[31]Os termos em inglês são *fly-ball* e *centrifugal governor*.

[32]John Rennie (1761–1821) foi um engenheiro civil escocês conhecido pelo projeto de diversas pontes e canais, entre elas a ponte de Londres, cuja construção foi concluída depois de sua morte. Uma das marcas do projeto de pontes feito por Rennie era o uso de pedras e ferro fundido. Sua habilidade com ferro fundido remonta à época em que trabalhou na Boulton & Watt.

# Moinhos e máquinas a vapor

A aceitação da válvula governadora de Watt foi rápida. Pelas razões sugeridas no parágrafo anterior, e por questões de sigilo, Watt e Boulton não publicaram detalhes sobre o seu sistema de regulação de velocidade. A primeira descrição da válvula governadora parece ter se dado em 1798 no periódico *Nicholson's Journal* (Bennett, 1979), uma década depois da sua invenção. Nos primeiros anos do século XIX esse dispositivo já era considerado "comum" e, por volta de 1820, os princípios de funcionamento da válvula governadora já eram discutidos nos livros-texto de engenharia. Estima-se que em 1868, ano em que foi publicado o artigo de Maxwell sobre a análise da válvula governadora (Capítulo 3), havia mais de 75 mil dispositivos desses em operação na Inglaterra (Bennett, 1979). A concepção de sua válvula governadora garantiu a James Watt menção entre os cinquenta inventores mais influentes na indústria (Strothman, 2003).

Logo ficou evidente que o governador de Watt regulava a velocidade com erro em estado estacionário. Sabendo que esse dispositivo era meramente proporcional (eram chamados de estáticos) e que a maioria dos processos aos quais era aplicado não tinha integração pura, esse resultado, hoje em dia, não surpreende os estudantes de controle. Contudo, à época esses conceitos não estavam claros e o problema do erro em estado estacionário passou a ser atribuído à solução de Watt propriamente dita. Essa postura levou a diversos projetos de sistemas semelhantes, alguns com os mesmos problemas, outros não. Aqueles dispositivos que não apresentavam tal erro haviam incorporado, às vezes de forma inconsciente, alguma ação integral (tais dispositivos eram chamados não estáticos).

Uma solução alternativa ao regulador de Watt foi o sistema de regulação de velocidade dos irmãos Périer, desenvolvido na França por volta de 1790. Esse sistema, que se baseava em uma válvula acionada por uma boia, e não pelo pêndulo centrífugo como no caso da solução de Watt, foi logo deixado de lado e esquecido.[33]

O pêndulo centrífugo, que nascera no contexto dos moinhos de vento e que tivera um forte impulso nas máquinas a vapor, encontrou aplicações nas mais diversas áreas (Mayr, 1971a). Por exemplo, George Airy usou o conceito de pêndulo centrífugo (a fricção) para regular a velocidade de um telescópio (ver Capítulo 3). Thomas Edison,[34] conhecido pela invenção da lâmpada incandescente (invenção

---

[33]Um aspecto interessante sobre o sistema dos irmãos Périer é que ele incorporava uma ação integral, de modo que perturbações constantes eram totalmente rejeitadas em estado estacionário. Essa característica, contudo, parece não ter sido intencionalmente incluída no projeto. Mayr conjectura que esse sistema foi um dos primeiros a incorporar ação integral em seu controle (Mayr, 1970, p. 117).

[34]Thomas Alva Edison (1847–1931), inventor e empresário americano, detentor de 1093 patentes, sendo considerado por alguns o maior inventor de todos os tempos. Fundou a *Edison General Electric Co.*, que posteriormente tornou-se a conhecida *General Electric Corporation*.

74            *Sistemas realimentados: uma abordagem histórica*

contestada por alguns), patenteou dispositivos governadores para diversas aplicações, como a regulação de velocidade de fonógrafos.[35] Em seu livro, Willibald Trinks inclui dois capítulos, um sobre a regulação de vazão e outro sobre a regulação de pressão utilizando dispositivos governadores (Trinks, 1919). Também na área de turbinas hidráulicas, o governador de Watt era usado para regulação de velocidade (Fasol, 2002, p. 68).

As aplicações da máquina a vapor pareciam intermináveis. Uma em particular chama a atenção. Em 1831, Michael Faraday[36] realizou um experimento que marcou a história da ciência.[37] Ele mostrou que um condutor elétrico em movimento no campo produzido por um ímã experimentaria a indução de potencial elétrico, e vice-versa. A partir desse momento começaram a surgir geradores de eletricidade acionados pela mão, que começaram a substituir as "pilhas" de Volta,[38] inventadas no início daquele século. Em 1879, o americano Thomas Edison conseguiu manter um filamento de algodão incandescente por mais de 13 horas, seguindo os esforços do britânico Joseph Swan.[39] Em 1880, Edison e Swan conectaram em torno de 3 mil lâmpadas incandescentes em paralelo e as energizaram por meio de um dínamo de corrente contínua que era acionado por uma máquina a vapor.

---

Uma de suas famosas frases é: "genialidade é um por cento inspiração e noventa e nove por cento transpiração".

[35] *Centrifugal speed governor*, patente americana, No. 1.583.783, 1926, por Thomas Edison.

[36] Michael Faraday (1791–1867) foi um físico e inventor inglês. Dentre suas invenções encontram-se ligas de aço (1818), o motor elétrico (1821), o dínamo (1831), o transformador e o gerador elétrico hidrodinâmico a ímãs (Hall, 2008).

[37] Khramoi observa que as aplicações dos resultados de Faraday em engenharia foram atrasadas por diversas opiniões equivocadas dos físicos da época. Em um livro escrito para proteger e garantir a paternidade intelectual de cientistas russos, o autor ressalta que "em 1834 Lents estabeleceu as regras para determinar a corrente induzida" e "foi Lents que esclareceu os fenômenos [de indução] do ponto de vista da engenharia" (Khramoi, 1969, p. 14). Heinrich Friedrich Emil Lenz (ou Lents) (1804–1865) foi um físico russo conhecido pela lei que leva seu nome na área de eletrodinâmica (Wikipedia, 2012). Foi professor da Universidade de São Petersburgo e membro da Academia de Ciências [de São Petersburgo] a partir de 1830 (Khramoi, 1969, p. 219). Khramoi também atribui a Lenz a primeira publicação russa em que são mostrados sinais registrados de maneira automática (Khramoi, 1969, p. 26).

[38] Nome dado em homenagem ao seu inventor, Conde Alessandro Giuseppe Antonio Anastasio Volta (1745–1827), um físico e inventor italiano. Desenvolveu diversos dispositivos para produzir corrente. Inicialmente (1799), as pilhas de Volta foram construídas com solução salina, mas posteriormente foram construídas com metais (Hall, 2008).

[39] Sir Joseph Wilson Swan (1828–1914) foi um inventor químico e eletricista inglês. Desenvolveu dispositivos para produzir luz elétrica (1860), a lâmina fotográfica seca (1871), papel fotográfico (1879), a lâmpada incandescente com filamento de carbono (1880) e, em 1883, formou com Thomas Edison a empresa chamada Edison and Swan United Electric Co. (Hall, 2008).

*Moinhos e máquinas a vapor* 75

Instalação semelhante foi implementada na cidade de Nova Iorque em 1882, para o completo assombro do público (Harms et al., 2004, p. 120).[40]

Diversas modificações ao projeto original de Watt surgiram ao longo da história. Alguns dos mais conhecidos serão mencionados na próxima seção. Antes, contudo, vale mencionar que, em 1853, Konstantin Konstantinov[41] inventou um regulador eletromagnético, o qual foi descrito em uma publicação realizada no ano seguinte. A engenhosa solução de Konstantinov, em certo sentido, assemelha-se ao pêndulo centrífugo por fricção, pois a regulação de velocidade era conseguida dissipando a energia em excesso, o que era alcançado pelo acionamento eletromagnético de freios. O momento de acionar o freio era detectado pela elevação de uma coluna de mercúrio, que fechava o contato do circuito. Apesar de esse regulador ser do tipo liga-desliga, ele empregava dispositivos eletromagnéticos, o que era muito comum na tecnologia russa à época. Com respeito a esse tipo de equipamento foi observado que "somente um quarto de século depois da publicação de Konstantinov é que reguladores eletromagnéticos de máquinas a vapor tornaram-se comuns" (Khramoi, 1969, p. 124).

### 2.3.2  Primeiras tentativas de análise e solução de problemas

A válvula governadora de Watt tinha ao menos três dificuldades associadas: apresentava oscilações não amortecidas (*hunting*, ver página 335),[42] falta de potência e erro de velocidade em estado estacionário. A falta de potência era o resultado de utilizar a própria energia do pêndulo centrífugo para acionar a válvula.[43] Tal falta de potência era crítica na regulação de velocidade de rodas-d'água. Por fim, o erro de velocidade em estado estacionário para distúrbios de carga tinha

---

[40]Diversos esquemas de regulação na área de iluminação são descritas em (Khramoi, 1969). Contudo, em todos os casos as lâmpadas em questão são lâmpadas a arco. Nessa aplicação, os reguladores deveriam manter um comprimento de arco constante. Um desses engenhosos reguladores foi inventado pelo engenheiro eletricista russo I. I. Repieff em 1877. Nessa época muitos prédios em Londres, inclusive o que sediava a imprensa do *Times*, eram iluminados com tais lâmpadas reguladas com o regulador de Repieff (Khramoi, 1969, pp. 132, 134).

[41]Konstantin Ivanovich Konstantinov (1817–1871) foi um notável engenheiro mecânico e eletricista russo. Inventou diversos dispositivos para o controle automático de máquinas, mas é mais conhecido pelo seu conhecimento de foguetes (Khramoi, 1969, p. 218).

[42]Sobre o problema de oscilações da válvula governadora de Watt, veja a discussão na introdução do Capítulo 3.

[43]A segunda edição do livro de Yastrzhembskii (ver Nota 14 do Capítulo 3) "Fundamentos Científicos de Mecânica Geral Aplicada", publicada em 1846, foi a primeira publicação russa a discutir o problema de regulação utilizando o pêndulo (governador) centrífugo para acionar comportas cuja movimentação requeria muito maior potência que a disponível no pêndulo (Khramoi, 1969, p. 121).

sua origem na falta da ação integral na concepção de Watt, cujo regulador era puramente proporcional.

O problema de oscilações não amortecidas parece ter sua origem no atrito da válvula, que, por sua vez, inseria atrasos na resposta temporal.

Uma solução proposta pelos irmãos Siemens (Figura 2.15),[44] o governador cronométrico, usava uma parcela da potência da máquina para acionar a válvula, permitindo uma resposta mais rápida, e incorporava também ação integral. Essa ação foi conseguida graças ao uso de uma engrenagem diferencial, pela qual, em vez de comparar a velocidade da máquina com a referência, comparava duas posições. O sistema dos irmãos Siemens foi obtido com a ajuda de Joseph Woods, em nome de quem saiu a respectiva patente.[45]

**Figura 2.15.** À esquerda, Ernst Werner von Siemens (1816–1892); à direita, Carl Wilhelm Siemens (1823–1883), (Wikipedia, 2007).

Em 1858, Porter[46] propôs uma válvula pré-tensionada, que reduzia os problemas decorrentes do atrito na válvula de Watt. A história de Porter, que culminou

---

[44] Ernst Werner von Siemens (1816–1892) foi um industrialista e engenheiro eletricista alemão. Inventou o telefone que permitia discar o número chamado (1846) e lançou o cabo submarino em 1847. Werner era um de quatro irmãos, todos engenheiros eletricistas. Em 1847, Werner Siemens abriu a empresa *Telegraphen-Bauanstalt von Siemens & Halske*, que, em 1966, se tornou a Siemens AG. Um outro irmão que ficou famoso foi Carl Wilhelm Siemens (1823–1883), também conhecido como Sir William Siemens. Carl inventou uma máquina a vapor regenerativa (1847), um medidor de água (1851) e aperfeiçoou processos siderúrgicos (1861). Junto com seu irmão Werner, em 1847 lançou o cabo submarino que se estendeu da Inglaterra aos Estados Unidos (Hall, 2008).

[45] *Regulating the power and velocity of machines for communicating power*, Brithish Patent 10151, 1844, Joseph Woods.

[46] Charles Talbot Porter (1826–1910) foi um advogado, engenheiro e inventor de Nova Iorque. Entre suas invenções encontram-se as seguintes: modificação do governador de Watt, chamado de governador de Porter (1858), um indicador de vapor (1863) e um condensador a jato para

*Moinhos e máquinas a vapor* 77

com sua máquina de alta velocidade (ver legenda da Figura 2.16), é contada com
detalhes em (Mayr, 1975). Os méritos da invenção de Porter, que teve grande
aceitação, podem ser reconhecidos no seguinte trecho:

"No pêndulo centrífugo tradicional, o movimento das esferas serve
como medida de velocidade. De acordo com as leis que regem o pêndulo centrífugo, o deslocamento das esferas é uma função apenas da
velocidade e independe da massa das esferas. Essa função, contudo, é
não linear, pois a razão entre o deslocamento e a velocidade — a sensibilidade [ganho] do pêndulo centrífugo — diminui com o aumento da
velocidade. Um cálculo simples mostra que a faixa ótima de operação
do pêndulo tradicional está abaixo de 100 rpm, ou seja, trata-se de
um pêndulo lento. Tal pêndulo tem pouca energia cinética — pouca
potência disponível para a ação de controle —, a menos que as esferas
sejam pesadas. Entretanto, o aumento da inércia torna mais lenta
a resposta do sistema a distúrbios, à custa de estabilidade e exati-
dão. Resposta lenta e falta de potência eram, de fato, as principais
dificuldades do governador baseado no pêndulo centrífugo tradicional.

"Em seu pêndulo centrífugo, Porter reduziu significativamente o tamanho das esferas e, para compensar, aumentou a velocidade de um
fator de dez. Assim, ele conseguiu uma resposta mais rápida e com
mais potência. Para tornar a sensibilidade do dispositivo suficientemente alta, ele contrabalançou a força centrífuga com um peso, que
inicialmente era conectado por meio de alavanca, mas posteriormente
foi montado sobre o eixo girante do pêndulo. Os resultado obtidos
por Porter em termos de estabilidade e de redução do erro em estado
estacionário foram sensacionais. Isso forçou os demais fabricantes a
reconsiderarem seus projetos."[47]

A válvula governadora de Watt, por não incorporar ação integral, apresentava erro não nulo em estado estacionário, caso não oscilasse. Alternativas para
eliminar as oscilações foram propostas, como o regulador da bomba hidráulica,
que apresentava ação integral, proposto por de Prony.[48] Uma outra proposta
foi patenteada em 1837 por Louis Molinié, cujo regulador com ação integral foi

---

motores (1864) (Hall, 2008). É considerado o "pai da máquina a vapor de alta velocidade"
(Mayr, 1971a, p. 13).

[47]Citado de (Mayr, 1971a, pp. 13–14).

[48]Gaspard Clair François Marie Rieche de Prony (1755–1839), matemático, engenheiro e inventor francês, conhecido pelo freio de Prony, um dinamômetro de absorção (Hall, 2008).

78  Sistemas realimentados: uma abordagem histórica

investigado por C. Combes,[49] que mostrou que o tempo de acomodação era, em alguns casos, de diversos minutos. Bennett acredita que esse trabalho possa ter sido o primeiro a descrever a medição da resposta transiente de um sistema realimentado (Bennett, 1979, p. 16). Outras alternativas de válvulas governadoras que não apresentavam *offset* (válvulas isócrinas ou "astáticas") em sistemas de controle de velocidade foram propostos em meados do século XIX por pessoas como Foucault[50] e Farcot.[51]

Em relação a isso, a seguinte citação de um matemático muito conhecido por estudantes de controle é de grande interesse:

> "O uso do governador de Watt na máquina a vapor, por ser tão bem conhecido, dispensa descrição. Contudo, esse dispositivo, da maneira como é normalmente usado, tem um grave defeito. Frequentemente é importante que a máquina funcione a taxa [velocidade] constante a despeito de variações significativas na resistência [carga]. Suponha que a carga diminua rapidamente: a máquina passa a operar a uma velocidade maior, as esferas se afastam e, assim, reduzem o vapor. Depois de um tempo, a máquina volta a funcionar de maneira uniforme [velocidade constante], mas *a uma velocidade diferente da anterior*. O movimento das esferas é feito para ser circular. Se o movimento das esferas for restringido a seguir alguma outra curva, tal curva poderá ser escolhida de maneira a corrigir o defeito supramencionado. Se essa curva for uma parábola, e se as esferas forem consideradas como partículas, usando-se considerações elementares[52] torna-se claro que elas atingirão o equilíbrio relativo somente quando a máquina atingir a taxa [velocidade] especificada. Esse princípio é devido a Huygens, veja *Astronomical Notices*, dezembro de 1875."[53]

À época, a análise e as tentativas de solução de alguns problemas observados eram realizadas de forma pouco sistemática. Contudo, a necessidade de maior

---

[49]Combes, C., Rapport sur régulateur à insufflation présenté par M. L. Moulinié, *Bulletin de la Societé d'Encouragement pour l'Industrie Nationale*, 1841, 40:349–367.

[50]Jean Bernard Léon Foucault (1819–1868), físico francês cujo nome está associado ao pêndulo com o qual mostrou que a terra gira (Crease, 2006).

[51]Marie Joseph Farcot e seu filho Jean Joseph Léon Farcot projetaram diversas válvulas governadoras. Jean Farcot, em 1873, publicou o primeiro livro sobre servomecanismos — *Le servo-moteur ou moteur asservi* —, onde cunhou o termo *servo* (Bennett, 1979, p. 100). Por outro lado, o termo *servomecanismo* parece ter sido cunhado por Hazen em seu famoso artigo de 1934 (D'Azzo and Houpis, 1966, p. 7).

[52]A definição do que sejam "considerações elementares" é relativa!

[53]Citado em (Routh, 1877, p. 42).

*Moinhos e máquinas a vapor* 79

rigor na análise já se fazia sentir e servia de motivação para estudos mais avançados sobre o desempenho dinâmico da válvula governadora. O célebre trabalho de Maxwell, *On Governors*, estava a caminho. Esse artigo será analisado em detalhes no Capítulo 3.

## 2.4 Considerações finais

Ao longo da história da ciência, há diversos exemplos de conceitos e dispositivos que não tiveram grande impacto até muitos anos depois de sua invenção. Um desses exemplos foi visto neste capítulo: o "leque de cauda" de Edmund Lee. Apesar de patenteado em 1745, o uso geral dessa ideia precisou esperar um correspondente desenvolvimento na área de metalurgia.

Um outro exemplo disso encontrado no presente capítulo é o da válvula governadora de Watt. Esse importante dispositivo, que desempenhou papel central na revolução industrial, não poderia ter sido desenvolvido sem que antes estivessem disponíveis: a máquina a vapor com eixo rotativo (o processo), o pêndulo centrífugo (o sensor e o controlador) e a válvula (o atuador).

Há outro aspecto interessante a ser observado. O célebre pêndulo centrífugo foi proposto por Thomas Mead como uma maneira de regular a velocidade de moinhos. Contudo, no contexto em que foi proposto, o pêndulo centrífugo era uma solução ineficaz em geral, pois só conseguia regular a velocidade do moinho de maneira competitiva para ventos moderados. Para ventos fortes, havia soluções melhores e, para ventos fracos, não havia solução. Aquilo que teve desempenho "médio" na aplicação que motivou seu aparecimento foi a "galinha dos ovos de ouro" em outro setor de aplicações: a máquina a vapor. Uma discussão global dos primeiros desenvolvimentos na área de controle e como eles influenciaram avanços posteriores pode ser encontrada em (da Silveira, 2007).

Como apontado em (Mayr, 1971a, pp. 14) a relação entre a posição da luva no pêndulo centrífugo e a velocidade é não linear. A razão entre variações de deslocamento (saída) e de velocidade (entrada) — a sensibilidade (ganho) do pêndulo — não é constante (Figura 2.16). Apesar da clara não linearidade do pêndulo centrífugo, como o problema em mãos era o de regulação (operação em torno de uma velocidade desejada) e não o de rastreamento, a não linearidade não parece ter sido a principal fonte de problemas nas primeiras décadas de existência do pêndulo centrífugo.

Um dos principais problemas era o da estabilidade, o que levou pessoas como George Airy e James Maxwell a investigar matematicamente o comportamento do governador. Ao escrever as equações, contudo, a não linearidade aparecia e tais autores se viram na necessidade de linearizá-las, pois os únicos critérios de estabilidade que começavam a ser desenvolvidos eram aplicáveis a sistemas lineares. Nesse particular, as equações usadas por Airy não eram facilmente linearizáveis, como será visto no Capítulo 3. Assim, o desenvolvimento de dispositivos governadores é um exemplo em que a não linearidade não apresentou maiores dificuldades na *prática* da regulação de velocidade, mas mostrou ser uma pedra de tropeço para a *análise* matemática desses sistemas, contrariando a noção popular de que "fazer funcionar" é muito mais difícil do que "conseguir analisar".

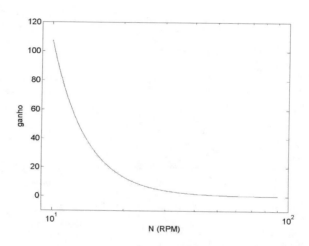

**Figura 2.16.** Ganho do pêndulo centrífugo em função da velocidade $N$ em rpm. Notar como a partir de 40 rpm o ganho é muito pequeno. A máquina a vapor de Porter conseguia regular velocidades de até 300 rpm.

Encerraremos este capítulo com o seguinte fato. Além do desenvolvimento do regulador de velocidade da máquina a vapor de Watt, o século XVIII também testemunhou o aparecimento da célebre obra de Adam Smith: *Inquiry into the nature and causes of the wealth of nations*, publicada pela primeira vez em 1776. Nesse trabalho o autor demonstrou um profundo *insight* sobre o processo de realimentação. Escrevendo sobre Smith,[54] Otto Mary (ver Seção 1.1.1) argumentou que o conhecimento dos dispositivos que usavam realimentação no século XVIII foi importante para Smith, pois "é difícil crer que sua profunda compreensão sobre o caráter e funcionamento de sistemas com realimentação pudesse ter sido obtida

---

[54]Mayr, O., "Adam Smith and the concept of the feedback system", *Technology and Culture*, 12:1–22, 1971.

*Moinhos e máquinas a vapor* 81

analisando sistemas econômicos complexos ou usando pura dedução lógica" (Bennett, 2002, p. 31). Nas próprias palavras de Mayr:

> "Adam Smith descreveu diversos processos [sociais com realimentação] com clareza admirável. Isso leva a uma pergunta. Uma vez que Adam Smith com seu mecanismo de realimentação social e James Watt com o dispositivo governador de sua máquina a vapor (...) viveram no mesmo período, no mesmo lugar e pertenceram à mesma classe social, será que um aprendeu o conceito de realimentação com o outro, talvez durante um jantar ou tomando uma taça de vinho do Porto? Não há evidência de que uma transferência simples como essa tenha ocorrido."[55]

Além de Adam Smith, muitos outros cientistas, que não eram engenheiros, demonstraram interesse em sistemas realimentados ao longo do século XIX. Na maioria dos casos o objetivo final não era compreender o sistema em si, mas usá-lo como plataforma de desenvolvimento e teste de conceitos e ideias. Um desses cientistas foi James Maxwell, cuja contribuição para a área de controle é descrita no próximo capítulo.

---

[55]Citado de (Mayr, 2002, p. 90).

# Capítulo 3

# Análise de dispositivos governadores

"Um [dispositivo] governador é uma parte de uma máquina por meio da qual sua velocidade é mantida aproximadamente uniforme, apesar de variações no acionamento ou na carga.

($\cdots$)

"No presente, sem entrar em detalhes do mecanismo, meu propósito é chamar a atenção de engenheiros e matemáticos para a teoria de tais dispositivos [válvulas governadoras]."[1]

James Clerk Maxwell, 1868[2]

---

[1] Citado de (Maxwell, 1868, p. 270).

[2] James Clerk Maxwell (1831–1879) foi um matemático e físico teórico escocês. Ele é provavelmente mais conhecido pelos seus trabalhos sobre a teoria eletromagnética da luz e a propagação dos campos elétrico e magnético, trabalho esse que culminou com um conjunto de equações que levam seu nome. Tais equações, publicadas em *Theory of Electric Field* (1864) são conhecidas na atualidade em um formato vetorial devido a Oliver Heaviside (ver Seção 10.2.3). Postulou a existência de ondas de rádio, que posteriormente foram descobertas por Heinrich R. Hertz (1857–1894) (Hall, 2008). Trabalhou como professor no Marishal College em Aberdeen, no King's College em Londres e, finalmente, na Universidade de Cambridge. Escreveu também o *Treatise on Electricity and Magnetism* (1873) (Daintith, 2009). Uma de suas poucas (possivelmente a única) contribuições para a área de teoria de controle foi a publicação do artigo *On Governors* em 1868, que não apenas marcou época como também é, segundo muitos, o marco do início dessa área. Curiosamente, dentre as muitas contribuições de Maxwell citadas em (Daintith, 2009), *On Governors* não encontrou lugar.

> "Dispositivos governadores têm sido o brinquedo de inventores por mais de um século, e têm sido o *hobby* de matemáticos por mais de trinta anos."[3]

Willibald Trinks, 1919

No Capítulo 2 foram mencionadas algumas patentes concedidas ao longo do século XVIII que tinham como objetivo detectar mudanças de velocidade angular. Tais dispositivos foram utilizados no desenvolvimento de reguladores de velocidade de moinhos. No século seguinte o problema da regulação de velocidade apareceu em um contexto que demandou novos desenvolvimentos: a máquina a vapor. Por se tratar de uma máquina que manipulava níveis de potência muito mais altos que os dos moinhos, os problemas de controle se intensificaram. Portanto, alguns cientistas do século XIX dedicaram-se ao estudo do comportamento dinâmico desses dispositivos governadores com o objetivo de compreender a origem e natureza dos problemas e, quando possível, sugerir uma solução. A história das primeiras análises feitas para tais dispositivos será o foco do presente capítulo.

Em meados do século XIX, diversos modelos de válvulas governadoras estavam em uso. Portanto, era possível observar o comportamento diferente de cada dispositivo em operação. Como visto no Capítulo 2, alguns dos principais problemas de certas válvulas governadoras eram o erro na velocidade em estado estacionário e a tendência a oscilar. Em particular, graças à melhora do processo de fabricação, houve a redução do atrito nos dispositivos governadores, o momento de inércia foi também reduzido, e, para lidar com o aumento do tamanho das válvulas, a massa das esferas dos pêndulos centrífugos foi aumentada. Todas essas mudanças, sem os fabricantes saberem, contribuíam para a desestabilização desses dispositivos, que eram sistemas realimentados. Em meados do século XIX uma grande parte dos 75 mil dispositivos governadores em uso oscilavam! Diversas alternativas, como a redução do atrito, foram propostas para tentar corrigir os problemas. Tais iniciativas, no princípio, eram essencialmente empíricas.[4]

A seguinte cronologia foi proposta por um influente nome da área de controle:

> "Se o século XVII e o início do século XVIII foram a era dos relógios
> e a segunda parte do século XVIII e o século XIX foram a era das

---

[3] Assim começa o prefácio do livro (Trinks, 1919).

[4] Hoje é natural aceitar que a redução do coeficiente de atrito geralmente torna um sistema realimentado menos estável. À época, a redução do atrito era um alvo perseguido, sem, contudo, que se entendessem todas as suas implicações. A diminuição do coeficiente de atrito, de fato, reduzia o tempo de resposta do sistema (que era o alvo perseguido), mas o efeito dessa mudança para o sistema *em malha fechada* não era bem compreendido.

# Análise de dispositivos governadores

máquinas a vapor, o presente [século XX] é a era de comunicações e controle."[5]

Ao ler essa citação alguém poderia perguntar: o que serviu de transição entre a era da máquina de vapor e a era de controle? O presente capítulo pretende fornecer uma resposta a essa pergunta. Para melhor compreender essa transição, deve-se lembrar que ao longo do século XIX tornou-se cada vez mais claro que, a fim de compreender o comportamento de válvulas governadoras e projetar dispositivos melhores, era necessário descrever matematicamente o comportamento dinâmico de tais sistemas. Algumas tentativas preliminares de análise apareceram no início do século XIX. Em 1807, Thomas Young[6] analisou o dispositivo governador de Watt em estado estacionário, tendo estabelecido que a altura do pêndulo centrífugo é função do quadrado da velocidade angular. Essa relação dá origem à curva de ganho em função de velocidade, mostrada na Figura 2.16. Um estudo mais completo foi publicado por Jean-Victor Poncelet[7] em 1826,[8] o qual considerava o efeito do atrito de Coulomb (Bennett, 1979, p. 54).

Em 1840 George Airy[9] publicou um estudo do efeito de fricção sobre a dinâmica de dispositivos governadores utilizados na regulação de velocidade. O interesse de Airy por dispositivos governadores era motivado pela necessidade de rodar um telescópio a velocidade constante, de maneira a compensar a rotação da terra e, assim, manter o objeto observado no centro do campo de visão. O tipo

---

[5]Citado de (Wiener, 1948, p. 50).

[6]Thomas Young (1773–1829) foi um notável cientista inglês que contribuiu em diversas áreas, como: visão, luz, mecânica do estado sólido, energia e fisiologia. Conseguiu o doutorado em Física em 1796 e, tendo concluído o curso de medicina que começara em 1792, estabeleceu-se como médico em Londres em 1799. Em particular, foi o primeiro a medir o astigmatismo (1800), descobriu o fenômeno de interferência óptica (1801), percebeu a natureza ondulatória da luz (1803), calculou o comprimento de onda da luz visível e propôs a ideia de que, combinando as cores vermelho, verde e azul, é possível produzir muitas outras cores (Hall, 2008).

[7]Jean-Victor Poncelet (1788–1867) foi um matemático e engenheiro militar francês. Cunhou o termo *fatiga* em metais. Tinha grande interesse no projeto de turbinas e rodas-d'água, daí o seu envolvimento com o dispositivo governador de Watt. Desenvolveu um tipo particular de roda-d'água conhecida como a roda de Poncelet. Foi professor de mecânica e mecânica aplicada em Metz (1825–1835) e em Paris (1838–1848) (Hall, 2008).

[8]Poncelet, J. V., *Cours de Méchanique Appliquée aux Machines*, Cours de l'École d'Application de Metz, 1826.

[9]George Biddell Airy (1801–1892) foi um matemático e astrônomo inglês. No período de 1835 a 1881 foi *Atronomer Royal*, que é uma rara distinção concedida a somente uma pessoa por vez. Desde sua criação, em 1675, essa distinção foi concedida apenas a quinze pessoas. Foi Airy quem estabeleceu Greenwich como a localização do primeiro meridiano. Ao longo de sua carreira publicou mais de quinhentos artigos e onze livros. Airy era sogro de Edward John Routh (ver Seção 4.2.2).

de governador utilizado por Airy foi o de fricção, o que resultava em oscilações de baixa amplitude e alta frequência. O princípio de funcionamento do pêndulo de fricção é semelhante ao pêndulo centrífugo. A novidade é que naquele, à medida que o pêndulo ganha velocidade, suas esferas — ou outras partes, dependendo do modelo — são pressionadas contra um freio, dissipando o excesso de energia, opondo-se ao aumento da velocidade angular.

As oscilações de um pêndulo a fricção, que não teriam nenhuma influência significativa em uma máquina a vapor, provocavam desagradáveis efeitos para quem usava o telescópio, pois tais oscilações apareciam "amplificadas" na imagem observada. Apesar de preliminar, a análise de Airy é historicamente importante e será descrita na Seção 3.1.

O artigo *On Governors*, publicado por James Maxwell em 1868, é considerado por alguns como sendo o primeiro artigo na área de controle. Esse trabalho apresenta a análise matemática de um sistema em que realimentação negativa foi intencionalmente adicionada a fim de conseguir regulação. Tal trabalho, que será considerado na Seção 3.2, além de deixar um legado para a área de controle, teve um outro efeito muito positivo: estimulou o desenvolvimento de critérios mais gerais para determinar a estabilidade de sistemas lineares invariantes no tempo, assunto que será abordado no Capítulo 4.

O engenheiro russo J. Wischnegradski fez a análise dinâmica de um dispositivo governador. Essa análise é considerada mais clara e elucidativa que a de Maxwell, mas foi publicada em russo em 1877, com traduções publicadas em alemão no mesmo ano, e em francês em 1878 e 1879. À semelhança de Maxwell, Wischne-gradski preocupou-se com aspectos de estabilidade de dispositivos governadores e estabeleceu condições, em termos de parâmetros da equação característica, para se garantir a estabilidade. Aspectos da análise de Wischnegradski serão revistos na Seção 3.3.

Antes de prosseguir, é importante fazer a seguinte observação sobre nomencla-tura. Como o próprio título do artigo de Maxwell sugere, o foco daquele trabalho e deste capítulo são os "governadores" (*governors*). Tais dispositivos, que tipi-camente consistiam de alguma forma de pêndulo centrífugo, não se limitam a válvulas. Portanto, no presente capítulo será empregado o termo "dispositivos governadores" ou, simplesmente, "governadores".

## 3.1 A análise de Airy

A motivação de Airy (Figura 3.1) para estudar um sistema de regulação de ve-locidade tinha como origem suas atividades em astronomia. Ele precisava girar

*Análise de dispositivos governadores* 87

um telescópio a uma velocidade constante a fim de compensar o movimento de rotação da terra. Para isso utilizou um dispositivo governador a fricção (ver Figs. 3.4, 3.6 e 3.8). A fricção não apenas proporcionava uma realimentação negativa de velocidade (quanto maior fosse a velocidade, tanto maior era a dissipação de energia, que se opunha ao aumento da velocidade), mas também fazia com que o telescópio vibrasse em alta frequência. Apesar de as vibrações serem de baixa amplitude, elas comprometiam a qualidade da imagem observada. Assim, Airy entrou na área de regulação de velocidade pelo caminho da "instabilidade", como era chamado. Isso marcou a sua contribuição, como será visto a seguir.

**Figura 3.1.** George Biddell Airy (1801–1892), (Wikipedia, 2007).

Airy percebeu que a melhor maneira de resolver o problema das oscilações de alta frequência era a descrição matemática do sistema por meio de equações diferenciais. Procedendo assim, explicou como alguns parâmetros deveriam ser ajustados de maneira a se garantir "estabilidade" (amortecimento das oscilações). Sobre essa contribuição foi observado que se tratava "da primeira ilustração de que um problema de controle era passível de ser analisado por meio de equações

88             *Sistemas realimentados: uma abordagem histórica*

diferenciais. Além disso, o projeto de sistemas de controle poderia ser considerado como o ajuste dos coeficientes de uma equação diferencial a fim de garantir certas propriedades de suas soluções" (Anderson, 1992, p. 87).

A análise de Airy foi publicada em 1840[10] e um suplemento a esse artigo foi publicado em 1851.[11] A descrição a seguir baseia-se em (Bennett, 1979, pp. 57–63) e em (Fuller, 1976a). Em seu artigo de 1840, que comprova sua preocupação com o problema de estabilidade, Airy observou:

> "Sempre que o equilíbrio de forças exigir que um corpo livre seja levado a uma posição determinada ($\cdots$) não devemos esperar que o corpo permaneça imóvel em tal posição de equilíbrio, mas ($\cdots$) não haverá qualquer tendência a acomodar-se por si só nessa posição; devemos, portanto, levar em conta essa possível tendência a oscilar ao projetar algum mecanismo ($\cdots$) Na prática, sempre existe uma causa que constantemente tende a reduzir as oscilações ($\cdots$), a saber, a fricção ($\cdots$)"[12]

Em seu artigo, Airy considerou três problemas: i) o comportamento do pêndulo centrífugo, desprezando a força de acionamento, o atrito (a fricção) e a inércia do telescópio, ii) o comportamento do sistema modificado pela adição de um disco de inércia (representando a inércia do telescópio) e pela adição de uma barra transversa em cujas extremidades eram colocados os pesos do pêndulo centrífugo, e iii) o comportamento do dispositivo governador sob a ação da força de acionamento (Bennett, 1979). As três etapas do desenvolvimento no artigo de Airy são detalhadas e analisadas em (Fuller, 1976a).

A despeito da opinião de alguns estudiosos da história do controle, o artigo de Airy (1840) foi o primeiro a analisar a dinâmica de um sistema com realimentação. Apesar de preocupar-se com a estabilidade (amortecimento das oscilações), Airy não chegou a escrever sob que condições o sistema em estudo era estável. Maxwell, por outro lado, apresentou condições de estabilidade, o que conta a seu favor, sendo a razão pela qual seu artigo é considerado o primeiro da área por alguns historiadores. O que parece mais adequado é considerar o artigo de Airy o primeiro da área, e o de Maxwell (1868) o primeiro a abordar a fundamental questão da estabilidade de sistemas com realimentação, o que concorda com a observação de

---

[10] Airy, G. B., On the regulator of the clock-work for efficient uniform movement of equatoreals, *Memoirs of the Royal Astronomical Society*, 1840, vol. 11, pp. 249–267.

[11] Airy, G. B., Suplement to a paper 'On the regulator of the clock-work for efficient uniform movement of equatoreals', *Memoirs of the Royal Astronomical Society*, 1851, pp. 115–119.

[12] Citado em (Fuller, 1976a, p. 113).

## Análise de dispositivos governadores

que "qualquer discussão sobre os pioneiros da realimentação deve começar com os renomados Sir George Biddell Airy e James Clerk Maxwell" (Fasol, 2002, p. 71).

### 3.1.1 O pêndulo centrífugo

A análise feita por Airy baseava-se no esquema mostrado na Figura 3.2. A variação do ângulo $\theta$ com o tempo é descrito pela seguinte equação diferencial de primeira ordem e quadrática:

$$\left(\frac{d\theta}{dt}\right)^2 + \frac{k_3}{\operatorname{sen}^2\theta} - \frac{2g}{a}\cos\theta = k_4, \tag{3.1}$$

em que $k_3$ e $k_4$ são constantes e $g$ é a aceleração da gravidade. Apesar de aparentemente simples, a Equação 3.1 não é fácil de manipular. Por exemplo, como está, não é fácil linearizá-la, procedimento esse tentado por Airy, mas sem sucesso.

Mesmo tendo falhado em linearizar (3.1) analiticamente, Airy imaginou um procedimento que corresponde a uma linearização. Ele começou descrevendo o comportamento da massa $M$ em termos do ângulo $\theta$, como uma "variação" em torno de um ângulo fixo $\alpha$, ou seja, $\theta(t) = \alpha + \zeta(t)$. A seguir, considerou que, se $\zeta(t)$ fosse pequeno, essa variável poderia ser descrita como a solução de *alguma* equação diferencial linear *sem amortecimento*, ou seja, $\zeta(t) = \gamma \operatorname{sen}(mt + n)$, sendo $\gamma$, $m$ e $n$ constantes. No fato de haver considerado pequenas variações em torno de um "ponto de operação", $\alpha$, Airy claramente lançou mão do conceito de linearização, ainda que, na prática, tivesse falhado em obter a correspondente equação linearizada.

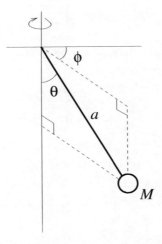

**Figura 3.2.** Pêndulo centrífugo analisado por Airy na primeira parte de seu artigo de 1840.

90          *Sistemas realimentados: uma abordagem histórica*

Fuller argumentou que a solução poderia ter sido obtida de maneira analítica primeiramente derivando-se (3.1) em relação ao tempo (Fuller, 1976a)

$$\frac{d^2\theta}{dt^2} - k_3 \frac{\cos\theta}{\text{sen}^3\theta} + \frac{g}{a}\text{sen}\,\theta = 0, \tag{3.2}$$

e, então, linearizando-se em torno de um ponto de operação, o que resultaria na equação diferencial linear de segunda ordem

$$\frac{d^2\zeta}{dt^2} + \frac{g}{a}\left(\frac{1}{\cos\alpha} + 3\cos\alpha\right)\zeta = 0, \tag{3.3}$$

que, de fato, tem uma solução na forma de $\zeta(t) = \gamma\,\text{sen}(mt + n)$.

## 3.1.2    O pêndulo centrífugo amortecido e forçado

Em sua análise, Airy prosseguiu considerando o pêndulo centrífugo forçado. Subtraindo da função forçante o efeito da fricção, chamou de $u(t)$ a força resultante, que provoca um conjugado igual a $u(t)\,a\,\text{sen}\,\theta$. Tendo feito isso, voltou a escrever as equações que descrevem o momento angular e a energia. Considerando pequenas variações $\zeta(t)$ do ângulo $\theta(t)$ em torno do "ponto de operação", $\alpha$, assumiu que as variações eram proporcionais à força, ou seja, $u(t) = -\beta\,\zeta(t)$. Nesse ponto da análise, lançou mão de um argumento semelhante ao que resultou na proposição de que as variações no caso sem fricção eram descritas por $\zeta(t) = \gamma\,\text{sen}(mt + n)$. Agora, contudo, como há fricção e uma ação forçante, pode-se esperar que as oscilações sejam do tipo

$$\zeta(t) = e^{pt+q}\,\text{sen}(mt + n). \tag{3.4}$$

Depois de substituições diversas, Airy escreveu expressões para $p$ e $m$, sendo que para o primeiro desses parâmetros encontrou

$$p = \frac{\beta\,\sqrt{g\,\cos\alpha}}{M\,a^{3/2}(m^2 + p^2)}, \tag{3.5}$$

de onde concluiu que $p$ seria sempre positivo e, "consequentemente, a amplitude da oscilação da esfera $(\cdots)$ cresce perpetuamente, tornando-se cada vez maior até que a lei da fricção se torne diferente daquela que foi considerada na investigação". Em outras palavras, Airy percebeu que o que dava origem às oscilações era uma *instabilidade local.*

Segundo Fuller, as contribuições do artigo de Airy para a teoria de controle são: i) chamou a atenção para o problema da instabilidade em sistemas de controle; ii) mostrou que a instabilidade pode ser investigada usando as equações

*Análise de dispositivos governadores* 91

diferenciais do sistema; e iii) iniciou o estudo de dinâmica em sistemas de controle (Fuller, 1976a, p. 115). Mais recentemente, Brian Anderson, comentando sobre o pioneirismo do trabalho de Airy, disse: "foi a primeira ilustração de que um problema de controle era susceptível à análise por meio de uma equação diferencial" (Anderson, 1992, p. 87).

### 3.1.3 O complemento de 1851

Em 1851, Airy publicou um complemento ao seu artigo pioneiro de 1840. Nesse complemento discutiu uma solução que visava reduzir as oscilações de alta frequência. Essa solução baseava-se em um procedimento de linearização das equações originais em torno de um ponto de operação. Possivelmente foi essa a maior contribuição do artigo de 1851, que, a menos disso, aproxima-se de um "relatório de andamento do trabalho" (Mayr, 1971b, p. 428). A proposta incluía o uso de um dispositivo hidráulico com amortecimento proporcional à velocidade. Assim, sem maiores explicações, Airy afirmou que a equação de interesse sempre teria a seguinte forma geral:

$$\frac{d^2x}{dt^2} + a\frac{dx}{dt} + bx = 0, \tag{3.6}$$

com soluções do tipo: $x(t) = A e^{-mt} \cos(n t + B)$, $x(t) = (At + B) e^{-mt}$ ou $x(t) = A e^{-mt} + B e^{-nt}$. Infelizmente, Airy não especificou a que se referia a nova variável $x(t)$. Fuller discute algumas hipóteses. A que parece mais plausível (por ser correta), apesar de vaga, é que $x(t)$ é a solução de uma equação obtida linearizando-se o sistema (Fuller, 1976a, p. 115).

O complemento finaliza com a descrição de dois sistemas, construídos em Liverpool e Greenwhich, que funcionavam a contento e que incluíam a solução descrita nesse trabalho.

### 3.1.4 A análise de Fuller

Em seu artigo sobre o trabalho de Airy, Fuller discute como, na atualidade, seria analisado o pêndulo de Airy sob a ação da força de acionamento. Depois de diferenciar com relação ao tempo as duas principais equações de Airy, e depois de algumas substituições, Fuller chegou ao seguinte conjunto de equações:

$$\frac{d\psi}{dt} = u(t)\, a \operatorname{sen} \theta \tag{3.7}$$

$$\frac{d^2\theta}{dt^2} + \frac{g}{a}\operatorname{sen} \theta - \frac{\psi^2 \cos \theta}{M^2 a^4 \operatorname{sen}^3 \theta} = 0, \tag{3.8}$$

em que $\psi$ é o momento angular em torno do eixo vertical. Considerando pequenas variações em torno do ponto de operação $\lambda$ do momento angular e do ponto de operação $\alpha$ do ângulo, é possível escrever $\psi(t) = \lambda + \epsilon(t)$ e $\theta(t) = \alpha + \zeta(t)$. Usando essas expressões em (3.7) e (3.8), Fuller chegou ao seguinte conjunto de equações diferenciais ordinárias lineares (Fuller, 1976a, p. 116):

$$\dot{\epsilon} = c_1 u(t)$$
$$\ddot{\zeta} + c_2 \zeta = c_4 \epsilon(t),$$

em que $u(t) = -\beta \zeta(t)$. À semelhança de Airy, analise como mudaria a estabilidade se fosse acrescentado atrito ao pêndulo.

## 3.2  O Artigo *On Governors*

Em seu artigo, Maxwell (Figura 3.3) começou distinguindo sistemas reguladores de velocidade com e sem erro em estado estacionário. Aos componentes da primeira classe, seguindo a sugestão de Ernst Werner von Siemens (Figura 2.15), ele chamou de *moderadores*,[13] aos da segunda classe, de *governadores*.[14] Infelizmente, Maxwell não foi consistente no uso de tais termos, usando o termo *governadores* para indicar qualquer tipo de regulador de velocidade.

O artigo prossegue com a análise de três diferentes tipos de dispositivos governadores. O primeiro tipo, construído por Fleeming Jenkin,[15] consistia de um pêndulo centrífugo que trabalhava em uma posição constante, mas cujo atrito com um envólucro aumentava com a velocidade. Duas versões desse dispositivo

---

[13]Ao falar do artigo de Maxwell, Khramoi argumenta que um dos objetivos do britânico era demonstrar que certas "crendices" dos projetistas de sistemas governadores estavam erradas. Os projetistas acreditavam que era possível a um governador operar com erro em estado estacionário nulo após uma mudança de carga. Segundo Khramoi, Maxwell percebeu que o erro dos projetistas originava-se na consideração simplificadora de não considerar a inércia das esferas do pêndulo, nem a fricção (Khramoi, 1969, p. 163). Ainda que esses elementos existam no artigo do Maxwell, é questionável se seu objetivo ao escrever o artigo era mesmo corrigir um erro comumente aceito.

[14]Segundo Khramoi, o engenheiro de transportes russo e professor de mecânica na Escola de Engenharia de Petersburgo Nikolai Feliksovich Yastrzhembskii (1808–1874) também fez uma distinção semelhante, entre os *moderadores* ou *redutores* e os *reguladores* ou *equalizadores* (Khramoi, 1969, p. 120).

[15]Henry Charles Fleeming Jenkin (1833–1885) foi um inventor e engenheiro mecânico-eletricista do País de Gales. Dentre suas áreas de atuação encontram-se telegrafia marítima, resistência e isolação de cabos elétricos, cabos submarinos e o estudo de unidades e padrões de grandezas elétricas. Foi professor na University College London (1865–1868) e na Universidade de Edimburgo, a partir de 1868. Detinha 35 patentes britânicas (Hall, 2008).

foram analisadas por Maxwell: o "moderador" e o "govenador". O primeiro deles, à semelhança da válvula governadora de Watt, apresentava erro na velocidade em estado estacionário, ao passo que o "governador" de Jenkin, não.

**Figura 3.3.** James Clerck Maxwell (1831–1879), (Wikipedia, 2015).

A seguir, Maxwell analisou o comportamento dinâmico comum aos dispositivos governadores de Thomson[16] e de Foucault (Figura 3.9),[17] a segunda classe considerada no artigo. A terceira classe analisada foi o dispositivo governador de Werner von Siemens, que se baseava em um sistema hidráulico. O artigo encerra com uma análise das relações dinâmicas de um conjunto de engrenagens diferenciais. No contexto do artigo, o interesse por esse assunto se justifica na medida em que os dispositivos governadores poderiam ser conectados por meio

---

[16]Sir William Marcus Thomson (1824–1907), conhecido também como Lord Kelvin, ou Baron Kelvin, foi um importante físico-matemático, engenheiro e inventor irlandês. Desenvolveu a conhecida escala Kelvin de temperatura. Sua incomum capacidade intelectual revelou-se ao ingressar na Universidade de Glasgow, em 1834, com apenas 10 anos de idade. Em 1892, entrou para a *House of Lords*, tornando-se Lord Kelvin (Balchin, 2009, p. 178). Desenvolveu modelos mecânicos, trabalhou com conceitos de calor e energia, tendo expresso a segunda lei da termodinâmica em termos de entropia (1850), desenvolveu um preditor de marés e, entre os diversos dispositivos que inventou, encontra-se um analisador de harmônicos. Foi consultor no lançamento do cabo transatlântico. Foi professor na Universidade de Glasgow de 1846 a 1899 (Hall, 2008).

[17]Jean-Bernard-Léon Foucault (1819–1868) foi um físico e inventor francês, conhecido pelo pêndulo que leva seu nome (1851). Esse pêndulo foi construído para demonstrar o efeito da rotação da terra. Na área de eletricidade, descobriu a corrente induzida "de Foucault". Outras invenções suas incluem o giroscópio (1852), o prisma de Foucault (1857) e o telescópio de espelhos (1859) (Hall, 2008).

94                                        *Sistemas realimentados: uma abordagem histórica*

de engrenagens às máquinas cuja velocidade regulavam. Além disso, o *governador cronométrico* dos irmãos Siemens utilizava uma engrenagem diferencial, que permitia a comparação de duas posições, em vez de duas velocidades. Como a posição é a integral da velocidade, o governador cronométrico proporcionava ação integral e, portanto, erro nulo na velocidade em estado estacionário, independente da carga, desde que se mantivesse constante após os transientes.

Relacionando o nome de Maxwell com a área de eletromagnetismo, é natural questionar a razão pela qual o cientista escocês tenha se interessado pela análise de dispositivos governadores. O seguinte trecho é esclarecedor nesse particular:

"($\cdots$) sendo um membro da comissão sobre padrões elétricos, da Associação Britânica para o Avanço da Ciência, Maxwell, junto com Balfour Stewart[18] e H. C. Fleeming Jenkin, determinou a medida absoluta da resistência elétrica. O aparelho, projetado por William Thomson, consistia de uma espira circular que rodava em torno do eixo vertical, acionada por um peso. Velocidade constante, que era crucial, era mantida por um dispositivo governador centrífugo inventado por Fleeming Jenkin. Esse dispositivo muito impressionou Maxwell ($\cdots$)

"($\cdots$) o artigo mostra uma grande distância entre o aparente objetivo do autor e a linha de argumentação efetivamente seguida: ainda que tenha começado com o alvo de "chamar a atenção de engenheiros e matemáticos para a teoria dinâmica de ($\cdots$) governadores, seu interesse verdadeiro em ajudar engenheiros não foi muito longe. Ele não discutiu nenhum governador prático; o artigo trata de mecanismos sem importância industrial, invenções de cientistas que eram *fellows* da *Royal Society*. Pior ainda, os mecanismos que ele [Maxwell] considerou não foram sequer bem explicados ou identificados. O artigo só poderia ser compreendido completamente por aqueles que tivessem conhecimento pessoal sobre tais mecanismos.

"O interesse pessoal de Maxwell nada tinha a ver com a utilidade prática dos governadores. Ele fora atraído para tais dispositivos por dois aspectos que se relacionam ao assunto do artigo de forma bastante diferente. O dispositivo governador propiciou-lhe ocasião para discutir, em termos gerais, o assunto da *estabilidade dinâmica*, que ocupa a maior parte do artigo. O outro assunto, *engrenagens diferenciais*, foi abordado nas duas últimas páginas do artigo. Tais dispositivos,

---

[18]Balfour Stewart (1828–1887) foi um físico escocês que é conhecido por suas contribuições no estudo do calor, meteorologia e magnetismo terrestre (Wikipedia, 2011).

# Análise de dispositivos governadores

raramente utilizados em governadores, haviam fascinado Maxwell por anos como modelos mecânicos de fenômenos elétricos."[19]

Na introdução do artigo do qual a citação acima foi retirada, Otto Mayr diz ainda:

"($\cdots$) James Clerk Maxwell (1831–1879) tem sido amplamente reconhecido como o pai da teoria do controle automático. Ao longo dos oitenta anos que antecederam 1948 [o ano em que Norbert Wiener cunhou o termo *cibernética*], o artigo de Maxwell *On Governors* foi praticamente ignorado. Esse contraste de opiniões nunca foi analisado, provavelmente pelo fato de o tal artigo ser, em parte, incompreensível."[20]

Com respeito à última observação feita, Mayr, em outra ocasião, explicou:

"Achei esse artigo difícil de entender porque nele Maxwell discutiu projetos de governadores comuns à época. Presumivelmente, tais dispositivos eram familiares aos leitores, pois ele [Maxwell] não proveu qualquer ilustração e somente de maneira casual é que os governadores foram identificados."[21]

Com essas citações em mente, a seguir será apresentado um esboço da análise feita por Maxwell para o caso de dispositivos governadores construídos por Fleeming Jenkin, e o tipo proposto por Thomson e Foucault. O objetivo é ilustrar como foi realizada a primeira análise matemática de estabilidade de sistemas com realimentação. A nomenclatura do trabalho original será adotada na discussão a seguir. Números entre colchetes correspondem à numeração utilizada por Maxwell em seu artigo.

## 3.2.1 Moderadores e reguladores

Seja um dispositivo governador com velocidade angular $x$ e momento de inércia $M$, sob a ação de um conjugado de acionamento $P$. Opostos a esse movimento angular há dois conjugados, $R$ devido a uma "resistência" (carga) e uma parcela $F(dx/dt - V)$, oriunda da fricção entre esferas e a parte interna de um disco

---

[19]Citado de (Mayr, 1971b, pp. 426–427).

[20]Citado de (Mayr, 1971b, p. 425).

[21]Citado de (Mayr, 2002, p. 90).

(Figura 3.4), que depende da diferença de velocidade angular e da velocidade nominal $V$.[22] Então pode-se escrever (Figura 3.4)

$$\frac{d}{dt}\left(M\frac{dx}{dt}\right) = P - R - F\left(\frac{dx}{dt} - V\right) \qquad [1]. \qquad (3.9)$$

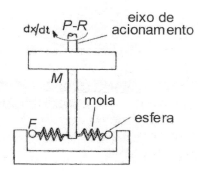

**Figura 3.4.** Dispositivo governador que, devido ao erro na velocidade $dx/dt$ em estado estacionário, foi chamado de *moderador* por Siemens. Figura adaptada de (Bennett, 1979).

Deve ser notado que em (3.9) a parcela linear $-F(dx/dt - V)$ indica a realimentação negativa, pois um aumento da velocidade $\dot{x}$ resultará na diminuição da aceleração $\ddot{x}$.

Em estado estacionário, a velocidade é constante e a aceleração é nula. Nesse caso (3.9) pode ser reescrita como[23]

$$\frac{dx}{dt} = V + \frac{P - R}{F} \qquad [2]. \qquad (3.10)$$

---

[22] Aqui é importante notar que, implicitamente, Maxwell linearizou o problema — a parcela $F(dx/dt - V)$ é linear — em torno de um ponto de operação definido pela velocidade $V$. Em 1857, Maxwell apresentou um trabalho para concorrer ao Prêmio Adams (ver Nota 27 do Capítulo 4) daquele ano sobre a estabilidade dos anéis de Saturno. Em tal trabalho, o procedimento de Maxwell foi precisamente o de linearizar as equações diferenciais do movimento dos anéis. Maxwell ganhou o Prêmio Adams em 1857, assim como Routh o faria em 1877. Sobre o trabalho de Maxwell, Airy disse que se tratava de uma das mais notáveis aplicações de matemática à área da física (Fuller, 1975, p. 3). Khramoi também confirma que, ao buscar uma solução para os governadores, Maxwell utilizou as mesmas ferramentas matemáticas que desenvolvera para estudar a estabilidade dos anéis de Saturno. Curiosamente, Khramoi indica o ano de 1859 para esse estudo de Maxwell (Khramoi, 1969, p. 163).

[23] Há um erro na equação (2) do artigo do Maxwell, onde aparece $V(P - R)/F$.

# Análise de dispositivos governadores

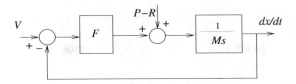

**Figura 3.5.** Diagrama de blocos do sistema descrito pela Equação 3.9. A função de transferência do distúrbio $P - R$ para a saída é $1/(Ms + F)$, que tem ganho CC não nulo igual a $1/F$, ou seja, distúrbios em $P - R$ não são rejeitados em estado estacionário.

Qualquer variação em $P$ ou em $R$ resultará em um valor de velocidade $\dot{x}$ diferente da velocidade nominal $V$, ou seja, haverá um erro na velocidade em estado estacionário para distúrbios constantes de carga. À luz dessa observação, e seguindo a nomenclatura sugerida por Siemens,[24] Maxwell chamou esse dispositivo de *moderador*, em vez de governador.[25]

Imagine agora que o conjugado $F(dx/dt - V)$ seja utilizado para acionar um disco móvel com momento de inércia $B$ e velocidade angular $\dot{y}$ (Figura 3.6).

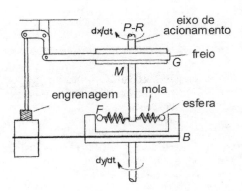

**Figura 3.6.** Dispositivo governador que não apresenta erro na velocidade $dx/dt$ em estado estacionário, graças à ação do freio, que é proporcional à posição $y$. Figura adaptada de (Bennett, 1979).

---

[24] Nesse ponto do artigo, Maxwell cita o artigo: C. W. Siemens, On uniform rotation, *Philosophical Transactions of the Royal Society*, 156:657–670, 1866.

[25] Uma análise mais atual pode ser feita seguindo-se a sequência de passos: i) defina o erro na velocidade $e(t) = \dot{x} - V$, de onde segue que $\dot{e} = \ddot{x}$; ii) substituindo em (3.9), fazendo a entrada $u(t) = P(t) - R(t)$ e tomando a transformada de Laplace com condições iniciais nulas resulta na função de transferência $E(s)/U(s) = 1/(Ms+F)$, que claramente tem ganho CC igual a $1/F$, ou seja, qualquer variação na entrada resultará, em estado estacionário, em um erro na velocidade igual ao produto da amplitude da mudança em $u(t)$ pelo ganho $1/F$. Essa é a interpretação da Equação 3.10.

98            *Sistemas realimentados: uma abordagem histórica*

Para o disco da Figura 3.6 pode-se escrever

$$\frac{d}{dt}\left(B\frac{dy}{dt}\right) = F\left(\frac{dx}{dt} - V\right) \qquad [3]. \tag{3.11}$$

O movimento do disco $B$, via uma engrenagem e um freio (Figura 3.6), acrescenta uma ação de controle sobre o sistema, e a Equação 3.9 pode ser reescrita como[26]

$$\frac{d}{dt}\left(M\frac{dx}{dt}\right) = P - R - F\left(\frac{dx}{dt} - V\right) - Gy \qquad [4], \tag{3.12}$$

sendo $Gy$ um conjugado freante, proporcional à posição de $B$. Procedendo como antes, é possível escrever

$$\frac{dx}{dt} = V + \frac{P - R - Gy}{F}. \tag{3.13}$$

Pode-se perceber que, devido à presença do termo $Gy$, a parcela de *offset* pode ser anulada, mesmo na presença de um distúrbio no conjugado de acionamento. Suponhamos que tal conjugado aumente de $P$ para $P+\Delta P$. A condição para *offset* nulo é $Gy^{+} = P+\Delta P - R$, ou seja, o incremento de conjugado $\Delta P$ requererá uma nova posição $y^{+} > y$. Mas, de fato, o aumento de $P$ fará $y$ aumentar também, até atingir o valor necessário $y^{+}$, eliminando, assim, o erro na velocidade. Uma análise semelhante pode ser feita no caso de uma variação no conjugado de carga $R$. O novo sistema, que não apresentava erro na velocidade em estado estacionário, foi chamado de *governador* ou regulador isócrono.[27]

Em estado estacionário, a aceleração de $B$ é zero. Portanto, anulando o lado esquerdo da Equação 3.11 chega-se a $\dot{x} = V$, que é exatamente a velocidade desejada para $M$.

Uma outra maneira de entender porque o regulador rejeita perturbações constantes de velocidade em estado estacionário é obtida integrando-se a Equação 3.11, o que resulta em

$$B\frac{dy}{dt} = F\left(x - Vt\right) \qquad [5]. \tag{3.14}$$

---

[26]No artigo original, a nova parcela aparece com sinal positivo, $+Gy$. Isso não necessariamente constitui um erro, pois o sentido do movimento que resulta em $y$ não está claramente definido. Contudo, parece mais natural incluir esse termo com o sinal negativo, o que também é feito pelo próprio Maxwell em equações posteriores.

[27]A nomenclatura à época, especialmente na literatura de origem alemã, empregava os termos *estáticos* e *não isócronos* para reguladores com resposta *proporcional*, e os termos *astáticos* e *isócronos* para reguladores com resposta *integral* e, portanto, sem erro em estado estacionário para distúrbios em degrau. Segundo Mayr, os termos *estáticos* e *astáticos* foram cunhados por Franz Reuleaux em 1859 (Mayr, 1971b, pp. 427–428).

*Análise de dispositivos governadores*

Lembrando que $e = (dx/dt - V)$, percebe-se que $\dot{y}$ é proporcional à integral do erro na velocidade. Além disso, a nova ação de controle devido ao freio, $-Gy$, é proporcional à integral da velocidade $\dot{y}$. Portanto, tomando a transformada de Laplace de (3.14), e considerando condições iniciais nulas, tem-se $Y(s) = E(s)F/Bs^2$, ou seja, a ação de controle é proporcional à integração dupla do erro na velocidade. O diagrama de blocos do sistema descrito pelas Eqs. 3.11 e 3.12 é mostrado na Figura 3.7.

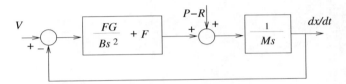

**Figura 3.7.** Diagrama de blocos do sistema descrito pelas Eqs. 3.11 e 3.12. A função de transferência do distúrbio $P - R$ para a saída é $Bs^2/(BMs^3 + BFs^2 + FG)$, que tem ganho CC nulo, ou seja, distúrbios em $P - R$ são rejeitados em estado estacionário.

### 3.2.2  O dispositivo de Fleeming Jenkin

A análise de Maxwell até esse ponto do artigo parece ter um objetivo principal: estabelecer a diferença entre dispositivos moderadores e governadores. O caso do dispositivo governador analisado anteriormente é de interesse investigativo apenas, uma vez que um sistema com dupla integração não é BIBO estável,[28] e esse fato não foi comentado por Maxwell no artigo.

Um dispositivo que não apresentava erro em estado estacionário e que era estável fora proposto por Fleeming Jenkin[29] para manter constante a velocidade angular de uma bobina.[30] A Figura 3.8 mostra um diagrama esquemático do governador de Jenkin.

---

[28] BIBO do inglês *bounded-input, bounded-output*. Sistemas de tipo 1, ou seja, com uma integração pura, são BIBO estáveis, mas não assintoticamente estáveis.

[29] Henry Charles Fleeming Jenkin (1833–1885) foi professor de engenharia na Universidade de Edimburgo. Alguns atribuem a ele a invenção do telégrafo, que patenteou em 1858 com o nome de galvanômetro de espelho, para ser usado com cabos submarinos (Balchin, 2009, p. 178). Ver Nota 15 deste capítulo.

[30] Esse experimento foi realizado em 1863 no King's College, Londres, como parte da definição da quantidade de resistência de um ohm. Em 1861 a Associação Britânica para o Avanço da Ciência constituiu uma comissão para definir padrões elétricos. Faziam parte dessa comissão William Thomson (Lord Kelvin), James Clerk Maxwell e William Siemens. O experimento foi concebido por Thomson e executado por Maxwell, Balfour Stewart e Fleeming Jenkin (Bennett, 1979, p. 64).

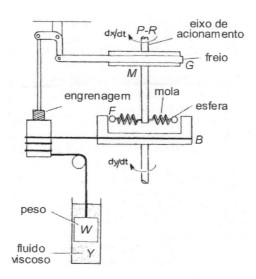

**Figura 3.8.** Dispositivo governador de Fleeming Jenkin. Este dispositivo não apresenta erro em estado estacionário e, comparado ao sistema da Figura 3.6, tem dinâmica mais estável, graças à inserção do peso $W$ imerso em fluido, o que confere amortecimento ao sistema. Figura adaptada de (Bennett, 1979).

A análise do governador de Jenkin é muito semelhante àquela apresentada na Seção 3.2.1. A principal diferença é o aparecimento de um peso imerso em fluido, para prover amortecimento. Essa é a solução dada para se evitar o duplo integrador e, portanto, a instabilidade no sistema hipotético analisado na Seção 3.2.1.

O eixo principal aciona o disco $B$ por meio do atrito de duas esferas presas ao eixo por molas. A pressão dessas peças no interior do disco é proporcional ao quadrado da velocidade, mas uma parcela constante dessa pressão é removida pelas molas. Assim, o conjugado que atua sobre $B$ é $F'(dx/dt)^2 - C'$, que para pequenas variações de velocidade pode ser aproximado por $F(dx/dt - V_1)$, em que $V_1$ é o limite inferior de velocidade de operação do dispositivo governador.

Nesse novo contexto, o equilíbrio de conjugados sobre $B$ pode ser escrito como[31]

$$\frac{d}{dt}\left(B\frac{dy}{dt}\right) = F\left(\frac{dx}{dt} - V_1\right) - Y\frac{dy}{dt} - W \qquad [6], \qquad (3.15)$$

em que o coeficiente $Y$ depende da viscosidade do fluido e $W$ é o conjugado

---

[31]Chamando $e = \dot{x} - V_1$, derivando-se a Equação 3.15 com relação ao tempo, tomando a transformada de Laplace (considerando as condições iniciais nulas) tem-se $Y(s) = E(s)F/(Bs + Y)s$, em que não mais há um duplo integrador, mas ainda há uma integração simples, para eliminar erro na velocidade angular em estado estacionário para distúrbios em degrau.

*Análise de dispositivos governadores*

constante devido ao peso imerso no fluido. O equilíbrio de conjugados sobre $M$ (a máquina propriamente dita) é (ver Equação 3.12)

$$M\frac{d^2x}{dt^2} = P - R - F\left(\frac{dx}{dt} - V_1\right) - Gy \qquad [10]. \qquad (3.16)$$

Integrando-se (3.15) resulta[32]

$$B\frac{dy}{dt} = F(x - V_1 t) - Yy - Wt \qquad [7]. \qquad (3.17)$$

Derivando a Equação 3.16, chega-se a $\dot{y} = -(F/G)\ddot{x} - (M/G)\,\dddot{x}$, que pode ser substituído em (3.17) para obter uma equação diferencial de terceira ordem cuja equação característica é

$$MBn^3 + (MY + FB)n^2 + FYn + FG = 0 \qquad [12]. \qquad (3.18)$$

Finalmente, Maxwell fez a seguinte declaração sobre a estabilidade do sistema:

"Uma das raízes de [12] é evidentemente real e negativa. A condição para que a parte real das demais raízes seja negativa é[33]

$$\left(\frac{F}{M} + \frac{Y}{B}\right)\frac{Y}{B} - \frac{G}{B} = \text{um valor positivo} \qquad [14]. \qquad (3.19)$$

Essa é a condição da estabilidade do movimento" (Maxwell, 1868, p. 276).[34][35]

Não se sabe ao certo que procedimento Maxwell teria seguido para chegar a esse resultado, uma vez que o método de estabilidade de Routh-Hurwitz (ver Seção 4.2.1) ainda não era conhecido. No apêndice de seu artigo, Fuller sugere um possível procedimento que Maxwell poderia ter seguido para chegar à condição descrita na Equação 3.19 (Fuller, 1976b, p. 233). Como $M$ e $B$ são momentos de inércia e, portanto, positivos, a Equação 3.19 é equivalente a

$$\left(\frac{F}{M} + \frac{Y}{B}\right)Y - G > 0, \qquad (3.20)$$

---

[32]Maxwell deixou de incluir constantes que aparecem como resultado da integração. Essas constantes foram incluídas na análise apresentada em (Fuller, 1976b).

[33]Anos depois, Edward John Routh utilizaria a Equação 3.18 como exemplo na segunda edição de seu livro e provaria a condição (3.19), como pode ser visto na Equação 4.4.

[34]Aplique o critério de estabilidade de Routh (ver Seção 4.2.1), e veja se chega ao mesmo resultado de Maxwell.

[35]Fica como exercício para o leitor mostrar que o dispositivo regulador de Fleeming Jenkin não tem erro na velocidade angular em estado estacionário para mudanças em degrau em $P$ e $R$. Para isso considere $\dot{x} = V = V_1 + W/F$ e lembre-se que em regime permanente $\dot{y} = 0$.

ou ainda a

$$FBY + MY^2 - GMB > 0.$$ (3.21)

O diagrama de blocos do dispositivo de Fleeming Jenkin assemelha-se ao mostrado na Figura 3.7 com o primeiro bloco substituído por

$$\frac{FG}{(Bs + Y)s} + F,$$ (3.22)

que, em altas velocidades $(Y \gg Bs)$, pode ser aproximado por $(FG/Ys) + F$, que corresponde à função de transferência de um controlador com ações proporcional e integral (Fuller, 1976b, p. 230). A função de transferência do distúrbio $P - R$ para a saída $\dot{x}$ é dada por

$$\frac{X(s)s}{P(s) - R(s)} = \frac{(Bs + Y)s}{MBs^3 + (MY + FB)s^2 + FYs + FG},$$ (3.23)

que tem ganho CC nulo — ou seja, em estado estacionário esse sistema rejeita variações em degrau de $P$ e $R$ —, e é estável para as condições definidas em (3.19).

### 3.2.3 Os governadores de Thomson e de Foucault

Nessa seção do artigo, Maxwell passou a considerar os governadores de Thomson e de Foucault, que tinham em comum o amortecimento. No dispositivo de Thomson o amortecimento era provocado pela fricção das esferas com um anel exterior, ao passo que no de Foucault o amortecimento aparecia pela ação de um freio a ar (Mayr, 1971b, p. 432). No caso dos governadores de Thomson e de Foucault o procedimento de Maxwell foi um pouco diferente. Sem entrar em detalhes, escreveu uma função de energia (cinética mais potencial) do sistema a qual derivou com relação ao tempo.[36] Depois de algumas considerações e manipulações, chegou a uma equação diferencial de terceira ordem, com equação característica do tipo

$$ABn^3 + (AY + BX)n^2 + (XY + K^2)n + GK = 0 \qquad [27],$$ (3.24)

---

[36]Alguns anos depois, ao fim do século XIX, Aleksandr Mikhailovich Liapunov propôs métodos para investigar a estabilidade de sistemas dinâmicos. Um procedimento consiste em verificar o sinal algébrico da derivada de uma função (chamada função de Liapunov), que em alguns casos pode ser interpretada como uma função de energia. É curioso que Maxwell também tenha obtido uma função de energia e que tenha tomado a sua derivada temporal. Contudo, o objetivo de Maxwell ao fazer isso era o de modelar o sistema, não o de estudar a sua estabilidade, o que tentou fazer analisando a equação característica (3.24).

para a qual Maxwell encontrou a seguinte condição de estabilidade, assumindo que $AB > 0$:[37]

$$\left(\frac{X}{A} + \frac{Y}{B}\right)(XY + K^2) > GK \qquad [28]. \qquad (3.25)$$

**Figura 3.9.** À esquerda, William Marcus Thomson (1824–1907); à direita, Jean-Bernard-Léon Foucault (1819–1868), (Wikipedia, 2015).

A equação característica (3.24) foi o resultado da análise de Maxwell do "caso conjunto" Thompson-Foucault. Essa seção do artigo de Maxwell termina com a análise da adição de um freio, semelhante ao usado no dispositivo governador de Jenkin, ao sistema de Thompson. O resultado foi uma equação diferencial de quinta ordem com equação característica da forma:

$$n^5 + pn^4 + qn^3 + rn^2 + sn + t = 0 \qquad [32]. \qquad (3.26)$$

Com relação à estabilidade desse sistema, Maxwell declarou:

"para que a parte possível [real] de todas as raízes seja negativa, é necessário que

$$pq > r \quad \text{e} \quad ps > t \qquad [33]. \qquad (3.27)$$

Não sou capaz de mostrar que essas condições são suficientes."[38]

Essas duas condições são necessárias, mas *não são* suficientes para garantir a estabilidade do sistema governador de quinta ordem.[39]

---

[37]Aplique o critério de estabilidade de Routh (ver Seção 4.2.1), e veja se chega ao mesmo resultado que Maxwell.

[38]Citado de (Maxwell, 1868, p. 279).

[39]Utilizando o critério de estabilidade de Routh (ver Seção 4.2.1), determine as condições necessárias e suficientes para a estabilidade.

# 3.3 A análise de Wischnegradski

Paralelamente aos desenvolvimentos ocorridos na Inglaterra, houve análises de dispositivos governadores feitas no continente. Dentre esses trabalhos, o do engenheiro russo Wischnegradski[40] merece atenção especial.[41] Esse trabalho, que foi considerado muito mais claro e elegante que o de Maxwell,[42] foi apresentado à Academia de Ciências de Paris em 1876, foi publicado em russo em 1877 e traduzido para o alemão no mesmo ano; em 1878 e 1879 o trabalho apareceu em francês (Bennett, 1979, p. 71). Trechos desse trabalho apareceram em inglês em (Bissell, 1989b).

Antes de mencionar alguns aspectos técnicos do artigo de Wischnegradski, vale notar que Khramoi observou que "no excelente livro *Palestras Populares sobre Máquinas*", publicado em 1859, Wischnegradski dedicou a última parte aos reguladores (que Khramoi chamou de equalizadores) do movimento de máquinas, tendo examinado o comportamento do governador de máquinas a vapor baseado no pêndulo centrífugo. Além disso, é mencionado que, em 1860, o engenheiro mecânico A. Serebrennikov publicou o livro *Teoria Básica de Máquinas a Vapor e Caldeiras*, em que a parte cinco trata da teoria do movimento de máquinas a vapor e aborda dois assuntos: pêndulos centrífugos e governadores. Tanto aspectos teóricos quanto práticos foram tratados detalhadamente (Khramoi, 1969, p. 122). O ponto importante a levantar nessas observações de Khramoi é que, ao menos no caso do livro de Wischnegradski, o comportamento dinâmico do regulador de velocidade de máquinas a vapor era conhecido e havia sido publicado antes do celebrado artigo de Maxwell (ver Seção 3.2).[43]

---

[40]Ivan A. Wischnegradski (1831–1895) foi um engenheiro russo professor no Instituto Tecnológico Prático de São Petersburgo. Mayr menciona que Wischnegradski chegou a ser ministro de finanças da Rússia (Mayr, 1971b, p. 444) e Khramoi refere-se a ele como o fundador de uma escola de pensamento sobre o projeto de máquinas e teoria de regulação automática (Khramoi, 1969, p. 226).

[41]Wischnegradski, I., Mémoire sur la théorie générale des régulateurs, *Revue Universelle des Mines*, Pt. 1 , 1878, vol. 4, pp. 1–38; Pt. 2, 1879, vol. 5, pp. 192–227.

[42]Sobre esse trabalho foi dito que ele "inclui os fundamentos da teoria moderna de controle automático" (Khramoi, 1969, p. 165).

[43]Como em tantos outros exemplos na história da ciência e tecnologia, o reconhecimento da comunidade não necessariamente é para quem publicou primeiro, nem mesmo para quem realizou primeiro, mas é para quem conseguiu atingir uma visibilidade significativa antes dos demais. Apesar de o livro de Wischnegradski anteceder o artigo *On Governors* de Maxwell por quase uma década, esse livro escrito em russo não teve a visibilidade e, portanto, o impacto do artigo do cientista inglês. Mesmo assim, o próprio artigo de Maxwell ficou desconhecido até que Wiener, em seu livro *Cybernetics*, o nomeou o primeiro artigo significativo sobre sistemas realimentados. Esse foi o real divisor de águas.

A Figura 3.10 mostra o diagrama de blocos do sistema analisado por Wischnegradski. Considerando pequenas variações de velocidade, e desprezando o atrito de Coulomb, $\lambda(R'+R'')$, a equação que descreve o comportamento dinâmico do sistema é (Bennett, 1979):

$$\frac{d^3u}{dt^3} + M\frac{d^2u}{dt^2} + N\frac{du}{dt} + \frac{KgL}{I\omega_0}u = \frac{Kg}{I\omega_0}(P-Q)\rho, \qquad [3.20], \qquad (3.28)$$

com $K(\omega - \omega_0)/\omega_0 = Nu$, sendo $\omega_0$ a referência de velocidade, $\omega$ a velocidade angular do motor, $Kg$ a constante da força centrífuga, $(P-Q)\rho$ o distúrbio de carga, $M$ constante do atrito viscoso, $N$ constante de mola, $u$ posição (linear) da válvula reguladora, $L$ constante de conjugado e $I$ momento de inércia do conjunto motor-carga.[44]

Wischnegradski claramente reconheceu a equação característica de (3.28) e disse "sua solução dependerá, como se sabe, das raízes da equação $\theta^3 + M\theta^2 + N\theta + KLg/I\omega_0 = 0$, que será denominada de equação *característica*, para sermos breves".[45]

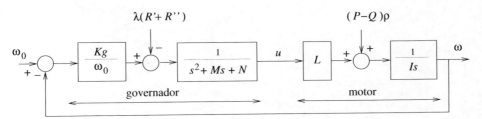

**Figura 3.10.** Diagrama de blocos do sistema analisado por Wischnegradski. Adaptada de (Bennett, 1979).

Depois de sugerir a seguinte mudança de variáveis:

$$\theta = \phi\left(\frac{KLg}{I\omega_0}\right)^{1/3}, \quad M = x\left(\frac{KLg}{I\omega_0}\right)^{1/3}, \quad N = y\left(\frac{KLg}{I\omega_0}\right)^{2/3}, \qquad (3.29)$$

---

[44]Sobre o procedimento de Wischnegradski foi dito: "Foi notado por Hort e, posteriormente, por A. A. Andronov e I. N. Voznesenski que Wischnegradski foi o primeiro a dar a devida atenção à fricção e a insistir, em suas conclusões, que o amortecimento era indispensável dizendo que 'não pode haver governador sem amortecimento'. Wischnegradski considerou o atrito viscoso. Entretanto, não poderia ter levado em conta o atrito seco [atrito de Coulomb] em suas equações, que eram baseadas na teoria dos pequenos sinais. Se considerasse o atrito de Coulomb (seco), o problema não mais permaneceria linear" (Khramoi, 1969, p. 165).

[45]Citado de (Bennett, 1979, p. 72).

reescreveu a equação característica como $\phi^3 + x\phi^2 + y\phi + 1 = 0$, e fez um estudo dos possíveis regimes dinâmicos no espaço de parâmetros $x$ e $y$ (Figura 3.11), conhecidos como os parâmetros de Wischnegradski na literatura russa e alemã.

O resumo desse estudo é mostrado na Figura 3.11, em que se pode verificar que a condição de estabilidade é $xy > 1$, ou seja, $MNI\omega_0/KLg > 1$.[46] Além disso, Wischnegradski mostrou que $N\omega_0/KLg$ é a inclinação da curva de velocidade-conjugado da máquina a vapor. A condição $xy > 1$ mostra que, no sistema analisado por Wischnegradski, se o governador tiver integração (isso implica $N = 0$ em 3.29 e, portanto, $y = 0$), a estabilidade não pode ser obtida. Khramoi afirma que o diagrama de estabilidade de Wischnegradski "foi o primeiro na história da ciência a fornecer ao engenheiro um método simples e engenhoso para determinar a estabilidade de um sistema regulado (...) Wischnegradski foi também o primeiro a estabelecer o problema de ajuste do sistema no caso de uma variação de carga" (Khramoi, 1969, p. 166).

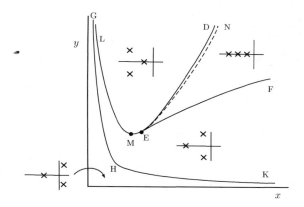

**Figura 3.11.** Diagrama de estabilidade de Wischnegradski com a indicação da posição típica de raízes no plano complexo. O limite de estabilidade é dado pela hipérbole GHK, que corresponde à igualdade $xy = 1$. A condição de estabilidade é $xy > 1$. Fonte: (Bissell, 1989b).

Não há dúvida sobre a relevância e elegância dos resultados de Wischnegradski. Possivelmente isso levou um celebrado professor de controle a chamar Wischnegradski, seu conterrâneo, de o *fundador da teoria da regulação automática* (Popov, 1962, p. 257).

---

[46] Na literatura russa, o limite de estabilidade $xy = 1$ é conhecido como a hipérbole de Wischnegradski (Popov, 1962, p. 258). No prefácio desse livro, o autor fez um agradecimento ao "camarada" Tsypkin, um notável pesquisador russo da área de controle.

*Análise de dispositivos governadores* 107

A opinião de Khramoi sobre Wischnegradski é ainda mais enfática, como revelado pelas seguintes palavras:

"Na década de 1870 começaram a ser publicados artigos sobre regulação dinâmica em que eram examinados equipamentos industriais. Engenheiros, em vez de astrônomos e físicos, eram agora os autores dos artigos. Uma contribuição decisiva para o avanço da área foi feita por I. A. Wischnegradski, um talentoso construtor de máquinas russo, que também era cientista especializado em mecânica (...)

"Tornou-se ainda maior a necessidade de uma teoria científica que pudesse servir como um guia prático na análise e cálculo no projeto de governadores e reguladores satisfatórios. Esses equipamentos eram demandados pela indústria russa, que se desenvolvia rapidamente. Segundo Engels, tão logo uma comunidade sente alguma necessidade, isso contribuirá mais para o avanço da ciência do que dez universidades. Foi isso o que, de fato, aconteceu. A comunidade científica da Rússia fez com que um dos seus se apresentasse, alguém que era uma autoridade em mecânica e construção de máquinas e que combinava experiência de engenharia e conhecimento de matemática, alguém que era capaz de realizar um grande avanço científico, que foi decisivo no desenvolvimento futuro da engenharia de controle. Esse homem foi I. A. Wischnegradski, um estudante de M. V. Ostrogradski, o famoso matemático e autoridade em mecânica."[47]

E ainda, nas palavras de Popov:

"O primeiro trabalho em que o problema relacionado à dinâmica de reguladores simples foi resolvido corretamente é devido a I. A. Wischnegradski. O momento da publicação de *'On the general theory of regulators'* em 1876 é o dia natalício da teoria da regulação automática."[48]

## 3.4 Considerações finais

O artigo de Airy, publicado em 1840, foi o primeiro a analisar matematicamente as características dinâmicas de um sistema de controle. Apesar de não ter derivado condições de estabilidade (Maxwell faria isso 28 anos depois, ainda que de

---

[47]Citado de (Khramoi, 1969, p. 164).
[48]Citado de (Popov, 1962, p. 139).

108　　　　　　　　　　　　　*Sistemas realimentados: uma abordagem histórica*

maneira parcial) para o sistema que analisou, Airy chamou atenção para o potencial problema da instabilidade em sistemas de controle. Ele considerou equações diferenciais lineares para descrever o sistema e, então, procurou soluções e interpretações válidas para tais sistemas. Esse procedimento, que também foi seguido por Maxwell, tornou-se padrão no projeto de sistemas de controle, sendo ainda utilizado no presente.

O artigo *On Governors* de Maxwell foi um dos primeiros artigos a analisar matematicamente sistemas dinâmicos com realimentação negativa, ainda que ele não tenha dado ênfase à realimentação. Além de descrever os sistemas por meio de equações diferenciais, Maxwell preocupou-se em determinar se tais dispositivos teriam erro em estado estacionário. A análise de desempenho em estado estacionário de sistemas realimentados é, na atualidade, um assunto abordado em praticamente todos os livros-texto dos cursos introdutórios de controle linear. O artigo de Maxwell é provavelmente o primeiro documento a fazer essa análise em sistemas com realimentação negativa e a indicar a diferença entre sistemas que, em estado estacionário, rejeitam perturbações de carga e distúrbios daqueles que não o fazem.

Além da análise de desempenho em estado estacionário, um dos grandes méritos do artigo de Maxwell é a preocupação com a estabilidade do sistema realimentado, e a tentativa de determinar as relações algébricas que devem ser atendidas pelos coeficientes da equação diferencial de maneira a garantir a estabilidade. Nesse particular, especialmente no caso do sistema de quinta ordem, Maxwell teve grande dificuldade de encontrar tais relações. De fato, ele não encontrou todas as necessárias. Essa dificuldade de resolver um problema tão importante motivou e incentivou a investigação desse assunto, como será visto no Capítulo 4.

A seguir são apresentados alguns comentários sobre o artigo de Maxwell, com uma menção ao trabalho de um contemporâneo alemão, que também considerou o problema da estabilidade.

"O artigo *On Governors* é condensado, por vezes, enigmático; falta-lhe a lucidez característica de Maxwell. Fuller[49] sugeriu que isso se deveu ao fato de o artigo ter sido escrito como uma tentativa forçada de livrar sua [Maxwell] mente do problema de controle e, assim, permitir-lhe concentrar-se no seu tratado sobre eletricidade e magnetismo. Essa falta de clareza associada ao fato de não haver analisado governadores comumente utilizados (ainda que o procedimento de Maxwell, em

---

[49]Fuller, A. T., The early development of control theory — II, *J. Dynamic Systems, Measurement and Control, Trans. ASME*, vol. 98, 224–234, 1976.

# Análise de dispositivos governadores

termos de energia, fosse aplicável a uma ampla gama de governadores) significou que o artigo não pôde ser facilmente compreendido pela maioria dos engenheiros e cientistas contemporâneos de Maxwell."[50]

"O artigo [On Governors] não teve falta de publicidade. Originalmente foi publicado na *Proceedings of the Royal Society* em 1868. No mesmo ano, foi reproduzido na íntegra na *Philosophical Magazine* e, posteriormente, apareceu também em um compêndio de trabalhos de Maxwell, *Scientific Papers* (1890). Contudo, foi a forma de apresentação que tornou o artigo inacessível. A linguagem matemática, que ao mesmo tempo é concisa e casual, é difícil de acompanhar. Os mecanismos discutidos não tinham interesse prático e, para piorar, foram mal descritos. Como resultado, o artigo foi ignorado no mundo da engenharia. Tendo feito uma pesquisa na literatura de engenharia britânica, francesa, alemã e americana até a Primeira Guerra Mundial, não encontrei referências ao artigo, à exceção de uns poucos trabalhos sobre mecânica racional.

"(⋯) O livro de Routh, *Dynamics of a System of Rigid Bodies* (1860), em edições posteriores, faz referência ao artigo de Maxwell sobre governadores. Como o livro foi traduzido para o alemão em 1898, o artigo de Maxwell foi citado em duas monografias sobre a regulação de velocidade. O livro de Routh e essas duas monografias são os únicos trabalhos que consegui encontrar que citam o artigo de Maxwell, mesmo tendo transcorrido meio século desde a publicação."[51]

"(⋯) Ludwig Kargl,[52] um professor em Zurique, compreendeu precisamente [o problema de dinâmica e estabilidade]. Essencialmente, em 1871 escreveu: 'até agora não temos tido nenhum conhecimento claro sobre a influência sobre as máquinas dos dispositivos governadores. A razão disso é que a questão ainda é tratada como um problema estático, sendo que é da maior importância que a dinâmica dos sistemas seja considerada'. A avaliação de Kargl da situação era que o movimento do dispositivo governador durante o distúrbio deveria ser investigado. Utilizando equações diferenciais, analisou governadores

---

[50]Citado de (Bennett, 1979, pp. 70–71).

[51]Citado de (Mayr, 1971b, pp. 443–444).

[52]Ludwig Kargl foi um professor alemão de mecânica no Technische Hochschule Karlsruhe. Escreveu um dos primeiros trabalhos sobre regulação: Kargl, L., Zur lösung der regulatorfrage, Der Civilingenieur, vol. 17:265–296, 386–404, 1871 (Khramoi, 1969, p. 217)

110 *Sistemas realimentados: uma abordagem histórica*

centrífugos estáticos [com erro em estado estacionário] e suas interações com sistemas de controle. Além de Sir George Biddell Airy e James Clerk Maxwell, cujos trabalhos provavelmente não conhecia, ele [Kargl] foi um dos primeiros cientistas a reconhecer a importância de se considerar a dinâmica em malha fechada."[53]

O fato de que o artigo de Maxwell, publicado em 1868, foi praticamente ignorado pode ser confirmado. Por exemplo, um livro que até mesmo cita que Maxwell, em 1861, produziu a primeira fotografia colorida não faz qualquer menção à sua significativa contribuição para a área de controle ao publicar *On Governors* (Balchin, 2009).

Segundo Otto Mayr o ponto de virada na popularidade do artigo de Maxwell foi a publicação, em 1948, do livro *Cybernetics* por Norbert Wiener (Mayr, 1971b):

> "Decidimos chamar toda a área de controle e teoria de comunicações, seja em máquinas ou em animais, pelo nome *cibernética*, que vem do grego $\chi\upsilon\beta\varepsilon\rho\nu\eta\tau\eta\varsigma$ ou *timoneiro*. Ao escolher este termo, desejamos reconhecer que o primeiro artigo significativo sobre mecanismos realimentados é um artigo sobre governadores publicado por Clerk Maxwell em 1868 e que o termo *governador* vem de uma palavra em latim que, por sua vez, é uma derivação corrompida de $\chi\upsilon\beta\varepsilon\rho\nu\eta\tau\eta\varsigma$.[54]

Depois de chamar a atenção da comunidade para o fato de, em sua opinião, o artigo *On Governors* ter sido "o primeiro artigo significativo sobre mecanismos realimentados", não é de admirar que Maxwell tenha sido "celebrado amplamente como o pai da teoria do controle automático" (Mayr, 1971b, p. 425). Uma situação semelhante parece ter ocorrido com o artigo de Wischnegradski para o qual o alemão W. Hort, em 1904, chamou atenção com as seguintes palavras: "o artigo 'Sobre governadores de ação direta', de Wischnegradski, professor na Escola de Engenharia de Petersburgo, deve ser considerado básico para a teoria moderna de regulação" (Khramoi, 1969, p. 165).

---

[53]Citado de (Fasol, 2002, p. 71).

[54]Citado de (Wiener, 1948, p. 19). Quatro linhas depois dessa citação, Wiener escreveu: "Ainda que o termo *cibernética* não seja anterior ao verão de 1947, ser-nos-á conveniente utilizá-lo para nos referirmos a épocas antigas no desenvolvimento da área". Com respeito à reivindicação de Wiener da cunhagem do termo cibernética, Mayr indica em uma nota de rodapé que "Wiener não havia cunhado uma nova palavra. Em 1843, A. M. Ampère havia se referido à ciência do governo como sendo *la cybernétique*, em *Essai sur la philosophie des sciences* (Paris, 1843)" (Mayr, 1971b, p. 425).

# Análise de dispositivos governadores

Parece bastante significativo que, em livro escrito para resgatar a relevância do papel de pesquisadores e engenheiros russos[55] no desenvolvimento da área de controle (Khramoi, 1969), os nomes de Airy, Maxwell e Wischnegradski sejam mencionados de maneira coerente com a encontrada em referências ocidentais. Não há dúvidas, contudo, que o papel e importância de Wischnegradski são fortemente enfatizados nesse livro (ver Seção 3.3). A novidade trazida por Khramoi é a menção a alguns autores menos citados no contexto dos primeiros trabalhos sobre controle. Entre esses encontra-se o russo Pafnuty Chebyshev,[56] sobre quem ele disse:

> "Notável matemático e engenheiro russo, membro da Academia de Ciências. Autor (...) da primeira pesquisa teórica russa sobre controle automático em 1871."[57]

> "Não deve passar despercebido que o método usado por Chebyshev na solução de seu problema [projeto de governadores], que se baseava na sua própria teoria de aproximação de funções, tornou-se importante para a moderna teoria de regulação."[58]

Além de Chebyshev, Khramoi menciona o alemão Ludwig Kargl e o francês Worms de Romilly, sendo que ambos publicaram seus trabalhos antes de 1876. Sobre Kargl, é dito que seu trabalho sobre reguladores, apesar de pioneiro, não foi muito influente, pois trabalhou com reguladores "de ação intermitente", que não eram muito utilizados à época. Sobre Romilly, foi observado que, à semelhança de Airy, o francês não considerou o amortecimento, o que o levou à opinião pessimista de que todos os governadores são instáveis (Khramoi, 1969, p. 164). Essas menções são importantes, pois indicam que outros pesquisadores, além de Airy, Maxwell e Wischnegradski, investigaram o problema de regulação utilizando governadores.

---

[55]Para confirmar o objetivo de Khramoi, cita-se o seguinte trecho: "O primeiro regulador automático para uma unidade industrial foi inventado, construído e instalado por um inventor russo, o engenheiro mecânico e de calor I. I. Polzunov, em 1765 (...) Os fundamentos da teoria moderna de regulação automática foram lançados pelo cientista russo I. A. Wischnegradski, na década de 1870. Esses dois fatos históricos são suficientes para mostrar quão grandiosa foi a contribuição da engenharia russa para a área, tema deste livro" (Khramoi, 1969, p. 168).

[56]Ver Nota 14 do Capítulo 5.

[57]Citado de (Khramoi, 1969, pp. 213–214). A pesquisa à qual se refere o autor é: Chebyshev, P. L. "The Centrifugal Equalizer [Governor]", Speech at the Festive Assembly of the Moscow Technical School on 20 November 1871. Collected Works, vol. 2:109–126, Sankt-Peterburg, 1907.

[58]Citado de (Khramoi, 1969, p. 167).

# Capítulo 4

# Estabilidade de sistemas lineares

"Um problema muito geral e muito importante em dinâmica é o seguinte: Tendo achado uma determinada solução das equações de movimento de qualquer sistema real, determinar se um pequeno distúrbio do movimento indicado pela solução causará uma pequena variação periódica, ou levará o sistema à total desordem".[1]

Clerk Maxwell, 1856

"Consideremos um sistema dinâmico que passa a se mover sob a ação de alguma força e suponhamos que o movimento aconteça de maneira conhecida. Se o sistema sofrer uma pequena perturbação, ele poderá se desviar apenas um pouco do movimento conhecido ou poderá divergir dele mais e mais."
"Dois métodos gerais são propostos por meio dos quais, sem resolver a equação [característica], pode-se afirmar se o caráter das raízes implica estabilidade ou instabilidade."[2]

Edward John Routh, 1877

Seja a equação polinomial de ordem $n$:[3]

$$\lambda^n + p_1\lambda^{n-1} + p_2\lambda^{n-2} + \ldots + p_{n-1}\lambda + p_n = 0. \tag{4.1}$$

---

[1]Citado em (Bennett, 1979, p. 66).

[2]Trechos extraídos da obra de Routh, em que propôs seu conhecido método de estabilidade, e pelo qual ganhou o Prêmio Adams (ver Nota 27 deste capítulo) da Universidade de Cambridge. Esse trabalho foi reproduzido em (Fuller, 1975). O primeiro parágrafo foi extraído da introdução do Capítulo 1, e o segundo, do prefácio da obra de Routh.

[3]Tanto Poincaré (Poincaré, 1886, p. 167) como Liapunov (Fuller, 1992) usaram $n$ para indicar a ordem de um sistema dinâmico. O uso desse símbolo na área de controle para indicar a ordem de um sistema é uma convenção bastante geral. Na área de sistemas dinâmicos não lineares (na física e matemática) é comum utilizar $m$.

Sabe-se que a Equação 4.1 tem $n$ raízes, $\lambda_i$, $i = 1, 2 \ldots n$. Se o lado esquerdo da Equação 4.1 for o polinômio característico de uma equação diferencial ordinária linear, então sabe-se também que a solução natural dessa equação é caracterizada pelas referidas raízes. Um conhecido resultado que tem implicações diretas no problema de estabilidade é que a condição necessária e suficiente para que a solução natural convirja para zero é que a parte real de todas as raízes deve ser negativa, ou seja, $\text{Re}[\lambda_i] < 0$, $i = 1, 2 \ldots n$. Sendo assim, dado um sistema cujo comportamento seja descrito por uma equação diferencial ordinária linear de ordem $n$, cuja equação característica seja dada por (4.1), basta achar as $n$ raízes e verificar se a parte real de todas é negativa. Em caso afirmativo, tal sistema é dito assintoticamente estável.

O problema acima descrito não parece assustador, dada a atual facilidade de calcular numericamente as raízes de um polinômio, mesmo que de ordem elevada. Contudo, ao final do século XIX, determinar as raízes de uma equação polinomial qualquer de ordem superior a três era um problema desafiador.

É realmente necessário calcular todas as raízes de uma equação polinomial para determinar a estabilidade? Se fosse possível determinar o número de raízes com parte real positiva, então seria viável dizer se o sistema é estável ou não, mesmo sem ter que determiná-las. Nesse caso, o problema da estabilidade teria uma solução que dispensaria o cálculo das raízes, o que, claramente, é um problema mais simples de resolver.

Possivelmente a primeira pessoa a abordar o problema de estabilidade foi o conhecido físico Isaac Newton, em seu trabalho *Principia Mathematica* (1687). Nesse trabalho, ele considerou uma partícula em movimento circular, em torno de um centro, a uma distância $d$. A força de atração é proporcional a $d^q$, sendo $q$ um parâmetro. Newton percebeu que, após um pequeno distúrbio, a partícula voltaria para a órbita original se $q > -3$. Por outro lado, se $q \leq -3$, a partícula divergiria para o infinito ou convergiria para o centro, atingindo o equilíbrio. Depois de Newton, outros, como Lagrange e Laplace, abordaram o problema de estabilidade, que até a metade do século XIX centrava-se em sistemas conservativos (MacFarlane and Fuller, 1977).

Sistemas não conservativos começaram a ser considerados no contexto de sistemas de controle. Parece ter sido Clerk Maxwell quem, pela primeira vez, em seu clássico artigo *On Governors*, de 1868 (ver Seção 3.2), colocou o problema de encontrar a estabilidade de um sistema a partir dos coeficientes de sua equação

# Estabilidade de sistemas lineares

característica.[4] No mesmo ano, Clifford[5] indicou o caminho para uma possível solução desse problema. As ferramentas algébricas necessárias para enfrentar esse desafio estavam disponíveis, graças ao trabalho de Cauchy (ver Seção 7.1.1), Sturm[6] e Hermite.[7]

Em 1877, o britânico (nascido em Quebec, Canadá) Edward John Routh publicou um dos primeiros trabalhos dedicados a uma análise sistemática do problema de estabilidade.[8] O método proposto por Routh indica o número de raízes de uma determinada equação polinomial com parte real positiva. Graças a Routh, o problema da estabilidade de sistemas dinâmicos lineares passou a ter solução, para sistemas de qualquer ordem. Cem anos depois, E. I. Jury[9][10] sugeriu que

---

[4]Ainda que Airy também tenha investigado aspectos de estabilidade de soluções de equações diferenciais ordinárias, o problema considerado por ele não estava tão bem colocado como o de Maxwell, que foi o primeiro dos dois a indagar publicamente sobre a possibilidade de determinar a "natureza" das raízes de uma equação característica.

[5]William Kingdon Clifford (1845–1879) foi um matemático inglês e o inaugurador da geometria projetiva de dimensão superior (Eves, 2004). Albert Einstein, que nasceu onze dias depois da morte de Clifford, desenvolveu a teoria geométrica da gravitação, iniciada por Clifford. Assim como William Thomson (Lord Kelvin) e James Clerk Maxwell, Clifford também foi *second wrangler*, em 1867 (ver Nota 26 deste capítulo).

[6]Jacques Charles Françoi Sturm (1803–1855) matemático francês. Sucedeu a André-Marie Ampère na Academia Francesa de Ciências. O Teorema de Sturm é um resultado básico para provar a existência de zeros reais de funções. Teve acesso a manuscritos não publicados de Fourier sobre a teoria das funções, os quais Sturm usou no desenvolvimento de suas próprias ideias.

[7]Charles Hermite (1822–1901) foi um talentoso matemático francês, que atuou nas áreas da álgebra e análise, sendo que foi o pioneiro entre os escritores franceses de sua época na área de teoria de funções. Um de seus alunos mais notáveis foi Henri Poincaré. "Hermite nasceu com uma deformidade em sua perna esquerda e claudicou a vida inteira ($\cdots$) Apesar desse defeito e das dificuldades iniciais para conseguir se firmar profissionalmente, Hermite manteve sempre inalterado o mais agradável humor, sendo por isso uma pessoa muito querida por todos que o conheciam. Muitos matemáticos mostraram-se generosos para com os jovens que lutavam por reconhecimento; quanto a essa faceta, Hermite é considerado, inquestionavelmente, o caráter mais nobre em toda a história da matemática" (Eves, 2004, p. 562).

[8]E. J. Routh, *A Treatise on the Stability of a Given State of Motion*, Macmillan, London, 1877.

[9]O "critério de Jury" é o análogo, em tempo discreto, do critério de estabilidade de Routh, para sistemas contínuos.

[10]Eliahu Ibrahim Jury nasceu em Bagdad, Iraque, em 1923. Após uma breve estadia em Beirut, em 1942 foi para Haifa estudar Engenharia Elétrica na Faculdade Técnica Hebraica (atualmente Technion: Instituto Israelense de Tecnologia). Tendo recebido o título de bacharel em Engenharia Elétrica, em 1947 foi para Harvard e recebeu o grau de mestre dessa universidade em 1949, quando se mudou para Nova Iorque para realizar seu doutoramento na Universidade de Columbia, sob a orientação de John Ralph Ragazzini. Em 1953, Jury defendeu sua tese de doutorado e em 1954 ingressou na Universidade da Califórnia em Berkeley, onde se tornou

116                    *Sistemas realimentados: uma abordagem histórica*

o *International Journal of Control* comemorasse o centenário da publicação do trabalho de Routh editando em um número especial[11] artigos sobre a vida e os resultados de Routh. Parte deste capítulo baseia-se nesses artigos.

## 4.1   Resultados preliminares

Um dos primeiros resultados de interesse direto para o problema em questão data do século XVII. *A regra de sinais de Descartes* é um método para determinar o número de raízes positivas ou negativas *reais* de um determinado polinômio. Acredita-se que tal regra foi originalmente apresentada por Descartes[12] em 1637, demonstrada por De Gua[13] em 1741[14] e, posteriormente, aprimorada por Gauss.[15]

Seja o polinômio com coeficientes reais

$$p(x) = \sum_{i=0}^{n} a_i x^i,$$

sendo que $a_n \neq 0$. Chame-se de $v$ o número de variações de sinais algébricos na sequência de números $a_0, a_1, \ldots, a_n$. A regra estabelece que o número de raízes reais positivas de $p(x)$ é $v - 2N$, para algum valor inteiro de $N$ que satisfaça

professor titular em 1964, cargo que ocupou até 1981. Entre as principais contribuições de Jury nos anos em Berkeley, destacam-se: o seu critério de estabilidade baseado em tabela, seus livros sobre a transformada $\mathcal{Z}$ e a teoria de *inners*. Em 1981 mudou-se para Miami por razões de saúde na família. Ingressou como professor na Universidade de Miami, onde continuou desenvolvendo pesquisa na área de sistemas discretos. Entre os principais resultados desenvolvidos em Miami encontram-se: estabilidade de sistemas 2-D e multidimensionais e estabilidade de polinômios intervalares, seguindo resultados do pesquisador russo V. L. Kharitonov.

[11]O número 2, do volume 26 do *Int. J. Control*, 1977.

[12]René Descartes (1596–1650) foi um matemático, filósofo, cientista e escritor francês de grande influência. Seu nome em forma latina é Renatus Cartesius, de onde vem a denominação de geometria cartesiana, em sua homenagem. Em 1637 publicou o trabalho *La Géométrie*, que alguns consideram a primeira publicação da regra de sinais.

[13]Jean Paul de Gua de Malves (1713–1785) foi um matemático francês que trabalhou na área de geometria analítica.

[14]De Gua, J. P., Démonstration de la règle de Descartes. *Histoire de l'Académie Royale des Sciences* (Paris), *Mémoires*, pp. 72–96, 1741.

[15]Johann Carl Friedrich Gauss (1777–1855) foi um matemático alemão muito influente, que fez contribuições em diversas áreas do conhecimento, como a teoria de números, estatística – a função de distribuição normal leva seu nome –, análise, astronomia geometria diferencial e eletrostática. A unidade de medida de campo magnético, gauss, foi dada em sua homenagem. Em 1833, juntamente com Edward Weber, inventou o telégrafo eletromagnético. Foi diretor do Observatório de Göttingen a partir de 1807. A respeito de seu trabalho foi dito que "resultou em muitas aplicações da matemática em engenharia" (Hall, 2008).

# Estabilidade de sistemas lineares

$0 \leq N \leq v/2$. O número de raízes negativas pode ser obtido aplicando-se a mesma regra a $p(-x)$.

Para ilustrar, considere o polinômio $p(x) = x^3 + 3x^2 - x - 3$, para o qual $v = 1$. Como $0 \leq N \leq 1/2$ e $N$ deve ser inteiro, então necessariamente $N = 0$, e o número de raízes positivas reais é $1 - 2N = 1$. Para verificar o número de raízes reais negativas, analisa-se o polinômio $p(-x) = -x^3 + 3x^2 + x - 3$, para o qual $v = 2$ e, como $0 \leq N \leq 2/2$, há duas possibilidades, $N = 0$ e $N = 1$. Se $N = 1$, haverá $2 - 2N = 0$ raízes reais negativas, e necessariamente haveria duas raízes complexas, pois o polinômio em questão é de terceiro grau. Se $N = 0$, haverá $2 - 2N = 2$ raízes reais negativas. No presente exemplo é fácil verificar que $x = -1$ é uma raiz de $p(x)$ e, portanto, há duas raízes reais negativas.

Apesar de simples e útil, a aplicação da regra de Descartes na avaliação da estabilidade de sistemas lineares tem dificuldades. Em primeiro lugar, existem casos, como o exemplo acima, em que mais de um valor de $N$ é possível. Em segundo lugar, e mais importante, é o fato de que muitos sistemas têm comportamento oscilatório, o que requer a presença de raízes complexas nas respectivas equações características, no caso de equações diferenciais lineares. A regra de sinais de Descartes somente informa o número de *raízes reais*. Fourier merece menção neste ponto por ter generalizado os resultados de Descartes e de De Gua em trabalho publicado em 1820[16] (Fuller, 1975, p. 15).

Um resultado interessante é o *princípio do ângulo* ou *princípio do argumento* (Fuller, 1975, pp. 5,6). Seja

$$f(z) = p_0 z^n + p_1 z^{n-1} + \ldots + p_n, \tag{4.2}$$

em que $p_0 \neq 0$ e $f(z)$ é uma função complexa da variável $z = x + jy$. Seja $C$ um contorno fechado simples no plano complexo $(x, y)$, tal que nenhum zero de $f(z)$ esteja *sobre* $C$ (Figura 4.1).

Chamemos de $P$ e $Q$, respectivamente, as partes real e imaginária de $f(z)$. À medida que $z$ varia, $f(z)$ descreverá uma curva no plano $(P, Q)$. Nesse plano, a linha reta que une a origem a $f(z)$ forma um ângulo $\theta$ com o semieixo positivo $P$, sendo que $\theta$ é medido na direção anti-horária. Chamemos de $\theta$ o ângulo de $f(z)$ e o representamos como $\theta = \text{arc } f$. Seja $\mu$ o número de zeros de $f(z)$ contidos em $C$. Então, à medida que $z$ percorre $C$ uma vez no sentido positivo (anti-horário), o ângulo de $f(z)$ aumenta de $\mu$ voltas completas. Zeros fora de $C$ não contribuem para o argumento de $f(z)$. Esse teorema, frequentemente atribuído a Cauchy (Figura 7.1), foi demonstrado por Sturm em 1836. Como será visto

---

[16]Fourier, J. B. J., Sur l'usage du théorème de Descartes dans la recherche des limites des racines. *Bulletin des Sciences par la Société Philomathique de Paris*, pp. 156–165, 181–187, 1820.

no Capítulo 7, o princípio do argumento também foi utilizado por Nyquist para desenvolver seu critério de estabilidade.

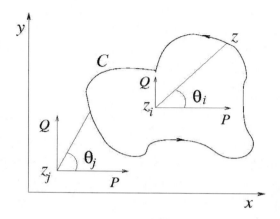

**Figura 4.1.** Diagrama esquemático que ilustra o *princípio do argumento*. Sejam $z_i$ e $z_j$ zeros da da função $f(z)$, ou seja, $f(z_i) = f(z_j) = 0$. À medida que $z$ percorre $C$ no sentido positivo (indicado na figura), cada zero da função $f(z)$ que estiver dentro de $C$ contribuirá com $2\pi$, ou uma revolução inteira, para o argumento de $f(z)$. Zeros da função que não estejam dentro de $C$ (por exemplo $z_j$) têm contribuição nula para o referido argumento.

**Figura 4.2.** Jacques Charles François Sturm (1803–1855), (Wikipedia, 2009).

Em 1868, antes de publicar seu famoso artigo *On Governors* (ver Seção 3.2),[17] Maxwell participou de uma reunião da Sociedade de Matemática de Londres.

---
[17] Mas certamente após ter iniciado o trabalho e as análises que culminariam com esse artigo.

Durante a apresentação de um colega, Maxwell inquiriu:

> "... se algum dos membros presentes poderia indicar um método para determinar em que casos todas as partes possíveis [reais] de raízes impossíveis [complexas] de uma equação são negativas. Ao estudar o comportamento de certos dispositivos governadores para a regulação de máquinas (...) descobri que a estabilidade do movimento depende dessa condição, que pode ser obtida com facilidade para um polinômio cúbico, mas torna-se mais complicado para polinômios de grau superior."[18]

A essa questão, levantada por Maxwell, Clifford (Figura 4.3) respondeu:

> "Formando-se uma equação [auxiliar] cujas raízes sejam a soma das raízes da equação original, tomadas aos pares, e determinando-se a condição para que as raízes *reais* da equação auxiliar sejam negativas, deve ser possível obter a condição requerida."

**Figura 4.3.** William Kingdon Clifford (1845–1879), (Wikipedia, 2007).

Provavelmente, ao dar tal sugestão, Clifford tinha em mente a regra de sinais de Descartes. Ao somar as raízes aos pares, ele tornaria reais as raízes complexas – as raízes "impossíveis" mencionadas por Maxwell – e, então, poderia aplicar a regra de Descartes. Por exemplo, suponhamos que as raízes de um polinômio $p_1(x)$ de quarto grau sejam $\alpha \pm j\beta$, $\gamma$ e $\delta$. As raízes do polinômio auxiliar $p_2(x)$ seriam: $2\alpha$, $\gamma + \delta$, $\alpha + \gamma \pm j\beta$ e $\alpha + \delta \pm j\beta$, sendo que apenas as primeiras duas

---

[18]Citado de (Bateman, 1945, p. 609).

são reais. Aplicando-se a regra de Descartes a $p_1(x)$, é possível verificar se $\gamma$ ou $\delta$ são positivos. Se algum deles for positivo, a condição para estabilidade já é violada. Mas, se ambas forem negativas, ainda é necessário testar se $\alpha < 0$. Para isso, aplica-se a regra de Descartes a $p_2(x)$, sendo então possível verificar se $2\alpha$ é positivo.

A fim de aplicar a sugestão de Clifford é necessário ser capaz de achar os coeficientes de $p_2(x)$ a partir dos coeficientes de $p_1(x)$, mas os procedimentos para isso eram conhecidos à época. Contudo, a maior dificuldade com tais métodos era o aumento de complexidade dos cálculos, com o aumento do grau de $p_1(x)$. Apesar disso, a sugestão de Clifford constitui-se em uma das primeiras soluções do problema de estabilidade, ainda que pessoas como Cauchy, Sturm e Hermite já houvessem contribuído com outras soluções algébricas para a determinação de raízes de equações polinomiais (Fuller, 1975, p. 3). Anderson afirma que, em artigo publicado em 1856,[19] Hermite (Figura 4.4) proveu uma solução ao problema de estabilidade, mas esse resultado não foi "interpretado por engenheiros" (Anderson, 1992, p. 89). Como não há qualquer menção a Clifford nem a Hermite no artigo *On Governors*, parece que Maxwell nunca chegou a fazer uso das sugestões e resultados disponíveis.

## 4.2 Resultados no Reino Unido

Deve ser lembrado que, entre aqueles que primeiramente investigaram o problema de estabilidade no contexto de sistemas dinâmicos, estão Clifford, Maxwell e Routh, todos do Reino Unido. Por outro lado, os resultados deles, em grande parte, se baseiam em resultados mais fundamentais (não específicos ao problema de estabilidade) derivados por pessoas como Descartes, De Gua, Fourier e Sturm, todos franceses.[20] Não seria exagero dizer que, de forma geral, as ferramentas foram desenvolvidas na Europa Continental (com destaque para a França) e o problema específico (estabilidade) foi inicialmente investigado no Reino Unido.[21]

---

[19]Hermite, C., "Extrait d'une lettre sur le nombre des racines d'une équation algébrique compris de limites données", *J. Reine Angew. Math.*, 52:39–51, 1856. A tradução de Parks, P. C. foi publicada em Hermite, C., On the number of roots of an algebraic equation contained between given limits, *Int. J. Control*, 26(2):183–196, 1977.

[20]Fuller (1975, p. 13) menciona que Newton, em 1707, havia sugerido uma regra que incluía a regra de Descartes (1637) bem como o resultado de De Gua (1741). A regra de Newton for demonstrada por James Joseph Sylvester (1814–1897). Tanto Newton quanto Sylvester eram britânicos.

[21]Uma importante exceção é o trabalho do russo Wischnegradski (ver Seção 3.3), cujo artigo é contemporâneo ao de Routh (ver Nota 41 do Capítulo 3).

Na Seção 4.3 serão descritas algumas das primeiras iniciativas no estudo específico da estabilidade na Europa continental.

**Figura 4.4.** Charles Hermite (1822–1901), (Wikipedia, 2007).

Na segunda edição de sua monografia, Routh incorporou o exemplo de polinômio de terceiro grau estudado por Maxwell (ver Equação 3.18), que pode ser reescrito como

$$x^3 + \frac{b}{a}x^2 + \frac{c}{a}x + \frac{d}{a} = 0,$$

que tem raízes $x_1 = \alpha + j\beta$, $x_2 = \alpha - j\beta$ e $x_3 = \gamma$. Assim, tem-se as conhecidas relações:[22]

$$-\frac{b}{a} = x_1 + x_2 + x_3 = 2\alpha + \gamma$$
$$\frac{c}{a} = x_1 x_2 + x_1 x_3 + x_2 x_3 = 2\alpha\gamma + \alpha^2 + \beta^2$$
$$-\frac{d}{a} = x_1 x_2 x_3 = (\alpha^2 + \beta^2)\gamma.$$

Multiplicando a primeira equação por $-1$ vezes a segunda e, em seguida, somando-se a terceira equação, chega-se a

$$\frac{bc - ad}{a^2} = -2\alpha[(\alpha + \gamma)^2 + \beta^2]. \qquad (4.3)$$

---

[22]Otto Mayr chama a atenção, de maneira irônica, para o fato de essas relações, que não são óbvias, terem merecido uma nota de rodapé no livro *Dynamics of a System of Rigid Bodies* de um eminente matemático: Routh. Além disso, Mayr esclarece que Routh se baseou em resultados publicados por A. W. Panton em 1881, que relacionavam as raízes de uma equação a seus coeficientes (Mayr, 1971b, p. 431).

122                                 *Sistemas realimentados: uma abordagem histórica*

Como a parte em colchetes da Equação 4.3 é formada por quadrados, ela é sempre positiva e, portanto, $(bc-ad)$ e $\alpha$ sempre têm sinais opostos. Portanto, a condição para que as raízes complexas tenham parte real negativa, $\alpha < 0$, pode ser escrita como

$$\frac{bc - ad}{a^2} > 0, \tag{4.4}$$

ou ainda $bc-ad > 0$, que é equivalente à condição (3.21) derivada da Equação 3.19, publicada por Maxwell em 1868.

## 4.2.1   O critério de estabilidade de Routh

Na solução mais geral para o problema de estabilidade, Routh lançou mão de diversas ferramentas e procedimentos existentes em sua época. O critério de estabilidade de Routh pode ser visto como sendo uma aplicação do teorema de Sturm para avaliar os índices de Cauchy, por meio do uso do algoritmo de Euclides[23][24] (Barnett and Siljak, 1977).

Seja o polinômio

$$\begin{aligned} f_0(x) &= a_0 x^n + \ldots + a_{n-1} x + a_n \tag{4.5} \\ f_1(x) &= \frac{df_0(x)}{dx}, \end{aligned}$$

sendo que $a_0 \neq 0$. A sequência de Sturm é obtida operando divisão polinomial e tomando-se o resto com sinal trocado (esse procedimento é conhecido como o algoritmo de Euclides), ou seja,

$$\begin{aligned} f_2(x) &= -\text{resto}[f_0(x), f_1(x)] \\ f_3(x) &= -\text{resto}[f_1(x), f_2(x)] \\ &\;\;\vdots \qquad \vdots \\ 0 &= -\text{resto}[f_{r-1}(x), f_r(x)], \end{aligned}$$

sendo que $f_r(x)$ é o maior divisor comum entre $f_0(x)$ e sua derivada. Se as raízes de $f_0(x)$ forem (singulares) de multiplicidade igual a um, então $f_r(x)$ será uma constante. O conjunto de polinômios $f_0(x), f_1(x), \ldots, f_r(x)$ é conhecido como

---

[23]O algoritmo de Euclides é um dos mais antigos de que se tem notícia, cuja data remete-nos à Grécia antiga. Tal algoritmo determina o maior divisor comum entre dois elementos sem a necessidade de fatoração.

[24]Euclides, ou Euclides de Alexandria (terceiro século a.C.), foi um matemático grego do período helenista. Ele é conhecido com o "pai da geometria".

*Estabilidade de sistemas lineares*                                      123

cadeia de Sturm. O *teorema de Sturm*[25] diz que, dados dois números reais $a < b$, o número de raízes simples no intervalo semiaberto $(a, b]$ é $\sigma(a) - \sigma(b)$, sendo $\sigma(\xi)$ o número de mudanças de sinal (excluídos os zeros) na sequência: $f_0(\xi), f_1(\xi), \ldots, f_r(\xi)$. A grandeza $\sigma(a) - \sigma(b)$ é conhecida como *índice de Cauchy* representado por $I_a^b \gamma(x)$, em que $\gamma(x)$ é a razão de dois polinômios.

O problema investigado por Routh foi o de determinar quando um polinômio com coeficientes reais como (4.5) para $a_0 > 0$ tem todos seus zeros com parte real negativa. Nesse caso, a condição necessária e suficiente é

$$I_{-\infty}^{+\infty} \gamma_1(x) = n, \tag{4.6}$$

sendo

$$\gamma_1(x) = \frac{a_1 x^{n-1} - a_3 x^{n-3} + a_5 x^{n-5} - \cdots}{a_0 x^n - a_2 x^{n-2} + a_4 x^{n-4} - \cdots}. \tag{4.7}$$

Verificar a condição (4.6) requer que o índice de Cauchy seja determinado. Para isso, é possível construir uma sequência de Sturm, que, por sua vez, requer diversas divisões polinomiais. O mérito do procedimento proposto por Routh é que permite a construção da sequência de Sturm sem a necessidade de explicitamente fazer a divisão polinomial prevista no algoritmo de Euclides. O arranjo de Routh é

$$
\begin{array}{ccccc}
r_{01} & r_{02} & r_{03} & \cdots & r_{0n} \quad r_{0,n+1} \\
r_{11} & r_{12} & r_{13} & \cdots & r_{1n} \\
r_{21} & r_{22} & r_{23} & \cdots \\
\vdots & \vdots & \vdots
\end{array}
\tag{4.8}
$$

sendo $r_{0j} = (a_0, a_2, a_4, \ldots)$ e $r_{1j} = (a_1, a_3, a_5, \ldots)$ e

$$r_{ij} = \frac{-1}{r_{i-1,1}} \begin{vmatrix} r_{i-2,1} & r_{i-2,j+1} \\ r_{i-1,1} & r_{i-1,j+1} \end{vmatrix}, \quad i = 2, 3, 4, \ldots; \quad j = 1, 2, 3, \ldots, \tag{4.9}$$

sendo que se supõe que $r_{i1} \neq 0$. Tanto a sequência de Sturm como o índice de Cauchy estão implícitos no arranjo de Routh (4.9). Nesse caso, o índice de Cauchy é dado por

$$I_{-\infty}^{+\infty} \gamma_1(x) = \sigma(-\infty) - \sigma(+\infty) = n - 2\sigma(r_{01}, r_{11}, r_{21}, \ldots). \tag{4.10}$$

---

[25]Sturm, C., Mémoire sur la résolution des équations numeriques. *Mémoires des Savantes Étrangers (l'Académie Royale des Sciences de l'Institute de France)*, vol. 6, pp. 273–318, 1835.

Comparando-se (4.6) e (4.10), percebe-se que a condição necessária e suficiente para que todas as raízes de (4.5) tenham parte real negativa é

$$\sigma(r_{01}, r_{11}, r_{21}, \ldots) = 0, \tag{4.11}$$

ou seja, todos os elementos da primeira coluna do arranjo de Routh (4.9) devem ter o mesmo sinal algébrico. Esse é o resultado do clássico critério de estabilidade de Routh.

Em resumo, dado um polinômio (4.5), deve-se determinar o índice de Cauchy de uma função $\gamma_1(x)$, indicado por $I_{-\infty}^{+\infty}\gamma_1(x)$. Se esse índice for igual à ordem do polinômio, todas as suas raízes têm parte real menor que zero. Contudo, o índice de Cauchy é igual ao número de mudanças de sinal da cadeia de Sturm $\sigma(f_0(\xi), f_1(\xi), \ldots, f_r(\xi))$. Portanto, determinar o índice de Cauchy requer encontrar a cadeia de Sturm $f_0(\xi), f_1(\xi), \ldots, f_r(\xi)$. É nesse ponto que encontramos a contribuição de Routh. No seu arranjo, a cadeia de Sturm – e, consequentemente, o algoritmo de Euclides – está implícito. Sendo assim, o índice de Cauchy pode ser obtido diretamente do arranjo de Routh como sendo $n - 2\sigma(r_{01}, r_{11}, r_{21}, \ldots)$, o que imediatamente requer que a condição necessária e suficiente para que todas as raízes tenham parte real negativa é que o número de mudanças de sinal da sequência $r_{01}, r_{11}, r_{21}, \ldots$ seja zero. Michel apresentou um esboço da prova do resultado de Routh usando o critério de estabilidade de Leonhard-Mikhailov (Michel, 1996).

Em sua monografia, agora famosa, Routh explicitamente citou o teorema de Sturm (Routh, 1877, pp. 34, 35). Ele também fez menção à válvula governadora de Watt e a Huygens (Routh, 1877, p. 42), conforme mencionado na Seção 2.3.2. Diversos autores entendem que Routh usou como base as ideias de Clifford em vários de seus trabalhos, por exemplo, (Bateman, 1945, p. 609) e (Fuller, 1975, p. 3).

### 4.2.2 Edward John Routh

Edward John Routh (Figura 4.5) nasceu em 20 de janeiro de 1831 em Quebec, Canadá. Seu pai era um oficial britânico, que havia servido em Waterloo, o que garantia a Edward Routh cidadania britânica. Estudou matemática na Inglaterra, inicialmente em Londres e depois em Cambridge. Em 1854 ficou em primeiro lugar nos exames finais em Cambridge, conquistando a distinção de *senior wrangler*.[26]

---

[26]A distinção de *wrangler* (contendente) é concedida pela Universidade de Cambridge a estudantes de Matemática que completam o terceiro ano com louvor. Ao aluno com as melhores notas é concedida a distinção de *senior wrangler*, ao segundo colocado, a de *second wrangler*, e

Naquele mesmo ano, o segundo lugar (*second wrangler*) ficou para James Clerk Maxwell – de quem foi dito que era o homem mais inteligente do ano.

**Figura 4.5.** Edward John Routh (1831–1907), (Wikipedia, 2008).

Logo após se formar, passou a trabalhar em Cambridge como instrutor de matemática. Entre 1855 e 1888, estima-se que Routh tenha orientado mais de seiscentos alunos, dos quais 27 receberam honrarias semelhantes àquela que ele mesmo recebera em 1854. Isso é considerado um feito singular. O trabalho de Routh com seus alunos era considerado exemplar e era marcado por uma impressionante organização e disciplina. A despeito do enorme volume de trabalho demandado pela orientação de seus alunos, Routh ainda encontrava tempo para uma prolífera lista de trabalhos, que inclui artigos científicos e livros.

Em 1857 Routh recebera um convite para trabalhar no Observatório Real em Greenwich, sob o comando do então astrônomo *royal* George B. Airy (ver Seção 3.1). Tendo visitado Greenwich, Routh não aceitou a proposta de trabalho, mas conheceu a filha mais velha de Airy, Hilda, com quem se casou em 31 de agosto de 1864 (Fuller, 1977).

Em março de 1875, foi anunciado o assunto do qual trataria a competição bianual promovida pela Universidade de Cambridge: o critério de estabilidade dinâmica. A comissão organizadora era composta por quatro pessoas, entre elas

---

assim sucessivamente. Entre os matemáticos famosos que foram *senior wranglers* estão George Stokes, em 1841 (desenvolveu as equações, chamadas Navier-Stokes, que descrevem a dinâmica de fluidos), Arthur Cayley, em 1842 (demonstrou um teorema sobre teoria de grupos, que leva seu nome. É também autor do teorema Cayley-Hamilton, conhecido na área de controle), e Lord Rayleigh, em 1865 (prêmio Nobel de Física em 1904). Menos conhecido entre os matemáticos, mas muito conhecido entre os engenheiros de controle, Edward Routh também é um *senior wrangler*. Entre aqueles que tiveram que se contentar em ser *second wranglers* estão pessoas do calibre de James Clerk Maxwell e Lord Kelvin.

G. G. Stokes e J. Clerk Maxwell. Em 1877, quando saiu o resultado da competição, foi anunciado que o trabalho vencedor do Prêmio Adams havia sido *A Treatise on the Stability of a Given State of Motion* (Um tratado sobre a estabilidade de um determinado estado de movimento, ver Figura 4.6), escrito por Routh.[27]

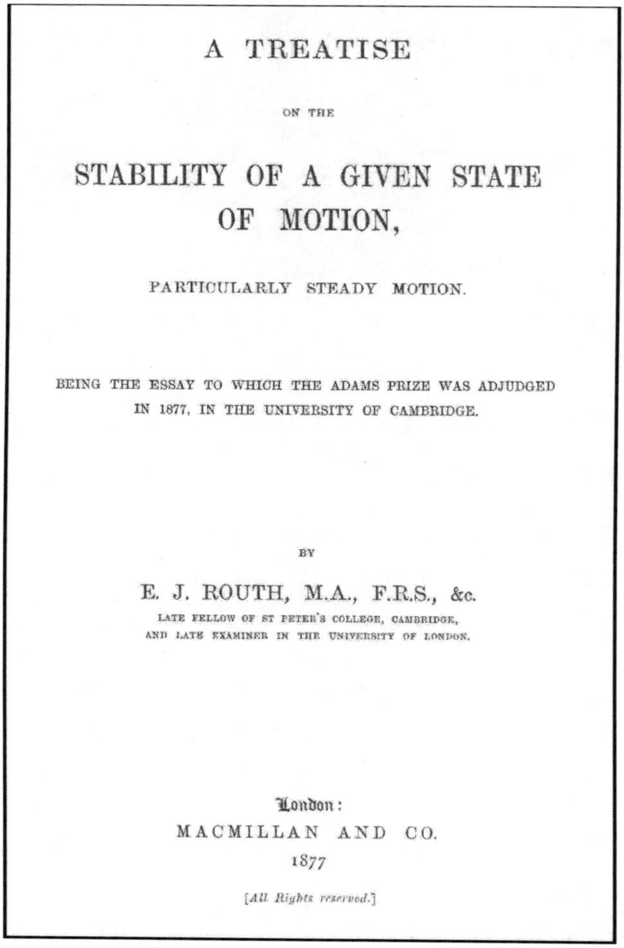

A TREATISE

ON THE

STABILITY OF A GIVEN STATE OF MOTION,

PARTICULARLY STEADY MOTION.

BEING THE ESSAY TO WHICH THE ADAMS PRIZE WAS ADJUDGED IN 1877, IN THE UNIVERSITY OF CAMBRIDGE.

BY

E. J. ROUTH, M.A., F.R.S., &c.

LATE FELLOW OF ST PETER'S COLLEGE, CAMBRIDGE, AND LATE EXAMINER IN THE UNIVERSITY OF LONDON.

London:
MACMILLAN AND CO.
1877

[*All Rights reserved.*]

**Figura 4.6.** Frontispício do trabalho de Routh, publicado em 1877, pelo qual recebeu o Prêmio Adams. No Capítulo 3 desse trabalho encontra-se o conhecido método de estabilidade que leva seu nome.

[27] O Prêmio Adams é concedido pela Faculdade de Matemática da Universidade de Cambridge e Saint John's College desde sua criação em 1848. Dentre os ganhadores dessa distinção estão James Clerk Maxwell (1857) – ver Nota 22 do Capítulo 3 –, Edward John Routh (1877) e, mais recentemente, Stephen Hawking (1966). Alistair I. Mees ganhou o prêmio em 1978 pela monografia *Dynamics of Feedback Systems*, Wiley, 1981. Mees fez inúmeras contribuições nas áreas de controle, sistemas dinâmicos não lineares e identificação de sistemas.

*Estabilidade de sistemas lineares* 127

Routh faleceu no dia 7 de junho de 1907, aos 76 anos de idade. É digno de nota que ele se manteve intelectualmente ativo até a sua morte, sendo que em 1907 e 1908 ainda foram publicados dois artigos de sua autoria.[28] Uma lista dos trabalhos de Routh pode ser encontrada em (Fuller, 1977).

## 4.3 Resultados na Europa continental

Ao fim do século XIX os resultados de pesquisa não trafegavam à velocidade constatada na atualidade. O impacto das publicações de Maxwell e de Routh poderia ser grande no século XX, mas na última década do século XIX tais trabalhos ainda não eram conhecidos na Europa continental, onde resultados equivalentes estavam sendo desenvolvidos de maneira independente. Nesse contexto, dois nomes merecem especial atenção: Aurel Stodola e Adolf Hurwitz.[29]

### 4.3.1 Aurel Stodola

Aurel Stodola (Figura 4.7)[30] assumiu o posto de professor no Instituto Federal Suíço de Tecnologia (ETH) em 1892, cargo que ocupou até sua aposentadoria em 1929 (Bissell, 1989a). Concentrou esforços no estudo de problemas de controle em turbinas a água, publicando os resultados em 1893. Como parte desse trabalho, Stodola resolveu uma equação diferencial de terceira ordem e lançou mão do critério de Wischnegradski (ver Seção 3.3) para estabelecer as condições de estabilidade (Bennett, 1979, p. 84).

O desenvolvimento de Stodola envolveu a linearização das equações em torno de um ponto de operação e a introdução de grandezas não dimensionais. Com isso, a apresentação ficou mais simples e pôde introduzir o conceito de constante de tempo, conforme confirmado em 1909 por Max Tolle:[31]

---

[28] E. J. Routh, "On the motion of a swarm of particles whose center of gravity describes an elliptic orbit of small eccentricity round the sun", *Proceedings of the London Mathematical Society*, 4:354–373, 1907; "On a curious dynamical property of particles in equilibrium, and on some properties of spherical trilinear coordinates", *Quarterly Journal of Pure and Applied Mathematics*, 39:84–94, 1908.

[29] Apesar de mencionar o problema de estabilidade, o foco do trabalho de Wischnegradski foi a análise de um sistema motor-governador para regulação de velocidade (ver Seção 3.3).

[30] Aurel Boleslaw Stodola (1859–1942) era eslovaco, engenheiro mecânico de formação e professor no Instituto Federal Suíço de Tecnologia (ETH) em Zurique, onde gozava a amizade de Albert Einstein. Ele é reconhecido pelas suas importantes contribuições no desenvolvimento de turbinas a gás e a vapor, bem como do compressor centrífugo. Possivelmente foi o primeiro a observar que o assim chamado "controlador de inércia" usava o erro e sua derivada, e que o uso da derivada tinha um efeito estabilizante (Profos, 1976).

[31] Max Ch. Tolle (1864–1945), professor de engenharia alemão. Trabalhou com a análise e

"Foi Stodola quem, pela primeira vez (e repetidamente), indicou a grande vantagem de se introduzir constantes de tempo ao se estudar comportamento oscilatório (...) Infelizmente, o detalhado trabalho do Dr. Ing. W. Bauersfeld (...) que, à parte das publicações de Stodola, é o melhor tratamento da regulação de turbinas que se tem até o presente, não faz uso de constantes de tempo apropriadas (ou o faz somente em raras ocasiões). O resultado disso é o aumento da dificuldade em compreender os resultados."[32]

**Figura 4.7.** Aurel Boleslaw Stodola (1859–1942), (Wikipedia, 2007).

Em passos subsequentes de seu estudo, Stodola passou a considerar a inércia e o amortecimento do controlador, bem como os atrasos do servo-motor. Com isso, a ordem do sistema analisado aumentou de três para sete. Desconhecendo os trabalhos de Maxwell e Routh, Stodola imaginou (corretamente) que a questão da estabilidade poderia ser investigada sem ter que, explicitamente, determinar as raízes da equação característica, como descrito por ele:

"Seria muito importante se pelo menos a natureza das raízes pudesse ser determinada, em particular o sinal algébrico das partes reais. Se, por simplicidade, nos referirmos também às raízes complexas como sendo positivas ou negativas, de acordo com tais sinais, mesmo uma única raiz positiva seria suficiente para fazer com que as variáveis

---

projeto de dispositivos governadores. Em 1905, publicou o livro *Die regelung der kraftmaschinen* (sobre o controle de máquinas motrizes), em que fez intenso uso dos métodos de Stodola. Esse livro e duas edições sucessivas foram as referências para a área de máquinas motrizes por duas décadas (Profos, 1976; Fasol, 2002).

[32] Citado em (Bissell, 1989b, p. 2315).

# Estabilidade de sistemas lineares

excedam todos os limites, ou fazer com que a amplitude das oscilações cresça indefinidamente."[33]

Foi então que Aurel Stodola colocou o problema a seu colega no ETH, Adolf Hurwitz. Acredita-se que esse contato possa ter ocorrido em algum momento de 1893, sendo que Hurwitz, em janeiro de 1894, já havia encontrado uma solução para o problema. Em abril de 1894[34] Stodola pôde, portanto, publicar um estudo estendido sobre problema de estabilidade de turbinas, e foi nesse trabalho que o critério de Hurwitz apareceu publicado pela primeira vez, em torno de um ano antes do próprio artigo de Hurwitz (Bissell, 1989a).

Ainda no século XIX, Stodola dedicou-se ao estudo da dinâmica de sistemas governadores. Em particular, analisou o governador inercial, que corresponde a um controlador com ações proporcional e derivativa.[35] No início do século XX Stodola passou a dedicar-se mais às máquinas e turbinas do que propriamente aos respectivos sistemas de controle (Bissell, 1989a).

Dentre os diversos prêmios recebidos por Stodola encontram-se: a Medalha da ASME, por ocasião de seu 15° aniversário, em 1930; e a Medalha Internacional do Instituto de Engenheiros Mecânicos: James Watt, em 1941.

Depois de sua aposentadoria, em 1929, Stodola escreveu um livro intitulado *Pensamentos sobre a Filosofia de um Engenheiro*, publicado originalmente em 1931. No primeiro capítulo desse livro, Stodola analisa as tensões que surgiam entre a indústria e o engenheiro acadêmico, bem como as reivindicações conflitantes da teoria e do empirismo. No segundo capítulo desse livro o autor defende a engenharia das acusações de ser a responsável pela tecnologia, que em 1930 era vista como a responsável pelo alto índice de desemprego (Bissell, 1989a).

## 4.3.2 Adolf Hurwitz

Adolf Hurwitz (Figura 4.8) nasceu em Hildesheim, Alemanha, em 26 de março de 1859, e morreu em Zurique, Suíça, em 18 de novembro de 1919. Tendo ficado órfão de mãe aos três anos de idade, Hurwitz começou a estudar matemática em sua cidade natal. Seu pai foi persuadido a deixá-lo prosseguir seus estudos na universidade em Munique, onde ingressou em 1877 aos 17 anos. Em 1880, quando seu orientador Felix Klein se mudou para a Universidade de Leipzig,

---

[33]Citado em (Bissell, 1989b, p. 2317).

[34]É admirável a velocidade com que a informação trafegou entre Stodola e Hurwitz e, posteriormente, entre Stodola e a literatura da época.

[35]Stodola, A. B., Das siemenssche regulierprinzip und die amerkanische inertie-regulatoren, *Zeitschrift des Vereins deutscher Ingenieure*, 43:506–516; 573–579, 1899.

Hurwitz o acompanhou, terminando seu doutorado em 1881. Depois de trabalhar em universidades na Alemanha e Rússia, foi convidado em 1892 a ocupar a cátedra até então ocupada por Frobenius, na hoje chamada ETH (Instituto Federal Suíço de Tecnologia) em Zurique.

Hurwitz costumava usar detalhados diários matemáticos, nos quais anotava itens de interesse acadêmico, esboços de cartas, referências a trabalhos de alunos, detalhes de problemas interessantes, conversas, e assim por diante (Bissell, 1989b). Não parece haver registro nos diários de 1892 a 1894 do contato inicial feito por Stodola. Na data de 4 de janeiro de 1894, há duas páginas[36] que contêm um passo fundamental dado por Hurwitz na derivação da solução do problema do critério de estabilidade, que foi publicado em 1895.[37] Basicamente, o problema abordado por Hurwitz foi o de encontrar o índice de Cauchy de uma nova função obtida a partir da equação característica original, como mostrado a seguir.

**Figura 4.8.** Adolf Hurwitz (1859–1919), (Wikipedia, 2008).

### 4.3.3 O critério de estabilidade de Hurwitz

O artigo de Hurwitz publicado em 1895 começa com o seguinte parágrafo:

> Por sugestão de meu estimado colega A. Stodola, considerei detalhadamente a questão de quando uma equação de ordem $n$ com coeficientes reais

---

[36] Esse trecho foi traduzido para o inglês e publicado no Apêndice B em (Bissell, 1989b).

[37] Hurwitz, A., Über die bedingungen, unter welchen eine gleichung nur wurzeln mit negativen reelen teilen bestizt, *Mathematische Annalen*, 46:273–280, 1895. Tradução para o inglês por Bergmann, H. G., On the conditions under which an equation has only roots with negative real parts, in Bellman, R. and Kalaba, R., *Selected Papers on Mathematical Trends in Control Theory*, pp. 72–82, Dover, New York, 1964.

# Estabilidade de sistemas lineares

$$a_0 x^n + a_1 x^{n-1} + \ldots + a_n = 0$$

somente tem raízes com parte real negativa. Ainda que a solução deste problema pelos métodos de Sturm, Liouville, Cauchy e Hermite não apresente dificuldades especiais, desejo comunicar os resultados que obtive, os quais, possivelmente, podem merecer interesse no que diz respeito a aplicações por serem de forma simples. Dr. Stodola usou meus resultados em seu artigo 'The regulation of turbines' (*Schweiz, Bauzeitung*, vol. 23, Nr. 17, 18). Tais resultados foram aplicados com grande sucesso no estudo de turbinas na estação de Davos Spa.[38] Stodola chamou minha atenção para o fato de que esse problema foi também levantado na obra de Thomson e Tait, *Natural Philosophy* (1886, Part I, p. 390), onde se diz que a solução desse problema é desejável."[39]

Hurwitz considerou a função racional $f(x)$ de grau $n$ e mostrou que, à medida que $x$ percorre o eixo imaginário do plano complexo de $j\infty$ a $-j\infty$, o número de raízes de $f(x) = 0$ com parte real negativa e positiva é dado, respectivamente, por

$$N = \frac{n+\Delta}{2}, \quad P = \frac{n-\Delta}{2},$$

de onde segue que a condição para se ter estabilidade é $n = \Delta$, sendo $\Delta$ o número de mudanças de sinal de $\tan\theta$, em que $\theta$ é o ângulo formado pelo eixo real e a semirreta que liga a raiz a um semicírculo de raio infinito, centrado na origem, que engloba o semiplano negativo. Ao longo dessa semirreta, $\theta$ encontra-se em $-\pi/2 \le \theta \le \pi/2$, para a qual $\tan\theta$ troca de sinal uma vez, *se a raiz estiver no semiplano negativo*. Se todas as raízes estiverem nesse semiplano, o número de trocas de sinal de $\tan\theta$ será $n = \Delta$, o que confirma a estabilidade.

Hurwitz argumentou que $\Delta$ pode ser determinado a partir do cálculo do índice de Cauchy de uma função auxiliar $R(z)$. Se o argumento da função original $f(x)$ for puramente imaginário, ou seja, $x = -jz$, então $f(x)=f(-jz)=u+jv$ e a função auxiliar é definida como sendo $R(z) = v/u$. Lembrando da definição do argumento $\theta$ de um número complexo, não é difícil verificar que $R(z) = \tan\theta$. Agora, se

$$f(x) = p_0 x^n + p_1 x^{n-1} + \ldots + p_{n-1}x + p_n = 0,$$

---

[38] Acredita-se que essa tenha sido uma das primeiras aplicações em que se usou um critério de estabilidade no projeto de sistema de controle (Bennett, 1979, p. 87).

[39] Citado de (Hurwitz, 1964, p. 72).

a função auxiliar é

$$R(z) = \frac{p_1 z^{n-1} - p_3 z^{n-3} + \cdots}{p_0 z^n - p_2 z^{n-2} + \cdots}. \tag{4.12}$$

Até esta parte do desenvolvimento, o procedimento de Hurwitz é análogo ao de Routh, pois este precisava determinar o índice de Cauchy de (4.7), enquanto aquele deveria calcular o mesmo índice da função análoga (4.12). O objetivo era o mesmo, mas Routh prosseguiu utilizando os resultados de Sturm, ao passo que Hurwitz lançou mão do procedimento de Hermite para redução à forma quadrática.[40] A forma quadrática pode ser expressa como a soma de quadrados na qual a diferença entre o número de termos quadrados positivos e negativos é igual ao índice desejado (Bissell, 1989b). Assim, o seguinte teorema foi finalmente enunciado:[41]

"Uma condição necessária e suficiente para que a equação[42]

$$a_0 x^n + a_1 x^{n-1} + \ldots + a_{n-1} x + a_n = 0,$$

com coeficientes reais e $a_0 > 0$, tenha raízes com parte real negativa é que os valores dos determinantes $\Delta_1, \Delta_2, \ldots \Delta_n$ [43] sejam todos positivos. Os determinantes são dados por

$$\Delta_k = \begin{vmatrix} a_1 & a_3 & a_5 & \cdots & a_{2k-1} \\ a_0 & a_2 & a_4 & \cdots & a_{2k-2} \\ 0 & a_1 & a_3 & \cdots & a_{2k-3} \\ 0 & a_0 & a_2 & \cdots & a_{2k-4} \\ 0 & 0 & a_1 & \cdots & a_{2k-5} \\ \vdots & \vdots & \vdots & \vdots & \vdots \\ 0 & 0 & 0 & \vdots & a_k \end{vmatrix},$$

em que $k = 1, 2, \ldots, n$ e $a_k = 0$ se $k < 0$ ou $k > n$."

Em 7 de janeiro de 1894, Stodola escreveu uma carta a Hurwitz agradecendo pelos resultados (o critério de estabilidade). A empolgação de Stodola é evidente,

---

[40]Como o objetivo do método original de Hermite é detectar raízes complexas com parte imaginária positiva (Jury, 1996, p. 821), foi observado que o método de Hurwitz aplica-se também ao caso em que a equação característica tem *coeficientes* complexos (Michel, 1996, p. 51).

[41]Citado de (Bennett, 1979, p. 86).

[42]Se o polinômio tiver todas as raízes no semiplano negativo, ele é chamado de polinômio de Hurwitz.

[43]Conhecidos como determinantes de Hurwitz.

*Estabilidade de sistemas lineares* 133

que concluiu a sua carta com os dizeres: "...sua investigação prestará serviço até mesmo a físicos do calibre de Thomson [Lord Kelvin]" (Bissell, 1989b, p. 2319). Ainda em 1894 Stodola publicou um trabalho no qual fazia referência ao método de Hurwitz, que foi publicado no ano seguinte.

Mais de quinze anos depois, foi mostrado que os métodos de Hurwitz e de Routh são equivalentes, razão pela qual muitas vezes se faz referência ao critério de Routh-Hurwitz.[44] Em 1914 dois matemáticos franceses mostraram que o critério de Routh-Hurwitz é redundante e que basta testar a metade das desigualdades *de determinantes* propostas por Hurwitz.[45] Mesmo pouco antes da Segunda Guerra Mundial, ainda eram publicados trabalhos sobre a determinação do sinal algébrico de raízes da equação característica.[46]

## 4.4 Resultados na Ásia

### 4.4.1 O critério de estabilidade de Mikhailov

Voltaremos a considerar os conceitos relacionados ao princípio do argumento. Considere o polinômio (4.2), em que $p_0 \neq 0$ e $f(z)$ é uma função complexa da variável $z = x + jy$. No caso particular de escolher $z = jy$ e $0 \leq y \leq \infty$, a curva descrita por $f(jy)$ no plano $(P, Q)$ é chamada de *curva de Mikhailov* para o polinômio $f(z)$. Mikhailov,[47] em 1936, demonstrou que é possível determinar o sinal da parte real das raízes do polinômio $f(z)$ a partir do formato dessa curva (Popov, 1962, p. 245). Em particular, a posição da curva de Mikhailov em relação à origem do plano complexo $(P, Q)$ determina a distribuição das raízes de $f(z)$ com respeito ao eixo imaginário desse plano.

Em linhas gerais, o método pode ser enunciado assim: seja $f(z)$ um polinômio de ordem $n$ (ver Equação 4.2) com $m$ raízes, que podem ser complexas, com parte real positiva, sendo que as demais $n-m$ raízes têm parte real negativa. A assíntota da curva $f(jy)$, $0 \leq y \leq \infty$ formará com o semieixo real positivo um ângulo de $\theta = (n - 2m)\frac{\pi}{2}$. Se $f(z)$ tiver uma raiz nula, $f(jy)$ começará na origem do plano complexo. E, no caso de haver um par de raízes puramente imaginárias $z = \pm y_0$,

---

[44]Bompiani, E., Sulle condizioni sotto le quali un equazione a coefficienti reale ammette solo radici con parte reale negative, *Giornale di Matematica*, 49:33–39, 1911.

[45]Liénard, A. and Chipart, H., Sur la signe de la partie réele des racines d'une équation algebrique, *J. Math. Pures Appl.*, 10:291–346, 1914.

[46]Um exemplo citado em (Bateman, 1945, p. 608) é Liénard, A., Signe de la partie réelle des racines d'une équations algébrique, *J. Math. Pures Appl.*, 15(9):235–250, 1936.

[47]Alexander Ivanovich Mikhailov (1905–1988) foi um cientista russo que fez importantes desenvolvimentos teóricos no campo da teoria da informação.

$f(jy)$ passará pela origem para $y = y_0$. Ilustremos o uso desse método com um exemplo simples (Popov, 1962, p. 248). Seja o polinômio:

$$f(z) = z^5 + 2z^4 + 2z^3 + 46z^2 + 89z + 260. \tag{4.13}$$

Para esse polinômio podemos escrever

$$\begin{aligned} f(jy) &= jy^5 + 2y^4 - 2jy^3 - 46y^2 + 89jy + 260 = P(y) + jQ(y) \\ P(y) &= 2y^4 - 46y^2 + 260 \\ Q(y) &= y^5 - 2y^3 + 89y, \end{aligned}$$

sendo que o trecho inicial da curva de Mikhailov está mostrado na Figura 4.9.

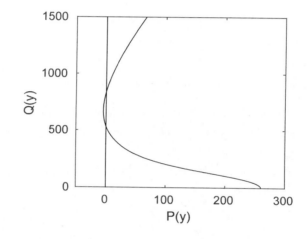

**Figura 4.9.** Curva de Mikhailov para o polinômio $f(z)$ em (4.13).

Lembre-se que a curva é para $f(jy)$, $0 \leq y \leq \infty$. A assíntota em $\lim_{y \to \infty} f(jy)$ tem ângulo $\theta = \pi/2$, o que pode ser constatado calculando-se a inclinação da curva:

$$\frac{\partial Q(y)}{\partial P(y)} = \frac{\partial Q(y)}{\partial y} \frac{\partial y}{\partial P(y)} = \frac{5y^4 - 6y^2 + 89}{y(8y^2 - 92)},$$

de onde se constata que para $y \to \infty$ a inclinação é infinita, ou seja, a assíntota é vertical e, portanto, o ângulo é $\theta = \pi/2$ e[48] $n - 2m = 1$. Como $f(z)$ é de quinta ordem, tem-se $m = (1-5)/(-2) = 2$, ou seja, $f(z)$ tem duas raízes com parte real positiva, o que confere com o fato de as raízes de $f(z)$ serem: $z_{1,2} = 2 \pm j3$, $z_3 = -4$ e $z_{4,5} = -1 \pm j2$.

---

[48]Em outros dois pontos a curva de Mikhailov tem inclinação infinita, mas nenhum corresponde à assíntota para $y \to \infty$.

*Estabilidade de sistemas lineares*  135

## 4.5 Considerações finais

Routh e Hurwitz eram matemáticos. Ambos fizeram importantes contribuições para a área da teoria de controle. As suas contribuições, contudo, foram de caráter "aplicado", em contraste com os trabalhos de cunho mais fundamental de outros matemáticos como Cauchy, Sturm e Hermite. Um aspecto muito interessante é que, mesmo sendo bastante diferentes, os critérios de estabilidade de Routh-Hurwitz, o de Mikhailov e o de Nyquist, a ser visto no Capítulo 7, usaram, em alguma medida, os resultados de Cauchy. Apesar do impacto do trabalho de Routh e Hurwitz para a área de controle, seus nomes não figuram em livros sobre a história da matemática, como em Eves (2004), e tampouco entre cientistas influentes (Balchin, 2009).

Há uma certa dicotomia entre engenharia e matemática, que, no contexto dos trabalhos de Routh e Hurwitz, foi bem colocada nas seguintes palavras:

> "Há uma interessante lição na relação entre matemática e engenharia. Nas ciências básicas é comum prever novos resultados a partir de análise matemática e posteriormente confirmá-los por experimentação. Esse procedimento é muito raro em engenharia. Tipicamente, novos dispositivos em engenharia não surgem após uma detalhada análise seguida de verificação experimental. Ao contrário, os dispositivos são concebidos e colocados para funcionar por um inventor com viés prático e que trabalha de maneira intuitiva, guiado por conhecimento existente em engenharia. Posteriormente, o dispositivo é aperfeiçoado, mas chega-se a um ponto em que a teoria disponível deixa de fornecer à intuição do engenheiro o direcionamento necessário e, a partir de então, o progresso será lento. É nesse estágio que o teórico pode fazer uma contribuição."[49]

Logo no início do século XX, surgiram dois trabalhos em que o critério de Hurwitz foi aplicado a sistemas discretos, após o uso de determinada transformação bilinear (Bissell, 1989b). Até o período da Segunda Guerra Mundial, a teoria de controle ganhou forte impulso na Alemanha, que, à época, parece ter sido o país líder nessa área. Uma possível razão para esse desenvolvimento foi o ambiente favorável propiciado pela colaboração de Stodola e Hurwitz (Bissell, 1989b). Um aspecto que pode ter sido importante na divulgação do método de Hurwitz foi observado por Bissell:

---

[49]Citado de (Rosenbrock, 1969, p. 31).

136             *Sistemas realimentados: uma abordagem histórica*

"Foi particularmente significativo que o critério de Hurwitz primeiramente apareceu em um periódico de engenharia: o *Schweizerisch Bauzeitung* (Revista Suíça de Engenharia de Construção). Ao contrário do que ocorreu com o trabalho de Routh nos países de fala inglesa, no início do século XX o critério de Hurwitz, junto com o procedimento de modelagem de sistemas usado por Stodola, já era utilizado na análise de regulação de máquinas motrizes nos países europeus de fala alemã."[50]

Os resultados desenvolvidos por cientistas e engenheiros não de fala inglesa, como Wischnegradski, Stodola e Hurwitz, aos poucos, foram sendo conhecidos pelos pesquisadores de fala inglesa, graças à forte interação que havia entre as então emergentes universidades norte-americanas e a Alemanha. Mesmo assim, parece que até 1940 praticamente não havia publicações sobre estabilidade de sistemas dinâmicos na literatura técnico-científica norte-americana, sendo que a primeira publicação possivelmente apareceu em 1936[51] (Bennett, 1979, p. 87).

Ironicamente, na Inglaterra, onde nasceram os trabalhos fundamentais de Maxwell e de Routh, até a década de 1940, os resultados sobre a estabilidade de sistemas *não* foram aplicados por engenheiros no projeto de dispositivos para regulação de máquinas a vapor – que foi a motivação alegada por Maxwell em seu artigo.[52] Contudo, o método de Routh foi reconhecido e usado por engenheiros ingleses de outras áreas, especificamente aviação e máquinas elétricas. Em 18 de junho de 1903 um artigo sobre a estabilidade longitudinal de um avião foi lido na *Royal Society*. Nesse artigo, as condições de Routh para a estabilidade de um sistema dinâmico de quarta ordem foram enunciadas. No mesmo dia, um outro artigo fez referência ao trabalho de Routh no contexto do estudo da oscilação em uma máquina de corrente alternada (Bennett, 1979, p. 88). Apesar de alguns poucos exemplos pré-guerra, o critério de estabilidade de Routh permaneceu largamente desconhecido até após a Segunda Guerra Mundial.

O livro (Smith, 1944), de origem americana, não trata de critérios de estabilidade, contudo, em nota de rodapé, menciona o nome "Routh-Hurwitz" ligado ao problema de achar o determinante de uma matriz de dimensão maior que 3. Curiosamente, esse livro cita os trabalhos de Routh, mas não os de Hurwitz. Em

---

[50]Citado de (Bissell, 1989a, p. 118).

[51]Schwendner, A. F. and Luoma, A. A., Superposed turbine regulation problem, *Transactions of the ASME*, 58(paper FSP 58-8):6-5–6-20, 1936.

[52]O verdadeiro interesse de Maxwell era o estudo de estabilidade de sistemas mais complexos, por exemplo, os anéis de Saturno. Ele viu em sistemas governadores "modelos" que poderiam ser utilizados para estudar o problema de estabilidade de maneira mais geral.

*Estabilidade de sistemas lineares* 137

se tratando de um livro de controle de processos, não é de se admirar que cite o livro de Stodola sobre turbinas.[53] Um outro livro com características semelhantes ao de Smith é (Eckman, 1945). Sendo um livro fundamentalmente prático e escrito na década de 1940, o fato de o autor sequer mencionar qualquer critério de estabilidade[54] não surpreende.

O livro de MacColl originado na Bell e cujo tema central é o critério de estabilidade de Nyquist cita a "regra de Routh" como uma alternativa para a investigação da estabilidade, sem fornecer qualquer detalhe (MacColl, 1945). Nenhuma menção ao trabalho de Hurwitz é feita por MacColl. Mais curioso ainda é o livro de Bode, também originado na Bell, o qual só utilizou o critério de estabilidade de Nyquist, sem fazer qualquer menção aos resultados de Routh ou de Hurwitz (Bode, 1945). Por outro lado, o livro (Oldenbourg and Sartorius, 1948), de origem alemã – traduzido e distribuído pela American Society of Mechanical Engineers – e mais teórico que o de Smith, menciona o trabalho de Hurwitz, mas não o de Routh. No contexto de estabilidade, o método de Hurwitz é apresentado tanto para o caso contínuo como para o discreto em conexão com a transformação bilinear (Oldenbourg and Sartorius, 1948, pp. 48,190).

O livro (Popov, 1962), traduzido do original em russo datado de 1956, apresenta tanto o método de Routh quanto o de Hurwitz, sendo que maior ênfase é dada ao método alemão. O mais curioso, contudo, é que a grande ênfase do livro no assunto de estabilidade é reservado ao método de Mikhailov publicado em 1936. Grande ênfase também foi dada por Popov ao critério de estabilidade de Wischnegradski, a quem se refere como o fundador da teoria da regulação automática (Popov, 1962, p. 257). Nesse livro, não apenas os critérios de estabilidade são apresentados, como também mostra-se como utilizá-los no projeto de sistemas realimentados. Portanto, parece adequado concluir que, na mesma década da Segunda Guerra Mundial, os critérios de estabilidade de Routh e de Hurwitz, que ainda não eram vistos como os dois lados de uma mesma moeda, começavam a ganhar espaço nos livros de controle.

---

[53]Stodola, A., *Steam and gas turbines*, McGraw-Hill Book Company, Inc., New York, 1941.

[54]Além de não mencionar qualquer critério, a própria definição de estabilidade utilizada é bastante subjetiva: "estado da variável de controle em que a variável não oscila, ou oscila com amplitude decrescente" (Eckman, 1945, p. 229).

Na segunda metade do século XX o critério de Routh-Hurwitz firmou-se como um procedimento "clássico". Em um influente livro sobre a transformada $\mathcal{Z}$, o autor usa resultados e faz menção ao método de "Hurwitz-Routh" (Jury, 1964, p. 79). Outros trabalhos surgiram para tratar de aspectos particulares. Por exemplo, foi proposta uma prova do critério de Routh utilizando argumentos geométricos (Lepschy et al., 1988). Também foi notado que o critério, como foi concebido, não detectaria a instabilidade em uma função de transferência que tivesse polos puramente imaginários de multiplicidade maior que um (Clark, 1992). O potencial problema de raízes sobre o eixo $j\omega$ era de conhecimento tanto de Routh como de Hurwitz.

O trabalho do russo Alexandr Michailovich Liapunov, que será considerado no Capítulo 5, deve ser mencionado aqui, dado o seu impacto na teoria da estabilidade de sistemas. Ao contrário dos trabalhos de Routh e de Hurwitz, os resultados de Liapunov aplicam-se a sistemas não lineares. Liapunov fez frequentes menções aos trabalhos de Routh e de Hermite e em certa ocasião comentou ter sido influenciado pelo trabalho de Poincaré (Bennett, 1979, p. 89). Se, por um lado, os cientistas americanos e europeus desconheciam o trabalho de Liapunov, o contrário não era verdadeiro. Essa tendência entre os cientistas do Ocidente e os soviéticos parece persistir até a atualidade, em alguma medida. À semelhança do critério de Routh-Hurwitz, o de Liapunov permaneceu desconhecido para a maioria dos pesquisadores e engenheiros de fala inglesa até o fim da Segunda Guerra Mundial. Por outro lado, há evidências de que o critério de Hurwitz e os resultados de Stodola eram conhecidos e utilizados na Europa de fala germânica (Bissell, 1989a). Uma clara exposição em português dos conceitos de estabilidade para sistemas lineares pode ser encontrada em (Bhaya, 2007).

Desdobramentos importantes, relacionados ao trabalho de Routh e Hurwitz, ocorreram no século XX. Como mencionado anteriormente, a extensão do critério de estabilidade de Routh-Hurwitz para sistemas discretos foi um passo importante.[55] Outra generalização foi o estudo da estabilidade de equações diferenciais com atraso da forma

$$\dot{y}(t) = a_1 y(t) + a_2 y(t - T),$$

---

[55] Uma das primeiras soluções para determinar a estabilidade para sistemas discretos foi publicada em Schur, I., Über potenzreihen die in innern des einheitskreises beschrankt sind, *Journal für Mathematik*, 147:205–232, 1917; e também em 148:122–145, 1918. A seguir o método foi publicado para aplicação em forma de tabela e determinantes em Cohn, A., Über die anzahl der wurzeln einer algebraischen gleichung in einem kreise, *Math. Z.*, 14:110–148, 1922. É comum referir-se ao critério de estabilidade de Schur-Cohn. Uma simplificação desse método foi publicado em Jury, E. I., A simplified stability criterion for linear discrete systems, *IRE Proceedings*, 50(6):1493–1500, 1962 (Mansour, 1996).

# Estabilidade de sistemas lineares

em que $a_1$ e $a_2$ são constantes conhecidas. Nesse caso, a estabilidade é determinada pela localização das raízes da seguinte equação característica:

$$\lambda = a_1 + a_2 e^{-\lambda T}.$$

Dentre as primeiras tentativas de análise desse problema está o trabalho de Nikolas Minorsky, a ser considerado na Seção 11.2.4, em que o termo exponencial foi aproximado por uma série de potências na variável de atraso $T$ e, a seguir, os termos de ordem dois e superior foram desprezados. Um estudo mais rigoroso foi realizado por Pontryagin,[56] que estudou a localização dos zeros de polinômios exponenciais da forma:[57]

$$P(\lambda) + Q(\lambda)e^\lambda = 0,$$

em que $P(\lambda)$ e $Q(\lambda)$ são polinômios ordinários.

Generalizações do critério de estabilidade para sistemas multivariáveis foram publicados ao fim da década de 1960 por C. T. Chen,[58] inclusive para sistemas de tempo discreto.[59]

---

[56]Lev Semenovich Pontryagin (1908–1988) era um matemático soviético, que fez importantes contribuições ao estudo da topologia algebraica e topologia diferencial. Ele é conhecido na área de controle pelas suas contribuições para o controle ótimo, especificamente o *princípio do máximo* e o controle *bang-bang*. Essas conquistas impressionam ainda mais diante do fato de ter ficado cego aos 14 anos como consequência da explosão de um fogareiro. Tornou-se matemático graças à ajuda de sua mãe, Tatyana Andreevna, que lia os livros de matemática para o filho (Wikipédia, 2011).

[57]Pontryagin, L., On the zeros of some transcendental functions, *Transactions of the American Mathematical Society (2)*, 1:95–110, 1955.

[58]Chen, C. T., Stability of linear multivariable feedback systems, *Proceedings of the IEEE*, 56(5):821–828, 1968.

[59]Hsu, C. H.; Chen, C. T., Proof of the stability of multivariable feedback systems, *Proceedings of the IEEE*, 56(11):2061–2062, 1968.

# Capítulo 5

# Estabilidade no sentido de Liapunov

"É sabido que para certos valores da velocidade angular, formas elípticas deixam de ser formas de equilíbrio de fluidos em rotação. Em tais casos, será que tais elementos não assumem novas formas de equilíbrio que, para um pequeno aumento na velocidade angular, pouco diferem de elipsoides? (...) Se você resolver essa questão, seu trabalho receberá atenção imediatamente."[1]

Pafnuty Chebyshev, 1882

No presente volume, este capítulo é o terceiro dedicado ao problema de estabilidade de sistemas dinâmicos, sendo que os outros dois são o Capítulo 4 e o Capítulo 7. Apesar de a estabilidade de sistemas dinâmicos ser um problema central para a área de controle, a razão de dedicar três capítulos a esse tema no presente volume é simples: houve, ao menos, três movimentos "independentes" no estudo desse assunto e tais estudos ocorreram antes da Segunda Guerra Mundial, que usamos para delimitar, no tempo. os assuntos abordados nesta obra.

Os fundamentos matemáticos em que se baseiam os critérios de Routh, Hurwitz e Nyquist são comuns. Em particular, o trabalho de Cauchy sobre funções analíticas é de importância fundamental. Por outro lado, ao considerar o trabalho do matemático russo Alexander Mikhailovitch Liapunov, logo se percebe que a abordagem é diferente. Não apenas isso, os seus resultados podem ser aplicados a sistemas não lineares. O objetivo do presente capítulo é descrever alguns dos

---

[1]Palavras de Citado Pafnuty Chebyshev para Alexander Liapunov quando este o procurou procurando por temas para seu mestrado. Citado em (Smirnov, 1992, p. 777).

142                  *Sistemas realimentados: uma abordagem histórica*

principais resultados de Liapunov na área de estabilidade de sistemas dinâmicos e o contexto histórico em que foram desenvolvidos. Antes, contudo, definiremos o contexto em que alguns conceitos serão apresentados.

Seja um sistema dinâmico não linear descrito pela equação diferencial representada em forma vetorial

$$\dot{\boldsymbol{x}} = f(\boldsymbol{x}), \tag{5.1}$$

sendo $\boldsymbol{x} \in \mathbb{R}^n$ o vetor de variáveis de estado, ou simplesmente o vetor de estado $\boldsymbol{x} = [x_1(t), x_2(t) \ldots x_n(t)]^{\mathrm{T}}$, e $f$ é uma função suave, chamada campo vetorial ou campo de velocidades.

É pertinente descrever o procedimento de linearização de (5.1). Os pontos de equilíbrio ou pontos fixos desse sistema são aqueles pontos no espaço nos quais o campo vetorial se anula, ou seja, são as soluções de $f(\boldsymbol{x}) = 0$, que indicaremos por $\bar{\boldsymbol{x}}$.

Liapunov notou que a estabilidade de pontos fixos pode ser determinada observando-se a evolução do sistema *na vizinhança* do ponto fixo. Considere a Figura 5.1a, na qual é mostrado o ponto fixo $\bar{\boldsymbol{x}}$. A vizinhança desse ponto fixo, $U \subset \mathbb{R}^2$, na figura é mostrada como um círculo de raio $0 < \delta \ll 1$ ($\delta$ pequeno). Seja a condição inicial do sistema no instante $t_0$ indicada por $\boldsymbol{x}_0 \in U$, ou seja, $\| \boldsymbol{x}_0 - \bar{\boldsymbol{x}} \| < \delta$. Se

$$\lim_{t \to \infty} \| \boldsymbol{x}(t) - \bar{\boldsymbol{x}} \| \to 0, \, t > t_0, \tag{5.2}$$

diz-se que o ponto fixo $\bar{\boldsymbol{x}}$ é assintoticamente estável. Considere novamente o ponto fixo $\bar{\boldsymbol{x}}$ e $0 < \epsilon < \delta \ll 1$ as constantes mostradas na Figura 5.1b. As vizinhanças do ponto fixo $\bar{\boldsymbol{x}}$, $U_\delta$, $U_\epsilon \subset \mathbb{R}^2$, são definidas como

$$U_\delta = \{\boldsymbol{x} \in \mathbb{R}^2 \mid \| \boldsymbol{x} - \bar{\boldsymbol{x}} \| < \delta\} \quad \text{e} \quad U_\epsilon = \{\boldsymbol{x} \in \mathbb{R}^2 \mid \| \boldsymbol{x} - \bar{\boldsymbol{x}} \| < \epsilon\}.$$

Dada uma condição inicial $\boldsymbol{x}_0 \in U_\epsilon$, então, se $\exists \delta > 0$ tal que $\boldsymbol{x}(t) \in U_\delta$, $\forall t > t_0$, diz-se que o ponto fixo $\bar{\boldsymbol{x}}$ é um *centro* e é *estável*. A esse tipo de estabilidade também se dá o nome de estabilidade neutra ou estabilidade de Liapunov.

Finalmente, a Figura 5.1c representa o caso de um ponto fixo instável, pois, dada uma condição inicial em $t_0$, $\| \boldsymbol{x}_0 - \bar{\boldsymbol{x}} \| < \delta$, a trajetória afasta-se à medida que o tempo tende ao infinito.

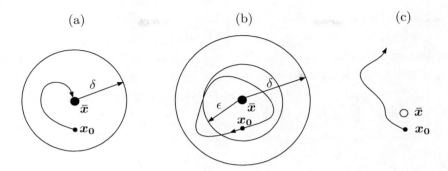

**Figura 5.1.** Representação gráfica da estabilidade de pontos fixos O ponto fixo $\bar{x}$ é assintoticamente estável em (a), tem estabilidade neutra ou de Liapunov em (b) e, em (c), o ponto fixo é instável.

É possível classificar a estabilidade *local*, ou seja, a estabilidade de pontos fixos, conforme ilustrado na Figura 5.1 a partir de uma linearização do sistema original (5.1) em torno do ponto fixo em estudo. Tal linearização resulta na *matriz jacobiana*

$$\mathrm{D}f(\boldsymbol{x}) = \begin{bmatrix} \dfrac{\partial f_1}{\partial x_1} & \dfrac{\partial f_1}{\partial x_2} & \cdots & \dfrac{\partial f_1}{\partial x_n} \\ \dfrac{\partial f_2}{\partial x_1} & \dfrac{\partial f_2}{\partial x_2} & \cdots & \dfrac{\partial f_2}{\partial x_n} \\ \vdots & \vdots & \cdots & \vdots \\ \dfrac{\partial f_n}{\partial x_1} & \dfrac{\partial f_n}{\partial x_2} & \cdots & \dfrac{\partial f_n}{\partial x_n} \end{bmatrix} \quad (5.3)$$

do sistema. Se a matriz $\mathrm{D}f(\boldsymbol{x})$ não tiver autovalores com parte real nula, diz-se que esse é o caso hiperbólico e a estabilidade do ponto fixo pode ser determinada unicamente analisando a parte real dos autovalores de $\mathrm{D}f(\boldsymbol{x})$. Se todos os autovalores tiverem parte real negativa, o sistema é assintoticamente estável. Basta que que um autovalor tenha parte real positiva e o ponto fixo torna-se instável.

## 5.1 Estabilidade de Liapunov

Alexander Liapunov discorreu sobre o problema da estabilidade de sistemas não lineares na sua tese de doutorado publicada em russo no ano 1892 intitulada *O Problema Geral da Estabilidade do Movimento* (Lyapunov, 1892). A respeito desse trabalho foi dito que "é reconhecido como o primeiro extensivo trabalho sobre a

# 144 — Sistemas realimentados: uma abordagem histórica

teoria da estabilidade de soluções de equações diferenciais ordinárias" (Mawhin, 2005). Em 1907, uma tradução de É. Davaux foi publicada em francês, tendo sido revisada e corrigida pelo próprio Liapunov[2] e reimpressa pela Princeton University Press em 1949. Uma tradução para o inglês, feita por A. T. Fuller (Fuller, 1992), foi publicada no *International Journal of Control* por ocasião do centenário da tese de Liapunov (Lyapunov, 1992).[3]

Durante o século XVIII alguns cientistas interessaram-se pelo problema de "estabilidade" de desvios de órbitas de planetas e satélites com respeito às órbitas elípticas preditas pela teoria de gravitação universal de Newton. Em particular, Laplace publicou em 1784 duas funções com as seguintes propriedades: eram definidas positivas e suas derivadas eram nulas.[4] Laplace utilizou tais funções em meio a várias aproximações para argumentar em favor da estabilidade do sistema solar. Mas, em razão das aproximações feitas, seus resultados não foram considerados rigorosos (Fuller, 1992, p. 522).

Pouco depois, Lagrange propôs que, para um sistema conservativo, um mínimo isolado na energia potencial corresponde a um ponto de equilíbrio estável.[5] Contudo, a demonstração de Lagrange não foi de todo convincente, pois desprezou termos não lineares das equações diferenciais. Alguns dos problemas com a demonstração de Lagrange foram sanados por Dirichlet,[6] que, à semelhança de Laplace, usou duas funções definidas positivas, uma correspondente à energia cinética e outra à potencial (Fuller, 1992, p. 523). Com esse pano de fundo, é possível apreciar melhor o comentário do historiador da área de controle T. A. Fuller:

---

[2]Lyapunov, A. M., Problème génèral de la stabilité du mouvement, *Annales de la Faculté des Sciences de l'Université de Toulouse*, 9:203–474, 1907.

[3]Mawhin, que aponta o fato de a tradução de Fuller ser a primeira tradução da monografia de Liapunov, fornece detalhes sobre a sequência de publicações desse trabalho. Primeiramente foi publicada em russo em 1892 (250 páginas). Reimpressões e a segunda edição foram publicadas pela Academia de Ciências em Moscou-Leningrado no ano de 1935 (386 páginas), com os seguintes adendos: um retrato, adendos oriundos da versão em francês publicada em 1907, tradução para o russo de artigo de 1897 publicado em *J. Math. Pures Appl.* e um obtuário por Steklov. A terceira edição foi publicada por Gosudarstv. Izdat. Tehn.-Teor. Lit. (GITT) em 1950, em Moscou-Leningrado (471 páginas). A terceira edição inclui um retrato, os artigos de 1893 publicados em *Comm. Soc. Math. Kharkow and Mat. Sbornik*, e o artigo de 1897 publicado em *J. Math. Pures Appl.*. Em 1956 a Acdemia de Ciências de Moscou publicou em russo *As Obras Completas do Acadêmico A. M. Liapunov*.

[4]Laplace, P. S., *Mem. Acad. Roy. Sci. Paris*, 1784; *Oeuvres Complètes de Laplace*, vol. 11, Gauthier-Villars, Paris, 1895.

[5]Lagrange, J. L., *Mecanique Analitique*, Desaint, Paris, 1788.

[6]Dirichlet, G. L., *J. Reine Angewandte Math.*, 32:85, 1846.

*Estabilidade no sentido de Liapunov* 145

"Aproximadamente oito anos antes de publicar seu trabalho em 1892 sobre estabilidade (trabalho esse que foi sua tese de doutorado), Liapunov estava completamente familiarizado com o princípio da mínima energia potencial de Lagrange. Sem dúvida, deve ter ocorrido a ele [Liapunov] que, na prova de Dirichlet, o fato de a energia total ser composta por *duas* funções definidas positivas, $T$ e $U$, não é essencial. O que é essencial é que a energia *total* deve ser definida positiva e ter uma taxa de variação nula (ou seja, como se diz atualmente, a energia total é uma função de Liapunov)."[7]

Na sua tese, Liapunov propôs dois métodos para abordar o problema de estabilidade de sitemas não lineares. Os principais elementos desses dois métodos serão abordados no restante desta seção.

### 5.1.1 O primeiro método de Liapunov

Inciaremos esta seção com a importante citação de um conhecido livro-texto:

"No trabalho original de Liapunov (Lyapunov, 1892), o método de linearização (que atualmente é, às vezes, incorretamente referido como sendo o primeiro método) foi usado simplesmente como um exemplo de aplicação do método direto (ou segundo método). O primeiro método é o assim chamado método de expoentes, que é atualmente utilizado na análise de caos."[8]

Seja uma hiperesfera de condições iniciais centrada em $\boldsymbol{x}(t_0)$ do sistema dinâmico indicado em (5.1). Considere a evolução de cada elemento dessa hiperesfera sob a ação do campo vetorial $f$. No instante de tempo $t$, *sob a hipótese de que essa evolução tenha sido exponencial*, a relação entre o raio da hiperesfera na direção $j$ no instante $t$ e seu valor inicial em $t_0$ é dada por:

$$
\begin{aligned}
d_j(t) &= d_j(t_0)e^{\lambda_j(t-t_0)}, \quad j = 1,2,\ldots,n \\
\frac{d_j(t)}{d_j(t_0)} &= e^{\lambda_j(t-t_0)} \\
\lambda_j &= \frac{1}{t-t_0}\ln\left[\frac{d_j(t)}{d_j(t_0)}\right].
\end{aligned}
\tag{5.4}
$$

---

[7]Citado de (Fuller, 1992, p. 524).
[8]Citado de (Slotine, 1991, p. 96).

# 146       *Sistemas realimentados: uma abordagem histórica*

Em (5.4) os números reais $\lambda_j$, $j = 1,2,\ldots,n$ são conhecidos como *expoentes de Liapunov* e quantificam as taxas médias locais de convergência e divergência no espaço de estados. A suposição de que a evolução das condições iniciais ocorre de maneira exponencial só é verdadeira para valores pequenos de $(t - t_0)$, ou seja, a hipótese de evolução exponencial é apenas verdadeira *localmente*. Essa observação explica, ao menos em parte, o fato de comumente referir-se ao primeiro método de Liapunov como sendo aquele em que o sistema é linearizado em torno de seus pontos de equilíbrio.

Em seu primeiro método Liapunov introduziu o conceito de *números característicos* de uma função $\boldsymbol{x}(t)$ tal que

$$
\begin{aligned}
\boldsymbol{x}(t)e^{\lambda_1 t} &\to 0,\ t \to \infty \\
\boldsymbol{x}(t)e^{\lambda_2 t} &\to \infty,\ t \to \infty,
\end{aligned}
$$

para algum $\lambda_1$ e $\lambda_2$. Existe um número $\lambda_0$, chamado número característico da função $\boldsymbol{x}(t)$, tal que, para cada $\epsilon > 0$,

$$
\begin{aligned}
\boldsymbol{x}(t)e^{(\lambda_0-\epsilon)t} &\to 0,\ t \to \infty \\
\boldsymbol{x}(t)e^{(\lambda_0+\epsilon)t} &\to \infty,\ t \to \infty.
\end{aligned}
$$

Sendo $\boldsymbol{x}(t)$ a solução do sistema não perturbado (5.1), é possível mostrar que o conjunto de números característicos desse sistema contém no máximo $n$ elementos distintos.[9]

O teorema básico do primeiro método de Liapunov estabelece que, se o sistema linearizado $\dot{\boldsymbol{x}} = \mathrm{D}f(\boldsymbol{x})\boldsymbol{x}$ for regular[10] e se todos seus números característicos são positivos, a solução não perturbada é estável. Além disso, a solução perturbada tende assintoticamente para a não perturbada à medida que $t \to \infty$.

O primeiro e segundo métodos de Liapunov foram distinguidos por Mawhin da seguinte maneira:

> "Depois de provar, usando o método de majorantes, a existência de séries convergentes para as soluções [da equação diferencial] com norma suficientemente pequena, definidas em um intervalo de tempo arbitrário, Liapunov introduziu terminologia ainda em uso, mas de maneira

---

[9]Esse resultado obtido em 1930 é atribuído a O. Perron (Mawhin, 2005).

[10]Nos casos em que a matriz jacobiana é periódica ou constante, um sistema é regular se a soma de seus números característicos é igual a (Mawhin, 2005)

$$
- \lim_{t\to\infty} \sup \frac{1}{t} \int_{t_0}^{t} \mathrm{Re}[\mathrm{tr}\ \mathrm{D}f(\tau)]d\tau.
$$

*Estabilidade no sentido de Liapunov* 147

um pouco mais restrita: o conjunto de todos os métodos de estudo de estabilidade que dependem da obtenção de soluções do sistema perturbado, na forma de séries infinitas, é chamado de *primeiro método*. O *segundo método* consiste de todos os tipos de procedimentos que independem de soluções de equações diferenciais do sistema perturbado."[11]

## 5.1.2  O segundo método de Liapunov

A estabilidade de um ponto fixo não hiperbólico não pode ser determinada observando-se a parte real dos autovalores da matriz jacobiana avaliada no ponto fixo. Um dos procedimentos viáveis para determinar a estabilidade de um tal ponto fixo é o segundo método ou o *método direto* de Liapunov.

Para facilitar a discussão, consideremos o caso bidimensional

$$\begin{cases} \dot{x} = f(x,y) \\ \dot{y} = g(x,y), \end{cases} \tag{5.5}$$

em que $(\bar{x}, \bar{y})$ é um ponto de equilíbrio, ou seja, $f(\bar{x}, \bar{y}) = g(\bar{x}, \bar{y}) = 0$. Diremos que esse ponto é estável se for possível tomar uma condição inicial suficientemente próxima a esse ponto de tal forma que o sistema permanece próximo por um tempo indefinido.

Seja $V(x,y)$ uma função escalar em $\mathbb{R}^2$, ou seja, $V : \mathbb{R}^2 \to \mathbb{R}$, e que seja diferenciável ao menos uma vez. Além disso, que $V(\bar{x}, \bar{y}) = 0$ e o lugar geométrico de $V(x,y) = C$, em que $C$ é uma constante positiva, é um caminho fechado em torno de $(\bar{x}, \bar{y})$, e que para cada valor diferente de $C$ o respectivo caminho fechado seja diferente. A função $V$ é chamada de função de Liapunov. Essas definições estão ilustradas na Figura 5.2a.

O operador *gradiente* para o caso bidimensional é definido como

$$\nabla = \begin{bmatrix} \dfrac{\partial}{\partial x} & \dfrac{\partial}{\partial y} \end{bmatrix}^{\mathrm{T}}. \tag{5.6}$$

Portanto, o vetor gradiente, $\nabla V$, é normal à curva $V(x,y) = C$. O produto interno de dois vetores será nulo se tais vetores forem ortogonais; será positivo se o ângulo entre os vetores for agudo, e será negativo se o ângulo for obtuso.

Tomemos como vetores o campo vetorial $f$ e $\nabla V$. Observando a Figura 5.2b, em que as setas que apontam para o interior da curva fechada $V = C$ são os

---

[11]Citado de (Mawhin, 2005).

valores do campo vetorial em cada um desses pontos, percebe-se que uma consequência de essas setas apontarem para dentro é que os ângulos entre $\nabla V$ e $f$ na Figura 5.2b são todos obtusos, ou seja, $\nabla V.f < 0$, em que o ponto indica o produto interno. Invertendo o argumento, se $\nabla V.f < 0$, então os ângulos são obtusos, ou seja, o campo vetorial ao longo de $V = C$ aponta para dentro, o que garante a estabilidade do ponto fixo.

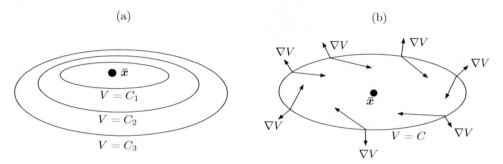

**Figura 5.2.** Ilustração do método direto de Liapunov Seja $\bar{x}$ o ponto fixo sob estudo. Sem perda de generalidade é comum assumir que $\bar{x} = 0$. Em (a) são mostradas três curvas de nível da função $V$. Essa curvas *não* são trajetórias do sistema. Em (b), mostra-se apenas uma curva de nível. O vetor gradiente $\nabla V$ é sempre normal à respectiva curva de nível em cada ponto. O campo vetorial nos mesmos pontos são indicados pelas outras setas. A condição para a estabilidade do ponto fixo $\bar{x}$ é que o campo vetorial – indicado pelas setas interiores à curva fechada – ao longo de $V = C$ aponte para *dentro* da curva de nível, em outras palavras, o ângulo entre o campo vetorial e $\nabla V$ deve ser obtuso.

Uma interpretação interessante pode ser feita, lembrando-se que $\dot{x} = f$, portanto a condição de estabilidade $\nabla V.f < 0$ pode ser reescrita como $\nabla V.\dot{x} < 0$. Por exemplo, para o caso bidimensional, aplicando a regra da cadeia, a derivada temporal de $V(x, y)$ é dada por

$$\begin{aligned}\dot{V}(x,y) &= \frac{\partial V}{\partial x}\dot{x} + \frac{\partial V}{\partial y}\dot{y} \\ &= \nabla V . \dot{x} < 0,\end{aligned} \quad (5.7)$$

em que $\boldsymbol{x} = [x\ y]^\mathrm{T}$. Portanto, a condição de estabilidade pode ser escrita simplesmente como $\dot{V} < 0$. É comum interpretar a função de Liapunov $V$ como sendo uma função de energia. A condição de estabilidade $\dot{V} < 0$ corresponde a um sistema que dissipa energia e, portanto, sua energia diminui com o tempo, o que é coerente com o conceito de estabilidade segundo Liapunov.

# Estabilidade no sentido de Liapunov

Deve ser notado que os resultados de Liapunov são úteis para declarar um ponto fixo estável, mesmo no caso de haver *singularidades*, se uma função de Liapunov $V$ for encontrada. Se $V$ não for encontrada, não é possível declarar o ponto fixo instável, pois é impossível testar todas as funções de Liapunov candidatas. Existe o teorema de instabilidade de Liapunov, que é análogo ao teorema mencionado neste capítulo. Resumidamente, a origem $\boldsymbol{x} = 0$ é um ponto de equilíbrio instável se houver uma função de Liapunov $V$ e se $\dot{V} > 0$, $\forall \boldsymbol{x} \neq 0$ (Castrucci and Curti, 1982, p. 52).

## 5.2 Alexander Mikhailovitch Liapunov

Alexander Mikhailovitch Liapunov (Figura 5.3) nasceu dia 25 de maio de 1857 em Yaroslav, na parte ocidental da Rússia. À época, seu pai, o astrônomo Mikhail Vasilyevich Liapunov, era o diretor do liceu Demidovski, que era considerado um das quatro de maior excelência na Rússia (Shcherbakov, 1992, p. 865). Sua mãe, Sophia Aleksandrovna Shipilova, teve sete filhos, dos quais quatro morreram na infância. Dentre os três que sobreviveram, Alexander era o mais velho; o seguinte foi o renomado compositor russo Sergei Mikhailovitch e o mais novo, Boris Mikhailovitch, era um ativo membro da Academia de Ciências da antiga União Soviética.[12] Em 1865 a família mudou-se para Simbirsk (atual Ulyanovsk), onde sua mãe possuía terras. Foi nesse lugar que conheceu Natalia Rafailovna, que, em 1886, tornou-se sua esposa.

**Figura 5.3.** Alexander Mikhailovitch Liapunov (1857–1918), (Wikipedia, 2009).

---

[12]"A Academia de Ciências [Akademiya Nauk] foi fundada em 1724 (...) Em 1783 a Academia Russa [Rossiiskaya Akademiya] foi fundada e em 1841 foi fundida com a Academia de Ciências em Petersburgo" (Khramoi, 1969, p. 9).

150 Sistemas realimentados: uma abordagem histórica

Alexander Liapunov concluiu o ensino médio em 1876, na cidade de Novgorod, tendo recebido a medalha de ouro pelo seu desempenho acadêmico. Iniciou seus estudos superiores na Universidade de São Petersburgo em física-matemática, mas em menos de um mês transferiu-se para a área de matemática, que era a sua vocação. Nesse contexto, teve a oportunidade de ser positivamente influenciado por outros destacados matemáticos, como Mendeleev[13] e Chebyshev.[14]

Liapunov ficou órfão relativamente novo. Seu pai faleceu quando Alexander tinha 11 anos de idade e sua mãe morreu em 1879, nos seus anos de faculdade. Para sustentar-se durante esse período, Alexander Liapunov dava aulas particulares de matemática. Essas circunstâncias adversas forjaram, ao menos em parte, a sua personalidade. Sobre ele foi dito: "Aqui está um homem com dedicação fanática a seu trabalho (...) O propósito de sua vida era o seu trabalho, sua esposa e suas flores" (Shcherbakov, 1992, p. 866).

Os primeiros passos científicos de Liapunov foram dados sob a supervisão do professor de mecânica D. K. Bobylev. Em 1880, ano em que se graduou, Liapunov recebeu um prêmio por seu trabalho em hidroestática, sendo que no ano seguinte publicou seus dois primeiros artigos no *Journal of the Physico-Chemical Society*. Também em 1880, Bobylev manteve Liapunov na Universidade de São Petesburgo, preparando-o para a docência na cátedra de mecânica (Steklov, 2007, p. 566).

---

[13] Dmitri Ivanovich Mendeleev (1834–1907) foi um químico russo a quem é atribuída a invenção da primeira versão da tabela periódica dos elementos, em 1869. Usando tal ferramenta, foi capaz de antever propriedades de elementos que ainda seriam descobertos. Em 1906 deixou de ganhar o prêmio Nobel por um voto (Balchin, 2009, p. 191). Em 1955, o elemento com número atômico 101 foi descoberto e chamado de mendelévio em sua homenagem.

[14] Pafnuty Lvovich Chebyshev (1821–1894) foi um matemático russo que fez importantes contribuições nas áreas de probabilidade, estatística e teoria de números. O nome dele é reconhecido por engenheiros eletricistas graças aos filtros que levam seu nome. Os filtros de Chebyshev são assim denominados porque estão relacionados aos polinômios de Chebyshev, que são ortogonais e podem ser obtidos de maneira recursiva (Diniz et al., 2004, p. 260). Foi Chebyshev que fundou a Escola de Matemática de São Petersburgo (Smirnov, 1992, p. 776). As realizações de Chebyshev foram descritas por um conterrâneo nos seguintes termos: "autor de um novo método em matemática, a teoria da melhor função de aproximação polinomial e de artigos fundamentais sobre a teoria de probabilidade e teoria de números, *bem como a primeira pesquisa teórica russa sobre controle automático em 1871*" (Khramoi, 1969, pp. 213–214), ver Nota 57 do Capítulo 3. Em 1905 coube ao seu aluno A. M. Liapunov escrever o obituário, que foi publicado em *The Communications of the Kharkov Math. Society*: "A avaliação do papel e herança de um grande cientista não faria sentido sem uma análise detalhada de sua obra. Não realizei tal tarefa, pois seria impossível sem um profundo estudo. É prematuro tentar fazê-lo de maneira ampla e satisfatória. As ideias de Chebyshev – ideias de um gênio – estão espalhadas em seus escritos. As conclusões que implicam estão longe de serem exauridas e produzirão fruto apenas no futuro. Somente então será possível avaliar de maneira compreensiva o gigantesco papel que teve esse cientista a quem a ciência recentemente perdeu" (Steklov, 2007, p. 566).

*Estabilidade no sentido de Liapunov* 151

Liapunov manteve um estreito relacionamento com Bobylev até a morte deste em 1917.

Em 1882, tendo "concluído a fase de créditos", Liapunov passou a buscar temas para sua dissertação. Nesse particular, suas interações com Chebyshev foram muito desafiadoras. Em suas próprias palavras:

"Em 1882, desejoso de encontrar um tema que fosse apropriado para minha dissertação de mestrado, discuti várias vezes com Chebyshev sobre algumas questões matemáticas. Chebyshev sempre me dizia que considerar questões *fáceis* [grifo meu], ainda que novas, que pudessem ser resolvidas por métodos conhecidos em geral não valia a pena. Ele acrescentava ainda que todo jovem acadêmico que já tivesse adquirido alguma prática na solução de problemas matemáticos deveria pôr à prova sua força por meio do estudo de alguma questão teórica séria que sabidamente apresentasse dificuldades. Relacionado a isso, ele me propôs a seguinte questão: é sabido que, para certos valores de velocidade angular, formas elípticas deixam de ser formas de equilíbrio de fluidos em rotação. Nesses casos, será que tais elementos não assumem novas formas de equilíbrio que, para um pequeno aumento na velocidade angular, pouco diferem de elipsoides? (...) Se você resolver essa questão, seu trabalho receberá atenção imediatamente."[15]

Depois de diversas tentativas frustradas, Liapunov teve que adiar a solução do problema proposto por Chebyshev.[16] Contudo, Liapunov manteve-se fiel ao tema e, em janeiro de 1884, defendeu a dissertação intitulada *Sobre a Estabilidade de Formas de Equilíbrio Elípticas de Fluidos em Rotação* na Universidade de São Petersburgo. Essa dissertação tornou o nome de Liapunov conhecido em toda a Europa (Smirnov, 1992, p. 777). A dissertação de Liapunov era de mais alto nível que muitas *boas* teses de doutorado (Steklov, 2007, p. 569).

Em 1885, com a indicação de Bobylev, Liapunov foi contratado como professor no Departamento de Mecânica da Universidade de Kharkov. Sobre esse período inicial ele escreveu: "No início, as atividades de pesquisa foram reduzidas. Era necessário montar cursos e preparar anotações para os alunos, o que consumiu muito tempo" (Smirnov, 1992, p. 778). Além das aulas expositivas, até o ano

---

[15]Citado em (Smirnov, 1992, p. 777).

[16]O problema da estabilidade de formas elípticas era reconhecidamente difícil, tendo sido discutido em 1879 por Thomson e Tait. Esse problema havia atraído a atenção de matemáticos do calibre de Chebyshev e Poincaré (Smirnov, 1992, p. 783).

de 1890, Liapunov foi também responsável pelas aulas práticas (Steklov, 2007, p. 568).

Desde 1884, Liapunov começou a desenvolver sua tese sobre estabilidade, o que se constituiu em uma natural extensão de sua dissertação de mestrado (Siljak, 1976). Em 1888 ele já tinha material mais que suficiente para incluir em sua tese e defendê-la. Contudo, dois dos problemas estudados eram considerados por ele "casos particulares interessantes" e, portanto, decidiu trabalhar mais quatro anos, até conseguir resultados de caráter mais geral.

Em 1892 publicou em russo seu famoso trabalho intitulado *O Problema Geral da Estabilidade do Movimento*. Em setembro do mesmo ano Liapunov defendeu tal trabalho como sua tese de doutorado na Universidade de Moscou (Mawhin, 2005). Nesse trabalho, apresentou tanto seu primeiro método, baseado em aproximações de primeira ordem, quanto o que veio a ser conhecido como o "segundo método de Liapunov" ou o "método direto de Liapunov". Assim como ocorrera com sua dissertação, a sua tese também foi traduzida para o francês e publicada nos *Annales de l'Université de Toulouse*, cinco anos depois. A versão francesa incluía algumas correções importantes (Siljak, 1976).

No ano seguinte tornou-se professor titular na Universidade de Kharkov, onde realizou pesquisas na área de física-matemática, especialmente sobre o problema de Dirichlet e o cálculo de probabilidades (Mawhin, 2005). Em 1901 foi eleito membro da Academia de Ciências de São Petersburgo, passando a ocupar a vaga deixada por Chebyshev por ocasião de sua morte (Smirnov, 1992, p. 780).[17] Além de membro da Academia de Ciências de São Petersburgo, tornou-se membro internacional da Academia Nazionale dei Lincei, em Roma, e da Académie des Sciences, em Paris (Siljak, 1976, p. 122).

Liapunov participou, em 1909, de uma obra que reunia vários trabalhos de Euler. Em particular, foi o editor dos volumes 18 e 19, que foram publicados após a sua morte (Smirnov, 1992, p. 782).

Nos dois primeiros anos do século XX, Liapunov dedicou-se à prova do Teorema Central do Limite, sob condições mais gerais do que o fizeram seus antecessores e amigos Chebyshev e Markov.[18]

---

[17]Mawhin chama atenção para o fato de que a cadeira deixada por Chebyshev ficara vaga por sete anos, entre a sua morte em 1894 e a sucessão de Liapunov (Mawhin, 2005).

[18]Andrei Andreyevich Markov (1856–1922) foi um matemático russo conhecido por suas pesquisas na área de processos estocásticos.

Estabilidade no sentido de Liapunov

O trágico fim de Alexander Liapunov foi relatado como segue:

"A esposa[19] de Liapunov era uma mulher com saúde frágil, que vinha sofrendo sérias crises de tuberculose desde 1900. Seguindo recomendações de médicos, Liapunov mudou-se com sua esposa para Odessa[20] no verão de 1917. Estando lá, foram informados de que sua casa às margens do Rio Volga fora destruída em um incêndio, junto com uma grandiosa biblioteca fundada por seu pai e seu avô. A doença da esposa progrediu e a saúde do próprio Liapunov deixava muito a desejar (sua visão havia deteriorado).[21] Somado a isso, os trágicos eventos ocorridos no país e a impossibilidade de Liapunov se sacrificar e dedicar-se completamente ao trabalho tiveram um efeito opressor sobre ele. Em 31 de outubro de 1918, quando sua esposa Nataliya faleceu, Liapunov deu um tiro de pistola em sua própria cabeça. A ferida resultou em sua morte em 3 de novembro de 1918,[22] no mesmo dia em que sua esposa foi sepultada.[23] Em uma nota que escrevera logo antes daquele disparo, Liapunov pediu para ser sepultado ao lado da esposa. Dessa maneira trágica terminou a vida desse matemático fiel e profundamente dedicado à sua ciência."[24]

Durante a Segunda Guerra Mundial o túmulo de Liapunov perdeu a sua identificação. Após ser reencontrado, em 1952, os seguintes dizeres foram colocados na lápide no Cemitério Memorial de Odessa:

O Grande Matemático e Acadêmico Russo
Aleksandr Mikhailovich Lyapunov
1857–1918

O criador da teoria da estabilidade do movimento, de técnicas para estudar o equilíbrio de fluidos em rotação, e de métodos sobre a teoria qualitativa de equações diferenciais; o autor do teorema central do limite na teoria de probabilidades e de outras investigações fundamentais nas áreas de mecânica e análise matemática.[25]

---

[19]Nataliya Rafailovna e A. M. Liapunov haviam sido amigos próximos desde a infância (Steklov, 2007, p. 575).

[20]Uma cidade na Ukrânia, às margens do Mar Negro.

[21]Smirnov atribui os problemas de visão de Liapunov à catarata (Smirnov, 1992, p. 784).

[22]No hospital universitário, onde estivera inconsciente por três dias (Steklov, 2007, p. 575).

[23]Às 5 horas da tarde (Steklov, 2007, p. 575).

[24]Citado de (Shcherbakov, 1992, p. 866).

[25]Citado em (Bissell, 1992a, p. 173).

154          *Sistemas realimentados: uma abordagem histórica*

Na seção da Academia de Ciências da Rússia, em 3 de maio de 1919, o acadêmico V. A. Steklov[26] discursou sobre a vida e obra de Liapunov, cuja tradução para o inglês pode ser encontrada em (Steklov, 2007). Na Nota 14, encontram-se palavras que Liapunov escreveu sobre seu orientador, P. L. Chebyshev. Durante seu discurso, Steklov disse sobre tais palavras: "elas podem ser aplicadas ao caso de A. M. Liapunov". Sobre a morte daquele que havia sido seu orientador, Steklov disse: "a morte de A. M. não é apenas a perda de um cientista de primeira linha, mas também de um homem de rara dignidade e beleza interior".[27]

## 5.3    Considerações finais

Um aspecto que certamente deve ter sido de grande influência no estudo de estabilidade de sistemas dinâmicos e que possivelmente não é percebido por todos os que escrevem sobre a vida de Liapunov é a forte interação que ele teve com outros pesquisadores e sua familiaridade com seus trabalhos. Quando Liapunov entrou para a universidade de São Petersburgo, em 1876, Iwan Alexejewich Wischnegradski (Ivan Alekseevich Vyshnegradskii) (Seção 3.3) era professor no Instituto Tecnológico Prático de Petersburgo. Wischnegradski foi um dos primeiros a usar a "teoria de controle" na análise de estabilidade do dispositivo governador de Watt (Siljak, 1976), conforme discutido na Seção 3.3. Na mesma época, na Universidade de Moscou, o professor N. E. Zukovski lecionava sobre a teoria de sistemas de controle.[28] Liapunov, na introdução de sua tese, fez menção a esse professor. Na Universidade de São Petersburgo, como mencionado, Liapunov foi fortemente influenciado por Chebyshev, seu orientador, e por Markov, um outro aluno de Chebyshev.

Liapunov também foi influenciado por outros pesquisadores fora da Rússia. Ele fez várias citações ao trabalho de Edward John Routh (Seção 4.2.2) intitulado *A Treatise on the Stability of a Given State of Motion*. Além de Routh, Liapunov fez referência aos trabalhos de Lagrange, Dirichlet, Floquet, Hermite, entre outros. Dentre esses "outros" estava Henri Poincaré, de quem Liapunov reconheceu importante influência nas palavras:

> "Ainda que o Sr. Poincaré limite suas considerações a casos bastante especiais, seus métodos permitem aplicações mais gerais e podem

---

[26]Considerado o aluno mais chegado de A. M. Liapunov (Smirnov, 1992, p. 782).

[27]Cidado de (Steklov, 2007, p. 575).

[28]Alguns anos depois, em 1908, Nicolas Minorsky foi estudar na Universidade de São Petersburgo (Seção 11.2.5). Atribui-se a Minorsky a proposição e primeira análise do controlador PID (Seção 11.2).

# Estabilidade no sentido de Liapunov

conduzir a novos resultados. As ideias expressas na conclusão do trabalho mencionado[29] guiaram-me em muitas de minhas investigações."[30]

A grande estima pelo trabalho de Poincaré, dezessete anos mais tarde, foi um pouco estremecida, quando, ao ler um livro do matemático francês,[31] não encontrou nada novo. Em carta a um amigo, Liapunov escreveu:

"Para minha grande surpresa, não achei nada significante nesse livro. A maior parte do livro foi dedicada a uma exposição (muito desorganizada, devo dizer) de resultados conhecidos. No que diz respeito a questões de interesse para mim, Poincaré somente repete, e de maneira muito breve, aquilo que havia dito em seu antigo trabalho de 1886."[32]

Pelo método direto de Liapunov nem sempre é possível estabelecer a estabilidade assintótica, mesmo quando se sabe que ela existe. Para poder estabelecer esse resultado é necessário acrescentar uma condição adicional. Nas palavras de Monteiro:

"em 1952, E. A. Barbashin e seu aluno, N. N. Krasovskii,[33] provaram que, quando $-\dot{V} < 0$ é semi-definida positiva, pode-se concluir que o ponto de equilíbrio situado na origem é assintoticamente estável, se a única trajetória que pertence ao conjunto em que $\dot{V} = 0$ é a origem."[34]

Esse resultado, que também recebeu forte contribuição de LaSalle,[35] é conhecido pelo princípio da invariância de LaSalle, ou princípio de Barbashin-Krasovskii-LaSalle (Bretas et al., 2007, Cap. 6).

Listas dos trabalhos de Liapunov podem ser encontradas em (Barrett, 1992) e (Shcherbakov, 1992).

---

[29] Liapunov referia-se a vários artigos publicados por Poincaré com o título "Sur les curbes définies par les équations différentielles", no *Journal de Mathematiques*, entre 1881 e 1886.

[30] Citado em (Siljak, 1976, p. 121).

[31] Um conjunto de palestras dadas em Sorbonne e publicadas em 1900 com o título *Figures d'équilibre d'une mass fluide*.

[32] Em carta escrita para Steklov, em 21 de fevereiro de 1903. Citado em (Smirnov, 1992, p. 781).

[33] Nikolay Nikolayevich Krasovsky (1924-2012) foi im proeminente matemático russo que trabalhou com teoria de controle. Entre os seus escritos está o livro *Problems of the Theory of Stability of Motion* (em russo), 1959, que foi traduzido para o inglês e publicado pela Stanford University Press, Stanford, CA, em 1963.

[34] Citado de (Monteiro, 2002, p. 239).

[35] Joseph Pierre LaSalle (1916-1983) foi um matemático norte-americano.

156            *Sistemas realimentados: uma abordagem histórica*

A primeira aplicação da teoria de estabilidade de Liapunov em um problema de controle parece ter sido um trabalho na década de 1930 por N. G. Chetaev e I. G. Malkin, do Instituto de Aviação de Kazan.[36] Um topologista e geômetra russo, S. Lefschetz teve importante papel na introdução da teoria de Liapunov nos Estados Unidos. Durante a Segunda Guerra Mundial ele começou a trabalhar com equações diferenciais e teoria de controle (Mawhin, 2005).[37] A divulgação dos métodos de Liapunov para o público ocidental foi alcançada com a realização do primeiro congresso mundial da IFAC (International Federation of Automatic Control), realizado em Moscou, em junho de 1960 (Axelby and Parks, 1992).

Um aspecto curioso, é que, não obstante a qualidade e relevância dos trabalhos dos matemáticos soviéticos mencionados neste capítulo, nenhum deles é citado em (Eves, 2004).

Possivelmente devido à sua maior complexidade ou ao fato de se aplicar a sistemas não lineares, a teoria de estabilidade de Liapunov só passou a ser abordada em livros texto de ensino de controle na segunda metade do século XX. Um livro que abordou o método direto de Liapunov de maneira detalhada foi (Popov, 1962, Seção 57).[38] No Ocidente, há uma breve menção de uma página em (Distefano et al., 1964, p. 457), sendo que um capítulo inteiro foi dedicado a esse tema em (Ogata, 1970, Cap. 15). No Brasil, o segundo teorema de Liapunov foi abordado no livro texto (Castrucci, 1969, Seção 11.4).

---

[36]Mawhin coloca por volta de 1930 o despertar do interesse pelo trabalho de Liapunov na antiga União Soviética, com os trabalhos de N. G, Chetaev sobre instabilidade: *Stability of Motion* (Russian), Moscow, GITTL, 1946; de K. P. Persidskii sobre o primeiro método; e de I. G. Malkin sobre o segundo método: *Theory of the Stability of Motion* (Russian), Moscow, GITTL, 1952. Bissell afirma que os trabalhos de Chetaev (1946) e Malkin (1952), por serem matematicamente mais acessíveis, foram importantes precursores de aplicações no pós-guerra na antiga União Soviética (Bissell, 1992a, p. 174).

[37]LaSalle, J. and Lefschetz, S., *Stability by Liapunov's Direct Method With Applications*, Academic Press, New York, 1961. Lefschetz, S., *Stability of Nonlinear Control Systems*, Academic Press, New York, 1965.

[38]A versão original desse livro foi publicada em russo em 1956.

# Capítulo 6

# Amplificador com realimentação negativa

"A história do telefone é cheia de sonhos que se tornaram realidade. Poucos sonhos poderiam ser mais rosados do que o de um amplificador cujo desempenho é perfeitamente constante e em que a energia da distorção em sua saída é apenas cem milhões de vezes menor que a energia total, ainda que a resposta de seus componentes esteja longe de ser linear, e os respectivos ganhos possam variar grandemente ao longo de uma ampla faixa. Mas para o sonhador, que, ao despertar, se encanta com a possibilidade de construir um tal amplificador, ainda estão reservadas outras surpresas. Tais benefícios podem ser obtidos simplesmente abrindo mão de um pouco de ganho e utilizando realimentação."[1]

Harold Black, 1933

"A propriedade definitiva da realimentação, de importância fundamental para a engenharia, é o fato de reduzir os efeitos de ruído externo ou distorção não linear no circuito $\mu$."[2]

Hendrik Bode, 1945

O presente capítulo trata de mais um exemplo em que a realimentação negativa foi o ingrediente-chave para garantir o sucesso da aplicação. Contudo, não

---

[1] Citado em (Bennett, 1993, p. 70).
[2] Citado de (Bode, 1945, p. 33).

158                                        *Sistemas realimentados: uma abordagem histórica*

se trata simplesmente de *mais um* exemplo, trata-se do amplificador com reali-mentação negativa inventado por Black.[3] Um dos diretores de pesquisa da Bell Telephone Laboratories, empresa para a qual Harold Black trabalhou, declarou que tal amplificador era uma das duas mais importantes invenções do século XX na área de eletrônica e comunicações.

Para melhor apreciar a solução alcançada com o amplificador inventado por Black, torna-se importante conhecer, ainda que de forma superficial, o contexto no qual se deu a invenção. Em 1906, De Forest[4] adicionou um eletrodo de controle à válvula termoiônica de Fleming,[5] entre o filamento e a placa, criando, assim, a válvula amplificadora *audion* (Figura 6.1), que foi a precursora do triodo. Esse novo dispositivo constituiu-se em um elemento revolucionador na tecnologia de comunicações e processamento de informação, pois reduzia o principal obstáculo à telefonia de longa distância: a atenuação provocada pelos cabos (MacFarlane, 1979, p. 251).

---

[3]Harold Stephen Black (1898–1983) recebeu o título de engenheiro eletricista da Worcester Polytechnic Institute em 1921, sendo que obteve um PhD *Honoris Causa* da mesma instituição em 1955. Trabalhou para a Western Electric Company, que, posteriormente, em 1925, tornou-se parte da Bell Telephone Laboratories, constituída nesse mesmo ano. Em 1957, recebeu da AIEE a Lamme Medal. Quando se aposentou, em 1963, Black detinha 66 patentes norte-americanas e 281 patentes estrangeiras. Dentre suas patentes, a mais famosa é a do amplificador com reali-mentação negativa (U.S. Patent No. 2 102 671, 1937). Escreveu dois livros: *Feedback Amplifiers* e *Modulation Theory*. Hall atribui a Black temas como sistemas de controle realimentado e servomecanismos (Hall, 2008). Ainda que os resultados de Black tenham tido claras implica-ções nessas áreas, devemos manter em mente que suas atividades limitaram-se aos problemas de telefonia, ao menos no início do século XX. Uma detalhada entrevista com Black pode ser encontrada em www.ieeeghn.org (Black, 1977). Não é difícil perceber nas palavras de Black uma certa dose de convencimento, um pouco de ânsia em garantir reconhecimento pelas suas descobertas e alguma pretensão ao reivindicar para si a concepção de ideias que, ao longo dos anos, têm sido atribuídas a outros pesquisadores. Mindell descreveu Black com as seguintes palavras: "inquieto, criativo e um pouco arrogante" (Mindell, 2000, p. 420).

[4]Lee de Forest (1873–1961) foi um inventor norte-americano e detinha 180 patentes. Entre suas invenções mais importantes está o triodo, uma válvula utilizada na amplificação de sinais elétricos. É considerado um dos pais da era da eletrônica. Sobre ele Harold Black disse: "Lee de Forest inventou uma válvula a vácuo. É uma aprazível patente, que tive a oportunidade de ler. Isso foi em 1915" (Black, 1977). Em 1902 fundou a De Forest Wireless Telephone Co. A ele são atribuídos resultados em telegrafia e retificação (1904), o triodo e o amplificador de rádio (1906), telefonia sem fio (1909), circuito realimentado e amplificador telefônico (1912), oscilador de rádio (1915) e alto-falantes (1916) (Hall, 2008).

[5]Sir John Ambrose Fleming (1849–1945) foi um físico e engenheiro eletricista inglês. Fleming é conhecido pela invenção da primeira válvula a vácuo, ou válvula termoiônica, o diodo, em 1904. A ele também se atribui a invenção da regra da mão direita, utilizada em eletromagnetismo. Foi professor na University College London de 1885 a 1926 (Hall, 2008).

*Amplificador com realimentação negativa* 159

**Figura 6.1.** Válvula *áudion* inventada por Lee de Forest em 1906. Foto de Paul Thompson (Wikimedia, 2013).

No início do século XX um dos grandes desafios tecnológicos era melhorar os sistemas de unidades repetidoras (amplificadores) utilizados em telefonia. À medida que a distância entre transmissor e receptor aumentava, tornava-se cada vez mais difícil conseguir uma transmissão de qualidade. Era necessário incluir mais unidades repetidoras, que usavam amplificadores a triodo, para compensar as perdas nos cabos. Entretanto, tais unidades estavam longe de serem lineares, e o preço pago pela amplificação era a gradual distorção do sinal transmitido.

Em 1909, dois anos depois da criação de um laboratório de pesquisa na AT&T, que posteriormente se transformou na conhecida Bell Telephone Laboratories, seu coordenador John Carty[6] escreveu um memorando aos diretores no qual dizia:

"Quem puder prover e controlar o necessário repetidor telefônico exercerá uma influência dominante na arte da telefonia sem fio (...). Portanto, um repetidor telefônico bem-sucedido não apenas influenciará favoravelmente nossos serviços onde são usados os fios telefônicos, mas poderá colocar-nos em posição de controle, com relação à arte da telefonia sem fio, caso se torne um fator de importância".[7][8]

---

[6] John Joseph Carty (1861–1932) foi um engenheiro eletricista norte-americano. Era um dos principais engenheiros da AT&T e teve papel fundamental no projeto da primeira linha telefônica transcontinental. Entre 1915 e 1916 foi presidente da AIEE (*American Institute of Electrical Engineers*). Em 1917 recebeu da IEEE a Edison Medal (Wikipedia, 2013). Carty via o papel da rede telefônica como o "sistema nervoso da sociedade" (Mindell, 2000, p. 409) e era um entusiasta e promotor de pesquisa na Bell.

[7] Citado em (Bennett, 1993, p. 71).

[8] "Praticamente desde a sua fundação, a Bell System tinha em mente o desejo de produzir

160        *Sistemas realimentados: uma abordagem histórica*

Em resposta a esse memorando, o corpo de diretores deu início a um programa de pesquisa de longo prazo na área de telefonia, pois a amplificação dos sinais de voz era de suma importância nas linhas que ligavam as costas leste e oeste dos Estados Unidos. Os primeiros amplificadores utilizados eram eletromecânicos e, em 1915, válvulas foram utilizadas pela primeira vez em unidades repetidoras montadas em uma linha telefônica que conectava Nova Iorque a São Francisco. Ao todo foram usadas três válvulas, sendo que havia três amplificadores eletro-mecânicos em *stand-by*. Aos poucos, outras unidades a válvula foram incluídas e, em 1918, havia um total de oito em operação, que deveriam amplificar o sinal a fim de compensar a atenuação de 60 dB ao longo de mais de 4.500 km de fios.[9]

Essa solução estava muito perto de atingir seus limites tecnológicos. O ampli-ficador com realimentação negativa foi uma mudança de paradigma na corrida em busca de soluções tecnologicamente viáveis. Antes de descrever alguns detalhes do desenvolvimento dessa solução, serão mencionados alguns desafios que ainda precisavam ser vencidos.

## 6.1    Os desafios

A linha telefônica usada para ligar Nova Iorque a São Francisco em 1915 era formada por fios sem isolação. Essa solução apresentava diversos problemas, entre os quais cita-se a baixa robustez a condições climáticas.[10] Uma solução alternativa era o uso de cabos. Em um cabo é possível incorporar diversos circuitos (pares de fios). Essa característica é muito bem-vinda, especialmente se o número de usuários for grande. Como no início do século XX houve um significativo aumento no número de usuários do sistema telefônico, o uso de cabos parecia uma boa solução. Como toda solução de engenharia, havia um preço a pagar.

A capacitância entre os diversos pares de fios passou a ser muito grande de-vido à proximidade de condutores dentro do cabo. Para reduzir o acoplamento

---

uma rede de abrangência nacional" (Bode, 1964, p. 110).

[9]Os fios usados pesavam cerca de meia tonelada por milha. Um determinado circuito era carregado (conectava-se carga a ele) até que sua frequência de corte ficasse um pouco acima de 1 kHz. Sob essas condições a atenuação era de 60 dB em uma linha transcontinental (Bode, 1964, p. 110). A amplificação conseguida com seis unidades era de 42 dB, o que tornava aceitável a atenuação resultante de 18 dB (0,016 da potência do sinal disponível no transmissor chegava ao receptor) (MacFarlane, 1979).

[10]Conta-se que, em 1909, durante a posse do presidente norte-americano William Howard Taft, uma tormenta tornou inoperantes todas as linhas telefônicas de Washington. Alguns historiadores acreditam que esse evento foi determinante na substituição gradual das linhas pelos cabos.

capacitivo entre os diversos circuitos, era necessário blindá-los. Com isso, aumentou a atenuação devido às perdas,[11] o que tornou ainda mais crítica a necessidade por amplificação (Tabela 6.1).

TABELA 6.1. Número de repetidores por linha em soluções tecnológicas diferentes. Os valores referem-se a linas com 3000 milhas de extensão.

| Sistema | Ano | Canais por condutor | Perdas em dB | Repetidores |
|---|---|---|---|---|
| 1ª transcontinental | 1914 | 1 | 60 | 3 a 6 |
| 2ª transcontinental | 1923 | 1 a 4 | 150 a 400 | 6 a 20 |
| fios e multiplexação | 1938 | 16 | 1.000 | 40 |
| cabo e multiplexação | 1936 | 12 | 12.000 | 200 |
| 1º cabo coaxial | 1941 | 480 | 30.000 | 600 |

Fonte: adaptada de (Bode, 1964, p. 111).

A demanda pela nova tecnologia não parava de crescer e foi necessário aumentar a capacidade de atender a mais usuários. Isso motivou o desenvolvimento de técnicas de multiplexação, para permitir que o mesmo circuito (par de fios) pudesse transportar a informação de diversos canais. A partir de 1918, diversos esquemas de multiplexação foram introduzidos pela *Bell System*. Em particular, um esquema usado em 1924 (*carrier system type C*) permitia a transmissão de três canais de voz na faixa de 5 a 30 kHz. O uso dessas técnicas requeria ocupar

---

[11]Considere a Figura 6.2, em que $V_s$, $Z_s$, $C_s$ representam o transmissor na forma de uma a fonte de sinal, sua impedância de saída e a capacitância para o terra. A banda de passagem é limitada proporcionalmente por $C_s$. Ao incluir-se uma blindagem aterrada, a capacitância $C_b$ aparece em paralelo com $C_s$, aumentando a capacitância total para o terra e, consequentemente, limitando a banda de passagem ainda mais.

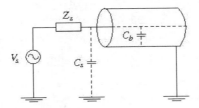

**Figura 6.2.** Diagrama esquemático de um transmissor conectado a um cabo blindado e aterrado.

as frequências mais elevadas da banda de passagem dos cabos. Contudo, para um determinado cabo, que é um filtro passa-baixas, a atenuação se intensifica com a frequência. Assim, o aumento no número de canais, proporcionado pelos diversos esquemas de multiplexação, demandava amplificação cada vez maior.

Os problemas que precisavam ser enfrentados eram diversos. Um dos principais era a *distorção* provocada pelos repetidores inseridos no circuito de transmissão. Parte da distorção tinha sua origem na característica não linear das válvulas. Quanto maior fosse a amplificação necessária, maior era o número de repetidores necessários e, portanto, maior era a distorção (Figura 6.3).

Para que o sinal de voz fosse compreensível na extremidade do receptor, a distorção das unidades repetidoras precisava ser pequena. Outro problema era o *ganho variável*, pois o ganho de cada amplificador variava em função de fatores como temperatura e tempo de uso. Como será discutido na próxima seção, o amplificador com realimentação negativa, inventado por Black, tornou-se uma solução competitiva para os referidos problemas.

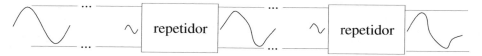

**Figura 6.3.** Diagrama esquemático da crescente distorção provocada por uma cascata de repetidores. Além de amplificar o sinal de entrada, os repetidores tinham a indesejável característica de distorcê-lo.

Em 1921, ao ingressar na Western Electric Company,[12] Black escreveu um relatório no qual descreveu uma audaciosa proposta: projetar um sistema com mil amplificadores em série.[13] Em seguida, Ralph Hartley[14] notou que, nesse caso, cada amplificador não poderia contribuir com mais do que 1/1000 da distorção total. Naquela época, os sistemas mais complexos tinham entre 10 e 20 unidades repetidoras, sendo que os projetistas tinham grandes dificuldades em manter a distorção de cada amplificador limitada a 1/100 do total. Era evidente que a ousada proposta de Black era inviável, a menos que algo de extraordinário acontecesse... e aconteceu. Uma revolução tecnológica estava a caminho.

---

[12]No período entre 1881 e 1995, a *Western Electric Company* foi o braço industrial da AT&T.

[13]Aparentemete Black considerou um sistema que poderia chegar a ter 3 mil amplificadores, mas ao explicar seu raciocínio usou o número 1000 (Black, 1977).

[14]Ralph Vinton Lyon Hartley (1888–1970) foi um engenheiro eletricista, mecânico e inventor americano. Inventou o oscilador e a transformada que levam o seu nome (1914) e fez contribuições fundamentais à teoria da informação (Hall, 2008).

# Amplificador com realimentação negativa

## 6.2 A solução de Black

Após ter conseguido permissão para investigar o problema de projeto de amplificadores, Black dedicou-se à solução do problema proposto. Começou pelo caminho tradicional, ou seja, procurou projetar amplificadores que fossem mais lineares e, portanto, individualmente cada um contribuiria com uma distorção menor. Isso lhe permitiria conectar mais amplificadores em cascata. Diversos trabalhos foram realizados no sentido de melhorar as características construtivas das válvulas, não apenas para torná-las mais lineares, mas também para tentar melhorar a uniformidade entre elas. Apesar de ter havido melhorias significativas, elas não eram suficientes para viabilizar a necessária solução.

Anos depois, ao contar a história da invenção do amplificador com realimentação negativa, Black recordou que estava prestes a desistir quando, em 16 de março de 1923, assistiu a uma palestra de Charles Steinmetz (Figura 6.4).[15][16] O assunto principal da palestra não estava diretamente associado ao problema de telefonia, mas Steinmetz impressionou Black pela maneira sistemática de definir e resolver problemas.

Ao chegar em casa, após a palestra, Black resolveu formular seu problema *à la* Steinmetz. Seu alvo ainda era "remover a distorção na saída do amplificador", mas passou a aceitar que o amplificador era imperfeito e que o sinal de saída era composto de uma parte desejada e outra indesejada. A partir desse ponto, o foco de sua abordagem deixou de ser o aperfeiçoamento de amplificadores e passou a ser o de encontrar uma maneira de manipular sinais elétricos a fim de atingir seu propósito.

Em pouco tempo Black havia formulado a seguinte solução (Figura 6.5).[17] Se a saída do amplificador, em que aparece a distorção, fosse ajustada em amplitude

---

[15]Charles Proteus Steinmetz (1865–1923), que nasceu na Prússia e morreu poucos meses após proferir a palestra assistida por Black, era matemático e engenheiro eletricista. Fez contribuições fundamentais ao desenvolvimento de máquinas de corrente alternada. Quando morreu, era detentor de mais de duzentas patentes de diversos equipamentos elétricos industriais (Friedland, 1999). Entre suas numerosas contribuições, lista-se a introdução de números complexos para a análise, no domínio da frequência, de redes elétricas no livro *Theory and Calculation of Alternating Current Phenomena*, 4th edition, 1908, McGraw Pub. A primeira edição foi publicada em 1897. Foi professor da Union College (NY) a partir de 1902 (Hall, 2008).

[16]É curioso que na entrevista disponível em (Black, 1977) não há menção a qualquer palestra de Steinmetz.

[17]A suposição na legenda da Figura 6.5 pode parecer irreal. Contudo, deve ser notado que o segundo amplificador funciona em um outro ponto de operação, muito menor que o do amplificador principal. Assim, é razoável supor que a distorção no segundo amplificador é menor do que o do amplificador principal.

e subtraída da sua entrada, o resultado seria a própria distorção, que a seguir poderia ser subtraída da saída.

**Figura 6.4.** Charles Proteus Steinmetz (1865–1923). Foto de Richard Arthur Norton, (Wikimedia, 2016).

Em março de 1923, um protótipo do esquema ilustrado na Figura 6.5 foi testado com sucesso em laboratório. Apesar de funcionar como esperado, o sistema proposto não poderia ser utilizado em aplicações mais gerais, pois eram necessários dois amplificadores que tivessem o mesmo ganho ao longo de uma ampla faixa de frequências, e que permanecessem assim por longos períodos de tempo.

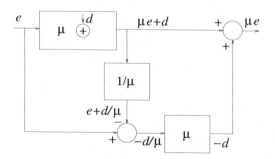

**Figura 6.5.** Diagrama esquemático da primeira solução concebida por Black. O amplificador principal contribui com a distorção $d$. O amplificador secundário não contribui com distorção, e deve ter o mesmo ganho $\mu$ do amplificador principal.

Black lutou com esse problema por diversos anos até que, em 2 de agosto de 1927, enquanto cruzava de barco o rio Hudson,[18] percebeu que, se adicionasse à

---

[18]Michael W. Dorsey chega a fornecer o horário em que Black teria vislumbrado a solução: 08:15h. Dorsey, M. W., "Accentuating the negative", *WPI–Transformations*, Summer 2005.

entrada parte do sinal de saída, mas com fase invertida, a distorção poderia ser drasticamente reduzida sacrificando-se, para isso, um pouco do ganho total. Black esboçou essa solução no único pedaço de papel que tinha à mão, um exemplar do *New York Times* (Figura 6.6). Nascia o amplificador com realimentação negativa.

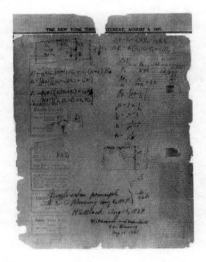

**Figura 6.6.** Página do *New York Times* em que Harold Black esboçou pela primeira vez a solução baseada no amplificador com realimentação negativa. Essa folha é hoje um item entesourado nos arquivos da Bell Labs.

Pode parecer que Black esbarrou na solução por acaso, ou depois de uma longa sequência de tentativas e erros. Ainda que, certamente, tenha havido muitas tentativas frustradas, a solução encontrada não foi fruto do acaso. Bode descreveu o procedimento de Black nos seguintes termos:

"Para obter um bom entendimento do problema, ele [Black] teve que, primeiramente, estudar de maneira ampla os aspectos teóricos do surgimento de distorção em circuitos a válvulas a vácuo. A invenção propriamente dita aconteceu em 1927. À semelhança de tantas outras invenções fundamentais, a solução raiou sobre o inventor como um *flash*, mas não antes de ele haver trabalhado intensamente no problema por diversos anos."[19] [20]

---
[19] Citado de (Bode, 1964, p. 114).
[20] Michael W. Dorsey diz que Black já havia trabalhado no problema por seis anos quando, finalmente, encontrou a solução. Dorsey, M. W., "Accentuating the negative", *WPI–*

A atitude de Black, segundo o testemunho de Bode citado acima, deve servir de exemplo para todos aqueles que se encontram em busca de uma solução para algum difícil problema tecnológico.

## 6.3 As características do novo amplificador

A fim de fazer uma análise simplificada do amplificador de Black, considere o esquema mostrado na Figura 6.7, adaptada do trabalho original, publicado em 1934.[21]

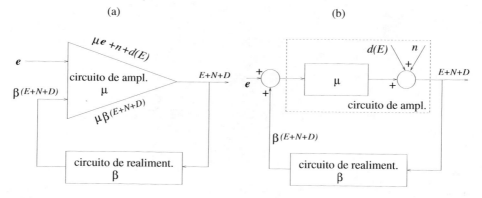

**Figura 6.7.** Diagrama do amplificador realimentado. O sinal a ser amplificado é indicado por $e$, sendo $E = \mu e$ a parcela amplificada *ideal*. O ruído e a distorção inseridos pelo amplificador são indicados por $n$ e $d(E)$, respectivamente, sendo que as parcelas correspondentes na saída são $N$ e $D$. $\mu$ e $\beta$ são os ganhos do amplificador e do circuito de realimentação, respectivamente. (a) adaptado do original publicado em 1934, e (b) diagrama de blocos equivalente.

Quando não há realimentação ($\beta = 0$), a saída do amplificador mostrado na Figura 6.7 pode ser escrita da seguinte maneira:

$$E_0 + N_0 + D_0 = \mu e + n + d(E_0).$$

Se o ramo de realimentação tiver ganho $\beta$, a entrada do circuito de amplificação

---

*Transformations*, Summer 2005.

[21] Black, H. S., "Stabilized feedback amplifiers", *Bell System Technical Journal*, 13:1–18, 1934. Esse artigo foi reimpresso em *Electrical Engineering*, 53:114–120, 1934 (ver Nota 49 deste capítulo); *Proceedings of the IEEE*, 72(6):716–722, 1984; e em *Proceedings of the IEEE*, 87(2):379–385, 1999. Por seu artigo de 1934, Black recebeu em 1957 o prêmio Lamme Medal pelo melhor artigo em teoria e pesquisa do *American Institute of Electrical Engineers* (AIEE).

será $e + \beta(E + N + D)^{22}$ e a saída, por sua vez, será:

$$E + N + D = \mu\,[e + \beta(E + N + D)] + n + d(E)$$
$$(E + N + D)(1 - \mu\,\beta) = \mu\,e + n + d(E)$$
$$E + N + D = \frac{\mu\,e}{1 - \mu\,\beta} + \frac{n}{1 - \mu\,\beta} + \frac{d(E_0)}{1 - \mu\,\beta}. \qquad (6.1)$$

Considerando $\mid \mu\,\beta \mid \gg 1$ em (6.1) tem-se $E \approx -e/\beta$, $N \approx -n/\mu\,\beta$ e $D \approx -d(E)/\mu\,\beta$. Em palavras, a parcela amplificada do sinal, $E$, aparece na saída do amplificador *independente* do ganho $\mu$,[23][24] que pode ser aumentado significativamente a fim de reduzir as parcelas devidas ao ruído e à distorção $N$ e $D$, respectivamente. Assim, para valores elevados do ganho $\mu$, a saída praticamente depende apenas do ganho de realimentação $\beta$. Na prática esse ramo pode ser composto por circuitos lineares passivos, que são mais robustos a variações de temperatura que as válvulas (com ganho $\mu$). A independência da parcela desejada $E \approx -e/\beta$ com respeito à válvula implicava tornar o amplificado muito menos variante com o tempo, que era um dos principais objetivos de Black.

Antes de prosseguir, deve ser lembrado que, na sua viagem de barco no dia 2 de agosto de 1927, Black percebera a necessidade de realimentar parte do sinal de saída *com inversão de fase*. Tal inversão corresponde a tomar $\beta < 0$ no diagrama de blocos da Figura 6.7b e, assim, garantir que a realimentação seja *negativa*.

Com relação à sua invenção, Black declarou:

"(...) ao se construir um amplificador cujo ganho seja deliberadamente alto, digamos 40 decibéis maior que o necessário (10000 vezes maior do ponto de vista de energia), e realimentando a saída de volta à entrada, de forma a eliminar o excesso de ganho, observou-se ser possível melhorar extraordinariamente a constância de amplificação e livrar-se da não linearidade.

"Realimentação estabilizada possui outras vantagens, como a redução de atrasos e distorção, redução de distúrbios de ruído da fonte

---

[22] À semelhança de Black, nessa discussão mantivemos o uso de "+" no ponto de soma. Essa prática, entre os engenheiros de comunicações da época, mostra que era comum assumir que a realimentação era *positiva*.

[23] Em entrevista concedida a Michael Wolff, Black esclareceu que sua escolha pelo símbolo $\mu$ foi influenciada pela leitura do livro *The Thermionic Vacuum Tube*, H. J. van der Bijl, MacGraw Hill, New York, 1920. A seguir Black esclareceu que, assim como introduzido por Steinmetz, $\mu$ era uma grandeza complexa (Black, 1977).

[24] É curioso observar que em livro de 1950 o símbolo $\mu$ ainda foi usado para indicar um amplificador de ganho elevado (Porter, 1950, p. 108).

168           *Sistemas realimentados: uma abordagem histórica*

de alimentação e várias outras características bem conhecidas pelos projetistas de amplificadores."[25][26]

Nessa citação, fica claro como Black encarava o processo de realimentação. A saída era realimentada de maneira a tornar a parcela de interesse na saída do amplificador independente do seu ganho ($\mu$). Esse ganho ficaria então "livre" para ser aumentado com o fim de atenuar os efeitos indesejados do ruído e da não linearidade. Além disso, o sistema realimentado passava a independer criticamente das características específicas do amplificador e de suas variações com a temperatura e tempo de uso. A saída desejada do amplificador realimentado, praticamente, só dependia do circuito de realimentação, com ganho $\beta$.

Ao encerrar esta seção, formalizaremos três importantes vantagens do amplificador com realimentação negativa, conforme apontado por Black. Primeiro, comparando-se o ganho do amplificador sem e com realimentação negativa, nota-se que o ganho deste é o ganho daquele multiplicado por $1/(1-\mu\beta)$.[27] Segundo, da mesma forma como, ao introduzir realimentação negativa, o ganho é dividido por $1 - \mu\beta$,[28] a frequência de corte do amplificador sem realimentação é *multiplicada* por esse mesmo fator quando se usa realimentação.[29] Com isso, o amplificador realimentado tem banda passante mais larga. Finalmente, se o ganho de malha for suficientemente grande, como visto, a função de transferência do amplificador com realimentação negativa dependerá cada vez menos das características do amplificador sem realimentação. O uso de realimentação negativa resultou em amplificadores que tinham uma banda de passagem não apenas mais ampla, mas também mais plana, como ilustrado na Figura 6.8.

---

[25]Citado de (Black, 1999, p. 379), que é uma reimpressão do aritigo original, ver Nota 21.

[26]A maneira com que Black descreveu o processo de realimentação reflete a novidade do assunto.

[27]Essa função, posteriormente, passou a ser chamada na área de controle de função de sensibilidade.

[28]Em 1960, já se usava a representação dessa parcela por $1 + \mu\beta$, indicando explicitamente que a realimentação é negativa (Bode, 1964, p. 120), sendo que por volta da época da Segunda Guerra Mundial ainda se encontravam ambas as representações, ou seja, tanto $1 - \mu\beta$ como $1 + \mu\beta$ (Bode, 1945, p. 32).

[29]Para ver isso, imagine que o amplificador sem realimentação seja representado pela função de transferência $G(s) = \mu/(\tau s + 1)$, em que, ao contrário de Black, considera-se que $\mu$ é uma constante, por questões de simplicidade. A função de transferência em malha fechada é dada por $G_{\mathrm{mf}}(s) = \frac{\mu/(1-\beta\mu)}{\tau s/(1-\beta\mu)\,+1}$. Vê-se, portanto, que a constante de tempo de $G_{\mathrm{mf}}(s)$ foi dividida por $1 - \mu\beta$, ou seja, a frequência de corte aumentou $1 - \mu\beta$ vezes. Deve ser lembrado que $\beta$ é negativo, pois o sinal é realimentado defasado de 180 graus.

## 6.4 O surgimento de uma nova área

Muitos entendem que a área de controle teve seu início "formal" no século XIX com os trabalhos de análise matemática de Airy, Maxwell e Wischnegradski (ver Capítulo 3). Contudo, muito do formalismo dessa área se parece mais com o que surgiu após a invenção de Black do que propriamente com os trabalhos do século XIX. O "nascimento" da área de controle foi associado ao momento em que se percebeu a ligação conceitual entre os desenvolvimentos dos séculos XIX e XX:

"Uma das generalizações mais frutíferas em toda a engenharia foi o reconhecimento de que os problemas do amplificador realimentado e o do governador da máquina a vapor são tecnicamente equivalentes. No momento em que isso foi reconhecido, diz-se que nasceu a área de controle como a conhecemos hoje."[30]

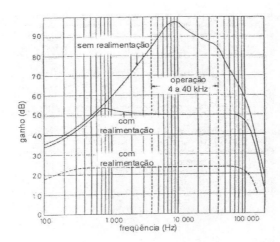

**Figura 6.8.** Ganho de amplificadores com e sem realimentação em função da frequência. Note o aumento da região de resposta plana, no caso de amplificadores realimentados, apesar do ganho ser mais baixo. Figura adaptada de (Black, 1999).

Em uma palestra, Hendrik Bode[31] estabeleceu as principais diferenças entre essas duas vertentes e propôs que a área de controle é a fusão de ambas, sendo que essa fusão foi catalisada pela Segunda Guerra Mundial.[32] É muito instrutivo considerar as palavras de Bode:

---
[30] Citado de (Rosenbrock, 1969, p. 31).
[31] Ver Seção 9.2.3.
[32] Veja a Nota 44 do Capítulo 1 para outros exemplos em que guerras fomentaram o desenvolvimento da área de controle.

"Uma área-mãe é representada pelo típico regulador mecânico ou circuito de controle elementar, como o termostato doméstico. Essa área é bastante vasta e antiga. Uma referência que li dava a um tal de Papin o crédito pela invenção da válvula de pressão [ver Seção 1.6] $(\cdots)$. O governador centrífugo de Watt para o controle de máquinas a vapor [ver Seção 2.3] é, sem dúvida, uma invenção mais famosa $(\cdots)$.

"A segunda área-mãe é muito mais recente. Resultou essencialmente do esforço de engenheiros de comunicações e, em particular, de engenheiros de telefonia para prover amplificadores de alta qualidade. Como veremos em instantes, esses amplificadores surgiram da necessidade de prover serviços de telefonia de longa distância de maneira razoável e econômica $(\cdots)$.

"As duas áreas-mãe eram originalmente bastante distintas em caráter e em ênfase. O regulador típico era essencialmente um dispositivo 'CC'. O projetista tinha o objetivo de atingir um determinado ponto de operação com boa precisão. De maneira geral, não havia uma preocupação com o desempenho transiente desse sistema. Por outro lado, os dispositivos realimentados negativamente, utilizados em telefonia, eram chamados 'amplificadores de onda', pois deveriam seguir e reproduzir com grande fidelidade um sinal de entrada qualquer, que variava com o tempo. Em outras palavras, o circuito estava sempre na condição transiente e suas características transientes, para uma ampla gama de excitações, eram muito importantes.

"As duas áreas foram unidas de maneira abrupta e enfática pelas pressões da guerra. Basta considerar o exemplo dos sistemas de servomecanismos usados para acionar os pesados canhões montados nos navios de guerra. Se um navio estivesse disparando contra um outro, o mais provável é que ambos estivessem em cursos aproximadamente paralelos e, assim, o movimento relativo entre eles seria pequeno. Nesse caso, o problema de controle do canhão é essencialmente o de manter um ângulo de avanço [para compensar o movimento do alvo] que era pequeno e praticamente fixo. Esse cenário parece com o típico problema de regulação. Por outro lado, se um navio estiver se defendendo contra ataques aéreos, a grande mobilidade e velocidade do avião requerem que o ângulo de avanço seja muito maior e variante no tempo. Assim,

*Amplificador com realimentação negativa* 171

o que se requer é algo que lembra os 'amplificadores de onda' que são capazes de acompanhar com fidelidade um sinal complicado."[33]

Ao final da palestra, Bode observou que em muitos eventos promovidos pela comunidade de controle, parecia faltar "coesão teórica" aos assuntos das seções técnicas (Bode, 1964, p. 122). Refletindo um pouco sobre essa constatação, Bode observou que as duas áreas que deram origem à engenharia de controle são realmente bastante distintas. No "ortodoxo" problema do regulador, dá-se grande ênfase à análise de um pequeno número de possíveis pontos de operação. Por outro lado, o coração do engenheiro de comunicações está focado no projeto e análise de sistemas que devem processar complexos conjuntos de mensagens, cujos detalhes não são conhecidos *a priori*. Tais sistemas, contudo, podem ser descritos em termos de algumas características gerais.[34]

Ao que parece, na mente de Bode a união das duas áreas foi benéfica por um período de tempo, mas ele questionou a necessidade de manter essas áreas vinculadas. Suas últimas palavras naquela manhã foram:

> "Tanto a engenharia de comunicações quanto os procedimentos de regulação são, sem dúvida, de grande importância, mas claramente são diferentes na sua textura intelectual básica. Sente-se que as emergências da guerra produziram algo que lembra um casamento forçado entre duas personalidades incompatíveis. Às vezes, casamentos forçados funcionam bem. Produzem descendentes legítimos e formam lares em que as crianças podem crescer. Contudo, isso não quer dizer que os princípios mais elevados do casamento encontram-se sempre em harmonia. Uma vez que as crianças tenham atingido a maturidade, os cônjuges não têm a necessidade de permanecerem juntos. Esse casamento tem durado vinte anos;[35] talvez um divórcio amigável seja agora conveniente."[36]

Quase uma década depois da palestra de Bode, Howard Rosenbrock[37] descreveu as diferenças entre as áreas-mãe do controle automático da seguinte maneira:

---

[33]Citado de (Bode, 1964, pp. 108–110). Quando Hendrik Bode proferiu essa palestra, era vice-presidente da Bell Telephone Laboratories.

[34]O leitor deve lembrar que Bode era um engenheiro de comunicações.

[35]Aqui há uma clara referência ao início da Segunda Guerra Mundial como o casamento entre as duas áreas.

[36]Citado de (Bode, 1964, p. 123).

[37]Howard Harry Rosenbrock (1920-2011) foi um engenheiro eletricista inglês formado em 1941 pela University College London. Recebeu o grau de doutor em 1955 pela University of London e posteriormente tornou-se catedrático no Instituto de Ciência e Tecnologia da Universidade

172                               *Sistemas realimentados: uma abordagem histórica*

"Uma terceira linha de investigação diz respeito ao controle de processos industriais como os encontrados na indústria química – processos de aquecimento, resfriamento, transferência de massa, reações químicas etc. Esses processos são encontrados em diversas indústrias – química, petrolífera, de cimento, papel, vidro, siderúrgica, de alimentos, açucareira etc. Uma arte empírica para o controle desses processos começou a crescer a partir, digamos, de 1920 e, por volta de 1940, já estava bem desenvolvida. Ao contrário do que ocorreu com as outras duas linhas de investigação [teoria de controle clássico e controle ótimo], esta área nunca produziu um grande corpo de teoria bem desenvolvida. Possivelmente isso ocorreu porque a arte tinha sucesso em geral e aparentemente não precisava do suporte da teoria. Além disso, uma razão mais fundamental é que os processos mencionados são bem mais difíceis de descrever matematicamente e são mais estáveis que aqueles considerados na teoria 'clássica'."[38]

Uma década e meia depois, ao receber a medalha Oldenburger (ver Seção 9.2.3) durante uma reunião conjunta da ASME (American Society of Mechanical Engineers) e da IFAC (International Federation of Automatic Control), Bode teve a oportunidade de manifestar-se. Ao fazê-lo, disse que uma das razões pelas quais estava particularmente satisfeito com aquela ocasião era por ter a oportunidade de "emergir, com uma certa graça, de um buraco que cavei para mim mesmo ao escrever o artigo *Feedback: the history of an idea*". Bode prosseguiu lembrando a plateia do que havia mencionado, em 1960, sobre o "casamento forçado" (*shotgun marriage*)[39] e finalizou dizendo:

"Não poderia estar mais equivocado. O que se percebe nestas reuniões é uma área vigorosa, cheia de vida e de interesse, e plenamente capaz

---

de Manchester. Foi um dos prioneiros a trabalhar com métodos de projeto de sistemas multivariáveis no domínio de frequência e fez importantes contribuições na área de otimização. Recebeu diversos prêmios, entre eles o IEE Heaviside Premium, IEEE Control Systems Award, e a Medalha Rufus Oldenburger da *American Society of Mechanical Engineers*, em 1994.

[38] Citado de (Rosenbrock, 1969, p. 31).

[39] O termo *shotgun marriage* tornou-se um clichê na área para referir-se aos efeitos (normalmente benéficos) da cooperação de duas áreas. Por exemplo, na introdução de seu livro, Bellman e Kalaba escreveram: "Possivelmente o desenvolvimento matemático mais importante foi esse 'casamento forçado' entre a teoria clássica de otimização e a teoria clássica de processos estocásticos" (Bellman and Kalaba, 1964, p. 2). Além disso, não está descartada a possibilidade de ter-se usado um jogo de palavras, pois o "casamento" havia sido "forçado" pela Segunda Guerra Mundial e a menção a uma arma de fogo (*shotgun*) parece fazer alusão a esse fato.

*Amplificador com realimentação negativa* 173

de absorver estímulos de diversas naturezas e capaz também de lidar cada vez mais com problemas críticos do nosso mundo moderno. A parceria [entre os "cônjuges"] é mais viável do que nunca. Estou satisfeito de que tudo tenha acabado assim, e desejo, formalmente, retirar minha crítica anterior. Obrigado, mais uma vez."[40]

## 6.5 Considerações finais

Apesar de ter sido Black quem patenteou o primeiro amplificador com realimentação negativa, vários outros pesquisadores fizeram suas contribuições na mesma época. Em 1924, Friis e Jensen publicaram um trabalho pioneiro.[41] No mesmo ano, Horton observou que a realimentação negativa reduzia a influência dos componentes do circuito.[42] O objetivo aqui não é prover uma lista exaustiva dos pesquisadores envolvidos no projeto de amplificadores realimentados, mas simplesmente salientar que Black não foi nem o primeiro, nem o único.[43]

Um dos aspectos mais interessantes da história da invenção do amplificador com realimentação passa sem ser notado. Esse aspecto é a mudança de paradigma vivida por Black quando deixou de pensar no *processo* (o amplificador) e passou a pensar em termos da manipulação da informação presente nos sinais disponíveis na entrada e na saída do amplificador. Essa mudança foi nada menos do que deixar o campo da reengenharia – refazer o processo visando aperfeiçoá-lo – para mergulhar no campo do controle automático – onde se aceitam os processos como são e passa-se a manipular sinais e informação de maneira a atingir os alvos. Mas a mudança de paradigma experimentada por Black foi além. Não apenas ingressou para o mundo do controle – à semelhança de Clerk Maxwell, antes dele –, como também passou a pensar em sistemas na forma de elementos processadores de sinais. Sendo assim, não importava tanto o que houvesse dentro dessas caixas processadoras, mas sim como elas processavam os sinais que chegavam até elas.[44]

---

[40]Citado de (ASME, 1976, p. 126).

[41]Friis, H. T., Jensen, A. G., High frequency amplifiers, *Bell Systems Technical Journal*, 3:181–205, 1924.

[42]Horton, J. W., Vacuum tube oscillators, *Bell Systems Technical Journal*, 3:508–524, 1924.

[43]Veja (Jung, 2002) para uma lista de outros pesquisadores e seus trabalhos desenvolvidos nessa área na mesma época de Black.

[44]No Capítulo 3 foi visto que, ao analisar dispositivos governadores, Airy, Maxwell e Wischnegradski tiveram que lidar com equações diferencias cuja ordem variava de 2 a 7, sendo que para ordem 5 e superior as ferramentas de análise eram ineficazes. Se fosse escrita a equação diferencial de um circuito amplificador, qual seria sua ordem? "Certa vez contei para ver qual era a ordem do conjunto de equações diferenciais de um amplificador que havia acabado de projetar (···) O resultado foi 55" (Bode, 1964, p. 109). Por essa declaração de Bode, percebe-se

174 *Sistemas realimentados: uma abordagem histórica*

Essa abordagem, hoje chamada "caixa preta", também diferia substancialmente de outros trabalhos na área de controle, como o trabalho de Maxwell, que claramente seguiu um procedimento "caixa branca". Hoje, as denominações caixa preta, caixa branca e caixa cinza são comuns na literatura de controle. Sugere-se que, tendo ouvido a palestra de Steinmetz, a mudança de postura de Black na abordagem do problema foi uma das primeiras instâncias em que se passou a pensar em sistemas dinâmicos como elementos processadores de sinais, "caixas pretas". Deve ser notado que, na área de circuitos elétricos, o conceito de "caixas pretas", ou dipolos, já começara a ser delineado desde o final do século XIX. O próprio conceito de impedância de uma rede (ou circuito) – em vez de uma representação detalhada en termos de resistência, capacitância e indutância – havia sido um importante passo na direção da representação "caixa preta".

Nos dias de Black, bem como nos trabalhos publicados à época, o conceito de resposta em frequência já era reconhecido e o uso de números complexos para descrevê-la era comum. Nota-se que, por mais de uma vez, Black se referiu a $\mu\beta$ como uma função complexa da frequência, com módulo e fase (esta foi representada por $\Phi$ no artigo de Black). Por exemplo, ele se referiu à função $\mu/(1 - \mu\beta)$ (a função de transferência em malha fechada) como "a razão complexa entre a tensão de saída e a tensão de entrada do circuito amplificador". Ainda que não usasse a terminologia mais moderna (resposta em frequência, função de transferência, e assim por diante), Black usou a descrição no domínio da frequência no seu artigo (Black, 1999). Essa observação parece importante na medida em que o uso da representação no domínio da frequência demorou mais tempo (quase duas décadas) para ser adotada na área de controle de processos.[45]

Se, por um lado, a modelagem em espaço de estados foi adotada pela engenharia mecânica, é comum associar a engenharia elétrica ao paradigma de modelagem entrada-saída, do qual o procedimento de Black é um exemplo historicamente relevante (Åström and Murray, 2008). Mindell chegou a dizer que a invenção do amplificador realimentado "rendeu à engenharia de telefonia a possibilidade de reivindicar prioridade na história da realimentação" (Mindell, 2000, p. 406).

Ainda com respeito à nomenclatura, é instrutivo notar que Black fez uso do termo *estabilidade* para referir-se à robustez do ganho do amplificador realimentado com respeito a variações *temporais* em $\mu$ e $\beta$. Por outro lado, ao abordar o assunto de como evitar a instabilidade, falava de "evitar o canto" (*avoid singing*).[46]

---

que não seria possível abordar o problema de análise e projeto de sistemas de amplififfiicação à semelhança do que se fazia com os dispositivos governadores.

[45]Por exemplo, os livros (Smith, 1944) e (Eckman, 1945), que tratam de controle de processos, fazem toda a análise e discussões no domínio do tempo.

[46]Isso é provavelmente uma menção ao assobio resultante de instabilidade em sistemas de

*Amplificador com realimentação negativa* 175

Em artigo contemporâneo ao de Black, o conceito de estabilidade foi usado com o mesmo significado da atualidade (Callender et al., 1936, p. 416). O uso de termos com significado técnico diferente do que aquele atribuído a eles hoje indica que, menos de um século atrás, muitos dos conceitos atualmente considerados básicos ainda estavam em processo de maturação.

Hoje, ao usufruir diariamente dos benefícios de amplificadores com realimentação negativa, é difícil imaginar que Black tivesse qualquer dificuldade em conseguir patentear essa ideia. Nada poderia ser mais longe da verdade, pois Black teve grandes dificuldades em conseguir a patente.[47] O primeiro pedido da referida patente foi feito em 8 de agosto de 1928, sendo que em 1930 e 1932 foram depositados documentos complementares à solicitação original. A patente nos Estados Unidos foi concedida somente em 21 de dezembro de 1937, nove anos depois do primeiro pedido.[48] Mais difícil ainda foi o tratamento recebido do escritório britânico de patentes, que tratou a invenção de Black da mesma maneira com que tratava os pedidos de patente de sistemas de "moto contínuo" (ou moto perpétuo): exigiram um protótipo em funcionamento! Além de ter encontrado resistência na obtenção de sua patente, parece que o artigo de Black – hoje, um clássico – também não teve a aceitação que merecia.[49]

Essa parte da história pode surpreender alguns. Por que resistir a uma ideia tão boa? A razão era basicamente a mesma daquela que levava o escritório britânico de patentes a suspeitar de sistemas de moto contínuo: a ideia parecia contradizer o bom senso ou, em outras palavras, "a invenção de Black era radical e contrária à intuição" (Friedland, 1999, p. 378). Bernstein sugere que a razão para o ceticismo era dupla: i) do ponto de vista *prático*, causava estranheza que o amplificador com realimentação negativa apresentasse ganho menor do que o mesmo amplificador sem realimentação; ii) do ponto de vista *analítico*, havia dúvidas sobre a estabilidade de um amplificador com ganho de malha aberta muito maior que um (Bernstein, 2002, p. 66). Uma outra razão para a resistência ao trabalho de Black, conjecturada por Mindell, é que Black, por não ter o título de doutor, sofria um certo desprezo por parte de alguns colegas, que questionavam a sua capacidade de análise (Mindell, 2002). Tentar conseguir "respaldo" de um

---

áudio, por exemplo, a microfonia.

[47]U.S. Patent 2 102 671, Wave Translation System, 1937.

[48]Acredita-se que a AT&T passou a usar o amplificador de Black a partir de 1931.

[49] Na época em que Black publicou seu artigo, o AIEE (*American Institute of Electrical Engineers*) editava dois periódicos: *Transactions of the AIEE*, onde eram publicados os artigos considerados "sérios e eruditos", e *Electrical Engineering*, onde apareciam artigos mais "populares", bem como avisos referentes aos eventos do instituto e dos comitês. O artigo de Black foi publicado no *Electrical Engineering* (Friedland, 1999).

doutor respeitado, conjectura Mindell, foi a motivação que levou Black a procurar a ajuda de seu colega Harry Nyquist.[50]

Muitos anos depois, em retrospectiva, Harry Nyquist comentou:

> "Para se ter os melhores resultados, o fator de realimentação – a parcela normalmente conhecida como $\mu\beta$ – deveria ser numericamente muito maior que um. A possibilidade de se ter estabilidade com um fator de realimentação maior do que um era desconcertante. Além disso, não era óbvio como ajudaria o fato de $\mu\beta$ ser negativo. Se o fator fosse $-10$, o efeito de uma volta no laço de realimentação seria a mudança em magnitude de uma corrente original de 1, digamos, para $-10$. Depois da segunda volta, a corrente seria 100, e assim por diante. Isso mais parecia uma série divergente. Não era claro como essas parcelas cada vez maiores poderiam se somar e resultar em algo finito e tão estável quanto a experiência havia mostrado."[51][52]

Esse comentário de Nyquist revela que o nascimento do amplificador com realimentação negativa demandou, ou ao menos catalisou, o desenvolvimento de ferramentas que fossem úteis para analisar sistemas realimentados em geral. Entre os diversos tipos de análise que eram necessários, um era de especial importância: a estabilidade do laço. Infelizmente, a capacidade de análise de Black havia chegado ao limite. Assim como foi necessário um novo procedimento (a realimentação negativa) para prover uma solução ao problema dos amplificadores não ideais, também seria necessário um novo critério para estudar a estabilidade desses novos sistemas. Esse intrigante assunto será retomado no próximo capítulo.

---

[50]Ver Seção 7.2.3.

[51]Citado em (Bennett, 1993, p. 75).

[52]Anos mais tarde, Nyquist reconheceu que esse raciocínio era falho, pois não considerava o regime transiente. Vale a pena aqui mencionar que, ainda que a resposta em frequência contenha toda a informação dinâmica de um sistema linear e invariante no tempo (LIT), essa é uma ferramenta de análise em estado estacionário. Essa tendência de pensar em termos de regime permanente parece ter sido uma das dificuldades de Nyquist e de seus contemporâneos ao tentar entender o funcionamento do amplificador com realimentação negativa.

# Capítulo 7

# Estabilidade de sistemas com realimentação

"Regeneração ou realimentação é de considerável importância em muitas aplicações que usam válvulas a vácuo ($\cdots$) Outras aplicações são os casos em que parte da corrente de saída de amplificadores é realimentada para a entrada, seja não intencionalmente, seja por projeto. Com o propósito de investigar a estabilidade de tais dispositivos, eles podem ser considerados amplificadores cuja saída é conectada à entrada por meio de um transdutor. Este artigo lida com a teoria da estabilidade de tais sistemas."[1]

Harry Nyquist, 1932

No início da década de 30 do século XX, Black e seus colegas conseguiam construir amplificadores com realimentação negativa que normalmente se comportavam muito bem. Contudo, em certas situações, esses dispositivos tinham a tendência de "cantar" ou "uivar" (oscilar),[2] como mencionado no seguinte trecho:

"Alguns 'cantavam' quando o ganho de malha do amplificador realimentado era aumentado (o que não era uma surpresa), mas outros 'cantavam' quando o ganho de malha era reduzido (o que era bastante inesperado). Tal situação era semelhante àquela associada com os dispositivos governadores que, por volta de 1868 também oscilavam[3] – ou

---

[1]Parte do *abstract* do clássico artigo *Regeneration Theory*, em que Nyquist apresentou o que hoje se conhece com o nome de *critério de estabilidade de Nyquist* (Nyquist, 1932).

[2]Os termos em inglês utilizados à época eram *singing* e *howling*.

[3]Quando um dispositivo governador oscilava, os engenheiros mecânicos – ao contrário dos engenheiros de comunicações – diziam que estava "caçando" (*hunting*).

seja, um importante dispositivo prático apresentava comportamento misterioso"[4]

O problema da estabilidade de um sistema realimentado é central à prática e teoria do controle automático (Geromel e Korogui, 2019). Conforme descoberto por Black, no contexto do projeto de amplificadores (ver Capítulo 6), a realimentação negativa permitia reduzir significativamente os efeitos não lineares das válvulas que eram utilizadas no projeto. Em termos da nomenclatura originalmente usada por Black (ver Figura 6.7a), o circuito do amplificador é caracterizado por uma grandeza complexa $\mu$ e o circuito de realimentação por $\beta$.[5] Devido às características construtivas das válvulas que compunham o circuito do amplificador, a função $\mu$ estava sujeita a não linearidades, a ruído e a variações com o tempo. Por outro lado, o circuito de realimentação, representado por $\beta$, era composto por elementos passivos, que eram muito mais robustos – a ruído e a variações temporais – e mais lineares que as válvulas. Para o amplificador realimentado de Black, a relação em malha fechada entre o sinal de entrada $e$ e o sinal amplificado $E$ é (ver Equação 6.1)

$$\frac{E}{e} = \frac{\mu}{1 - \mu\,\beta},$$

em que se assume $\beta < 0$, indicando realimentação negativa (ver Figura 6.7b). A robustez do sinal de saída $E$ com respeito às características do amplificador em malha aberta, $\mu$, é alcançada aumentando-se o ganho de malha, ou seja, toma-se $|\mu\beta| \gg 1$ e, nesse caso, $E \approx -e/\beta$, que independe de $\mu$.

Mas cada solução tem um preço, em outras palavras, nada é gratuito e o amplificador de Black não é uma exceção a essa regra. De fato, à medida que $|\mu\beta|$ aumenta, há o risco de tornar o sistema realimentado instável. Em termos matemáticos, a instabilidade do amplificador realimentado é caracterizada pelo aparecimento de raízes da equação $1 - \mu\,\beta = 0$ com parte real positiva.

O problema de determinar se uma certa equação polinomial tem raízes com parte real positiva não surgiu nos dias de Black. No início do século XX já havia soluções para esse problema, graças ao trabalho de pessoas como Maxwell, Clifford, Routh, Stodola, Hurwitz e Wischnegradski (ver o Capítulo 4 para detalhes).

---

[4]Citado de (MacFarlane, 1979, p. 253).

[5]No caso de sistemas lineares contínuos, $\mu$ é chamada de função de transferência de ramo direto e é normalmente representada por $G(s)$. Por outro lado, $\beta$, que aparece no ramo de realimentação, é comumente indicada por $H(s)$, em que $s$ é a variável complexa da transformada de Laplace.

# Estabilidade de sistemas com realimentação

179

Contudo, tais métodos requeriam a equação característica do sistema realimentado, que, em problemas práticos, dificilmente era conhecida. Ou seja, se Black desejasse aplicar o critério de Routh-Hurwitz, precisaria conhecer um polinômio que representasse $(1 - \mu\beta)$. Ainda que fosse (e era!) viável levantar experimentalmente uma estimativa não paramétrica para $\mu\beta$, os critérios de estabilidade disponíveis no início do século XX requeriam uma representação paramétrica (um polinômio). O ajuste de um polinômio aos dados $\mu\beta$, experimentalmente obtidos, tem suas dificuldades, pois deve-se lembrar que $\mu\beta$ é uma grandeza complexa. Além disso, o método de Routh-Hurwitz não fornecia quaisquer diretrizes de projeto ou de sintonia do sistema realimentado.

Tendo descoberto o amplificador realimentado em 1927, Black logo percebeu a necessidade de preocupar-se com aspectos de estabilidade. Foi então que contactou seu colega Harry Nyquist[6] e lhe colocou o problema. O contexto da época foi, vários anos depois, bem retratado por outro colega de Black, Hendrik Bode:

> "Apesar de as abrangentes implicações da invenção da realimentação negativa[7] terem se tornado evidentes de maneira rápida, as ideias originais de Black demandavam apoio e confirmação em vários aspectos, antes que a engenharia pudesse tirar proveito delas, avançando rapidamente e com confiança. Por exemplo, a invenção baseava-se em amplificadores com ganhos de malha muito maiores que um. O fato de que tais estruturas pudessem operar sem se tornarem instáveis, para muitas pessoas em 1927, era bastante duvidoso. Obviamente, a fim de avançar, era necessário um critério prático[8] que indicasse ao engenheiro de projeto quais propriedades deveria buscar para garantir um sistema estável. Felizmente, para a aplicação do amplificador com realimentação negativa, a necessária solução viria rapidamente em uma clássica análise desenvolvida por Nyquist."[9]

Motivado pelo problema colocado por Black,[10] em 1932 Harry Nyquist publicou o artigo que se tornou uma das pedras angulares da teoria de estabilidade de

---

[6]Como mencionado ao final do Capítulo 6, Mindell propôs a conjectura de que Black procurou Nyquist como uma maneira de conseguir apoio institucional, pois, ao contrário de Nyquist, Black não tinha doutorado e – alegadamente por essa razão – era desprezado.

[7]Bode aqui se refere especificamente ao amplificador inventado por Black, pois a realimentação negativa já existia e era utilizada em diversos outros sistemas.

[8]A explícita menção de *prático* aqui confirma que os critérios que então existiam – o de Routh-Hurwitz – eram considerados mais teóricos, por exigirem a equação característica do sistema em análise.

[9]Citado de (Bode, 1964, p. 114).

[10]O resumo do célebre artigo de Nyquist começa com as seguintes palavas: "Regeneração ou

180                 *Sistemas realimentados: uma abordagem histórica*

sistemas lineares (Nyquist, 1932). O novo método não apenas fornecia informação útil para o projeto e sintonia de sistemas realimentados, como também requeria apenas a resposta em frequência de malha – chamada $AJ(i\omega)$ por Nyquist.[11] A resposta em frequência podia ser obtida por medição e tinha uma representação gráfica, mas não paramétrica, como exigido pelo critério de Routh-Hurwitz.

Portanto, o problema com o qual Nyquist se viu confrontado era: dado um amplificador *estável em malha aberta* para o qual foi possível medir a relação complexa $AJ(i\omega)$ em uma faixa de frequências de interesse, ao se *fechar a malha*, o referido amplificador operará de maneira estável ou instável?

Este capítulo abordará rapidamente os principais conceitos e a linha de pensamento seguidos por Nyquist na elaboração de seu critério de estabilidade.

## 7.1    Cauchy e o princípio do argumento

Hoje em dia, o critério de estabilidade de Nyquist é imediatamente relacionado ao princípio do argumento, ou a resultados produzidos por Cauchy. Em particular, seja $Z$ o número de zeros e $P$ o número de polos de uma função complexa $f(z)$, localizados dentro de uma região $D$. A fórmula de Cauchy estabelece que:

$$Z - P = \frac{1}{2\pi j} \int_D \frac{f'(z)}{f(z)} dz, \tag{7.1}$$

sendo que a integração é realizada na região $D$ e $j = \sqrt{-1}$. Torna-se imediatamente claro que, se for possível avaliar o lado direito de (7.1) de maneira simples, ter-se-á uma forma prática de avaliar a diferença entre o número de zeros e polos, da função em estudo, que se encontram dentro da região de interesse $D$. Se, por um momento, assumirmos que $P = 0$ e que $D$ é o semiplano (complexo) direito, o resultado da avaliação da integral em (7.1) fornecerá o número $Z$ de raízes (zeros) que a função $f(z)$ tem no semiplano positivo. Nyquist propôs uma forma simples de relacionar esse resultado à estabilidade de amplificadores em malha fechada.

---

realimentação é de considerável importância em diversas aplicações de válvulas a vácuo". Além disso, o resumo de um interessante artigo de Bernard Friedland sobre o artigo de Black termina com a seguinte observação: "No esforço de ganhar um melhor entendimento do mecanismo de realimentação, ele [Black] recrutou a ajuda de H. Nyquist, que respondeu com seu famoso artigo '*Regeneration Theory*'". Não há dúvida, portanto, que Black motivou Nyquist a desenvolver o critério de estabilidade.

[11]Essa grandeza, a resposta em frequência de malha (do inglês *loop frequency response*), Black representava por $\mu\beta$.

### 7.1.1 Augustin-Louis Cauchy

Augustin-Louis Cauchy era um matemático francês, e é considerado o mais importante analista da primeira metade do século XIX. Foi chamado de "pai da análise moderna" (Kreyszig, 1999). Cauchy matriculara-se na École des Ponts et Chaussées, a fim de cursar Engenharia Civil. Contudo, foi persuadido por Lagrange e Laplace, de quem havia conquistado admiração, a dedicar-se ao estudo da ciência pura (Eves, 2004).[12]

**Figura 7.1.** Augustin-Louis Cauchy (1759–1857), (Wikipedia, 2008).

Tendo estudado na École Politechnique de Paris, tornou-se professor nessa mesma instituição. Apesar de não ter cursado Engenharia Civil, como originariamente planejado, Cauchy teve a oportunidade de trabalhar como engenheiro por um breve tempo no exército de Napoleão. Ao longo do século XIX a matemática tornou-se gradativamente mais e mais rigorosa em seu formalismo. Cauchy esteve entre aqueles que contribuíram de forma significativa para elevar os padrões de rigor da matemática. Foi ele quem proveu as primeiras definições, plenamente satisfatórias, de conceitos fundamentais como o de limite e convergência (Daintith, 2009).

Cauchy criou a área de análise complexa, à qual pertencem resultados como o princípio do argumento e o teorema da integral. Tais resultados são utilizados em livros-texto da atualidade para descrever e explicar o critério de estabilidade

---

[12]Nem todas as referências a Cauchy são de todo elogiosas. Um exemplo é a seguinte observação: "Todos conheciam Cauchy como um hipócrita, fanático religioso e pessoa extremamente impopular com seus colegas. Ele só era tolerado na Academia por seu talento" (Singh, 1999, p. 128)

182                 *Sistemas realimentados: uma abordagem histórica*

de Nyquist. O volume e a qualidade do trabalho de Cauchy foram resumidos nas palavras: "publicou quase 800 artigos de pesquisa em matemática, muitos dos quais são de importância fundamental" (Kreyszig, 1999).

## 7.2 O critério de estabilidade de Nyquist

Como será visto a seguir, no desenvolvimento do critério de estabilidade, Nyquist parece ter pensado em termos do teorema da integral complexa, de autoria de Cauchy,[13] ainda que a relação entre seu método e o Teorema de Cauchy não tenha ficado muito clara em seu artigo. Coube a outros pesquisadores fazer a conexão entre o critério de Nyquist e os resultados de Cauchy. Um dos primeiros autores a fazer isso foi um colega de Nyquist, LeRoy MacColl (ver Seção 7.3). Uma demonstração de (7.1) pode ser encontrada em (Åström and Murray, 2008, pp. 277–278).

### 7.2.1 O contexto

No início de seu artigo *Regeneration Theory*, Nyquist escreveu:

> "Quando a saída de um amplificador é conectada à entrada por meio de um transdutor, a combinação resultante pode ser estável ou instável. O circuito será estável quando um pequeno distúrbio, que decai ao longo do tempo, aplicado na entrada resulta em uma resposta que decai com o tempo. O circuito será instável quando tal distúrbio resulta em uma resposta que permanece indefinidamente, quer mantendo-se em um nível baixo, quer crescendo até ser limitada pela não linearidade do amplificador."[14]

Pela descrição acima, percebe-se que Nyquist pensava em termos de estabilidade do tipo "entrada limitada saída limitada",[15] apesar de o critério que ele propôs não assumir nenhuma entrada em particular.

---

[13]Seja $f(z)$ analítica – ver Nota 47 deste capítulo – em um domínio simplesmente conectado $D$, então para cada caminho de integração simples $C$ em $D$,

$$\int_C f(z)dz = 0.$$

Se $f(z)$ tiver um polo em $C$, não será analítica em $C$ e a integral não será nula. Nesse caso o valor da integral pode ser determinada pelo método dos resíduos. Portanto, impor que a integral seja nula equivale a exigir que não haja polos em $C$.

[14]Citado de (Nyquist, 1932, p. 126).

[15]Conhecida como estabilidade BIBO, do inglês *bounded-input, bounded-output*.

*Estabilidade de sistemas com realimentação*  183

A seguir, Nyquist apresentou uma discussão que parece retratar a maneira com que se abordava o problema da estabilidade de sistemas realimentados à época. Como apontado por ele mesmo, tal procedimento é incorreto, por não considerar os aspectos transientes. Contudo, é historicamente instrutivo considerar o referido procedimento. A seguir será usada a nomenclatura do artigo original (Nyquist, 1932).

Seja $I_0 = \cos \omega t = \text{Re}[e^{i\omega t}]$ a corrente de entrada do circuito, em que $\text{Re}[\cdot]$ indica a parte real e $i = \sqrt{-1}$. Seja $AJ(i\omega)$ a razão pela qual o amplificador e o circuito de realimentação afetam a corrente ao longo de uma volta pelo laço, ou seja, $AJ(i\omega)$ é a resposta em frequência de malha.[16] Portanto, depois de uma volta pelo laço fechado, a corrente será $I_1 = \text{Re}[AJe^{i\omega t}]$. Depois da $n$-ésima volta, a corrente será[17]

$$I_n = \text{Re}[A^n J^n e^{i\omega t}]$$

e a corrente total "acumulada" incluindo a corrente inicial até a corrente depois da $n$-ésima volta no laço é

$$\sum_{i=0}^{n} I_i = \text{Re}[(1 + AJ + A^2 J^2 + \ldots + A^n J^n)e^{i\omega t}]. \tag{7.2}$$

Tendo colocado a questão assim, o problema da estabilidade era determinar o que aconteceria com a corrente total (somatório da Equação 7.2) à medida que $n$ aumentasse. Matematicamente, isso corresponde a determinar sob que condições a parcela dentro do parêntesis em (7.2) converge para $n \to \infty$. Da teoria de séries geométricas, sabe-se que, *se* $|AJ| < 1$, a parcela dentro do parêntesis converge para $1/(1 - AJ)$, à medida que $n \to \infty$.

Por outro lado, Nyquist citou os seguintes fatos observados experimentalmente, possivelmente por terceiros:

> "Há uma condição instável sempre que houver pelo menos uma frequência para a qual $AJ$ é positivo e maior que um. Por outro lado, quando $AJ$ é negativo pode se tornar muito maior que um e, contudo, a condição é estável. Há exemplos em que $|AJ|$ é por volta de 100, sem

---

[16]Também é conhecida como resposta em frequência de *malha aberta*. Essa terminologia, contudo, gera confusão e é comumente confundida com a resposta em frequência de *ramo direto*. A melhor tradução para o termo em inglês *loop transfer function* é função de transferência de malha ou de laço.

[17]Nyquist fez uso de propriedades da integral de convolução e do fato de $e^{i\omega t}$ ser uma autofunção de sistemas lineares invariantes no tempo, como $AJ(i\omega)$. Além disso, assume-se implicitamente que o sistema está em estado estacionário.

184                 *Sistemas realimentados: uma abordagem histórica*

que a condição seja instável. Como será visto, isso está de acordo com a regra derivada a seguir."[18]

Nessa citação, é interessante notar que tanto a realimentação positiva ($AJ > 0$), quanto a negativa ($AJ < 0$) foram consideradas. Alguns autores argumentam que o próprio título do artigo *Regeneration Theory* sugere que a realimentação positiva ainda exercia uma influência dominante sempre que se falava em realimentação (Friedland, 1999).[19]

## 7.2.2    O procedimento de Nyquist

Em linhas gerais, o procedimento seguido por Nyquist foi escrever o valor da corrente de saída de um circuito hipotético em malha fechada, quando excitado por uma entrada transiente. Em estado estacionário, essa corrente deveria ser igual a zero se o circuito em malha fechada fosse assintoticamente estável. Assim, demonstrar a estabilidade desse circuito resumia-se a mostrar que a saída em estado estacionário voltava a zero, após a momentânea perturbação na entrada. Os principais elementos desse desenvolvimento encontram-se descritos abaixo.

Em primeiro lugar, Nyquist precisava resolver a dificuldade implícita na formulação usada na Equação 7.2, que considera apenas o sistema em estado estacionário, excitado por uma exponencial complexa $e^{i\omega t}$. Na suas próprias palavras: "meus cálculos estavam centrados em, principalmente, substituir a série divergente indefinida mencionada anteriormente [7.2] por uma outra série, que fornece o valor verdadeiro em um determinado instante $t$" (Nyquist, 1956).

Assim, ele passou a considerar um sinal transiente $f_0(t)$ que seria utilizado para "perturbar" o sistema. Tal sinal foi relacionado a uma função complexa $F(z)$ da seguinte maneira:

$$f_0(t) = \frac{1}{2\pi i} \int_{s^+} F(z)e^{zt}dz, \quad (t > 0), \tag{7.3}$$

em que o caminho de integração $s^+$ é um semicírculo, centrado na origem do plano $z = x + iy$ e que se estende no semiplano positivo. A expressão (7.3) é semelhante à transformada inversa de Laplace, a menos do caminho de integração e do fato de

---

[18]Citado do artigo (Nyquist, 1932, p. 128).

[19]Em 1912 Edwin Howard Armstrong (1890–1954) construiu um amplificador utilizando um triodo e realimentação positiva. Ele chamou tal circuito de "regenerador" (Bernstein, 2002, p. 65). Realimentação positiva passou a ser muito usada na produção de oscilações de alta frequência na modulação de sinais em telecomunicações após o desenvolvimento do triodo (Mac-Farlane, 1979, p. 252).

*Estabilidade de sistemas com realimentação*                                    185

Nyquist ter usado $z$, em vez de $s$.[20] O uso de (7.3), portanto, permitiu a Nyquist considerar um sinal transiente $f_0(t)$.

O próximo passo foi indicar por $s(t)$ a saída do sistema realimentado com entrada $f_0(t)$. Como expressar $s(t)$ em função de $f_0(t)$? Isso ele fez, não com os sinais no tempo, mas com suas respectivas transformadas. Seguindo um procedimento análogo ao que conduziu a (7.2), mas agora utilizando grandezas "transientes", Nyquist definiu

$$s(t) = \lim_{n \to \infty} \frac{1}{2\pi i} \int_{s+} S_n(z) e^{zt} dz, \qquad [18] \qquad (7.4)$$

sendo o número em colchetes aquele da equação no artigo original e

$$S_n = F + Fw + Fw^2 + \ldots + Fw^n = F\frac{1 - w^{n+1}}{1 - w}, \qquad [19] \qquad (7.5)$$

em que $w = AJ(i\omega)$ e lembrando que $S_n$, $F$ e $w$ são funções de $z$. Nyquist mostrou que o limite em (7.4) existe para todos os valores finitos de $t$. A questão, então, passou a ser: verificar o que acontece com $s(t)$ à medida que $t$ aumenta. Nas palavras do próprio autor:

"A pergunta que surge é: Com relação a [18] e [19], que propriedades de $w(z)$ e, posteriormente, de $AJ(i\omega)$ determinam se $s(t)$ converge a zero ou diverge, à medida que $t$ cresce indefinidamente?"[21]

A seguir, Nyquist mostrou que, no limite $n \to \infty$, o sinal de saída em (7.4) pode ser escrito como[22]

$$s(t) = \frac{1}{2\pi i} \int_{s+} \frac{F(z)}{1 - w} e^{zt} dz. \qquad [33] \qquad (7.6)$$

---

[20] A transformada inversa bilateral de Laplace é dada por

$$x(t) = \frac{1}{2\pi j} \int_{c-j\infty}^{c+j\infty} X(s) e^{st} ds,$$

em que $c$ é uma constante escolhida para garantir a convergência da integral. Mais detalhes sobre a transformada de Laplace serão discutidos no Capítulo 10.

[21] Citado de (Nyquist, 1932, p. 133).

[22] Esse resultado pode ser constatado diretamente da teoria de séries geométricas que estabelece que (ver Equação 7.5):

$$F(z)[1 + w + w^2 + \ldots] = F(z)\frac{1}{1 - w}, \quad |w| < 1.$$

# 186 Sistemas realimentados: uma abordagem histórica

Assumindo que a função $1 - w(z) = 0$ não tem raízes sobre o eixo imaginário, ele reescreveu (7.6) para $t \to \infty$ e mudando a variável de integração, o que resultou em[23][24]

$$s(t) = \frac{1}{2\pi i} \int_D \frac{1}{1-w} e^{zt} dw, \qquad [37] \qquad (7.10)$$

em que $z$ é uma função de $w$ e, sendo $D$ o novo caminho de integração no plano $w$, correspondente ao semicírculo de integração no plano $z$.[25][26] Utilizando o método dos resíduos, Nyquist encontrou o valor da integral (7.10) e argumentou que, a fim de se ter estabilidade, é necessário que o ponto $w = 1$, que é o polo do integrando,

---

[23]O procedimento de Nyquist neste ponto não é imediatamente óbvio. Em um interessante livro, publicado em alemão em 1944 e em inglês em 1948, Oldenbourg e Sartorius apresentaram um procedimento semelhante, mas forneceram informações adicionais. Primeiramente, consideraram que o sinal de entrada é um degrau de amplitude $M$ e chamaram de $F_z(p)$ a "transferência" da planta, e de $F(p)$ a "transferência" de malha aberta. Assim, escreveram a condição de estabilidade como (compare com a Equação 7.6):

$$J = \frac{1}{2\pi i} \int_{\epsilon-i\infty}^{\epsilon+i\infty} \frac{M}{p} \frac{F_z(p)}{1 + F(p)} e^{pt} dp = 0, \qquad (7.7)$$

sendo $\epsilon > 0$ e tal que todos os polos do integrando fiquem à sua esquerda. À semelhança de Nyquist, eles definiram uma nova variável de integração $w = F(p)$, portanto $dw/dp = F'(p)$ ou $dp = dw/F'(p)$. Assim, reescreveram (7.7) como

$$J_w = \frac{1}{2\pi i} \int_C \frac{M}{p} \frac{F_z(p)}{F'(p)} \frac{1}{1 + F(p)} e^{pt} dw = 0, \qquad (7.8)$$

em que $C$ é caminho de integração no novo plano $w$. A seguir, os autores afirmaram "em geral, pode ser mostrado que os polos da função $F_z(p)/F'(p)$ não se encontram no semiplano direito e, portanto, não contribuem para a integral $J_w$" (Oldenbourg and Sartorius, 1948, p. 56). Sendo assim, o que interessa é estudar sob que condições a seguinte equação é verdadeira

$$\frac{1}{2\pi i} \int_C \frac{1}{1 + F(p)} e^{pt} dw = 0. \qquad (7.9)$$

A semelhança entre (7.9) e (7.10) é digna de nota.

[24]Uma outra maneira de entender o resultado de Nyquist é lembrar que (i) a Equação 7.10 refere-se ao limite $t \to \infty$ e (ii) o sinal $f_0(t)$ é um transiente e, considerando a janela de tempo infinita, esse transiente aproxima-se de um impulso, logo $F(z) = 1$.

[25]Antes de atingir este ponto, Nyquist argumentou que, para $t$ grande, não era necessário integrar ao longo do eixo imaginário em $z$. Bastava integrar ao longo do semicírculo, que se estende no semiplano direito de $z$.

[26]Nessa última passagem, Nyquist conseguiu escrever a integral com duas características interessantes: i) ela não mais depende da entrada, o que é desejável, pois a estabilidade de sistemas lineares não depende da entrada. Alternativamente, pode-se imaginar que Nyquist implicitamente considerou a entrada como um impulso unitário, pois nesse caso $F(z) = 1$, e ii) o integrando $1/(1 - w)$ é uma função que não tem zeros. Logo, a aplicação do critério, a ser visto em breve, é mais direta.

# Estabilidade de sistemas com realimentação

não esteja contido na região delimitada por $D$, no plano $w$.[27] Como ele havia definido $z = x + iy$ e $\lim_{x \to 0} w(z) = w(iy) = AJ(iy)$, o lugar geométrico de $x = 0$ no plano $z$ – o eixo imaginário nesse plano – corresponde ao lugar geométrico de $AJ(i\omega)$. Assim, a regra que Nyquist propôs foi verificar se $AJ(i\omega)$ incluía o ponto $w = 1$. Em suas próprias palavras:

> "Faça o gráfico de mais e menos a parte imaginária de $AJ(i\omega)$ pela sua parte real, para todas as frequências de 0 a $\infty$. Se o ponto $1 + i0$ estiver completamente fora dessa curva, o sistema é estável, senão é instável."[28]

Nyquist aproveitou o fato de que avaliar $w(z) = AJ$ sobre o eixo imaginário no plano $z$ (que equivale ao plano $s$ de Laplace, em nomenclatura mais moderna) corresponde à resposta em frequência da função de transferência de malha aberta $AJ(i\omega)$. Assim, as conclusões sobre $w$ se aplicam imediatamente a $AJ$. Logo, o fato de $AJ(i\omega)$ incluir o ponto $w = 1$ é equivalente a dizer que $D$ inclui o ponto $w = 1$ e isso indica que a integral (7.10) não será nula para valores elevados de $t$. Como o sinal de entrada $f_0(t)$ é transiente, a saída em estado estacionário de qualquer sistema assintoticamente estável deverá ser $\lim_{t \to 0} s(t) = 0$.

Em suma, a linha de ataque de Nyquist foi a de determinar uma expressão *no domínio do tempo* para a saída de um sistema, em resposta a uma perturbação transiente em sua entrada. A expressão à qual Nyquist chegou foi a integral em (7.10). Essa integral de linha será nula, segundo o teorema de Cauchy, se o integrando não tiver polos dentro do caminho de integração $D$. Essa era a condição para estabilidade à qual Nyquist chegou. Mas como saber se havia polos em $D$? Bastava verificar se $AJ(i\omega)$ incluía o ponto $+1$. O conceito de mapeamento conforme, usado nos livros-texto para apresentar o critério de estabilidade de Nyquist, não é central ao desenvolvimento de Nyquist. Certamente é um exagero afirmar que "ele [Nyquist] não usou resultados da teoria de funções complexas" (Åström and Murray, 2008, p. 290), mas o fato é que a maneira comumente utilizada para apresentar o critério, que estabelece claramente os resultados de Nyquist com os de Cauchy, foi desenvolvida posteriormente, como será visto na Seção 7.3.

O artigo original de Nyquist não é tão claro quanto se gostaria. Bennett, que entrevistou diversos contemporâneos de Nyquist, diz que, à época da publicação, o artigo foi considerado um trabalho que "escondia o ouro". Por esse motivo,

---

[27] Ver a Nota 13 deste capítulo.
[28] Citado de (Nyquist, 1932, p. 136).

muitos contemporâneos de Nyquist o provocavam durante eventos do AIEE.[29] [30] Em entrevista feita por Michael Wolff, o próprio Black declarou: "... contudo, seu [de Nyquist] desenvolvimento matemático 'da coisa' (*sic*) é muito pobre porque há muitas outras maneiras, vastamente mais simples, de derivar os resultados" (Black, 1977).

Antes de encerrar os comentários sobre o célebre artigo de Nyquist, destaca-se que tal trabalho foi pioneiro também em outros aspectos. Por exemplo, apesar de não usar o termo *resposta ao impulso*, nesse artigo Nyquist definiu uma função característica de uma rede elétrica por $G(t)$ "que é a resposta causada por um impulso unitário aplicado em $t = 0$" (Nyquist, 1932, p. 130). Pode parecer estranho, mas o uso extensivo da resposta ao impulso como modelo não paramétrico de sistemas lineares e invariantes no tempo somente ocorreu na segunda metade do século XX. Assim, Nyquist, em seu artigo de 1932, foi um dos primeiros a utilizar essa função. Não apenas isso, mas ele definiu $J(i\omega)$ como a transformada de Fourier de $G(t)$, apesar de não se referir a $J(i\omega)$ como a resposta em frequência da rede elétrica usada no ramo de realimentação. Como havia chamado de $A$ o ganho do amplificador, $AJ(i\omega)$ é, portanto, a *resposta em frequência* de malha.

### 7.2.3 Harry Nyquist

Harry Nyquist (Figura 7.2) nasceu na Suécia em 7 de fevereiro de 1889,[31] e imigrou para os Estados Unidos ainda jovem, em 1907. Estudou Engenharia Elétrica, tendo recebido seu primeiro título da University of North Dakota em 1912. Em 1917, recebeu o título de doutor (PhD) em Física, pela Yale University, e imediatamente começou a trabalhar no Departamento de Desenvolvimento e Pesquisa da AT&T.

Nyquist é muito conhecido pelo critério de estabilidade, estudado no presente capítulo, mas seu nome está vinculado a diversos importantes resultados em teoria da informação. Um exemplo é o conhecido *teorema da amostragem*. Em 1928, Nyquist publicou um artigo que se tornou uma das pedras fundamentais

---

[29] O *American Institute of Electrical Engineers* existiu no período de 1884 a 1963, quando fundiu-se com o IRE (*Institute of Radio Engineers*, fundado em 1912), passando a formar o IEEE (*Institute of Electrical and Electronics Engineers*). Não é difícil entender, portanto, a forte característica norte-americana (em vez de internacional) do IEEE.

[30] Uma história atribuída a Roy S. Glasgow conta que, durante um dos eventos do AIEE, em um dos hotéis – possivelmente depois de alguns *drinks* –, Nyquist teria mencionado que a Bell Laboratories não se havia mostrado particularmente ansiosa em repassar a seus competidores os novos resultados. Por essa razão, justificou Nyquist, não tentou simplificar o artigo (Thaler, 1974, p. 104).

[31] Harry Nyquist morreu em 4 de abril de 1976, nos Estados Unidos.

da teoria da informação.[32] Nesse artigo ele mostrou que, dados um canal com banda passante $B$, é possível transmitir pulsos independentes por esse canal a uma taxa de até $2B$. Essa declaração é o dual do que se conhece como o teorema da amostragem, que foi pela primeira vez demonstrado por Claude Shannon, em 1949.[33] Por essa razão o teorema da amostragem é, às vezes, referenciado como o teorema de Shannon. Além das fundamentais contribuições de cunho teórico, Nyquist também revelou um certo viés tecnológico quando, em 1924 junto com Herbert E. Ives,[34] ajudou a construir a primeira máquina de fax.

**Figura 7.2.** Retrato de Harry Nyquist (1889–1976). Figura reproduzida com a permissão da Nokia Corporation.

Ao fim de sua carreira, Nyquist havia sido homenageado pelas suas contribuições por instituições como o Institute of Radio Engineers (IRE), Franklin Institute, e a National Academy of Engineering, todas instituições americanas. Em dezembro de 1975[35] foi-lhe concedida a medalha Oldenburger com os seguintes dizeres:

"A Harry Nyquist, em reconhecimento de suas conquistas no avanço da ciência e tecnologia do controle automático, em particular por haver

---

[32]Nyquist, H., Certain topics in telegraph transmission theory, *Trans. AIEE*, 47:617–644, 1928; e reimpresso na categoria de "artigo clássico" em *Proceedings of the IEEE*, 90(2), 2002.

[33]Shannon, C. E., Communication in the presence of noise, *Proc. Institute of Radio Engineers*, 37(1):10–21, 1949; e reimpresso na categoria de "artigo clássico" em *Proceedings of the IEEE*, 86(2), 1998.

[34]Herbert Eugene Ives (1882–1953) foi um físico e inventor americano. Trabalhou para a Bell Labs a partir de 1919 em temas como: iluminação, televisão e transmissão de imagens por cabo (Hall, 2008).

[35]A cerimônia, à qual Nyquist não pôde comparecer, ocorreu menos de cinco meses antes de sua morte (Lozier, 1976).

190            *Sistemas realimentados: uma abordagem histórica*

desenvolvido o critério de estabilidade de Nyquist, que é extensivamente usado na análise e projeto de sistemas de controle realimentado."[36]

## 7.3   Desdobramentos do artigo de Nyquist

Após o artigo (Nyquist, 1932), diversos outros trabalhos foram publicados que faziam referência ao novo resultado. Contudo, como é comum acontecer em ciência,
os trabalhos posteriores eram mais claros e mais simples que o artigo original.

O principal resultado do critério de estabilidade de Nyquist baseia-se na teoria
de funções complexas, especialmente no trabalho do analista francês Augustin-
Louis Cauchy, apesar de não haver qualquer menção a Cauchy ou a seus resultados
no artigo (Nyquist, 1932).

A reformulação do resultado de Nyquist, em termos do trabalho de Cauchy,
foi feita de maneira muito elegante e clara por LeRoy Archibald MacColl (Figura 7.3),[37] um matemático da Bell, colega de Nyquist e de Bode. Além dessa
reformulação, MacColl considerou a hipótese de o sistema em malha aberta ter
integração pura, caso desconsiderado por Nyquist em seu artigo original. Apesar
de os livros (MacColl, 1945) e (Bode, 1945) datarem do mesmo ano, a obra de
Bode é mais antiga, tendo sido preparada, em sua maior parte, durante os anos
de 1938 e 1939. Pode parecer que o livro de Bode tenha influenciado MacColl
na sua abordagem, e não o contrário.[38] A dúvida de quem influenciou quem é
sanada nas palavras do próprio Bode:

> "Gostaria também de mencionar o trabalho de base realizado nos
> mesmos anos por meu colega L. A. MacColl. Muitos de vocês, sem
> dúvida, conhecem o seu livro sobre servomecanismos, publicado logo
> após a guerra. Mas refiro-me a trabalho, a maioria do qual não foi
> publicado, desenvolvido na década de 20 e no início da década de
> 30. Esse trabalho versou sobre sinais e sua relação com técnicas que

---

[36]Citado de "The presentation of the Oldenburger Medal to Dr. Harry Nyquist", *Journal of
Dynamic Systems, Measurement and Control, Tans. ASME*, 98:127, 1976.

[37]Uma interessante curiosidade sobre o livro de MacColl é que, no Capítulo 10, faz-se uma
breve análise de sistemas de controle de tempo discreto. É um dos primeiros livros a tratar desse
assunto, ainda que de maneira breve.

[38]MacColl faz referência ao livro de Bode, sendo que a recíproca não é verdadeira. Além
disso, no prefácio de seu livro, Bode diz que o material foi ministrado para seus colegas em
cursos "extraexpediente" nos anos 1939 a 1941. MacColl era colega de Bode na Bell Telephone
Laboratories.

# Estabilidade de sistemas com realimentação

191

usavam as transformadas de Fourier e de Laplace. Nesse trabalho, MacColl fez uso sistemático das ferramentas encontradas na teoria de funções complexas e acredito que o seu exemplo pioneiro levou muitos de nós a perceber que variáveis complexas forneciam a base natural para analisar a maioria dos problemas de circuitos lineares. Em particular, creio que foi a relação que MacColl estabeleceu entre o critério de Nyquist e uma forma do teorema da integral de Cauchy que nos permitiu atacar a questão da estabilidade de maneira ampla."[39]

Portanto, é comum atribuir a MacColl a nova formulação do critério de estabilidade de Nyquist,[40] que é amplamente adotada nos livros atuais de teoria de controle (Bennett, 1993, p. 84) e alguns autores confirmam que foi MacColl quem influenciou Bode (MacFarlane, 1979, p. 254).[41][42] Em seu clássico livro *Cybernetics*, Norbert Wiener,[43] ao lidar com o problema de estabilidade, o fez nos moldes de MacColl, sendo que a referência fornecida é o próprio livro de MacColl (Wiener, 1948, Cap. 4).[44] A seguir, portanto, descreve-se a referida formulação, conforme apresentada por MacColl, retendo a nomenclatura originalmente utilizada em seu livro (MacColl, 1945).

## 7.3.1 O critério de Nyquist e o princípio do argumento

Considera-se a seguinte equação característica de um sistema em malha fechada: $1 + Y_0(p) = 0$, em que $p$ é uma grandeza complexa e $Y_0(p)$ é a função de transferência de malha.[45] Assume-se que $Y_0(p)$ tem um polo na origem do plano $p$.[46]

---

[39]Citado de (Bode, 1964, p. 115).

[40]"A ideia de que uma breve demonstração [do critério de Nyquist] pode ser obtida utilizando o princípio do argumento é apresentado em um aprazível livro escrito por MacColl" (Åström and Murray, 2008, p. 290).

[41]O livro de Bode é muito mais detalhado e profundo do que o livro de MacColl. O fato de MacColl ser normalmente citado com respeito à nova formulação do critério de Nyquist possivelmente se explica por sua objetividade e clareza.

[42]A percepção que Bode tinha do resultado de Nyquist e da relação com os resultados de Cauchy é manifesta nas seguintes citações: "As propriedades de funções analíticas proporcionam o método mais direto de estabelecer o critério de estabilidade de Nyquist" (Bode, 1945, p. 28) e "O teorema de Cauchy nos permite relacionar a características de frequências reais da estrutura diretamente às condições para a realização física" (Bode, 1945, p. 144).

[43]Ver Nota 2 do Capítulo 1.

[44]Nesse capítulo, além de MacColl, Wiener citou os nomes de Maxwell, Poincaré e Van der Pol, mas nem Nyquist nem seu artigo de 1932 foram mencionados.

[45]Em seu livro, MacColl utiliza o termo *razão de transferência*.

[46]As raízes (zeros) de $1 + Y_0(p) = 0$ são os polos em malha fechada, e os polos de $1 + Y_0(p)$, que coincidem com os de $Y_0(p)$, são os polos da função de transferência de malha.

> # Fundamental Theory of
> # Servomechanisms
>
> ———
>
> *By*
> LeROY A. MacCOLL, Ph.D.
>
> DOVER PUBLICATIONS, INC.
> NEW YORK

**Figura 7.3.** Frontispício do livro de MacColl (1945), o primeiro a explicar o critério de estabilidade de Nyquist utilizando um procedimento comumente adotado por livros de controle da atualidade. Imagem utilizada com permissão da Dover Publications.

Seja $\Gamma$ um caminho fechado no plano $p$, e seja $f(p)$ uma função analítica sobre e no interior de $\Gamma$, com a exceção da posição de um número finito de polos de $f(p)$ em $\Gamma$. Assume-se também que não há zeros sobre $\Gamma$, e que a função $f(p)$ é racional.[47]

---

[47] Uma função $f(p)$ é dita *analítica* em um domínio $D$ se $f(p)$ for definida e diferenciável em todos os pontos de $D$. Se tal função for racional, ou seja, se $f(p) = g(p)/h(p)$, em que $g$ e $h$ são polinômios que não possuem fatores comuns, então $f(p)$ será analítica exceto nos valores de $p$ para os quais $h(p) = 0$, que são os polos de $f(p)$. No desenvolvimento de MacColl, o domínio $D$

*Estabilidade de sistemas com realimentação* 193

Como $f(p)$ é analítica ao longo de $\Gamma$, essa função define um mapeamento conforme entre $\Gamma$, no plano domínio $p$, e $\Gamma'$, no plano imagem $w = f(p)$. À medida que $p$ percorre $\Gamma$ no sentido anti-horário,[48] o vetor que liga a origem do plano $w$ ao ponto $w = f(p)$ envolve a origem $N$ vezes, no sentido positivo.[49] O *princípio do argumento*[50] diz que $N$ é a diferença entre número de zeros e polos de $f(p)$ circundados por $\Gamma$. Se um polo ou zero tiver multiplicidade $n$, então será contado $n$ vezes.

Nas definições acima, $f(p)$ corresponde à função $1 + Y_0(p)$. Nyquist, seguindo a nomenclatura clássica utilizada em matemática, empregou $z$, em vez de $p$, para indicar uma variável complexa, e $AJ(z)$ equivale à função $Y_0(p)$ de MacColl.[51] Tanto Nyquist quanto MacColl utilizaram $w$ para indicar o plano imagem.

Tome-se o caminho $\Gamma$, no plano $p$, como o definido pelos pontos $ABCDEFA$, na Figura 7.4. Considerando a função $w = 1 + Y_0(p)$, se ela for analítica sobre $\Gamma$ (e no interior de $\Gamma$, a menos de um número finito de singularidades), então ela define um mapeamento conforme entre o plano $p$ e o plano $w$. Para garantir que tal função seja analítica sobre $\Gamma$, por enquanto, basta assumir que ela não tenha polos sobre o eixo imaginário a menos, eventualmente, de um polo na origem, o que não compromete o fato de $w = 1 + Y_0(p)$ ser analítica sobre $\Gamma$, uma vez que a origem é contornada pelo semicírculo $DEF$.

Sendo assim, à medida que $p$ percorre $\Gamma$ no sentido positivo (anti-horário), o ponto imagem percorre um outro caminho fechado $\Gamma'$ no plano $w$. $\Gamma'$ pode envolver a origem do plano $w$ no sentido positivo ou negativo, dependendo do número de polos e zeros de $1 + Y_0(p) = 0$ dentro de $\Gamma$. Especificamente, seja $N$ o número "líquido" de voltas que $\Gamma'$ dá em torno da origem. Por exemplo, se $\Gamma'$ der duas voltas no sentido positivo e uma no sentido negativo, $N = 1$. O princípio do argumento diz que $N$ é igual à diferença de zeros e polos de $1 + Y_0(p) = 0$ dentro de $\Gamma$.

Como os zeros de $1 + Y_0(p)$ são os polos de malha fechada e os polos de $1 + Y_0(p)$ são os polos da função de transferência de malha, $N$ é a diferença entre o número

---

é delimitado pelo caminho $\Gamma$.

[48] Na atualidade o sentido convencionado para $\Gamma$ é o horário. Tanto MacColl como Nyquist escolheram o sentido anti-horário para o caminho de integração no plano domínio.

[49] É digno de nota que o uso de $\Gamma$ para indicar o caminho fechado no plano domínio e $N$ para indicar o número de voltas em torno do ponto crítico é prática comum na maioria dos livros de controle clássico da atualidade. O uso desses símbolos remonta ao livro de MacColl (MacColl, 1945, p. 23).

[50] MacColl refere-se a esse princípio como o *teorema de Cauchy*.

[51] MacColl usa $p$ em sua nomenclatura, um legado deixado por Oliver Heaviside, como será visto no Capítulo 10.

de polos em malha fechada e o número de polos em malha aberta dentro de $\Gamma$. Se, como Nyquist e MacColl, nos limitarmos a sistemas estáveis em malha aberta,[52] ou seja, sistemas para os quais $P = 0$, $N$ indica o número de polos em malha fechada que se encontram em $\Gamma$.

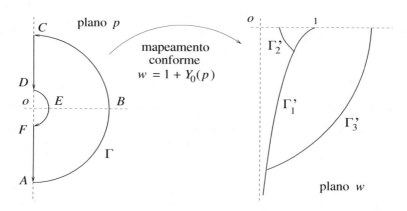

**Figura 7.4.** Mapeamento conforme. No limite tem-se: $oB \to \infty$, $\Gamma'_2 \to 1$, ou seja, todo o trecho $\Gamma'_2$ contrai-se em 1, e $oE \to 0$, $\Gamma'_3 \to \infty$. Portanto, no limite, basta traçar $\Gamma'_1$ (ver texto). É curioso notar que MacColl adotou o sentido anti-horário para $\Gamma$. Adaptada de (MacColl, 1945).

O alvo final é conhecer se há polos *de malha fechada* no semiplano direito de $p$. Como já temos uma forma de achar o número de polos em malha fechada dentro de $\Gamma$, basta fazer $\Gamma$ tender ao semiplano direito de $p$. Para isso basta fazer os raios $oE \to 0$ e $oB \to \infty$. Nesse caso, $\Gamma$ cobrirá todo o semiplano direito $P$ e, como $P = 0$, a curva fechada $\Gamma'$ circulará a origem uma vez para cada polo de malha fechada que estiver no semiplano direito.

Para tornar o procedimento prático, basta definir uma maneira simples de desenhar $\Gamma'$ no plano $w$. À semelhança de $\Gamma$, $\Gamma'$ também é simétrica com respeito ao eixo real. Portanto, para fins de análise, basta considerar um dos lados. À medida que $p$ percorre o trecho $CD$, imaginando que $C \to \infty$ e $D \to 0$, $w$ percorrerá o trecho correspondente a $\Gamma'_1$ (Figura 7.4). Para ver isso, lembre que $Y_0(p)$ é passa-baixas, portanto $\lim_{p\to\infty} 1 + Y_0(p) = 1$. Além disso, foi considerado que $Y_0(p)$ seja de tipo 1 (tem um polo na origem do plano $p$), portanto $\lim_{p\to 0} 1+$

---

[52] MacColl e Nyquist assumiram que $1 + Y_0(p)$ não tem polos em $\Gamma$ (sistema estável em malha aberta), portanto $N > 0$ indica a presença de polos em malha fechada dentro de $\Gamma$.

*Estabilidade de sistemas com realimentação*　　　　　　　　　　　195

$Y_0(p) = \infty$ com fase $-\pi/2$.[53] O formato de $\Gamma'_1$ na Figura 7.4 é hipotético.

O semiarco $BC$ (para $oB$ grande) mapeia-se em $\Gamma'_2$, na vizinhança do ponto $w = 1$, pois $Y_0(p)$ é passa-baixas. Logo, no limite $oB \to \infty$, $\Gamma'_2 \to 1$ e, no limite, $\Gamma'_2$ desaparece.

Por fim, como $Y_0(p)$ é do tipo 1, para $p$ pequeno, $1 + Y_0(p) \approx k/p$, em que $k$ é uma constante real. Logo, à medida que $p$ percorre $DE$, $w$ percorrerá $\Gamma'_3$, que se aproxima de um arco de um círculo de raio grande e centrado na origem do plano $w$. Assim, no limite $oE \to 0$, $\Gamma'_3 \to \infty$.

A consequência prática da análise do parágrafo anterior é que basta traçar $\Gamma'_1$ e sua reflexão em torno do eixo real. Deve-se considerar que as extremidades dessa curva aberta são ligadas por um semicírculo de raio infinito no semiplano direito do plano $w$. Se o caminho resultante incluir a origem, o sistema em malha fechada será instável, caso contrário, estável, como ilustrado na Figura 7.6. Além disso, o número de voltas, no sentido anti-horário, que a curva der em torno da origem[54] é igual ao número de polos em malha fechada no semiplano direito, pois assume-se que o sistema é estável em malha aberta, ou seja, $P = 0$.[55]

## 7.3.2　A primeira aplicação do critério de Nyquist

Não deve surpreender que a primeira aplicação do critério de Nyquist tenha sido feita por Harold Black. A razão para isso é simples: Black não apenas solicitou que Nyquist derivasse um critério, baseado na resposta em frequência *em malha aberta*, para determinar se o sistema *quando a malha fosse fechada* seria estável, como também esperou que Nyquist derivasse o critério que leva seu nome antes de publicar o artigo sobre amplificadores com realimentação, em 1934 (Black,

---

[53] Lembre-se que o gráfico é simétrico em torno do eixo real. Na Figura 7.4 é mostrado apenas o lado negativo.

[54] Apesar de MacColl ter apresentado o critério de estabilidade de Nyquist de maneira muito próxima à usada hoje em dia em livros-texto de controle clássico, ele ainda considerava as revoluções em torno da origem (MacColl, 1945, p. 27), ao contrário de Nyquist, que considerava o ponto crítico $(1, j0)$. Além disso, à semelhança de Nyquist, MacColl percorria o caminho de integração no sentido anti-horário. Quem definiu $(-1, j0)$ como ponto crítico no plano complexo foi Bode (ver Figura 9.7) e foi ele também quem estabeleceu o sentido horário para o caminho de integração no plano domínio, como revelado pelas seguintes palavras: "O resultado é, portanto, uma integral de linha sobre o eixo de frequências de alguma frequência *negativa* bem grande a uma correspondente frequência *positiva*, também bem grande ( . . . )" (Bode, 1945, p. 144).

[55] Não é imediatamente óbvio porque a presença de um polo no interior do caminho fechado $\Gamma$ resulta na origem do plano $w$ ser incluída em $\Gamma'$. Ser incluída corresponde ao vetor, que liga a origem a um ponto em $\Gamma'$, circundar a origem. Uma figura (Figura 7.5) e sua respectiva discussão, apresentadas por Ed Smith, apesar de não matematicamente rigorosas, são intuitivas e úteis na compreensão.

1999). Como consequência, quando o artigo de Black foi publicado, esse trabalho já incluía aplicações do critério de Nyquist. A Figura 7.7 mostra o diagrama de Nyquist para um amplificador realimentado.

Uma outra interessante aplicação pioneira do método de Nyquist foi mencionada por Bode em (Bode, 1964, p. 114). Trata-se do trabalho de três pesquisadores publicado no mesmo ano que o artigo de Black,[56] em que demonstraram, experimentalmente, que o critério de Nyquist também se aplica nos casos de estabilidade "condicional" – casos em que a curva $\mu\beta$ no plano complexo se comporta conforme ilustrado na Figura 7.8.

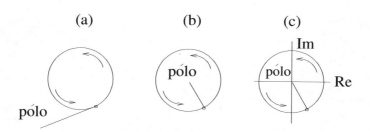

**Figura 7.5.** À medida que se percorre o caminho fechado $\Gamma'$, o polo: (a) não é circundado pelo vetor, ou seja, tal vetor não completa uma mudança de $2\pi$; (b) é circundado, pois o ângulo completa uma revolução de $2\pi$. (c) No caso complexo, diz-se que o vetor percorre um ângulo de $j2\pi$ em torno da origem, quando o polo está dentro do caminho fechado. Adaptada de (Smith, 1944).

O caso ilustrado na Figura 7.5c pode ser matematicamente descrito da seguinte forma. Considere a função $1/p$, que claramente tem um polo na origem do plano $p$. O teorema da integral de Cauchy diz que se um caminho fechado $C$ não incluir o polo de $1/p$, ou seja, não incluir a origem, então

$$\oint_C \frac{1}{p} dp = 0. \qquad (7.11)$$

Contudo, se $C$ incluir a origem o resultado será diferente de zero. Tomando-se $C$ como o círculo de raio unitário, corresponde a fazer $p$ percorrer tal círculo que, em coordenadas polares no plano complexo, é representado como $p = e^{j\phi}$. Portanto, $dp = je^{j\phi}d\phi$ e (7.11) pode ser reescrita como

$$\int_0^{2\pi} e^{-j\phi} je^{j\phi} d\phi = j2\pi.$$

[56]Peterson, E., Kreer, J. G. and Ware, L. A., Regeneration theory and experiment, *Bell System Tech. J.*, 680–700, Oct. 1934; também publicado em (Peterson et al., 1934).

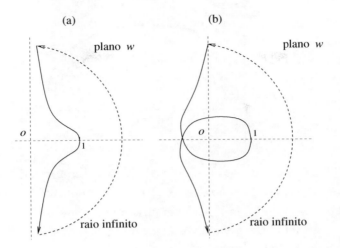

**Figura 7.6.** Caminho fechado $\Gamma'$ para casos hipotéticos: (a) a curva não inclui a origem, logo o sistema é estável em malha fechada; (b) a origem foi circundada, logo o sistema é instável em malha fechada. Adaptada de (MacColl, 1945).

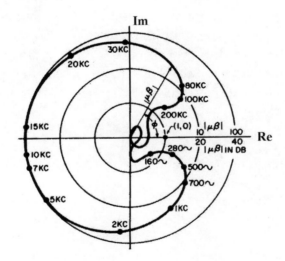

**Figura 7.7.** Esta figura, adaptada de (Bode, 1964), apareceu originalmente como a quinta figura no artigo de Black em 1934 e reimpresso em (Black, 1999). A curva em negrito é a resposta em frequência de malha aberta, $\mu\beta$ no artigo de Black, grandeza essa denominada $AJ(i\omega)$ por Nyquist. Notar a indicação do ponto $(1,0)$. Como a curva não envolve esse ponto, o correspondente sistema em malha fechada é estável. A unidade kc indica quilo ciclos. Imagem utilizada com permissão da Dover Publications.

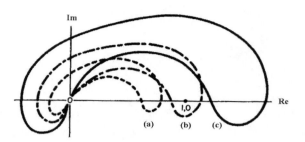

**Figura 7.8.** Apenas os casos (a) e (c) são estáveis. Experimentalmente é difícil demonstrar que (c) é estável, pois é necessário passar pela situação (b). A menos que essa passagem seja muito rápida, o circuito em malha fechada passará a operar na condição de um ciclo limite e não voltará a operar no regime estável (c). Figura adaptada de (Bode, 1964) e originalmente publicada em (Peterson et al., 1934, p. 1198). Imagem utilizada com permissão da Dover Publications.

A estabilidade da condição (a), bem como a instabilidade da condição (b) (Figura 7.8), são fáceis de verificar na prática. Contudo, ao passar por (b), o circuito operava na condição de um ciclo limite[57] e não voltava a uma operação estável em (c), como previsto pelo critério de Nyquist. Peterson, Kreer e Ware, utilizando baixas frequências e chaveamento rápido, foram capazes de verificar na prática que tanto a condição (a) como a (c) eram perfeitamente estáveis, como predito pelo critério de Nyquist.

### 7.3.3 A generalização do critério de Nyquist

Com o passar dos anos, a apresentação do critério de Nyquist foi sendo adaptada à nomenclatura mais usual. Seguindo a linha baseada em mapeamento conforme, explorada por MacColl, o plano $z$ (Nyquist, 1932) e o plano $p$ (MacColl, 1945) foram substituídos pelo plano $s$. Outra mudança trivial foi definir o mapeamento conforme pela função $Y_0(p)$, e não mais pela função $1 + Y_0(p)$. O critério de Nyquist é comumente enunciado utilizando-se o ponto $-1 + j0$, no plano $Y_0(p)$, que corresponde à origem do plano $w = 1 + Y_0(p)$. Bode acrescentou uma rotação de 180° ao diagrama, para levar em conta o fato de a realimentação ser negativa, conforme ilustrado na Figura 7.9.

---

[57] A operação em um ciclo limite é o resultado da instabilidade local dentro do ciclo associado a saturações do circuito, devido a não linearidades.

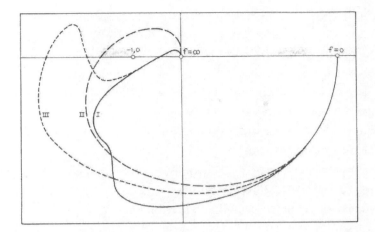

**Figura 7.9.** A legenda original desta figura é: "Diagrama de estabilidade de Nyquist para vários amplificadores. A curva I representa estabilidade 'absoluta'. A curva II, instabilidade, e a curva III, estabilidade 'condicional'. Em conformidade com a convenção adotada neste artigo, o diagrama foi rotacionado, em relação à sua posição normal, de 180° de tal forma que o ponto crítico é (−1, 0), em vez de (+1, 0)" (Bode, 1940, p. 431). Figura reutilizada com a permissão da Nokia Corporation.

Mudanças mais significativas, como considerar a estabilidade em malha fechada de sistemas instáveis em malha aberta,[58] foram feitas posteriormente por Frey.[59] Nesse mesmo artigo, Frey apresentou uma demonstração do critério de estabilidade de Leonhard (de 1944) e observou: "é interessante lembrar que a derivação dos critérios de Hurwitz, não tratados aqui, baseia-se no teorema acima" (Frey, 1946, p. 63). Outro aspecto interessante do trabalho é a menção de que "quando a característica [resposta em frequência] passa pelo ponto +1, a equação característica deve ter raízes imaginárias" (Frey, 1946, p. 64).

O critério de estabilidade de Nyquist foi aplicado ao caso de sistemas em tempo discreto pelo matemáticos Witold Hurwicz no Capítulo 5 do famoso livro (James et al., 1947). Esse capítulo é considerado por alguns como a primeira publicação na área de controle de sistemas amostrados.

---

[58] Frey usa como motivação uma máquina síncrona alimentando uma carga capacitiva, instável em malha aberta.

[59] Essa importante extensão foi feita por W. Frey, A generalization of the Nyquist and Leonhard stability criteria, *Brown Boveri Review*, 33:59–65, 1946. É curioso que, mesmo escrevendo um artigo que trata do critério de estabilidade de Nyquist, Frey sequer cita o artigo *Regeneration Theory*.

200 *Sistemas realimentados: uma abordagem histórica*

O critério de Nyquist foi generalizado para sistemas multivariáveis representados por matrizes de transferência na transição da década de 1960 para a de 1970.[60] O teorema de pequeno ganho (*small-gain theorem*) – considerado uma extensão do critério de Nyquist para o caso não linear, variante no tempo e multivariável – foi demonstrado por George Zames na década de 1960.[61] Uma demonstração formal do critério generalizado para o caso multivariável foi apresentada por MacFarlane e Postlethwaite em 1977, em que também foi generalizado o método do lugar das raízes para sistemas multivariáveis.[62]

Vale mencionar que, na época em que Nyquist publicou seu critério, outros pesquisadores, como Mikhailov,[63] Cremer[64] e, possivelmente, Leonhard,[65] também desenvolveram técnicas semelhantes (MacFarlane, 1979). Na Seção 4.4.1 o método de Mikhailov foi brevemente descrito. "Na literatura alemã, o critério é conhecido como o critério de Cremer-Leonhard; na literatura francesa, normalmente é chamado do critério de Leonhard. Na literatura técnica russa, o critério de Nyquist é frequentemente chamado do critério de Mikhailov-Nyquist" (MacFarlane, 1979, p. 255). Em entrevista a Cris Bissell, Winfried Oppelt disse que F. Strecker, trabalhando para a Siemens, em 1930 desenvolveu uma versão do critério de Nyquist sem, contudo, publicá-lo (Bissell, 1992b, p. 20).

Leonhard desenvolveu um método gráfico frequencial dual em que a resposta em frequência inversa do processo $-1/G(j\omega)$ e a resposta em frequência do controlador $C(j\omega)$ eram desenhados no mesmo diagrama polar. Dependendo da natureza dos cruzamentos dos dois gráficos é possível determinar a estabilidade, bem como tomar decisões de projeto. O procedimento de Leonhard foi o precursor

---

[60]Rosenbrock, H. H., Design of multivariable control systems using the inverse Nyquist array, *Proceedings of the Institution of Electrical Engineers*, 116(11):1929–1936, 1970; MacFarlane, A. G. J., Return-difference and return-ratio matrices and their use in analysis and design of multivariable feedback control systems, *Proceedings of the Institute of Electrical Engineers*, 117(10):2037–2049, 1970; Rosenbrock, H. H., The stability of multivariable systems, *IEEE Transactions on Automatic Control*, 17(2):105–107, 1972. Ver Nota 37.

[61]Zames, G., On the input-output stability of nonlinear time-varying feedback systems, parts I & II, *IEEE Transactions on Automatic Control*, 11(2):228-238 & 11(3):465-477, 1966. Para detalhes consultar Khalil, H. K., *Nonlinear Systems*, Macmillan Publishing Company, New York, 1992.

[62]MacFarlane, A. G. J.; Postlethwaite, I., The generalized Nyquist criterion and multivariable root loci, *International Journal of Control*, 25(1):81–127, 1977.

[63]Mikhailov, A. V., Methods for harmonic analysis in the automatic control system theory (in Russian), *Automat. Telemekh.*, 3:27, 1938.

[64]Cremer, L., Ein neues Verfahren zur Beurteilung der Stabilität linearer Regelungs-systeme, *Z. Angew. Math. Mech.*, 25–27(5/6), 1947.

[65]Leonhard, A., Neues Verfahren zur Stabilitatsuntercuchung, *Arch. Elektrotech.*, 38:17–28, 1944.

# Estabilidade de sistemas com realimentação

de técnicas utilizadas para determinar a existência de ciclos limite no contexto de função descritiva (Castrucci, 1969). Comentando sobre o trabalho de Leonhard, Bissell esclareceu que "uma das primeiras publicações a aplicar o método de Nyquist e de análise baseado na resposta em frequência fora da restrita área do projeto de amplificadores foi o livro[66] sobre regulação elétrica do alemão Leonhard" (Bissell, 1996, p. 76).

Após a publicação do artigo de Nyquist, ficou evidente que a forma da resposta em frequência em malha aberta determinava a dinâmica do sistema em malha fechada. Passou a haver um grande esforço por parte de alguns pesquisadores no sentido de projetar equalizadores, ou seja, dispositivos para alterar a resposta em frequência em malha aberta tentando aproximá-la do ideal. Coube a Hendrik Bode demonstrar que, para sistemas realizáveis, o ganho e a fase da resposta em frequência não podem ser especificados isoladamente (ver Capítulo 9). Pode-se dizer que o procedimento de projeto de sistemas de controle por ajuste de laço (*loop shaping*) tem sua origem no trabalho de Nyquist. Bissell afirma que há ampla evidência na literatura alemã, francesa e da antiga União Soviética de que os resultados de Nyquist eram conhecidos e estavam bem difundidos antes mesmo da Segunda Guerra Mundial (Bissell, 2009, p. 8).

## 7.4 Outros estudos de estabilidade

Karl Küpfmüller foi um engenheiro de comunicações alemão. Na década de 1920 ele publicou vários artigos importantes na área de sistemas lineares. Em particular, em 1928[67] publicou um artigo no qual propunha um método para determinar a estabilidade de um sistema em malha *fechada* a partir da resposta ao degrau em malha *aberta*. O método era aplicável a sistemas cuja resposta ao degrau pudesse ser aproximada pela função mostrada na Figura 7.10a. A função de transferência em malha fechada foi escrita como

$$\frac{Y(s)}{X(s)} = \frac{kG(s)}{1 + kG(s)H(s)}, \tag{7.12}$$

sendo que o "fator de controle" foi definido como sendo

$$R = \frac{1}{1 + k}. \tag{7.13}$$

---

[66]Leonhard A., *Die Selbsttatige regelung in der Elektrotechnik*, Springer, Berlin, 1940.

[67]Küpfmüller, K., Über die dynamik der selbsttätigen verstärkungsregler, *Elekt. Nachrichtentechn.*, *5:459-467, 1928*

Usando convolução Küpfmüller, determinou que a estabilidade dependia da razão $t_2/t_1$, como mostrado na Figura 7.10b. Assim, a razão $t_2/t_1$ era obtida da resposta ao degrau em malha aberta e, posteriormente, o ganho crítico era obtido a partir da Figura 7.10b e da relação (7.13). O método do engenheiro alemão diferia do critério de Nyquist pelo fato de aquele ter sido desenvolvido no domínio do tempo, e o este, no de frequência. Contudo, ambos experimentaram a difícil aceitação de seus métodos por parte da comunidade de engenheiros, por acharem a matemática de ambos os trabalhos difícil de acompanhar (Bissell, 1992b).

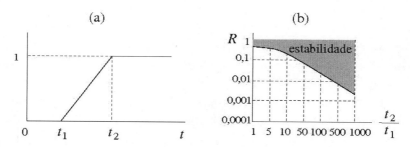

**Figura 7.10.** (a) Resposta ao degrau em malha aberta idealizada e normalizada, e (b) diagrama de estabilidade de Küpfmüller.

A contribuição de Küpfmüller e de outros fora dos Estados Unidos foi sintetizada por MacFarlane:

"Uma pioneira e importante contribuição para o desenvolvimento de métodos de resposta em frequência para a análise de sistemas dinâmicos lineares foi realizada por Küpfmüller em 1928. Nesse artigo[68] ele discutiu amplamente as relações entre as características de transmissão em frequência e o comportamento transiente. Em outro artigo publicado no mesmo ano,[69] Küpfmüller tratou do problema de estabilidade em malha fechada. Aqui, contudo, ele não utilizou uma abordagem plenamente desenvolvida no domínio de frequência (...) A técnica de Küpfmüller para determinar a estabilidade da malha fechada de maneira aproximada a partir de respostas temporais parece ter ficado relativamente desconhecida fora da Alemanha. Na sua história do controle automático, Rörentrop[70] faz referência a outros trabalhos

---

[68] Küpfmüller, K., Über Beziehungen zwischen Frequenzcharacteristiken und ausgleichsvorgangen in linearen systemen, *Elekt. Nachrichtentechn.*, 5:18-32, 1928.

[69] Küpfmüller, K., Über die dynamik der selbsttätingen verstärkungsregler, *Elekt. Nachrichtentechn.*, 5:459-467, 1928.

[70] Rörentrop, K., *Entwicklung der Modernen Regelungstechnik*, Oldenbourg, Munich, 1971.

# Estabilidade de sistemas com realimentação

realizados na Alemanha na década de 1930 sobre critérios de estabilidade de sistemas realimentados que usam a resposta em frequência. Em particular, fez menção a desenvolvimentos feitos por Strecker de um critério de estabildiade no domínio de frequência que, hoje em dia, chamaríamos de um método 'do tipo Nyquist'. Ao que parece, esse trabalho ficou virtualmente desconhecido e somente foi descrito na literatura científica após a Segunda Guerra Mundial.[71] Em seu livro[72], Strecker refere-se a ter apresentado um critério de estabilidade no domínio de frequência em um colóquio no Laboratório Central da Siemens e Halske em 1930, e de apresentar seus resultados para uma plateia mais ampla em um seminário realizado pela Sociedade Alemã de Engenheiros Eletricistas em 1938. Rörentrop diz que o manuscrito de sua palestra ainda está disponível e que, nele, Strecker considerou o caso de sistemas instáveis em malha aberta."[73] [74]

Bissell atribui a Küpfmüller o pioneirismo na descrição do problema de controle em termos gerais, utilizando a descrição de sistemas e diagramas de fluxo de sinais. Relacionado a isso, Bissell acredita que o engenheiro alemão foi um dos primeiros a utilizar diagramas de blocos para representar sistemas de controle (Bissell, 1986, p. 985).

Um aspecto inegável na ciência é que muitos conceitos e descobertas são, via de regra, desenvolvidos e inventados de maneira simultânea e independente por diversas pessoas. Alguns exemplos conhecidos disso são o cálculo diferencial por Newton e Leibniz; o método de mínimos quadrados por Gauss e Legendre. Portanto não deve surpreender que o assim chamado "critério de estabilidade de Nyquist" tenha tido desenvolvimentos análogos. Antes de mencionar alguns desses possíveis análogos, citam-se palavras de um colega e Nyquist na Bell Systems:

"Ele [Nyquist] produziu uma derivação matemática do que eu fiz. O que posso dizer a respeito dessa derivação é que eu desconhecia sua existência. Era nova para mim. Dez anos depois, eu fiz bom uso desses resultados. Ele [Nyquist] derivou o critério, o resultado leva seu nome, é conhecido pelo mundo afora e essa parte está correta. Contudo, creio

---

[71]Strecker, F., *Die Elektrische Selbsterregung mit einer Theorie der Aktiven Netzwerke*, Hirzel, Stuttgart, 1947.

[72]Strecker, F., *Praktische Stabilitatsprüfung Mittels Ortskurven und Numerischer Verfahren*, Springer, Berlin, 1950.

[73]Citado de (MacFarlane, 1979, p. 252).

[74]Lembre-se que, em seu artigo de 1932, Nyquist assumiu que o sistema era estável em malha aberta.

que, se uma de minhas patentes for consultada, poderá ser constatado que a parte [dos resultados de Nyquist] que tem sido usada por todos é algo que eu já havia colocado na patente. Isso também é considerado uma publicação."[75]

## 7.5 Considerações finais

No início do capítulo foi mencionado que Black procurou a Nyquist por ter percebido a necessidade de ter um critério que garantisse a estabilidade do recémnascido amplificador com realimentação. Ainda que esse tenha sido, muito provavelmente, o principal motivo, há outras possíveis motivações:

"Black interpretou a resistência a suas ideias como evidência da natureza radical delas. Mas ele, que tinha apenas o grau de bacharel, era um engenheiro no Departamento de Desenvolvimento de Sistemas. Ele não possuía nenhuma sofisticação de análise, habilidade de comunicação, nem o prestígio dos cientistas de pesquisa da Bell Labs. Seu assistente de laboratório naquela época, Alton C. Dickieson, lembra-se que Black estava em constante conflito com sua própria chefia, bem como com o resto da Bell Labs (...) Dickieson lembrou que Black era 'um falador compulsivo, inventivo e intuitivo, mas não muito claro em suas exposições.' Seu circuito com realimentação negativa era apenas o último de uma série de circuitos desenvolvidos ao longo dos últimos anos, sendo que Dickieson havia montado todos eles e lembrava-se que 'nenhum dos esquemas que havíamos testado era realmente promisor.' Dickieson também se lembra de haver 'uma certa dose de rivalidade' entre os pesquisadores com Ph.D. e as pessoas [do Departamento de Desenvolvimento] de sistemas. 'Parecia que havia o sentimento de que o desenvolvimento *exploratório* era terreno exclusivo dos pesquisadores. Matemáticos como Thornton Fry (chefe do Departamento de Matemática da Bell Labs) achavam que a matemática de Black estava abaixo da crítica.' Black – inquieto, criativo e um pouco arrogante – estava atravessando os limites estabelecidos daquela organização, batendo de frente com as diferenças culturais entre o Departamento de Pesquisa e o Departamento de Desenvolvimento de Sistemas, de status mais baixo, ao qual pertencia."[76]

---

[75]Palavras de Harold Stephen Black em entrevista feita por Michael Wolff (Black, 1977).
[76]Citado de (Mindell, 2002, p. 120).

# Estabilidade de sistemas com realimentação

Um outro aspecto interessante de notar ao comparar os critérios de estabilidade de Nyquist, estudado neste capítulo, e o de Routh, visto no Capítulo 4, é que em ambos são usados conceitos referentes ao mapeamento conforme, desenvolvidos por Cauchy. Os critérios de estabilidade de Routh e de Hurwitz fazem uso de outros conceitos importantes na área de teoria de funções, que remontam a Fourier, Sturm, Hermite, entre outros. Contudo, é digno de nota que a teoria de funções de variáveis complexas e o conceito de mapeamento conforme seja comum aos métodos de Routh e de Nyquist. Portanto, Routh foi o primeiro a usar conceitos de mapeamento de variáveis complexas na solução do problema de estabilidade. Normalmente o estudante de controle não atenta para esse interessante aspecto.[77] Nesse particular, o procedimento de Liapunov é o que mais se distingue entre todos.

Essa semelhança entre os fundamentos matemáticos dos critérios de Routh e de Nyquist foi originalmente apontada no resumo de um trabalho publicado em 1934 que dizia (Peterson et al., 1934, p. 1191): "A segunda [seção] descreve a derivação do critério de Nyquist seguindo aproximadamente a linha de ataque de Routh (...)". A comparação entre os métodos foi relatada assim:

> "Para obter o critério de Nyquist considera-se o vetor desenhado do ponto $(1,0)$ para um ponto que se move ao longo do diagrama polar. Se o ângulo total percorrido pelo vetor ao completar todo o percurso for zero,[78] o sistema é estável, senão é instável. Para expressar isso em termos de Routh, devemos tomar $1 - A(j\omega) = P + jQ$ e observar mudanças de sinal sofridas pela razão $P/Q$ quando $P$ passa por zero[79] à medida que a frequência aumenta gradativamente. O sistema é estável quando o número de mudanças de sinal de 'mais para menos' e de 'menos para mais' foi igual. Pode ser demonstrado que essas duas afirmações são equivalentes."[80]

Voltando um pouco ao passado, a partir do trabalho de Routh, encontramos os pioneiros trabalhos de análise publicados por Airy, Maxwell e de Wischnegradski. A diferença entre o tratamento matemático desses autores e o de Black, Bode e Nyquist é muito grande, e reflete uma tendência da época, que foi bem descrita por MacFarlane:

---

[77] Nem poderia, tendo em vista a maneira como o método de Routh é apresentado nos cursos de controle clássico.

[78] Ou seja, se $(1,0)$ estiver fora do percurso. Ver Nota 55 deste capítulo.

[79] Veja a Figura 4.1 e sua explicação.

[80] Citado de (Peterson et al., 1934, pp. 1195–1196).

"Duas abordagens distintas passaram a ser desenvolvidas para sistemas dinâmicos. Tais abordagens estavam associadas com pensamentos diferentes sobre tais sistemas e que, devido à evolução histórica, serão convenientemente chamados de 'o ponto de vista dos engenheiros mecânicos' e 'o ponto de vista dos engenheiros de comunicações'. Um engenheiro mecânico utilizava equações diferenciais para modelar o sistema em termos de algum 'mecanismo' real ou abstrato. Ele escrevia as equações que descreviam o sistema a partir de um estudo detalhado do mecanismo físico relevante.[81]   Entretanto, o ponto de vista do engenheiro de comunicações era bastante diferente. Era natural para ele considerar os diversos componentes do sistema como 'caixas' nas quais certos sinais eram injetados e dos quais surgiam as respectivas respostas. Ao analisar o comportamento do sistema, era natural para o engenheiro de comunicações substituir as 'caixas' de sua montagem, onde se alojavam os componentes físicos da montagem, por caixas abstratas que representavam os efeitos sofridos pelos sinais ao passar por elas.[82] Esse ponto de vista baseado na 'operação', aliado ao uso flexível que o engenheiro eletricista fazia de variáveis complexas para representar formas de onda senoidais, fez com que o emprego da análise de Fourier fosse inevitável."[83]

Essa diferença de abordagem pode ser constatada em diversos trabalhos até por volta de meados do século XX, a partir de quando as técnicas e abordagens passaram a gozar de maior uniformidade.

---

[81]Essa forma de modelagem é chamada de modelagem pela física do processo, modelagem baseada em primeiros princípios, modelagem fenomenológica ou, ainda, modelagem caixa branca (Garcia, 2005).

[82]Essa forma de modelagem é conhecida como modelagem caixa preta e foi central ao desenvolvimento de técnicas de identificação de sistemas (Aguirre, 2015a).

[83]Citado de (MacFarlane, 1979, p. 251–252).

# Capítulo 8

# Servomecanismos

"O problema de estabilidade é o de garantir um equilíbrio adequado entre a entrada mecânica de um gerador e sua saída elétrica; e entre a entrada elétrica de um motor e sua saída mecânica (...) Esse problema é, portanto, excessivamente complicado, envolvendo fatores mecânicos como inércia, governadores, velocidade de comportas etc. e também fatores elétricos como características de máquinas, constantes de linhas, atuação de disjuntores etc".[1]

Charles Fortescue,[2] 1927

"Na presente era, caracterizada por enormes fontes de potência mecânica e elétrica, tais recursos têm, em muitas áreas, substituído quase que totalmente o poder do músculo humano. Semelhantemente, as funções de operadores humanos estão sendo substituídas por mecanismos que automaticamente controlam o desempenho de máquinas e processos. Controle automático é frequentemente mais confiável e preciso, bem como mais barato, que o controle humano. Consequentemente, o estudo do desempenho de dispositivos de controle automático é de peculiar interesse no presente."[3]

Harold Hazen,[4] 1934

---

[1]Citado em (Mindell, 2002, pp. 143, 144).

[2]Charles LeGeyt Fortescue (1876–1936) foi um engenheiro eletricista canadense. Formou-se em 1898 e foi trabalhar na Westinghouse Corporation na área de sistemas elétricos de potência. Ao longo de sua carreira Fortescue conseguiu 185 patentes, a maioria delas versando sobre transformadores, isoladores, e circuitos de potência, tanto CC quanto CA. Por suas contribuições para a engenharia elétrica, recebeu em 1932 a Medalha Elliott Cresson do Franklin Institute.

[3]Parágrafo de abertura do clássico artigo de Harold Hazen (Hazen, 1934).

[4]Sobre Harold Hazen, ver Seção 8.4.3.

Na Figura 1.2 pode-se ver um sistema realimentado. O esquema usado nessa figura ilustra o problema de controle conhecido como o de *regulação*. Em poucas palavras, deseja-se que um sistema opere em determinada condição a despeito de eventuais distúrbios e mudanças em tal sistema. Os problemas de regulação dominaram a área de sistemas realimentados, desde os dias dos moinhos de vento (Capítulo 2), em que o objetivo era manter as pás do moinho girando a velocidade constante mesmo em face de golfadas de vento ou mudanças nas características dos grãos que deveriam ser moídos.

Por outro lado, o problema enfrentado por Harold Black (Capítulo 6) era um pouco diferente: desejava-se ter à saída de um amplificador uma forma de onda tão próxima quanto possível da do sinal de entrada, mas de maior potência. Essa situação pode ser ilustrada conforme mostrado na Figura 8.1. A principal diferença entre um servomecanismo e um regulador é que aquele deve ser capaz de rastrear um sinal de entrada, ou seja, seguir um sinal de referência. Como o sistema deve seguir um sinal externo, diz-se que o sistema é um servo, ou um servomecanismo,[5] sendo que:

"O termo servomecanismo foi cunhado para designar precisamente máquinas que tenham um comportamento com propósito intrínseco."[6]

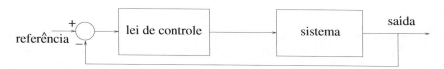

**Figura 8.1.** Diagrama de blocos de um sistema servomecanismo.

Hoje não é difícil perceber que o problema do projeto de repetidores telefônicos investigado por Harold Black corresponde ao projeto de um servomecanismo. Nem Black nem a maioria de seus contemporâneos perceberam essa equivalência, que só passou a ser amplamente reconhecida nos dias da Segunda Guerra Mundial. Contudo a teoria de servomecanismos teve origem não apenas com Black, mas com outros pesquisadores que trabalhavam na área de sistemas elétricos de potência. Em particular, um problema que foi importante ao desenvolvimento de servomecanismos foi o de estabilidade de sistemas elétricos.

---

[5]O termo *servo* foi originalmente proposto por Jean Farcot em 1873 (ver Nota 51 do Capítulo 2).

[6]Citado de Rosenblueth, A., Wiener, N., Bigelow, J., "Behavior, Purpose and Teleology", *Philosophy of Science*, 10:18–24, 1943.

Servomecanismos 209

Apesar de, na atualidade, não termos nenhuma dificuldade de aceitar que o problema de estabilidade é central ao projeto de servomecanismos, a origem de parte desse desenvolvimento está ligada ao problema de estabilidade somente de maneira indireta. O problema de estabilidade de sistemas de potência era – e ainda é – um problema complicado. Como a teoria para estudar a estabilidade de sistemas de grande porte ainda não estava bem estabelecida no início do século XX, uma alternativa ao estudo e desenvolvimento de técnicas de análise era a simulação... analógica! As máquinas usadas para computação analógica sofriam sérios problemas de carregamento. Para resolver tais problemas, Harold Hazen desenvolveu servomecanismos. Não apenas isso, Hazen escreveu dois artigos que são considerados por muitos a origem da teoria de servomecanismos. O objetivo do presente capítulo é brevemente rever essa história, mencionando os problemas que motivaram Hazen e revendo aspectos de seus clássicos artigos.

Ainda no contexto de projeto de servomecanismos, abordaremos também a história da gênesis de um dos métodos clássicos mais conhecidos para o projeto de tais sistemas: o método do lugar das raízes. Aspectos históricos do método bem como um esboço biográfico de seu autor, Robert Walter Evans, são apresentados na última parte deste capítulo.

## 8.1 Sistemas elétricos: estabilidade e modelagem

No início do século XX houve uma gigantesca demanda por mais linhas telefônicas, e por linhas cada vez mais longas (ver Capítulo 6). Não apenas a rede telefônica, mas a própria rede elétrica (geração, transmissão e distribuição) estava sob forte demanda. Não é de admirar que tenha sido observado:

> "Durante a década de 1920 os engenheiros eletricistas, de maneira ativa, moldaram o cenário nos Estados Unidos, supervisionando a construção das redes telefônica e de energia elétrica: sistemas com funcionamento delicado, muitas vezes invisível, exigindo grande investimento de capital e de uma importância social óbvia."[7]

O aumento das redes requeria conectar mais geradores, mais linhas e maior carga ao sistema. Esse aumento de dispositivos – alguns ativos, outros passivos – tinha importantes implicações para a estabilidade do sistema, o que já era considerado um problema (Mindell, 2002, p. 143). Charles Steinmetz (ver Nota 15 do Capítulo 6) havia feito algumas contribuições na área de análise matemática, tanto

---

[7]Citado de (Mindell, 2002, p. 143).

das redes quanto das máquinas que eram conectadas a elas. Apesar de Steinmetz ter-se dedicado tanto à análise em estado estacionário quanto aos transientes, o estudo destes e do problema de estabilidade do sistema de energia elétrica ainda estava na sua infância nas primeiras duas décadas do século XX. Sob diversos aspectos, o problema de análise de estabilidade desses sistemas era um tema ideal para pesquisa, pois, além de colocar diversos desafios técnicos e científicos, sua importância social era evidente.[8]

Jovem e competente pesquisador, atraído por esse novo tema, Vannevar Bush[9] (Figura 8.2) começou a trabalhar com a estabilidade e transientes de sistemas elétricos em 1923, ano da morte de Steinmetz (Figura 6.4). Uma das principais ferramentas matemáticas utilizadas por Bush foi o cálculo operacional desenvolvido por Oliver Heaviside, a ser tratado no Capítulo 10.[10] Junto com seu colega R. Booth, Bush, em meados da década de 1920, propôs um método gráfico para o cálculo de transientes. O método é baseado em uma construção ponto a ponto seguida de superposição. Esse procedimento repetitivo e entediante impulsionou Bush a desenvolver máquinas para fazer tais cálculos. Vannevar Bush é conhecido pelas suas contribuições na área de computação analógica (ver Seção 8.2).

---

[8]Mindell afirma que, ao final da década de 1920, uma em cada cinco teses de doutorado em engenharia elétrica defendidas no MIT versavam sobre o problema de estabilidade (Mindell, 2002, p. 147).

[9]Vannevar Bush (1890–1974) era um engenheiro eletricista americano com elevada capacidade gerencial. Recebeu o título de doutor do MIT em 1916, sendo que sua tese foi a quinta em engenharia do MIT (Mindell, 2002, p. 145): "Oscillating-Current Circuits: An Extension of the Theory of Generalized Angular Velocities, with Applications to the Coupled Circuit and the Artificial Transmission Line". Do ponto de vista técnico-científico, Bush é reconhecido por seu trabalho na área de computação analógica. Do lado gerencial, foi um dos principais organizadores do Projeto Manhattan, que originou a primeira bomba atômica, e ajudou a criar a *National Science Foundation*. Dentre os seus alunos encontram-se Frederick Terman – em sua tese sobre a estabilidade de sistemas de transmissão (1924), Terman observou que a estabilidade de tais sistemas tinha características semelhantes àquelas de um único governador (ver Capítulo 3) –, que se tornou o pai do Vale do Silício, e Cecil Green, que fundou a Texas Instruments (Mindell, 2002, pp. 147–149). Foi professor nas universidades de Tufts (1916–1919) e no MIT (1919–1938), onde foi vice-reitor e diretor da Escola de Engenharia (Hall, 2008). Em 1919, tanto Vannevar Bush quanto Norbert Wiener ingressaram no MIT (Gleick, 2011, p. 236).

[10]"O primeiro livro de Bush, *Operational Circuit Analysis* (John Wiley & Sons, New York, 1929), aplica a técnica a problemas práticos. O livro inclui um apêndice de Norbert Wiener sobre análise de Fourier e técnicas no domínio de frequência, no qual se começava a relacionar as análises em estado estacionário e no domínio de frequência. Wiener, que era professor no MIT, serviu de mentor matemático para Bush, tendo colaborado com ele por muitos anos" (Mindell, 2002, pp. 145, 146).

**Figura 8.2.** Vannevar Bush (1890–1974), (Wikipedia, 2018).

Bush abordou o problema de transientes e estabilidade por dois caminhos: modelos reduzidos, relacionados à computação analógica, e cálculo. A construção de miniaturas de sistemas elétricos já era um procedimento conhecido. Essa tarefa era particularmente difícil quando se desejava incluir dispositivos eletromecânicos. A razão é que é muito mais fácil reduzir em escala dispositivos e parâmetros elétricos do que fazê-lo para os mecânicos. Assim, em 1924 Bush sugeriu a um de seus alunos de graduação, Harold Hazen (ver Seção 8.4.3), que dedicasse a sua monografia de fim de curso ao estudo e desenvolvimento de um modelo reduzido de um sistema elétrico.[11] A solução encontrada por Hazen foi utilizar transformadores cujo deslocamento de fase poderia ser ajustado, para representar dispositivos eletromecânicos em seu modelo reduzido, aos quais ele se referia como "redes em miniatura" e "modelos de rede" (Mindell, 2002, p. 150). Sob certo aspecto, o *analisador de rede*[12] constituiu uma primeira geração de equipamentos de computação (analógica) para análise e estudo de sistemas de potência.

---

[11]"A monografia de Hazen começou com o objetivo de desenvolver um modelo elétrico que fosse um análogo quantitativo do sistema físico. Um sistema que, com um total de geradores correspondente a 5 kW para representar estações geradoras de 50 a 100 MW, foi construído e testado na G.E." (Brown, 1981).

[12]"O analisador de rede tipificava a abordagem de engenharia que emergia sob a orientação de Bush: a aplicação de métodos matemáticos e pesquisa acadêmica em problemas práticos" (Mindell, 2002, p. 152).

## 8.2 Computação analógica

Bush, desde seus dias de estudante, trabalhou com soluções que demandavam algum tipo de computação analógica. Muitos dos alunos que trabalharam sob sua orientação dedicaram-se ao mesmo tema. Um problema de grande interesse prático era o cálculo de transitórios elétricos com vistas ao estudo da estabilidade do sistema elétrico de potência. Seu método de cálculo "ponto a ponto", por ser tão entediante e mecânico, serviu de motivação para o desenvolvimento de um equipamento para esse fim, baseado em uma solução existente: o *integraph*.[13]

Relativo ao estudo de estabilidade, John Carson[14] observou que o problema se reduzia à integração do produto de duas funções.[15] Assim, o estudo de estabilidade poderia ser facilitado por algum dispositivo que efetuasse essa integração. A solução encontrada foi usar um equipamento com um disco giratório, muito semelhante ao atual medidor de consumo de energia elétrica, cuja indicação é a integral do produto de duas funções: $v(t)$ (tensão elétrica) e $i(t)$ (corrente). Em 1924, Bush e alguns associados construíram um dispositivo para o cálculo da referida integral, utilizando um disco giratório. Tal equipamento ficou conhecido como o *product integraph* (Mindell, 2002, p. 153) e é mostrado na Figura 8.4.

---

[13]Em linhas gerais um *integraph* é um aparelho usado para traçar o gráfico da integral de uma função fornecida graficamente. Esse equipamento parece ter sido inventado por volta de 1880 de maneira independente pelo físico britânico Charles Vernon Boys e pelo matemático polaco-lituano Bruno Abakanowicz. Uma versão do *integraph* de Abakanowicz de 1915 é mostrada na Figura 8.3 (Wikipedia, 2013).

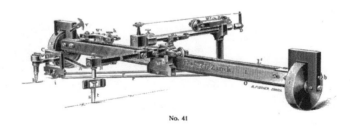

**Figura 8.3.** *Integraph* de Abakanowicz. Desenho de G. Coradi, 1915, (Wikipedia, 2013).

[14]Ver Nota 65 do Capítulo 10.

[15]Essa abstrata observação de Carson não deve causar surpresa. Por exemplo, basta considerar uma função a resposta ao impulso do sistema e a outra função uma versão espelhada do distúrbio. Assumindo-se linearidade e invariância temporal, a resposta da rede ao distúrbio pode ser obtida pela convolução, que é a integral do produto das funções mencionadas. À época era mais comum usar a resposta indicial, em vez da resposta ao impulso, e a integral era conhecida como a integral de Duhamel (ver Seção 12.2).

# Servomecanismos

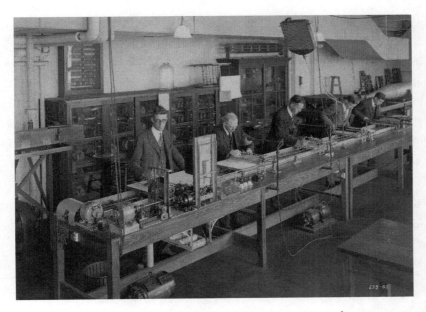

**Figura 8.4.** *Product integraph* ao final da década de 1920. À esquerda encontra-se Vannevar Bush. Harold Hazen é o último, à direita. Cortesia do Museu MIT.

Em 1928, Bush recebeu a Medalha Levy Gold do Franklin Institute em reconhecimento de seu trabalho com o *product integraph*.[16] Esse dispositivo, em suas duas versões, podem ser vistos como a segunda geração de equipamentos de computação para análise de sistemas de potência. Com respeito a esse equipamento foi dito que

"... o *product Integraph* e o *differential analyzer* foram uns dos primeiros exemplos de que os elementos integradores – o cérebro da máquina – não podem ser solicitados a fornecer energia para operar os demais mecanismos."[17]

Um ponto-chave nesse equipamento era como apresentar as duas funções para serem integradas pelo "disco". O procedimento foi detalhado por Mindell da seguinte maneira (ver Figura 8.5):

"Duas funções eram primeiramente impressas em papel e depois afixadas a uma mesa ou superfície que se movimentava [horizontalmente]

---

[16] Seus companheiros Stewart, Gage e Hazen foram mencionados à ocasião (Bennett, 1993, p. 103).

[17] Citado de (Brown, 1981, p. 7).

ao longo de um trilho a velocidade constante. Sobre a superfície móvel havia duas réguas [verticais] fixas, sendo que cada uma delas tinha uma pena que poderia deslizar sobre a respectiva régua à medida que o papel com o gráfico da função se movia lateralmente (...) Dois operadores seguiam os gráficos com as penas à medida que o papel se movia da esquerda para a direita. Esses operadores eram responsáveis pela maior parcela de erro nos cálculos feitos pelo *product integraph*, que podia chegar a 2% ou 3%, sendo que todos os demais erros, mecânicos e humanos, juntos, não chegavam a 1%.

"Essas penas operadas à mão produziam sinais elétricos que eram alimentados ao wattímetro [disco giratório] (...) Como o wattímetro era um disco delicado, se o estágio seguinte demandasse uma grande força para ser acionado, ele carregaria o disco, o que resultaria em perda de precisão."[18]

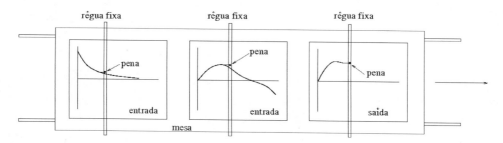

**Figura 8.5.** Esquema do funcionamento do *product integraph*. As funções de entrada eram informadas posicionando as penas, que correm ao longo das réguas fixas, sobre a função impressa no papel, que, por sua vez, movimenta-se junto com a mesa. Adaptada de (Mindell, 2002).

A terceira geração de equipamentos de computação analógica foi o analisador diferencial (*differential analyzer*), construído por Vannevar Bush entre 1928 e 1931. Essa máquina tinha um caráter mais geral e chegou a ser utilizada no centro de computação do MIT, que servia a cientistas de outros departamentos e instituições, os quais se deslocavam até lá para efetuarem cálculos (Mindell, 2002, p. 157). Uma detalhada descrição da concepção, funcionamento e operação dessa máquina foi descrita pelo próprio Bush (Bush, 1931).

---

[18]Citado de (Mindell, 2002, p. 154).

*Servomecanismos* 215

Em 1935, Bush passou a receber recursos da Fundação Rockefeller,[19] de modo que o novo modelo de analisador passou a ser conhecido como o *analisador diferencial Rockefeller*. Em 1936, Bush precisou de um assistente de pesquisa para operar esse equipamento. A vaga deveria ser ocupada por um aluno de pós-graduação que pudesse também operar essa máquina de aproximadamente 100 toneladas, que era descrita por jornais como um "cérebro mecânico" ou uma "máquina pensante". Uma manchete típica dizia:

" 'Máquina pensante' realiza matemática superior; resolve equações cuja solução leva pessoas meses para realizar."[20]

Um brilhante jovem, prestes a se formar em Engenharia Elétrica e Matemática pela Universidade de Michigan, viu o anúncio de Vannevar Bush e ficou com a vaga. Foi assim que Claude Shannon[21] ingressou no MIT. Tanto professores como estudantes dirigiam-se ao MIT para resolver equações, o que o analisador diferencial operado por Shannon conseguia fazer com 2% de precisão, nos casos mais favoráveis (Gleick, 2011, p. 172). Foi operando essa máquina que Shannon encontrou inspiração para sua dissertação de mestrado.[22]

## 8.3  Carregamento: o problema e a solução

Um dos problemas que ocorriam no contexto dos modelos reduzidos era o de carregamento. Conectar um voltímetro à rede elétrica não tem efeito apreciável, mas o efeito de conectar um voltímetro a um modelo reduzido era equivalente ao de conectar uma carga industrial à rede elétrica.[23] Em outras palavras, o voltímetro

---

[19]Esse financiamento ocorreu até o início da Segunda Guerra Mundial (Mindell, 2002, p. 171).

[20]Citado de (Gleick, 2011, p. 171).

[21]Claude Elwood Shannon (1916-2001) foi um engenheiro eletricista e matemático americano, considerado o pai da teoria da informação, tendo cunhado o termo *bit*. O nome dele é facilmente reconhecido e associado ao *teorema da amostragem*, conhecido por alguns como o *teorema de Shannon*. De fato, tal teorema foi proposto por Harry Nyquist (Seção 7.2.3) e demonstrado por Shannon. Obteve os graus de mestre (1937) e de doutor (1940), ambos pelo MIT. Durante a Segunda Guerra Mundial trabalhou na Bell Labs, onde ficou por vários anos. Em 1958 voltou ao MIT como *Donner Professor of Science*, onde trabalhou até se aposentar, em 1978 (Daintith, 2009).

[22]Shannon, C. E., "A Symbolic Analysis of Relay and Switching Circuits", dissertação de mestrado do Massachusetts Institute of Technology, 10 de agosto de 1937. Sobre essa dissertação foi dito: "Nessa dissertação de mestrado, escrita por um assistente de pesquisa, encontrava-se a essência da revolução computacional que ainda estava para ocorrer" (Gleick, 2011, p. 175).

[23]A principal razão para esse efeito era que a corrente drenada pelo voltímetro – cuja impedância de entrada não era tão elevada quanto a dos multímetros modernos – era da mesma

216 · Sistemas realimentados: uma abordagem histórica

funcionava como carga para o modelo reduzido, em vez de ser um elemento de medição "ideal". Esse carregamento, que era uma perda de energia, deteriorava a precisão do modelo reduzido. Era comum dimensionar os modelos reduzidos a partir dos níveis de carregamento inevitáveis, introduzidos pelos dispositivos de medida. "Esse problema de perda de energia e, portanto, perda de precisão em sistemas reduzidos persistiram durante toda a investigação de Hazen e Bush, e determinariam a concepção de servomecanismos de Hazen" (Mindell, 2002, p. 150), como ilustrado na seguinte citação:

> "É essencial que os eixos desses integradores – no primeiro estágio compostos de medidores de watt-hora; no segundo estágio o eixo da roda do integrador – estejam livres de toda e qualquer fricção e cojugado de carga. Portanto, eles não podem prover diretamente a energia para acionar os eixos dos registradores. Um mecanismo servomotor seguidor é utilizado para acionar cada eixo registrador (...) Esse mecanismo é realmente a chave para o sucesso da máquina, do ponto de vista prático."[24]

Tendo-se formado, Hazen trabalhou na G.E. (General Electric), que à época estudava problemas de estabilidade de uma linha de transmissão de 800 km de extensão, que conectava uma hidrelétrica canadense ao centro de carga em New England. Com a experiência trazida da graduação e a que adquiriu trabalhando na G.E., Hazen voltou para o MIT e defendeu sua dissertação de mestrado em 1929, na qual apresentava um "modelo reduzido" para o estudo de estabilidade de redes elétricas: o analisador de rede.

Ao contrário do modelo reduzido desenvolvido durante a graduação, o analisador de rede poderia representar uma vasta gama de redes elétricas. Em certo sentido era "programável". Usando cabos e chaves em um painel era possível simular determinada rede elétrica. Posteriormente, Hazen passou a referir-se ao analisador de rede como sendo um "computador de rede" (Mindell, 2002, p. 152). Utilizando o analisador de rede e o método ponto a ponto desenvolvido por Bush, Hazen podia calcular transitórios elétricos. O analisador de rede manteve-se operacional no MIT até a década de 1950.

Assim como nos modelos reduzidos de Hazen, o problema de carregamento era uma questão séria para o *product integraph*. Para contornar essa dificuldade, era

---

ordem de grandeza que a corrente drenada por uma carga que, no modelo reduzido, representava uma carga industrial para a rede elétrica simulada.

[24]Citado em (Mindell, 2002, p. 156).

# Servomecanismos

217

usado um *servomotor* que seguia precisamente o movimento do disco do wattíme-tro e que, por sua vez, acionava uma pena – deslizante sobre uma régua, vertical ao movimento da superfície – que desenhava o resultado em uma folha de papel afixada sobre a superfície que deslocava a velocidade constante.

Nesse equipamento podemos detectar dois problemas distintos, relacionados a controle. Em primeiro lugar, os operadores das penas de "entrada" funcionavam como sistemas de controle que deveriam rastrear com as respectivas penas o movimento das funções impressas em papel. Em segundo lugar, o servomotor usado para acionar a terceira pena (de "saída") era utilizado para prover potência para tal acionamento e, assim, não carregar o disco giratório. São ambos problemas de rastreamento ou de servomecanismo.

Em 1927 Hazen e um colega construíram um novo tipo de *product integraph*. Ao realimentar a saída do dispositivo que resolvia a integral para a sua própria entrada, era possível resolver equações diferenciais ao invés de "simplesmente" avaliar integrais.[25] Mais uma vez, o problema de carregamento nesse novo equipamento foi resolvido com a utilização de servomotores. Essa era uma característica das máquinas de calcular do MIT que eram chamadas de "instrumentos matemáticos ativos". Parte do problema de carregamento foi resolvido por Hazen, que utilizou amplificadores de conjugado de Nieman.[26][27]

---

[25]É inevitável notar que Hazen utilizou realimentação da saída do dispositivo integrador precisamente no mesmo ano em que Harold Black inventou o amplificador com realimentação negativa (ver Capítulo 6). Em 1927 (Bennett, 1985), ao preparar um seminário sobre a história da computação mecânica, Hazen descobriu que em 1876 Lord Kelvin havia "dado uma descrição bela e completamente geral de um método para resolver equações diferenciais ordinárias" semelhante ao que era feito no MIT e acrescentou que Kelvin não conseguiu montar a máquina pela falta de condições à época para construir as peças com a precisão necessária (Brown, 1981, p. 8). O trabalho mencionado é Kelvin, W. T., Mechanical integration of linear differential equations of the second order with variable coefficients, *Proceedings of the Royal Society*, 24:269, 1876. Com relação ao uso de máquinas calculadoras mecânicas, na primeira parte de seu artigo, Bush mencionou o conhecido fato de Leibnitz ter construído tais máquinas para realizar cálculos (Bush, 1931).

[26]A decisão de Hazen de usar amplificadores de conjugado de Nieman foi descrita por Bennett: "A solução encontrada por Hazen chegou a ele quase por acaso. No verão de 1928, enquanto estava de férias na cidade em que crescera, Three Rivers, Michigan, Adam Armstrong, que havia sido seu professor de escola dominical, deu-lhe um par de artigos escritos por C. W. Nieman. Um desses artigos descrevia um amplificador de conjugado em dois estágios, o outro, um dispositivo – chamado 'lashlock' – para eliminar folga. Hazen adotou o amplificador de conjugado para realizar o acoplamento entre o disco do integrador e os eixos do resto do analisador. Depois de ajustado, o dispositivo funcionou bem" (Bennett, 1985, p. 998).

[27]Nieman, C. W. May 26, 1927. Torque amplifier. *American Mechanist*, 66:895–897. U.S. patents 1751645, 1751647, 1751652.

O analisador diferencial também tinha problemas de carregamento que, mais uma vez, foram investigados e resolvidos por Harold Hazen. No caso desse analisador, Hazen utilizou amplificadores de conjugado de Nieman. Tais dispositivos eram mecânicos e usavam polias envoltas em tambores para atingir a amplificação necessária. Ao contrário dos servomotores, os amplificadores de Nieman não eram realimentados, mas compartilhavam duas características com estes: serviam como amplificadores de potência e, graças a seu elevado ganho, poderiam ficar instáveis caso alguma parcela da saída fosse realimentada para a entrada. Assim, a respeito do analisador diferencial foi dito que "historiadores de computação têm-se referido ao analisador diferencial como a primeira máquina de computação, prática e de propósito geral, para engenharia e ciência" (Mindell, 2002, p. 161).

Apesar de Hazen não ter feito qualquer menção ao trabalho de Black, um de seus alunos, Gordon Brown,[28], natural da Austrália, desenvolveu um novo medidor para o analisador diferencial, sendo que o dispositivo empregava amplificadores com realimentação negativa, como os desenvolvidos por Harold Black na Bell.[29]

Um aspecto que parece ser comum às diversas gerações de equipamentos computacionais desenvolvidos no MIT dentro do grupo de Vannevar Bush foi a necessidade que todos tinham de servomecanismos. Gordon Brown, aluno de Harold Hazen, defendeu sua dissertação em 1934 e sua tese em 1938. Em ambos os trabalhos Brown lidou com um equipamento chamado *cinema integraph*. Esse equipamento foi desenvolvido a partir de uma sugestão feita por Norbert Wiener, que servia de mentor matemático para o grupo de Bush, e objetivava realizar a integração analógica de maneira mais rápida. Apesar de esse novo equipamento não ter ido muito adiante, foi graças a ele e à experiência passada de Hazen que este produziu a sua teoria de servomecanismos, em particular no contexto do *cinema integraph*Hazen projetou um servomecanismo de alto desempenho, o qual foi descrito em um famoso artigo publicado em 1934, a ser descrito a seguir. Esse artigo foi escrito por sugestão e encorajamento de Vannevar Bush.

---

[28]Gordon Stanley Brown (1907–1996) era natural da Austrália e americano. Sua formação foi em Engenharia Elétrica no MIT (1931). Conseguiu os títulos de mestre e doutor em Engenharia Elétrica em 1934 e 1938, respectivamente, ambos no MIT. Em 1940 fundou o Laboratório de Servomecanismos dessa instituição (Hall, 2008). Escreveu um dos primeiros livros sobre projeto de servomecanismos (Brown and Campbell, 1948). Sucedeu a Hazen como chefe do Departamento de Engenharia Elétrica do MIT em 1952 e foi diretor entre 1959 e 1968 (Brown, 1981).

[29]No artigo de sua autoria "An amplifier wattmeter combination for the accurate measurement of watts and VARs", Gordon Brown citou o artigo "Stabilized feedback amplifiers" de Black (Mindell, 2002, p. 363).

Servomecanismos                                                                    219

Antes de detalhar alguns aspectos do artigo de Hazen, desejamos mencionar o trabalho de Albert C. Hall,[30] um aluno de Gordon Brown. Trata-se da tese de doutorado defendida em 1943 no MIT e intitulada *The analysis and synthesis of linear servomechanisms*. Essa tese, que veio a ser reimpressa e distribuída em 1947 (Hall, 1943), é reconhecida como um dos marcos teóricos da teoria dos servomecanismos. Hall fez extensivo uso da resposta em frequência, de diagramas polares e do critério de estabilidade de Nyquist nesse trabalho. Na tese, o autor indica semelhanças e diferenças entre a *teoria dos amplificadores realimentados* de Black e a *análise de servomecanismos* de Hazen. Essa observação coincide com a percepção geral de que foi durante os anos da Segunda Guerra Mundial que passou a ser amplamente reconhecido o fato de que a teoria de sistemas de comunicações desenvolvida na Bell por Black, Bode e Nyquist e a teoria de servomecanismos desenvolvida no MIT por Hazen, Brown e Hall eram os dois lados de uma mesma moeda. Na sua tese, Hall analisou detalhadamente o uso e implementação de reguladores de atraso (que ele chamou de reguladores integradores), avanço e avanço-atraso, sendo, portanto, um dos primeiros a tratar desse assunto. Além disso, na sua tese encontra-se um gráfico no plano complexo do lugar geométrico correspondente ao ganho de malha fechada constante.[31] Esse lugar geométrico é formado por círculos excêntricos chamados círculos $M$. Esse diagrama foi chamado de carta de Hall em (Gille et al., 1959, pp. 224–225).[32]

---

[30]Albert C. Hall (1914–1992) se graduou pela Texas A&M em 1936. Ingressou no MIT, onde realizou seu mestrado (1938) e doutorado (1943) em Engenharia Elétrica. Sobre sua tese foi dito que "é parte da fundação da teoria de controle automático" (Adams, L. J., Memorial Tributes: National Academy of Engineering, vol. 7, pp. 108–112, National Academies Press, 1994). Continuou no MIT como professor assistente. Durante a Segunda Guerra, liderou o desenvolvimento do primeiro míssil guiado para a Marinha dos Estados Unidos.

[31]Esse mesmo gráfico, junto com o lugar geométrico de fase de malha fechada constante, representado no plano fase em graus *versus*, ganho em dB, é o chamado diagrama ou carta de Nichols (ver Figura 11.8). A carta de Nichols foi denominada carta de contornos $M-N$ ($M-N$ *contour chart*) em (Brown and Campbell, 1948, Seção 8.7).

[32]O livro de Gille, Pelegrin e Decaulne, cuja apresentação é assinada por ninguém menos que Gordon Brown e Albert Hall, ao apresentar a carta de Hall, cita, por sua vez, o livro de Brown e Campbell. Nesse livro, não apenas os gráficos de círculos $M$, mas também os de círculos $N$ são apresentados (Brown and Campbell, 1948, Seção 6.9), mas sem nenhuma referência específica a Hall, cuja tese foi citada. Isso não deve ser interpretado como o não reconhecimento de que Hall tenha contribuído (se é que foi mesmo) tais conceitos, pois o livro de Brown e Campbell é claramente um livro-texto, não uma monografia de pesquisa – em que normalmente existe maior preocupação na indicação dos trabalhos originais.

## 8.4 Teoria de servomecanismos

Em seu clássico artigo, Hazen começou distinguindo dois tipos de dispositivos de controle. Na primeira classe ele colocou sistemas que operam em função do tempo e são independentes do resultado de sua operação. O semáforo foi citado como exemplo dessa classe. O segundo grupo considerado consiste de sistemas realimentados, que ele chamou de "controle de ciclo fechado" (*closed-cycle control*), e um exemplo fornecido foi de um termostato para controle de temperatura de uma casa. O segundo exemplo foi o sistema de navegação de um navio.[33]

Ao indicar as principais diferenças entre essas duas classes de sistemas, Harold Hazen disse:

> "No segundo tipo, contudo, a origem do controle é algum tipo de dispositivo de medição que raramente pode fornecer força ou potência suficientes e, além disso, prover indicação suficientemente precisa. A operação do elemento de controle quase sempre precisa de muito mais potência que a que está disponível no dispositivo de medição. Consequentemente algum tipo de mecanismo intermediário é essencial para amplificar a potência do sistema de medição, enquanto se garante a precisão necessária.[34] Quando o elemento final de tal sistema é acionado de maneira a fazer com que a diferença entre a saída e entrada tenda a zero, o dispositivo é chamado um mecanismo de 'acompanhamento' ou servomecanismo. No que se segue, um 'servomecanismo' é frequentemente chamado simplesmente 'servo'."[35]

Ainda na introdução do artigo Hazen listou uma série de aplicações em que sistemas de controle são utilizados. Entre elas, mencionou: controle de velocidade de turbinas a vapor, rodas-d'água, estabilização de navios usando giroscópios, estabilização de aviões, entre outros. Não foram citados exemplos da área de telecomunicações, o que é compreensível, uma vez que o artigo de Black seria publicado no mesmo ano do artigo de Hazen (1934) e a relação entre o artigo de Nyquist, publicado em 1932, e a teoria de servomecanismos estava longe de ser óbvia. Ao final da introdução, o autor enunciou o objetivo do artigo: "apresentar uma análise das características de operação de certos tipos importantes de servomecanismos" (Hazen, 1934, p. 281).

---

[33]Mais adiante no artigo, Hazen citou o famoso artigo (Minorsky, 1922).

[34]A perda de precisão nesse caso é o resultado do carregamento.

[35]Citado de (Hazen, 1934, p. 280).

# Servomecanismos

A introdução é seguida da seção intitulada "Características gerais de servo-mecanismos", que descreve aspectos desses sistemas. A primeira parte da seção cita a diferença entre sistemas em malha aberta e fechada. É curioso constatar que a descrição da malha fechada de um servomecanismo foi descrita em detalhes ao longo de um parágrafo sem qualquer uso de um diagrama de blocos.[36] Ainda nessa seção encontra-se, em itálico, a definição de um servomecanismo:

> "Um servomecanismo pode assim ser definido como um dispositivo amplificador de potência em que o elemento amplificador, que aciona a saída, tem como entrada a diferença entre a entrada [referência] do servomecanismo e sua saída."[37]

É curioso notar que Hazen claramente distinguiu a entrada do servomecanismo (o que hoje chamamos de referência) e a entrada do elemento amplificador, que corresponde ao bloco "controlador". Em seguida, o autor apontou dois aspectos em que o servomecanismo não é ideal: ele apresenta oscilações e também atraso. Esses aspectos foram investigados na seção seguinte do artigo, que é a principal. Antes de seguir para essa seção, contudo, Hazen dividiu os servomecanismos em três categorias: liga-desliga, de tempo discreto e de tempo contínuo.

Tendo chamado atenção para esses três grupos de servomecanismos, Hazen passou à análise de cada um. Gastou nada menos que 26 páginas na análise de servomecanismos do tipo liga-desliga, usou apenas duas páginas para fazer menção a uma subclasse de servomecanimos de tempo discreto e, finalmente, usou doze páginas na análise de dispositivos com ação suave e de tempo contínuo. A seguir mencionaremos brevemente os principais pontos da análise feita para as duas classes descritas no artigo. Os títulos das próximas subseções correspondem aos títulos usados por Hazen.

## 8.4.1 Servomecanismos do tipo relé

Nessa longa seção, Hazen considerou os seguintes casos:

A. Sem zona inativa

    1. Força de atrito proporcional à velocidade (atrito viscoso)

---

[36] O que não causa estranheza, uma vez que diagramas de blocos passaram a ser usados mais de duas décadas depois da publicação do artigo de Hazen. Uma possível razão para isso é a implícita relação que existe entre o diagrama de blocos e a função de transferência, ou seja, a transformada de Laplace.

[37] Citado de (Hazen, 1934, p. 283).

222          *Sistemas realimentados: uma abordagem histórica*

    2. Força de atrito independente da velocidade (atrito de Coulomb)

B. Com zona inativa finita

    1. Força de atrito proporcional à velocidade

    2. Força de atrito independente da velocidade

C. Classes A e B com tempo morto

Nessa análise Hazen escreveu a equação diferencial do sistema em malha fechada utilizando o operador de Heaviside $p$ e observava o estado estacionário, para verificar se seria oscilatório ou não, para uma entrada em degrau, que ele denominou "entrada estacionária". Posteriormente considerou entrada em rampa, à qual se referia como "entrada de velocidade constante". Por se tratar de servomecanismos do tipo relé, o procedimento seguido foi definir um comportamento linear entre quaisquer duas transições do sistema. Com isso a análise ficou tediosa e cheia de detalhes.

A fim de encontrar a amplitude da oscilação em estado estacionário é necessário resolver a equação de movimento dada por:

$$-\tau - fp\theta = Jp^2\theta, \qquad [1] \qquad\qquad (8.1)$$

em que $\tau$ é o conjugado de acionamento, $f$ é o conjugado por unidade de velocidade angular da saída devido ao atrito, $p$ é o operador $\mathrm{d}/\mathrm{d}t$ de Heaviside (ver Seção 10.2), ou seja, $p\theta = \omega$, $\theta$ é a posição angular do servomecanismo, $J$ é o momento de inércia e em colchetes está o número que a equação recebeu no artigo original.

Considerando um atraso $t_1$ (Figura 8.6a), a Equação 8.1 no intervalo $0 < t < t_1$ torna-se

$$\tau - fp\theta = Jp^2\theta, \qquad [7] \qquad\qquad (8.2)$$

uma vez que o conjugado nesse intervalo ainda é positivo. Contudo, no intervalo $t_1 < t < t_3$, a equação de movimento ainda é dada por (8.1). As condições de contorno em $t = 0$ em estado estacionário são: $t = 0$, $p\theta = \omega = \omega_0$ e $\theta = 0$. E para $t = t_2$ tem-se: $t = t_2$, $\omega = \omega_2$ e $\theta = 0$, sendo que em estado estacionário $\omega_2 = -\omega_0$.

Como as equações (8.1) e (8.2) são ambas válidas para a condição de contorno $t = t_1$, Hazen integrou ambas as equações usando as condições de contorno pata $t = 0$ e $t = t_2$, e igualou as respectivas soluções para o ponto comum $t = t_1$. Depois de alguma manipulação algébrica, não mostrada no artigo, chegou à expressão:

$$a^2(1 - \Omega_0)e^{2\Omega_0} - 2a + (1 - \Omega_0) = 0, \qquad\qquad (8.3)$$

em que $a = e^{t_1/T}$, $\Omega_0 = \omega_0/\omega_s$, $\omega_s = \tau/f$ e $T = J/f$. A Equação 8.3 permite fazer o gráfico (Figura 8.6b) da relação normalizada entre a frequência da oscilação da saída em estado estacionário, $\omega_0$ em função do atraso $t_1$, sendo $T$ a constante de tempo. Como pode ser observado pela Figura 8.6, quanto maior for o atraso, tanto maior será a frequência da oscilação.

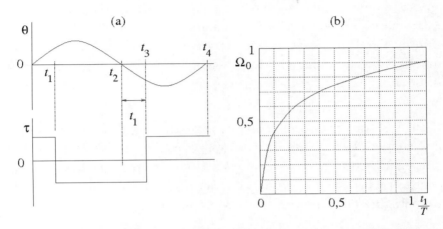

**Figura 8.6.** (a) Gráficos de posição angular, saída do servomecanismo, $\theta$, e conjugado de acionamento, $\tau$; (b) gráfico da amplitude das oscilações em estado estacionário em função do atraso. As grandezas são normalizadas: $\Omega_0 = \omega_0/\omega_s$ e $t_1/T$ e correspondem ao caso A1.

Hazen prosseguiu analisando os demais casos (A2, B1, B2 e C) para servomecanismos do tipo relé. Essencialmente seu procedimento foi o mesmo delineado acima. Na classe C, Hazen, que havia usado o termo tempo morto (*time delay*), passou a considerar o atraso devido à dinâmica (*time lag*). O uso inconsistente de nomenclatura é evidente, e compreensível. A análise nessa parte do artigo é meramente qualitativa. A preocupação de Hazen com o tempo morto, ou atraso de transporte, não deve causar surpresa. Bateman chama atenção para o fato de que, ao final do século XIX,[38] o tempo morto já era reconhecido como uma das principais causas de oscilações em sistemas realimentados (Bateman, 1945, p. 618). Como será visto na Seção 11.2.4, Nicolas Minorsky, em seu famoso artigo de 1922, também dedicou atenção ao efeito do tempo morto sobre o desempenho de sistemas de controle.

---

[38] Ver, por exemplo, Swinburne, J., The hunting of governed engines, *Engineering*, 58:247, 1894.

## 8.4.2 Servomecanismos de controle contínuo

Apesar do grande esforço e espaço dedicados à análise de servomecanismos do tipo relé, é possível perceber no autor especial interesse nos servomecanismos de controle contínuo, como revelam as seguintes palavras:

> "A classe de controle contínuo é interessante por outra razão. Graças à sua natureza, as forças que atuam sobre essa classe de servomecanismos podem ser facilmente expressas como funções matemáticas da posição e velocidade. Consequentemente, uma análise detalhada desse servo é mais facilmente conseguida do que para as duas classes anteriores.

> "Com essa discussão preliminar, voltamos atenção para um estudo matemático do primeiro caso em que o conjugado acionante é uma função linear do erro com respeito à entrada [referência]. São derivadas expressões para o comportamento transiente e em estado estacionário e uma figura de mérito é desenvolvida para tal servo."[39]

O artigo segue com uma subseção intitulada "Conjugado de acionamento proporcional ao desvio", que corresponde a uma lei de controle puramente proporcional. Para o servomecanismo em questão, Hazen escreveu a equação do movimento:

$$k(\theta_i - \theta_o) - fp\theta_o = Jp^2\theta_o, \qquad [75] \tag{8.4}$$

em que $k$ é uma constante, $\theta_i$ é o ângulo de entrada, ou seja, a referência de posição angular, $\theta_o$ é o ângulo de saída, ou seja, a posição do servo. A ação de controle puramente proporcional pode ser claramente reconhecida como a primeira parcela do lado esquerdo da Equação 8.4. A seguir definiu o erro de posição angular $\theta = (\theta_i - \theta_o)$ e escreveu:[40]

$$\theta = \frac{f + Jp}{k + fp + Jp^2}p\theta_i. \qquad [77] \tag{8.5}$$

Não é difícil ver de (8.5) que para sinais de referência constantes $p\theta_i = 0$ e, portanto, o erro de posição em estado estacionário é nulo. É curioso observar que no desenvolvimento de Hazen não há qualquer menção aos conceitos de resposta em frequência nem de função de transferência.

---

[39]Citado de (Hazen, 1934, pp. 315–316).

[40]Escrever uma equação para a *dinâmica de erro* é hoje um procedimento comum em várias áreas do controle automático.

# Servomecanismos

A seguir o autor obteve o erro de posição para uma entrada em rampa *de posição* como:

$$\theta = \frac{p + f/J}{p^2 + (f/J)p + k/J}\omega_1 \mathbf{1}, \qquad [79] \qquad (8.6)$$

em que a entrada em degrau *de velocidade* foi representada por $\omega_1 \mathbf{1}$, utilizando a nomenclatura do cálculo operacional de Heaviside (ver Equação 10.17). A expressão no tempo para o erro de posição foi obtida por decomposição em frações parciais – mas sem qualquer menção a esse termo nem aos teoremas de Heaviside de onde foram derivados (ver Seção 10.2.1) – seguida de consulta a tabela de "fórmulas operacionais":[41]

$$\theta = \omega_1 \left[ \frac{2}{\alpha} - \left( t + \frac{2}{\alpha}e^{\alpha t} \right) \right], \qquad (8.7)$$

em que $\alpha = 1/T$ é o inverso da constante de tempo. A seguir foi mostrada uma figura de respostas ao degrau de velocidade em termos do parâmetro normalizado

$$\gamma^2 = \frac{f^2}{4Jk}, \qquad [92] \qquad (8.8)$$

que chamou de *quociente de amortecimento relativo*. Essa é uma das primeiras menções ao parâmetro que hoje é chamado de quociente de amortecimento e é indicado por $\zeta$.[42] A seguir Hazen definiu a condição de amortecimento crítico como sendo $\gamma^2 = 1$, que equivale, em nomenclatura atual, a $\zeta = 1$.

Na sequência, Hazen definiu a figura de mérito:

$$M = \frac{\omega_m^2}{\theta_m}, \qquad [95] \qquad (8.9)$$

em que $\theta_m$ é o erro de posição em estado estacionário para a maior velocidade atingível $\omega_m$. Hazen concluiu a subseção reescrevendo $M$ em termos dos parâmetros do servomecanismo e argumentou que a expressão resultante poderia ser utilizada em projeto.

Essa seção do artigo termina com uma subseção intitulada "Conjugado de acionamento proporcional ao desvio e suas primeiras duas derivadas". A sequência de análise seguida pelo autor é análoga àquela seguida na subseção anterior. O

---

[41]Aqui Hazen citou o livro de Vannevar Bush, que em seu apêndice apresenta uma tabela com os "pares de transformadas". Bush, V., *Operational Circuit Analysis*, John Willey and Sons, 1929. Nesse livro, Bush formalizou matematicamente algumas ideias de Carson (Mindell, 2002, p. 145).

[42]A primeira vez que os parâmetros $\zeta$ e $\omega_n$ foram usados foi em artigo de autoria de Draper e Smith, *Trans. A.S.M.E.*, 62(5), 1940, segundo (Porter, 1950, p. 32).

artigo conclui com duas curtas seções: uma sobre análogos elétricos e outra sobre análise de outros servomecanismos. Nos agradecimentos, menção especial é feita "ao Dr. V. Bush, que sugeriu a natureza e escopo deste estudo e que revisou o manuscrito criticamente" (Hazen, 1934, p. 329).

### 8.4.3 Harold Hazen

Harold Locke Hazen (1901–1980) foi um engenheiro eletricista americano (Figura 8.7). Tendo-se graduado em Engenharia Elétrica pelo MIT em 1924, foi convidado a fazer pós-graduação por seu orientador de monografia de fim de curso, Vannevar Bush (ver Nota 9), mas decidiu ir para a G.E., onde trabalhou no setor dirigido por Robert E. Doherty, amigo de Bush. Em 1925 Hazen voltou para o MIT como assistente de pesquisa e, posteriormente, ingressou como aluno de mestrado. Em 1927 publicou um livro em coautoria com Vannevar Bush sobre o *integraph*.[43]

Em 5 de setembro de 1928 casou-se com Katherine Pharis Salisbury. Defendeu sua dissertação em 1929, em que, à semelhança da sua monografia de graduação, abordava o problema de análise da rede elétrica por meio de modelos reduzidos. Na sua dissertação, em colaboração com a G.E., Hazen construiu um "modelo reduzido" mais versátil: o analisador de rede.

**Figura 8.7.** Harold Locke Hazen (1901–1980). Cortesia do MIT Museum.

---

[43]Bush, V.; Hazen, H. L., *Integraph solution of differential equations*, Volume 63; Volume 68 of Bulletin, Massachusetts Institute of Technology, Cambridge, Mass., 1927.

Em 1931 defendeu a tese intitulada *"The Extension of Engineering Analysis through Reduction of Computational Limits by Mechanical Means"*. Após concluir o doutorado, foi admitido como professor no MIT. Junto com um de seus alunos, Gordon Brown – originalmente da Austrália –, projetou um seguidor de curvas automático, que usava fotocélulas para reconhecer uma função impressa em uma folha de papel móvel. Isso permitiu automatizar o procedimento de entrada de dados para o analisador diferencial. Esse novo dispositivo, claramente reconhecido como um servoposicionador, foi apresentado em exposição internacional na cidade de Chicago em 1932-33.

Por volta de 1934 Hazen havia construído um servomecanismo elétrico que poderia ser aplicado a uma grande variedade de máquinas analógicas. Por esse feito, recebeu em 1935 a Medalha Louis E. Levy do Instituto Franklin (Figura 8.8).[44]

Em 1948 recebeu o Certificado de Mérito do Presidente, que lhe foi concedido pelo presidente americano Harry S. Truman. Junto com seu aluno Gordon Brown, recebeu a Medalha Rufus Oldenburger em 1977.[45]

**Figura 8.8.** À esquerda, Harold Hazen assentado operando o *network analyzer* em 1932, cortesia do MIT Museum; à direita, medalha do Instituto Franklin. Fonte (Brown, 1981).

---

[44] Antes de Hazen, Bush havia recebido tal medalha em 1928.
[45] Essa medalha, instituída em 1968 em homenagem a Rufus Oldenburger pela Sociedade Americana de Engenheiros Mecânicos (ASME), é conferida a pessoas com contribuição reconhecida na área de controle automático. Algumas das pessoas que foram agraciadas com essa medalha antes de Hazen são: Nathaniel Nichols (1969), John Ragazzini (1970), Clesson Mason (1973), Hendrik Bode e Harry Nyquist (1975) e Rudolf Kalman (1976).

# 8.5 O método do lugar das raízes

Este é provavelmente um dos poucos temas abordados neste volume cujo desenvolvimento ocorreu após o encerramento da Segunda Guerra Mundial.

Voltemos a considerar o sistema realimentado mostrado na Figura 8.1. Para facilitar a discussão, imaginemos que a lei de controle seja simplesmente um ganho $K$ e que o sistema seja representado pela função de transferência $G(s)$. Indicando a transformada de Laplace da variável controlada (saída) e da referência por $C(s)$ e $R(s)$, respectivamente, a função de transferência de malha fechada é dada por

$$\frac{C(s)}{R(s)} = \frac{KG(s)}{1 + KG(s)}. \tag{8.10}$$

A equação (vide denominador de 8.10) $1 + KG(s) = 0$ é a equação característica do sistema realimentado. As raízes dessa equação são, portanto, os polos do sistema em malha fechada e determinam a estabilidade do sistema. Além disso, o desempenho dinâmico e em estado estacionário é fortemente influenciado por tais polos. Uma das vantagens e desafios da realimentação é que, ao fechar a malha, a localização de tais polos passa a depender do ganho $K$. De fato, os polos passam a depender de todos os parâmetros de $KG(s)$. Dada a importância dos polos para o desempenho da malha fechada, é muito conveniente saber como o valor de $K$ afeta a sua localização. Um método gráfico que mostra o lugar geométrico ocupado pelos polos de malha fechada à medida que $K$ varia de zero a infinito foi proposto por Walter Evans em 1950 e desde então tornou-se uma importante ferramenta na análise e projeto de sistemas de controle no domínio das transformadas (de Laplace e $Z$). Praticamente todo livro-texto do assim chamado "controle clássico" descreve o *método do lugar das raízes*.

## 8.5.1 Síntese de controladores pelo método do lugar das raízes

O título desta subseção corresponde ao do artigo de Evans no qual propôs o método do lugar das raízes (Evans, 1950). O trabalho foi originalmente submetido em 15 de novembro de 1948 para o evento *AIEE Winter General Meeting*.

Evans considerou um sistema com função de transferência de ramo direto $K_\mu G_\mu(s)$ e função de transferência de realimentação igual a $K_\beta G_\beta(s)$. O uso de $\mu$ para indicar grandezas do ramo direto e de $\beta$ para o ramo indireto é uma clara influência de Black (ver Figura 6.7), apesar de não ser citado no artigo. Assim, a função de tranferência de malha aberta usada por Evans na apresentação de seu método foi:

$$K_\mu G_\mu(s) K_\beta G_\beta(s) = \frac{K(1/T_2 + s)T_2[\sigma_3^2 + \omega_3^2]}{s(1/T_1 + 2)T_1[(s + \sigma_3 + j\omega_3)(s + \sigma_3 - j\omega_3)]}, \tag{6}$$

# Servomecanismos

sendo que o número entre colchetes indica o número da equação no artigo original. Uma curiosidade no artigo de Evans é que ele indicava os polos com círculos e os zeros com cruzes, o contrário do que se tornou convencional. Em seu livro, publicado quatro anos anos mais tarde, ele indicou os zeros por círculos e os polos por cruzes.

Na sequência, o autor enunciou o que reconhecemos ser a definição do lugar das raízes:

> "... Então pode-se considerar o primeiro problema de encontrar o lugar geométrico dos valores [de $s$] para os quais a condição de ângulo é satisfeita."[46]

A condição de ganho foi mencionada um parágrafo depois:

> "Após determinar o lugar das raízes, devemos considerar a segunda condição para uma raíz, ou seja, a magnitude de $K_\mu G_\mu(s) K_\beta G_\beta(s)$ deve ser unitária."[47]

Ao contrário do que se encontra nos livros-texto, Evans não propôs nenhuma das "regras" para o traçado do lugar das raízes. Ele normalmente se referia a escolher um ponto teste e verificar a condição de ângulo.[48]

O artigo, que não é longo,[49] prossegue com um exemplo de sistema de laço simples, um com dois laços, um interno ao outro. Na seção antes das conclusões,

---

[46]Citado de (Evans, 1950, p. 67).

[47]Citado de (Evans, 1950, p. 67).

[48]Evans fez uso extensivo do procedimento gráfico de conectar polos e zeros ao ponto teste e medir comprimentos e ângulos dos respectivos vetores. Um procedimento aparentemente preliminar a esse foi detalhado em um outro artigo de sua autoria, publicado em 1948, em que ele atribui esse conceito a Paul Profos, da Suíça. Os respectivos artigos são: W. R. Evans, "Graphical analysis of control systems", *AIEE Transactions*, 67:547–551, 1948. P. Profos, "A new method for the treatment of regulation problems", *Sulzer Technical Review*, number 2, 1945, New York. O método gráfico usualmente utilizado pode ser visto na Figura 2 em (Evans, 1950).

[49]Em um texto provavelmente escrito pelo filho Greg Evans, conta-se que a versão original do artigo havia sido rejeitada no ano anterior, com a alegação de que era muito longo. A segunda versão, submetida em 1948, era, portanto, mais curta. Walter Evans chegou a esboçar uma "carta de protesto" pelo inaceitavelmente longo tempo de revisão para quem ele julgava ser o responsável pela demora: o Prof. Gordon S. Brown, fundador e diretor do laboratório de servomecanismos do MIT. Em vez de mandar a "versão protesto", Evans reescreveu a carta em um tom mais leve, mas irônico, e terminou com algo que soou como uma ameaça: "... a alternativa óbvia é submeter o artigo a uma outra organização". A resposta de Brown a essa carta, segundo Greg Evans, foi profissional e elegante. Dentre os seis pontos enumerados, o de número quatro dizia: "Por favor, lembre-se que aqueles que levam a sério a tarefa de revisão

Evans mencionou um dispositivo que é útil no traçado do lugar das raízes: a espírula.[50]

Algumas regras para o traçado do lugar das raízes foram apresentadas por Evans em seu livro (Evans, 1954, Apêndice B), onde também fornece detalhes do uso da *espírula* (ver Figura 8.9) para o traçado do lugar das raízes (Apêndice C). Fatos envolvendo a publicação do livro foram revelados pelo seu filho Gregory Evans (Evans, 2004). Por ser instrutivo, alguns desses fatos serão mencionados na próxima seção.

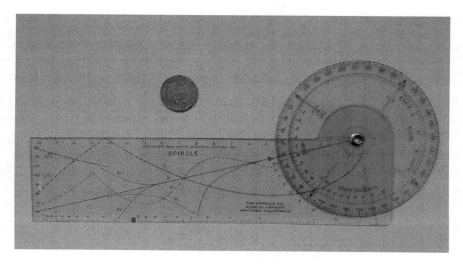

**Figura 8.9.** Espírula inventada por Walter Evans. Estima-se que mais de 100 mil dispositivos como o mostrado na foto foram postados não apenas para todos os estados dos EUA, mas para 75 países mundo afora (Evans, 2016b).

---

gastam muito tempo no interesse pela reputação profissional do autor e tal trabalho é puramente voluntário e faz parte do código de ética profissional". Essa resposta provocou em Evans um misto de contrição e raiva. Apressadamente respondeu de maneira um pouco menos irônica, mas certamente mais amarga. Quando terminou de escrever a carta era noite e deixou-a de lado. No dia seguinte, Evans foi encontrar-se com John Moore, que havia tido a oportunidade de conversar com Brown sobre o artigo. No encontro Evans soube que Brown chegara a revisar o artigo pessoalmente e que havia considerado reescrevê-lo, como forma de ajudar Evans. Essa informação desarmou o jovem pesquisador de tal forma que ele postou imediatamente uma carta para Brown, desculpando-se pela sua reação e assegurando-lhe de sua resoluta determinação de levar o processo de revisão até o fim. O artigo seria aceito poucos meses depois e publicado em 1950, três anos depois de submetido.

[50]Do inglês *spirule*, que é a fusão de *spiral* e *slide rule*.

## 8.5.2 Dinâmica de sistemas de controle

O método do lugar das raízes teve rápida aceitação, uma vez publicado. Walter Evans entendeu que surgiria a necessidade de um livro-texto que descrevesse o novo método.[51] Quando Evans concebeu seu livro, imaginou escrevê-lo de maneira a enfatizar os aspectos físicos, em vez de "formalismos matemáticos" (Evans, 2004, p. 74).

Esse propósito de Evans foi claramente declarado na resposta que deu, em agosto de 1949, ao convite da McGraw-Hill de publicar um livro na série *Electrical and Electronic Engineering*:

> "O principal propósito do livro é demonstrar o método do lugar das raízes... Se o livro puder se tornar tão competitivo quanto o método em si, estou certo de que vocês como editores e eu como autor estaremos muito satisfeitos. Mas há um risco envolvido para cada um de nós: os livros que enfatizam os aspectos físicos de um assunto são minoria comparados àqueles em que a matemática domina. Tendo lecionado cursos avançados na General Electric, e cursos de graduação na University of Washington, estou pessoalmente convencido de que os próprios estudantes desejam os aspectos físicos."[52]

Assim, em 1 de novembro de 1949, Evans e McGraw-Hill assinaram um acordo, indicando a intenção mútua de publicarem o livro *Control-System Dynamics*.

Aproximadamente um ano depois, Evans tinha um esboço do livro e prometeu uma versão completa para março de 1951, o que ocorreu. No meio do segundo semestre de 1951, o manuscrito já havia sido revisado e havia algumas críticas. Entre elas, questionava-se por que Evans evitava o uso da transformada de Laplace ao falar de funções de transferência. Evans defendeu suas razões, que foram aceitas pelo editor ao fim de 1951. Outras questões e detalhes de nomenclatura, contudo, ainda precisavam ser modificados. No período dois anos desde o acordo firmado sobre a intenção de publicação, vários outros autores escreveram para Evans solicitando permissão para incluir detalhes do método do lugar das raízes

---

[51] Com respeito a isso há dois aspectos interessantes a ressaltar. Em primeiro lugar, praticamente todo livro-texto sobre controle clássico publicado depois do livro de Evans apresenta e discute o método. Em segundo, e mais curioso, é que o livro (Thaler and Brown, 1953, Cap. 14), publicado antes do livro de Evans, dedica um capítulo inteiro ao método (Aguirre, 2015b). Isso indica a rápida aceitação do método. Deve ser notado também que Gordon S. Brown, um dos autores do livro, era editor da revista em que Evans publicou, não sem muita dificuldade, seu artigo sobre o método (ver Nota 49 deste capítulo).

[52] Citado em (Evans, 2004, p. 76).

em seus respectivos manuscritos. Evans concedeu a permissão em todos os casos, mas preocupava-se com a concorrência. Qual seria então o grande diferencial de seu livro? Percebendo a utilidade da *espírula*, e referindo-se a ela em vários pontos do seu manuscrito, Evans sugeriu à McGraw-Hill incluir o dispositivo junto ao livro. Essa discussão foi levantada mais de uma vez, com recomendações positivas e negativas, estas alegando aumento de custo na produção do livro. Por fim, em reunião ocorrida em dezembro de 1951, ficou decidido que a *espírula* seria vendida à parte pelo próprio Evans. Pressionados pelo grande número de livros sobre o mesmo tema publicados ou no prelo, havia grande pressão sobre a editora e o autor. Todos almejavam uma publicação no início de 1953.

Em abril de 1952, Evans entregou o manuscrito com as correções solicitadas. Paralelamente a isso, ele começou a vender *espírulas*. Tendo esgotado as primeiras quinhentas unidades, Evans formou a Spirule Company. Na primeira semana de junho, Evans recebeu um comentário bastante crítico de um revisor da McGraw-Hill. Em essência, o revisor entendeu que o manuscrito não fora escrito em uma perspectiva adequada. Isso foi um balde de água fria para Evans, que sabia que seu livro não mais estaria disponível em 1953. Em novembro, Evans recebeu o manuscrito com correções a serem implementadas e com a indicação de trechos a serem reescritos. A nova versão do manuscrito foi reenviada à editora em 6 de fevereiro de 1953, mas algumas das estruturas de linguagem usadas ainda não eram do agrado da editora, que propôs a Evans que dividisse as despesas com a contratação de um profissional para revisar o texto. Finalmente, em 19 de fevereiro de 1954, a McGraw-Hill informou a Evans que o manuscrito havia ido para a gráfica. A primeira tiragem de 2.500 exemplares saiu ao final de setembro e em novembro desse ano já havia a perspectiva de uma segunda impressão.

Infelizmente para Evans, as vendas do livro começaram a cair rapidamente. Desde o lançamento até 1957 foram vendidos 5 mil exemplares, bem menos do que o de muitos outros livros sobre o mesmo tema. Por outro lado, a venda de *espírulas* continuou expressiva, sendo que, de 1950 a 1980, mais de 100 mil espírulas foram vendidas nos Estados Unidos e no exterior.[53]

---

[53]Em seu artigo, Gregory Evans sente a necessidade de apresentar uma justificativa para o fato de o livro não ter vendido o quanto se esperava. A justificativa apresentada é que havia muitos outros livros, alguns deles com mais detalhes sobre o método do que o próprio livro do pai (Evans, 2004). Enquanto tudo isso é verdade, é inegável que o estilo da escrita e a forma de Evans expor o assunto não é dos mais elegantes, nem dos mais fáceis de acompanhar. Uma possível razão para isso é que, ao tentar explicar os "aspectos físicos", a discussão fica muito específica e cheia de detalhes *ad hoc*. De fato, esse livro é um bom exemplo de que, em alguns casos – como a teoria de controle –, uma abordagem mais *abstrata*, ao contrário do que alguns – como Evans – acreditam, é a maneira mais elegante, mais geral e mais eficaz de abordar o tema.

### 8.5.3 Walter Evans

Walter Richard Evans (1920–1999) foi um engenheiro eletricista americano (Figura 8.10) que ficou conhecido pela concepção do método do lugar das raízes. Obteve o grau de Bacharel em Engenharia Elétrica da Universidade de Washington em 1941. Concluiu uma especialização de três anos na General Electric Company em 1944 e obteve o grau de mestre em Engenharia Elétrica da Universidade da Califórnia em Los Angeles em 1951. Trabalhou como instrutor na Universidade de Washington e em outras instituições como a General Electric Company.[54] Trabalhou na então North American Aviation (agora Rockwell International), onde desenvolveu o método do lugar das raízes, que era usado para o projeto de pilotos automáticos para aeronaves de alto desempenho e para mísseis.

**Figura 8.10.** Retrato de Walter Richard Evans (1920–1999) tirado no mesmo ano em que publicou a referência (Evans, 1950).

Casou-se com Arline Pillisch em 11 de abril de 1942 e tiveram quatro filhos. Recebeu a Medalha Rufus Oldenburger, da Sociedade Americana de Engenheiros

---

[54] Reproduzo a seguir um trecho de carta enviada por Walter Evans em 1965 para o professor Roy Glasgow no dia em que este se aposentou. As palavras de Evans revelam que ele tinha mesmo a visão de um professor: "Pensando nos meus quatro filhos, parece-me que a maior parte do aprendizado ocorre durante o estudo pessoal e a resolução de problemas, com muita realimentação positiva nessa malha. A função do mestre é colocar pressão nos preguiçosos, inspirar os entediados, desinflar os convencidos, encorajar os tímidos, detectar e corrigir falhas individuais e alargar o ponto de vista de todos. Este ofício parece com o de um instrutor que lança mão de todo o arcabouço da psicologia a fim de tirar do banco cada nova turma de recrutas e colocá-los no jogo". Citado em (Evans, 2016a).

234         *Sistemas realimentados: uma abordagem histórica*

Mecânicos, em 1987, em reconhecimento pelas suas "conquistas na área de controle automático, inclusive o desenvolvimento do método do lugar das raízes, a espírula e seu livro Dinâmica de Sistemas de Controle", e o Richard E. Bellman Control Heritage Award, do Conselho Americano de Controle Automático em 1988.

## 8.6 Outras iniciativas

A história do desenvolvimento de servomecanismos conforme normalmente abordada é interessante e razoavelmente consistente, mas não há dúvida de que é fortemente influenciada por desenvolvimentos nos Estados Unidos, conforme visto até este ponto no capítulo. O objetivo da presente seção é mencionar outras iniciativas pioneiras no desenvolvimento de servomecanismos. Apesar de o acesso a outras fontes ser difícil e às vezes escasso, é interessante registrar que até mesmo no século XIX já havia soluções de sistemas realimentados que funcionavam como servomecanismos.

A partir da década de 1870 na Rússia, surgiram várias demandas, especialmente militares, de soluções tecnológicas que envolviam servomecanismos. Os seguintes trechos do livro de Khramoi são instrutivos:

> "Não deve ser esquecido que um amplificador de potência, que incorporava um motor elétrico, que é um elemento essencial da automação moderna, foi inventado e utilizado por V. N. Chikolev[55] em 1874. Esse sistema iniciou uma nova classe de reguladores, os servomecanismos, que são de enorme importância na engenharia moderna."[56]

> "Elementos e partes individuais de sistemas servomecanimos modernos [1956] do notável inventor russo A. P. Davydov[57] podem ser encontrados nos equipamentos automáticos de artilharia. Em 1877 seu equipamento para disparo automático foi aceito para equipar os navios que navegavam no Mar Báltico e Mar Negro. Tais equipamentos permitiam o disparo simultâneo de vários canhões apontados a alvos móveis. Davydov também desenvolveu equipamento para disparo automático de canhões instalados em fortes.

---

[55]Vladimir Nikolaevich Chikolev (1845–1898) foi um destacado engenheiro eletricista russo. Fundou a automação baseada em máquinas elétricas e inventou diversos reguladores elétricos (Khramoi, 1969, p. 214).

[56]Citado de (Khramoi, 1969, p. 168).

[57]Aleksei Pavlovich Davydov (1826–1904) foi um talentoso inventor russo. Inventou diversos dispositivos elétricos para minas navais e disparo automático de canhões (Khramoi, 1969, p. 214).

*Servomecanismos* 235

"Seu sistema, aplicado aos canhões navais, incluía diversos dispositivos para monitoramento, predição e disparo.

"Praticamente nenhum diagrama, descrição ou desenho desses sistemas pode ser encontrado até o presente [1956]. Contudo, as descrições incompletas e fragmentárias encontradas em vários documentos e publicações nos permitem fazer essa descrição com confiança."[58]

## 8.7 Considerações finais

O principal aspecto de interesse neste capítulo foi a gênesis da prática e teoria de servomecanismos e, posteriormente, seu projeto pelo método do lugar das raízes. Como foi visto, esse início – ao menos um deles, pois podem haver existido outras iniciativas independentes – está intimamente relacionado ao problema do estudo de estabilidade do sistema elétrico de potência, o qual demandou novos equipamentos para realizar os estudos "computacionais" correspondentes. Foi na construção de tais equipamentos que os servomotores foram usados para prover a amplificação de potência que garantiria a precisão necessária.

Um aspecto secundário, mas que do ponto de vista da engenharia e da ciência é tão relevante quanto os servomecanismos, foi o desenvolvimento de sistemas de computação analógica. Nesse particular citam-se as palavras de Mindell:

"A história da computação como contada na atualidade tende a apresentar a computação analógica como inquestionavelmente inferior, um mero predecessor da revolução digital. Em contraste, Bush e seus colegas, mergulhados na cultura de sistemas elétricos de potência, viam a computação analógica como um avanço comparado ao que chamavam de computação 'numérica' (que manipulava símbolos, em vez de análogos físicos), e não como precursora. Eles estavam cientes do processamento numérico baseado em cartões perfurados, usados em outras áreas. Mas os engenheiros que estudavam sistemas de potência, até mesmo seus transientes, habitavam um mundo contínuo e suave. Seu alvo era construir máquinas que também funcionassem de modo suave, sem as confusas descontinuidades da computação numérica. De fato, para os engenheiros do MIT, a natureza contínua da máquina era uma inegável inovação sobre sobre os métodos numéricos usados em máquinas de escritório. Bush, Gage e Stewart escreveram que, enquanto

---

[58]Citado de (Khramoi, 1969, p. 134).

236  *Sistemas realimentados: uma abordagem histórica*

a prática e equipamentos usados em escritório dependiam de números, a 'física experimental e, de fato, muitos outros ramos da ciência frequentemente devem lidar (...) com funções completas e usualmente lançam mão de algarismos somente como uma maneira laboriosa de lidar com as funções ou com as curvas que as representam' (...)

"Para Hazen, a computação numérica não era apenas 'custosa de aplicar em problemas complexos', mas também era deselegante, desnecessariamente complicada e afastava-se da intuição física que tornava o procedimento analógico tão valioso. Hazen escreveu que métodos numéricos tinham 'uma cansativa artificialidade para os que pensam em termos físicos'. Em contraste, a computação analógica realçava a conexão entre máquina e mundo, sem a intervenção da matemática em estágios intermediários."[59]

George Thaler compilou um conjunto de artigos considerados "clássicos" na área de teoria de controle linear (Thaler, 1974). São, ao todo, 21 artigos divididos em cinco grupos. O primeiro grupo, denominado *pedras angulares e alicerces*, consiste de três artigos: (Maxwell, 1868), (Minorsky, 1922) e (Hazen, 1934). Ao apresentar esse grupo, o editor escreveu: "um grupo de três artigos – por Maxwell, Minorsky e Hazen – que são os únicos primeiros artigos de grande importância" (Thaler, 1974, p. 4). Em particular, com relação ao trabalho de Hazen, foi escrito:

"O artigo 3, por Hazen, é o primeiro e definitivo artigo sobre controle realimentado. Marca o início de uma era – não somente por ter reconhecido que a tecnologia havia avançado ao ponto em que 'servomecanismos' eram indispensáveis e de importância crescente, mas também por ter feito várias definições e análises matemáticas amplas que lançaram os alicerces para o desenvolvimento da teoria de controle."[60]

Apesar da importância histórica do artigo de Hazen, o próprio trabalho revela uma série de limitações na abrangência da concepção da área por parte do autor, conforme observado nas seguintes palavras:

"Apesar de suas conquistas, hesitamos em ver o artigo de Hazen publicado em 1934 como um grandioso gesto de unificação. Mesmo em face de todo seu *insight* sobre problemas de servomecanismo, computação

---

[59] Citado de (Mindell, 2002, pp. 162-163).
[60] Citado de (Thaler, 1974, pp. 4–5).

# Servomecanismos

e análogos físicos, Harold Hazen nunca deu o salto em direção às representações digitais, nem à eletrônica. A análise de Hazen do estado transiente foi realizado no domínio do tempo,[61] legado esse recebido da área de sistemas de potência, e não se aventurou no domínio de frequência, tão familiar aos engenheiros de telefonia. As limitações na visão de Hazen revelam o estado incipiente em que se encontrava a teoria de sistemas realimentados na década de 1930."[62]

Além dessas observações, Mindell constatou que o artigo de Hazen não apresentava qualquer diagrama que indicasse realimentação negativa e que a palavra *realimentação* nem sequer é utilizada no artigo. Isso não é considerado um descuido, mas um reflexo do fato de Hazen *não* considerar um servomecanismo um sistema realimentado, mas simplesmente um amplificador de potência em "malha aberta", sendo que a entrada é um sinal de erro (Mindell, 2002, p. 169). Com respeito a isso Bennett comentou:

> "Ao contrário de Black, Hazen não precisava pensar em termos de realimentação, pois ele procurava ajustar automaticamente um sistema de detecção de nulo e, portanto, um laço de realimentação estava implícito. Contudo ele constatou a necessidade do amortecimento e determinou quanto de amortecimento era necessário para alcançar a resposta desejada. O trabalho de Hazen marca a mudança de ênfase de sistemas a relê para sistemas de controle contínuo, e as origens de métodos de projeto de sistemas de controle com especificações de resposta."[63]

Por essa razão, o próprio Hazen, que conhecia os trabalhos de Nyquist e Bode, não conectou os resultados desenvolvidos na Bell Labs com os seus, por considerar aqueles específicos à teoria de redes de comunicação. Coube a um aluno do MIT, John Taplin, observar sobre os trabalhos de Black, Nyquist e Hazen: "[os autores] estavam estudando as mesmas coisas, mas usando nomes diferentes" (Mindell, 2002, p. 169). Essas observações refletem o estado incipiente em que se encontrava a teoria de controle no período que antecedeu a Segunda Guerra Mundial, durante a qual houve importantes desenvolvimentos no sentido de unificar as diversas visões que havia sobre o tema.

---

[61] Apesar disso, Hazen fez uso do cálculo operacional de Heaviside, que, mesmo sendo uma ferramenta pertencente ao domínio do tempo, pode ser visto como um estágio de transição entre a análise no domínio do tempo e o domínio da frequência.

[62] Citado de (Mindell, 2002, p. 168).

[63] Citado de (Bennett, 1985, pp. 1007–1008).

238 *Sistemas realimentados: uma abordagem histórica*

Com o aumento da velocidade de navios e aviões, a marinha dos Estados Unidos logo reconheceu a importância do trabalho de Hazen. Portanto, em 1936, solicitou ao chefe do Departamento de Engenharia Elétrica – Vannevar Bush – um curso sobre esse tema. O curso seria ministrado por Bush, com a assistência de Hazen e outro colega. Contudo, em 1938, Bush deixou o MIT para tornar-se presidente do Instituto Carnegie, em Washington, DC, e a responsabilidade de ministrar o curso ficou com Hazen. Ainda que ele desejasse fazê-lo, Hazen assumiu a chefia do Departamento de Engenharia Elétrica no lugar de Bush e não conseguiu ministrar o curso para a Marinha. Essa atribuição ficou para Gordon Brown, que acabara de concluir o doutorado, e que contou com a ajuda de três pessoas, entre as quais estava A. C. Hall (Bennett, 1985, p. 1008). "O curso começou em 1939 com a matrícula de quatro tenentes (todos eles se tornariam almirantes) e, conduzidos por Brown, esses alunos estudaram em grande detalhe os artigos de Hazen e de Minorsky" (Bennett, 1993, p. 111). O artigo de Hazen foi descrito na Seção 8.4 e o de Minorsky será descrito na Seção 11.2. Em homenagem póstuma a Hazen, Brown fez menção a esse curso

> "Posteriormente, ele [Hazen] me deu a oportunidade de explorar tudo o que ele havia criado na área de servomecanismos e controle (...) Por essa manifestação de confiança em mim, pela disposição em ajudar sempre que necessário, e pelo sacrifício que fez de abrir mão da satisfação de ministrar um curso que ele teria amado lecionar, sou eternamente grato."[64]

A história da luta de Evans para publicar o artigo sobre o método do lugar das raízes (Evans, 1950) e, posteriormente, seu livro (Evans, 1954) é um exemplo de persistência. Mas outras lições podem e devem ser aprendidas dessa história. Possivelmente a mais óbvia é que a facilidade (ou dificuldade) encontrada para se publicar um trabalho não necessariamente decorre da sua qualidade conceitual ou de suas potencialidades. Além disso, não é novidade que novas ideias e métodos sempre encontram maior resistência. Uma leitura atenta, especialmente das entrelinhas, da história envolvendo a publicação mencionadas, revela que os escritos de Evans não "fluíam" facilmente, ao contrário, seu estilo e maneira de apresentar novos conceitos eram possivelmente mais intrincados que o desejável. A despeito disso, o método do lugar das raízes consagrou-se e continua sendo uma ferramenta extremamente útil para entender propriedades de sistemas realimentados, apesar

---

[64]Citado em (Bennett, 1985, p. 1008) de Brown, G. S. Address at the Harold L. Hazen Memorial Service, 25 Feb. 1980.

de haver situações de especial dificuldade (Monteiro and da Cruz, 2008). Vários outros trabalhos surgiram que discutem formas alternativas de traçar o lugar das raízes (Spencer et al., 2001; Teixeira et al., 2004).

# Capítulo 9

# Análise no domínio de frequência

"O estudo profundo da natureza é a fonte mais rica de descobertas matemáticas".

Jean-Baptiste Fourier,[1] 1807

"O engenheiro que se lança ao projeto de um amplificador realimentado deve ser uma criatura de emoções paradoxais. Por um lado, pode se regozijar na melhora das características do sistema que a realimentação promete lhe assegurar. Por outro, sabe que nenhuma dessas vantagens pode ser realizada, a menos que consiga ajustar de maneira precisa as características de fase e de atenuação ao longo do laço de realimentação, para que o amplificador não passe a oscilar de maneira descontrolada."[2]

Hendrik Bode,[3] 1940

Considere o diagrama esquemático mostrado na Figura 9.1. Imagine ainda que o sistema em questão seja linear e invariante no tempo, de tal forma que seja caracterizado pela sua resposta ao impulso $h(t)$. Suponha que tal sistema seja excitado por um sinal senoidal $x(t) = A \operatorname{sen} \omega_0 t$. Sabe-se que a saída pode ser obtida a partir da convolução entre a resposta ao impulso do sistema e a entrada, ou seja, $y(t) = h(t) * x(t)$, em que o asterisco indica a operação de convolução. Além disso, em estado estacionário, a saída do sistema também será um sinal senoidal de mesma frequência que a entrada, mas com amplitude e fase provavelmente

---

[1] Jean-Baptiste Joseph Fourier (1768–1830), ver Seção 9.1.3.
[2] Citado de (Bode, 1940, p. 421).
[3] Hendrik Wade Bode (1905–1982), ver Seção 9.2.3.

diferentes, ou seja, $y(t) = a\,\text{sen}(\omega_0 t + \phi)$. Portanto, o sistema $h(t)$ alterou a amplitude e a fase do sinal de entrada $x(t)$. A amplitude foi multiplicada por $a/A$ e a fase foi atrasada de $\phi$. Uma pergunta intrigante é: se a frequência da entrada mudassem, esses fatores pelos quais a amplitude e a fase foram alterados mudariam? Para sistemas dinâmicos em geral, tanto o fator $a/A$ quanto a fase $\phi$ mudarão com a frequência. A dinâmica de cada sistema determina como ele altera a amplitude e a fase de uma entrada senoidal de frequência $\omega$, ou seja, quais são as funções de frequência $\frac{a}{A}(\omega)$ e $\phi(\omega)$.

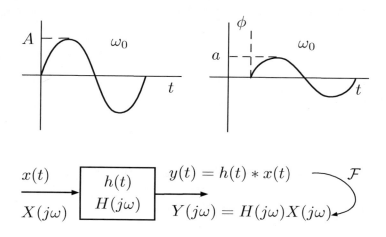

**Figura 9.1.** Diagrama esquemático de um sistema e sua resposta senoidal em estado estacionário. Em estado estacionário, um sistema linear e invariante no tempo não altera a frequência de uma entrada senoidal, mas a amplitude e a fase podem ser mudados. Para sistemas dinâmicos, essa mudança depende da frequência e está "codificada" na resposta em frequência $H(j\omega)$, que é a transformada de Fourier da resposta ao impulso $h(t)$.

Um dos resultados mais elegantes na teoria de sistemas lineares é que tais funções podem ser implementadas por uma única função complexa de frequência $H(j\omega)$. Como essa função é complexa, ela tem módulo e fase, ambos dependentes da frequência. Assim, para determinada frequência $\omega_0$, a entrada é multiplicada por $|H(j\omega_0)|$, $a/A$ na Figura 9.1, e a fase é atrasada de $\angle H(j\omega_0)$, $\phi$ na Figura 9.1. Não apenas isso, a função complexa $H(j\omega)$ é obtida a partir de uma operação matemática sobre $h(t)$. Essa operação é chamada transformada de Fourier, e $H(j\omega)$ é a resposta em frequência do sistema.

*Análise no domínio de frequência*    243

Se uma entrada *qualquer* $x(t)$ puder ser descrita como um conjunto de senoides, o uso de $H(j\omega)$ e do princípio da superposição permite analisar a saída como um outro conjunto de senoides devidamente ajustadas em amplitude e fase, em conformidade com $|H(j\omega_0)|$ e $\angle H(j\omega_0)$. Portanto, ser capaz de descrever uma função como a soma de senos é um procedimento justificado. Além disso, ser capaz de graficamente representar $H(j\omega)$ de maneira rápida e ágil também é desejável.

O presente capítulo trata de alguns aspectos históricos do desenvolvimento do que veio a ser conhecido como análise no domínio da frequência. Primeiramente serão abordadas questões referentes aos primeiros trabalhos de Jean-Baptiste Joseph Fourier, que culminaram na série e na transformada que levam seu nome. Como será visto, Fourier abordou o problema de como aproximar uma função por um somatório de senos. A seguir, serão abordados desenvolvimentos posteriores, mas igualmente relevantes ao estudo e análise de sistemas dinâmicos lineares. Em especial serão considerados alguns resultados obtidos por Hendrik Bode, que fez diversas contribuições importantes para a área, entre as quais a definição de um procedimento muito prático para traçar os gráficos de módulo e fase de $H(j\omega)$ e o estabelecimento de relações quantitativas entre o módulo e a fase de $H(j\omega)$ para uma ampla classe de sistemas lineares.

## 9.1   A gênesis da análise de Fourier

O mentor do que hoje se chama a análise de Fourier foi o matemático francês Jean-Baptiste Joseph Fourier. Ao estudar o problema de propagação de calor em barras, em 1807 Fourier apresentou à Academia de Ciências da França um trabalho em que afirmava que *toda* função definida no intervalo $(-\pi, \pi)$ pode ser decomposta em uma soma de funções senoidais. Mais especificamente, Fourier escreveu que uma função qualquer $f(x)$ pode ser decomposta na seguinte série trigonométrica:

$$f(x) = \frac{a_0}{2} + \sum_{n=1}^{\infty} (a_n \cos n\,x + b_n \operatorname{sen} n\,x), \qquad (9.1)$$

em que $a_0$, $a_n$ e $b_n$ são constantes reais. Apesar de essa representação já ser conhecida de matemáticos da época para aproximar funções "bem comportadas", o que chamou a atenção no trabalho de Fourier foi a afirmação de que *toda* função era passível de ser representada na forma descrita por (9.1). Esse trabalho foi

244 *Sistemas realimentados: uma abordagem histórica*

avaliado e, finalmente, rejeitado por Lagrange,[4] Laplace[5] e Legendre,[6] [7] por julgarem que não havia nenhuma "prova" que sustentasse a abrangência da afirmação de Fourier.[8]

Mesmo tendo rejeitado o trabalho, havia ficado evidente para aquela "banca" que as ideias de Fourier tinham valor e, portanto, mereciam ser investigadas. Com o fim de incentivar o desenvolvimento dessa teoria, ficou definido que em 1812 haveria uma competição de trabalhos sobre a propagação de calor. Assim, em 1811, Fourier submeteu à Academia uma versão revisada de seu trabalho apresentado em 1807, que lhe garantiu o prêmio, outorgado em 1812. Apesar de ter recebido o prêmio, a vitória não foi completa, pois o artigo continuou sendo rejeitado para publicação nas *Mémoires* da Academia, devido à "falta de rigor".[9]

Mesmo ressentido com a rejeição de seu trabalho, mas certamente encorajado por ter ganho o prêmio em 1812, Fourier continuou suas pesquisas sobre a transferência de calor e, em 1822, publicou um trabalho que é considerado por muitos como um dos maiores clássicos da matemática: *Théorie Analytique de la Chaleur*. Posteriormente, ficou provado que sua afirmação original de que *toda* função definida no intervalo $(-\pi, \pi)$ poderia ser decomposta como em (9.1) era, realmente, abrangente demais. Por outro lado, foi também mostrado que a classe de funções que *podem* ser decompostas como em (9.1) era bastante ampla. Como consequência, a análise de Fourier teve (e tem) grande impacto em diversas áreas

---

[4]Joseph-Louis Lagrange (1736–1813) foi um geômetra nascido em Torino, Itália, mas com ancestrais franceses, que se dedicou à sistematização da mecânica e do cálculo de variações. Participou da comissão francesa que redefiniu o sistema métrico de pesos e medidas (1793). Foi professor da Escola Real em Torino (1755–1766), diretor da Academia de Ciências de Berlim (1766–1781) e professor na École Polytechnique de Paris (1795–1799), sendo que em 1795 fundou o Departamento de Matemática da École Normale. Recebeu de Napoleão os títulos de conde e senador (Hall, 2008; Daintith, 2009).

[5]Pierre-Simon Laplace (1749–1827), ver Seção 10.1.2.

[6]Adrien-Marie Legendre (1752–1833) foi um matemático francês conhecido por suas contribuições na teoria de equações elípticas (1825), teoria dos números, método de mínimos quadrados (1805), polinômios de Legendre (1784). Junto com Lagrange e outros, participou da comissão francesa que estudou um sistema de pesos e medidas, do que resultou o sistema métrico. Em seu trabalho *Éléments de Géométrie* procurou, com sucesso, simplificar os *Elementos* de Euclides (Hall, 2008; Eves, 2004).

[7]Alguns autores acrescentam Monge e LaCroix a essa lista (Lathi, 2007, p. 545).

[8]Citando T.W. Körner, Lathi diz que "Laplace e seus estudantes já haviam abordado o problema da condução de calor, mas por um outro ângulo. Laplace estaria relutante em aceitar a superioridade do método de Fourier" (Lathi, 2007, p. 545).

[9]Em 1824, Fourier "tornou-se secretário da Academia e, nessa condição, pôde fazer com que seu artigo de 1811 fosse publicado na forma original nas *Mémoires* da Academia" (Eves, 2004, p. 527). Esse é mais um exemplo de que na "ciência" nem tudo o que se publica segue um trâmite ortodoxo.

*Análise no domínio de frequência* 245

do conhecimento humano, desde a resolução de equações diferenciais parciais (Figueiredo, 2005) até o processamento de sinais (Diniz et al., 2004).

### 9.1.1 O desenvolvimento inicial de Fourier

O problema originalmente estudado por Fourier foi o da transmissão de calor em uma barra de material homogêneo de comprimento $L$, isolada do meio em que se encontra com a exceção das suas extremidades, como ilustrado na Figura 9.2 (Tonidandel and Araújo, 2017, Cap. 2). Nesse caso o fluxo de calor se dá apenas em uma dimensão, e é descrito pela seguinte equação diferencial parcial:

$$\frac{\partial}{\partial t} u(x, t) = k \frac{\partial^2}{\partial x^2} u(x, t), \tag{9.2}$$

em que $k$ é a difusividade térmica dada em $cm^2/s$ e $u(x,t)$ é a temperatura da barra na posição $x$ no instante $t$. Procura-se a solução $u(x,t)$ que satisfaça (9.2), com condição inicial $u(x,0) = f(x)$, $0 \leq x \leq L$ e com condição de fronteira $u(0,t) = u(L,t) = 0$.

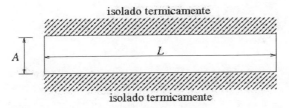

**Figura 9.2.** Esquema de uma barra isolada termicamente em que a transferência de calor ocorre apenas no sentido longitudinal.

A forma proposta por Fourier para solucionar o problema acima foi bastante engenhosa. Começou estipulando que a solução poderia ser representada pelo produto de duas funções

$$u(x, t) = G(t)F(x). \tag{9.3}$$

Substituindo (9.3) em (9.2) tem-se

$$\begin{aligned}\frac{\partial G(t)}{\partial t} F(x) &= kG(t) \frac{\partial^2 F(x)}{\partial x^2} \\ \frac{dG(t)}{\partial t} \frac{1}{kG(t)} &= \frac{\partial^2 F(x)}{\partial x^2} \frac{1}{F(x)},\end{aligned} \tag{9.4}$$

em que se supõe que $F(x)$ e $G(t)$ nunca se anulam. O lado esquerdo de (9.4) só depende de $t$ e o direito, só de $x$, contudo são iguais. Isso requer que ambos os lados dessa equação devem ser independentes de $t$ e de $x$. Portanto, pode-se escrever

$$\frac{\partial G(t)}{\partial t}\frac{1}{k\,G(t)} = \sigma, \quad \text{e} \quad \frac{\partial^2 F(x)}{\partial x^2}\frac{1}{F(x)} = \sigma, \tag{9.5}$$

em que $\sigma$ é um parâmetro que independe de $t$ e de $x$. As expressões em (9.5) dão origem a duas equações diferenciais *ordinárias*:

$$\frac{\partial^2 F(x)}{\partial x^2} + \lambda^2 F(x) = 0, \tag{9.6}$$

em que $\sigma = -\lambda^2$ e

$$\frac{\partial G(t)}{\partial t} - \sigma\,k\,G(t) = 0. \tag{9.7}$$

A equação característica de (9.6) é $r^2 + \lambda^2 = 0$ e, portanto, tem raízes puramente imaginárias, $r = \pm j\,\lambda$, cuja solução pode ser escrita como

$$F(x) = c_1 e^{j\lambda x} + c_2 e^{-j\lambda x}. \tag{9.8}$$

A condição de contorno leva a $F(0) = c_1 + c_2 = 0 \therefore c_1 = -c_2$, portanto (9.8) pode ser reescrita como

$$F(x) = c_1\left[e^{j\lambda x} - e^{-j\lambda x}\right] = \operatorname{sen}\lambda x, \quad \text{se } c_1 = 1/2j. \tag{9.9}$$

Levando em conta a outra condição de contorno, chega-se a

$$\begin{aligned} F(L) &= \operatorname{sen}\lambda L, \quad \text{para } c_1 = 1/2j \\ &= 0 \therefore \lambda L = n\,\pi,\ n = \pm 1, \pm 2, \ldots, \end{aligned}$$

ou seja, há infinitos valores de $\lambda$ que satisfazem a condição de contorno. Como $\sigma = -\lambda^2$, então $-\sigma = \lambda_n^2 = (n\,\pi/L)^2$, $n = \pm 1, \pm 2, \ldots$ e, por fim, fazendo as substituições em (9.9), chega-se a

$$F_n(x) = \operatorname{sen}\frac{n\,\pi}{L}x,\ n = \pm 1, \pm 2, \ldots, \tag{9.10}$$

que atende aos requisitos de uma solução de (9.6).

No caso da Equação 9.7, a equação característica é $r - \sigma\,k = 0$, que tem raiz única $r = \sigma\,k$ e, portanto, tem-se que a solução é do tipo $G(t) = c\,e^{\sigma k t}$. Por fim, a solução completa é dada por (ver Equação 9.3)

$$u(x,t) = c\,e^{-(n\pi/L)^2 kt}\operatorname{sen}\frac{n\,\pi}{L}x. \tag{9.11}$$

*Análise no domínio de frequência* 247

Usando a condição inicial em (9.11) chega-se a

$$u(x,0) = f(x) = c\,\mathrm{sen}\frac{n\,\pi}{L}x. \tag{9.12}$$

Portanto, se a condição inicial for $f(x) = 3\,\mathrm{sen}(5\pi/L)x$ $(c = 3, n = 5)$, a solução será (Figueiredo, 2005)

$$u_5(x,t) = 3\,e^{-(5\pi/L)^2 kt}\,\mathrm{sen}\frac{5\,\pi}{L}x,$$

ou seja, *se* a condição inicial fosse da forma (9.12), Fourier mostrou que a solução é dada pela Equação 9.11. E se a condição inicial não tivesse a forma da Equação 9.12?

Para tentar responder essa pergunta, consideremos um caso um pouco mais complicado. Suponhamos que exista uma condição inicial dada por $f_1(x_0) = \mathrm{sen}(2\pi/L)x_0$ – que é da forma da Equação 9.12 –, o que resulta em uma solução do tipo $u_1(x_0,t) = \alpha_1 e^{-\beta_1 t}$, sendo $\alpha_1 = c\,f_1(x_0)$ e $\beta_1 = (2\pi/L)^2 k$. Se a condição inicial do perfil de temperatura for $f_2(x_0) = c\,\mathrm{sen}(4\pi/L)x_0$, a solução seria do tipo $u_2(x_0,t) = \alpha_2 e^{-\beta_2 t}$, $\alpha_2 = c\,f_2(x_0)$ e $\beta_2 = (4\pi/L)^2 k$. Se, por sua vez, a condição inicial for uma combinação linear das condições iniciais anteriores, ou seja, se $f(x) = c_1 f_1(x) + c_2 f_2(x)$, a solução poderá ser obtida aplicando-se o princípio da superposição, isto é, $u(x_0,t) = c_1 u_1(x_0,t) + c_2 u_2(x_0,t)$. Se a condição inicial for uma combinação infinita, tal que

$$f(x) = \sum_{n=1}^{\infty} c_n\,f_n(x) = \sum_{n=1}^{\infty} c_n\,\mathrm{sen}\frac{n\pi}{L}x, \tag{9.13}$$

aplicando o princípio da superposição, a solução será

$$u(x,t) = \sum_{n=1}^{\infty} c_n e^{-(n\pi/L)^2 kt}\,\mathrm{sen}\frac{n\pi}{L}x. \tag{9.14}$$

Portanto, a expressão (9.14), proposta por Fourier, será uma solução do problema investigado desde que (9.13) seja verdadeira. Ou ainda, para condições iniciais que satisfaçam (9.13), o problema tem a Equação 9.14 por solução.

Logo, a real questão é: que classe de funções $f(x)$ pode ser escrita na forma (9.13)? Em outras palavras: que classe de funções de condições iniciais admite a solução expressa pela Equação 9.14? Hoje sabe-se que uma ampla classe de funções periódicas com período fundamental $T = 2L$ pode ser escrita na forma (9.13). Dessa conclusão é que se tem o resultado de que, em princípio, toda função periódica pode ser expressa como um somatório de senos e cossenos de frequências harmônicas.

# 248 — Sistemas realimentados: uma abordagem histórica

Esse resultado pouco tem a ver com a solução do problema da transferência de calor na barra, ou seja, com a equação (9.14). A decomposição em série de Fourier surgiu no afã de "uma solução à procura de um problema". Fourier procurou encontrar que problemas têm solução dada por (9.14). A resposta foi: condições iniciais que possam ser descritas por funções periódicas com período fundamental $T = 2L$, pois tais funções podem ser decompostas como mostrado em (9.13).[10]

Uma função periódica é definida em um intervalo finito. Fourier generalizou seus resultados para incluir funções que eram definidas em um intervalo infinito, ou seja, funções aperiódicas. O resultado ficou conhecido como o teorema da integral de Fourier ou, mais comumente, como a *transformada de Fourier*, sobre a qual foi dito:

> "(...) o teorema de Fourier, não é apenas um dos mais belos resultados da análise moderna, mas pode-se dizer que fornece um instrumento indispensável no tratamento de praticamente toda questão profunda na Física moderna. Pode-se ter uma visão modesta da importância desse resultado listando-se alguns assuntos que são intratáveis, em geral, sem o uso dessa transformada: vibrações sonoras, a propagação de sinais elétricos ao longo de um fio de telégrafo e a condução de calor sobre a crosta da Terra."[11]

## 9.1.2 Desenvolvimentos subsequentes

Lejeune Dirichlet[12] foi um dos primeiros a preceber que nem toda função periódica pode ser representada na forma de uma série de Fourier. Os primeiros resultados publicados por ele, nos quais estabeleceu os primeiros critérios para que uma função possa ser decomposta em série de Fourier, foram publicados em 1829 e 1837 (Figueiredo, 2005). Nas palavras de Eves:

> "Talvez a realização mais celebrada [de Dirichlet] tenha sido a profunda análise que fez da convergência das séries de Fourier, uma empreitada que o levou a generalizar o conceito de função."[13]

---

[10]A expressão na Equação 9.13 ainda não é a série de Fourier da maneira que a conhecemos hoje. O que lhe falta? Qual é a necessidade dessa parte?

[11]Citação de Kelvin and Tait em (Debnath and Bhatta, 2007, p. 3).

[12]Peter Gustav Lejeune Dirichlet (1805–1859) foi um notável matemático alemão. Tendo sido aluno de Gauss, Dirichlet o sucedeu em Göttingen, onde esperava terminar os trabalhos incompletos de seu antecessor, mas a sua morte prematura o impediu de fazê-lo (Eves, 2004, p. 537).

[13]Citado de (Eves, 2004, p. 537).

# Análise no domínio de frequência

Com relação à pessoa de Dirichlet, os historiadores da matemática registram duas características marcantes: o seu respeito e admiração pelo seu grande mestre, Gauss,[14][15] e seu desleixo no que se refere às relações familiares.[16] "O cérebro de Dirichlet, como o de Gauss, encontra-se preservado no departamento de fisiologia da Universidade de Göttingen" (Eves, 2004, p. 539).

Um outro nome associado à série de Fourier é o de Josiah Gibbs[17] (Figura 9.3). Começamos mencionando o trabalho de Albert Michelson (Figura 9.3),[18] que, em 1898, construiu, entre diversos dispositivos de precisão, um analisador e sintetizador harmônico mecânico, que tanto calculava os primeiros oitenta coeficientes da série de Fourier de um sinal $x(t)$, como traçava um sinal a partir da soma de oitenta componentes da referida série. Michelson notou que, para a maioria dos sinais, seu sintetizador aproximava-se bem, mas, ao tentar sintetizar um sinal dente de serra, notou oscilações nos pontos de descontinuidade. Além disso, notou que o sobressinal máximo era aproximadamente 9% da amplitude do sinal e que tal característica independia do número de componentes utilizados. Acreditando tratar-se de um problema mecânico, Michelson passou a conferir sua máquina de maneira minuciosa. Não encontrando qualquer problema que justificasse tal comportamento, publicou artigo relatando o fato.[19]

---

[14]Ver Nota 15 do Capítulo 4.

[15]"Conta-se uma história envolvendo Dirichlet e seu grande mestre Gauss. Em 16 de julho de 1849, decorridos exatamente cinquenta anos do doutorado de Gauss, houve uma celebração em Göttingen. Como parte da festa, a certa altura, Gauss deveria acender um cachimbo com uma parte dos originas das *Disquisitiones Arithmeticae* [livro sobre a teoria dos números, de autoria de Gauss, publicado em 1801, quando tinha apenas 24 anos de idade]. Dirichlet, que estava presente, se horrorizou com o que lhe parecia um sacrilégio. No último instante, corajosamente, Dirichlet salvou o trabalho das mãos de Gauss e guardou aquela relíquia pelo resto de sua vida; seus editores acharam-na entre seus papéis depois de sua morte" (Eves, 2004, p. 538).

[16]"Quando nasceu seu primeiro filho, ele [Dirichlet] não escreveu para o sogro, que então morava em Londres, para comunicar o evento. O sogro, quando o encontrou finalmente, comentou ter imaginado que Dirichlet 'se disporia pelo menos a escrever que $2 + 1 = 3$'. Esse espirituoso sogro não era outro senão Abraham Mendelssohn" (Eves, 2004, p. 538).

[17]Josiah Willard Gibbs (1839–1903) foi um matemático americano e teórico nas áreas de física e química. Acredita-se que tenha inventado a análise vetorial, independente de Oliver Heaviside. Obteve seu doutorado em Engenharia Mecânica da Universidade de Yale em 1863. Foi professor de física-matemática nessa mesma universidade entre 1871 e 1903 (Hall, 2008).

[18]Albert Abraham Michelson (1852–1931) nasceu na Prússia de pais judeus e mudou-se para os Estados Unidos ainda criança. Em 1887, junto com Edward Morley, realizou uma experiência – conhecido como o experimento Michelson-Morley – utilizando interferometria com LASER, o que lhe valeu o prêmio Nobel de Física em 1907. Foi professor em Case School of Applied Science (Ohio) de 1882 a 1889; na University of Clark (1889–1892) e na University of Chicago (1892–1929) (Hall, 2008).

[19]Michelson, A. A., Fourier's series, *Nature*, 58:544–545, 6 October 1898,

**Figura 9.3.** À esquerda, Albert Abraham Michelson (1852–1931); à direita, Josiah Willard Gibbs (1839–1903), (Wikipedia, 2015).

Foi Gibbs que investigou o problema observado por Michelson, e elucidou o inesperado comportamento em dois artigos, também publicados na revista *Nature* ao final do século XIX.[20] Em 1906, Maxime Bôcher[21] generalizou o resultado de Gibbs para qualquer função com descontinuidade[22], e foi ele que deu o nome de *fenômeno de Gibbs* a esse comportamento (Lathi, 2007, p. 552). Ainda que tal fenômeno hoje em dia esteja indissociavelmente vinculado aos nomes de Gibbs e Bôcher, não foi nenhum deles que abordou o problema pela primeira vez. Mais de meio século antes, em 1848, um professor de matemática do Trinity College, da Universidade de Cambridge, Henry Wilbraham,[23] não apenas havia percebido, como também analisara o referido fenômeno. Uma detalhada análise do fenômeno de Gibbs e seu desenvolvimento histórico podem ser encontrados em (Hewitt and Hewitt, 1979).

---

doi:10.1038/058544b0.

[20] Gibbs, J. W., Fourier series, *Nature*, 59:200, 1898; e 59:606, 1899.

[21] Maxime Bôcher (1867–1918) foi um matemático americano que contribuiu para as áreas de equações diferenciais, séries e álgebra.

[22] Bôcher, M., Introduction to the theory of Fourier series, *Annals of Mathematics*, 7:72, 1906.

[23] Henry Wilbraham (1825–1883) foi um matemático inglês conhecido somente por ter descoberto e analisado o fenômeno de Gibbs mais de cinquenta anos antes que Bôcher. Wilbraham tinha apenas 22 anos de idade quando publicou esse resultado em Wilbraham, H. On a certain periodic function, *Cambridge and Dublin Math. J.*, 3:198–201, 1848.

### 9.1.3 Jean-Baptiste Joseph Fourier

Jean-Baptiste Joseph Fourier (Figura 9.4) era filho de alfaiate, ficou órfão aos 8 anos de idade e foi educado em uma escola militar dirigida por beneditinos, onde veio a ocupar uma cátedra de matemática. Os beneditinos insistiram com Fourier para que também se tornasse um monge, pressão à qual o jovem Fourier cedeu. Contudo, o início da revolução francesa impediu que Fourier cumprisse seus votos. Uma das ações da revolução era a de exterminar grande parte dos intelectuais da época. Napoleão tem a seu crédito o fato de ter interrompido tal perseguição e, além disso, ter fundado novas escolas para formar intelectuais.

**Figura 9.4.** Jean-Baptiste Joseph Fourier (1768–1830), (Wikipedia, 2015).

Fourier, que havia escapado da guilhotina por duas vezes, assumiu a cátedra de matemática na Escola Politécnica em Paris quando de sua fundação, em 1794. Posteriormente, renunciou a essa posição para, junto com Monge, acompanhar Napoleão na expedição ao Egito. Em 1798, ano em que publicou seu primeiro artigo, foi indicado governador do Baixo Egito. Após as vitórias britânicas e a capitulação da França em 1801, Fourier retornou a seu país, tornando-se prefeito de Grenoble, onde começou suas experiências com o calor. Foi como prefeito de Grenoble que Fourier prosseguiu seus estudos sobre a propagação do calor, o que o levou a obter os resultados da série (ver Seção 9.1.1) e da transformada que levam seu nome (Eves, 2004; Lathi, 2007).[24] Tornou-se membro da Academia de Ciências em 1822, foi eleito um de seus *secrétaries perpetuels* e publicou seu

---

[24] A sequência de resultados de Fourier, primeiramente com a série (para sinais periódicos), depois com a transformada (para sinais aperiódicos), teve continuidade no século XX com o trabalho de Norbert Wiener, que propôs a teoria harmônica generalizada para tratar funções aleatórias: "Generalized harmonic analysis", *Acta. Math.*, 55:117–258, 1930. Um outro traba-

252          *Sistemas realimentados: uma abordagem histórica*

trabalho *Théorie Analytique de la Chaleur* nesse mesmo ano (Rabins and Rabins, 1976, p. 124).

Conta-se uma anedota sobre o interesse de Fourier pelo calor:

> "Talvez em consequência de sua experiência no Egito e de seu trabalho envolvendo o calor, Fourier acabou se convencendo de que o deserto oferecia as condições ideais para uma boa saúde. Por isso vestia-se com várias camadas de roupa e aquecia as dependências que habitava a temperaturas insuportavelmente altas. Dizem alguns que essa sua obsessão pelo calor apressou sua morte, por doença cardíaca, aos sessenta e três anos, cozido de fato."[25]

Sobre o trabalho de Fourier, grandes nomes da ciência mundial pronunciaram-se favoravelmente. Lord Kelvin (William Thompson) afirmou que toda a sua carreira na física-matemática foi influenciada pelo trabalho de Fourier sobre o calor e Clerk Maxwell disse que o tratado do físico francês é "um grande poema matemático" (Eves, 2004, p. 528).

## 9.2 Resposta em frequência

A decomposição de um sinal em suas componentes de frequência, ou ainda, a representação de um sinal no domínio de frequência[26] está diretamente associada ao nome de Fourier e à sua transformada.

Uma dos importantes avanços na área de controle foi a representação de *sistemas* no domínio da frequência. Depois de entender os fundamentos da análsie de Fourier, parece natural tomar um *sinal* $x(t)$ e representá-lo no domínio da frequência, por meio de sua transformada de Fourier, ou seja, $X(j\omega) = \mathcal{F}[x(t)]$, em que $\mathcal{F}$ representa a transformada de Fourier e $X(j\omega)$ é uma função complexa da frequência, que é o resultado de aplicar $\mathcal{F}$ ao sinal $x(t)$. O que não parece ser tão evidente é a representação de um *sistema*, $\mathcal{S}$, no domínio da frequência.[27]

---

lho relacionado que ficou famoso intitula-se "Extrapolation, Interpolation, and Smoothing of Stationary Times Series," The MIT Press, 1949, que leva em conta o ruído em problemas de predição. Esse documento circulou durante a Segunda Guerra Mundial entre algumas pessoas em uma capa amarela. Devido a isso e à dificuldade da matemática utilizada, essa monografia ficou conhecida como *The Yellow Peril*. O método desenvolvido por Wiener nessa monografia foi testado no analisador diferencial de Vannevar Bush (ver página 214) (Gleick, 2011, p. 237).

[25] Citado de (Eves, 2004, p. 528).

[26] Alguns autores usam o termo domínio frequencial.

[27] Essa dificuldade desaparece quando se lembra que um *sistema* LIT (linear e invariante no tempo) é completamente representado por um *sinal*: sua resposta ao impulso $h(t)$. A trans-

# Análise no domínio de frequência

Como visto no Capítulo 7, Nyquist representou um sistema no domínio da frequência. O sistema considerado por Nyquist foi a função de transferência de malha aberta, o que ele representou no domínio da frequência por $AJ(j\omega)$. Dois anos depois, em 1934, quando publicou seu artigo, seguindo o desenvolvimento de seu colega Nyquist, Black também se referiu a essa função e a representou como $\mu\beta$. Apesar de não chamá-la de resposta em frequência de malha aberta, Black reconheceu ser uma função da frequência.

A representação de $AJ(j\omega)$ no plano complexo passou a ser conhecida como o diagrama de Nyquist (ver Figura 7.7) e, em geral, tal representação é utilizada no contexto de estudo de estabilidade de sistemas realimentados, com ênfase no projeto de sistemas de controle. O traçado de $AJ(j\omega)$ no plano complexo requer a determinação do módulo e fase dessa função, para cada valor de frequência. Assim, nos anos 30 do século XX, gerar um diagrama de Nyquist não era necessariamente fácil. Em (Peterson et al., 1934, p. 1200–1203), os autores discutem um procedimento pelo qual é possível conseguir, na tela de um osciloscópio, o diagrama de Nyquist de um amplificador. Os próprios autores relatam que esse procedimento, chamado de *método visual*, "não é capaz de grande precisão e (...) a faixa de frequências é um tanto quanto restrita."[28]

Além da dificuldade de traçar um diagrama de Nyquist, dado *um* sistema, um dos desafios da época era o de conectar diversos repetidores, em série, ao longo de uma linha telefônica (ver discussão no início do Capítulo 6). Bode era um projetista de equalizadores, ou seja, de sistemas projetados para compensar a resposta em frequência de outro sistema. Em particular, Bode projetava circuitos elétricos para compensar as características dinâmicas do canal de transmissão de informação: uma linha telefônica. Fortemente influenciado pelo trabalho de MacColl (ver Seção 7.3), Bode passou a trabalhar com a representação de sinais e sistemas dinâmicos por meio de funções complexas no domínio da frequência. Mas como representar graficamente tais funções de maneira mais fácil? Além disso, seria possível desenvolver um procedimento que permitisse incluir na representação gráfica novos sistemas (repetidores e equalizadores) de maneira fácil?

O resultado dessa investigação culminou com a representação de uma função complexa em dois diagramas: "módulo" em função da frequência e fase em função de frequência. Isso *per se* não atendia aos requisitos impostos pelas perguntas

---

formada de Fourier desse sinal, $H(j\omega)$ é a representação do *sistema* no domínio da frequência e é chamada de *resposta em frequência*. O impulso unitário e a resposta ao impulso de um sistema não se popularizaram até meados do século XX, ver Seção 12.1. No início do século XX utilizava-se o degrau e a resposta ao degrau, que, do ponto de vista matemático, contém a mesma informação dinâmica que a resposta ao impulso.

[28]Citado de (Peterson et al., 1934, p. 1199).

254  *Sistemas realimentados: uma abordagem histórica*

feitas. Para isso, Bode propôs que o diagrama de "módulo" fosse representado em decibéis, o que exigia que se fizesse o gráfico do logaritmo do "módulo". A escala logarítmica e a unidade decibel para a representação de ganho haviam sido usadas, dez anos antes, por outros autores em um gráfico de coordenadas polares (Peterson et al., 1934, p. 1205).

Como consequência do uso de decibéis, o acréscimo de mais um subsistema em série – que, no domínio da frequência, equivale a *multiplicar* a função do sistema já existente pela função do novo subsistema – corresponde à *soma* (trabalha-se com o logaritmo do "módulo"). Aliado a isso, Bode propôs que tanto o diagrama de módulo quanto o de fase fossem traçados usando escala logarítmica para o eixo das abscissas, o eixo de frequência. Ao proceder dessa forma, Bode percebeu que a representação do sistema no domínio da frequência poderia ser feita, de maneira aproximada, por retas: as assíntotas. Esse assunto foi apresentado no capítulo 15 do seu livro, que, logo no início, introduz o assunto da seguinte forma:

> "Quando um grande número de pontos sobre a característica imaginária deve ser determinado, esse tipo de cálculo torna-se bastante tedioso.
>
> "O presente capítulo apresenta um procedimento alternativo que é baseado na consideração de que a componente real poderá ser aproximada por uma série de segmentos de reta. Isso está ilustrado na Figura 15.1 [ver Figura 9.5] (...) Um conjunto de linhas retas normalmente é suficiente para representar corretamente as principais tendências da característica [função](...)
>
> "A vantagem do esquema de aproximação por linhas retas [assíntotas] é, claro, que reduz a característica real completa a uma soma de características elementares. Uma vez que a componente imaginária[29] de cada uma de tais características elementares pode ser computada de uma vez por todas, isso resume o cálculo da característica imaginária completa ao somatório de um conjunto de curvas conhecidas."[30]

Com o passar do tempo, esse tipo de representação recebeu o nome de *diagrama de Bode* e é a maneira mais comum de representar graficamente a resposta em frequência de um sistema. Um aspecto curioso, que pode ser verificado pela citação de Bode recém-mencionada, é a nomenclatura utilizada. Como será visto

---

[29]O uso dos termos características real e imaginária seria hoje substituído pelos gráficos de ganho e fase na resposta em frequência de sistemas.

[30]Citado de (Bode, 1945, p. 337).

no Capítulo 12, a nomenclatura e a terminologia utilizada por determinada área do conhecimento diz muito sobre o estado de seu desenvolvimento. Levando isso em conta, a linguagem utilizada por Bode reflete a novidade do assunto. Além disso, em vários dos diagramas de Bode, que aparecem em seu livro, em vez do módulo ou ganho, o gráfico era de "perdas" (ou atenuação). Em se tratando do gráfico de fase, um atraso era muitas vezes representado como fase positiva. Em outras palavras, em vez de ganho, Bode mostrava *atenuação* e, no lugar da fase, mostrava *defasamento*. Assim, alguns dos primeiros diagramas de Bode tinham uma aparência espelhada em relação ao eixo de frequências com relação àquela que conhecemos hoje (ver Figura 9.6).

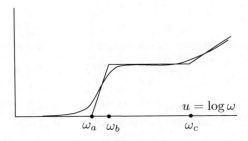

**Figura 9.5.** Figura em que Bode explicou o conceito de aproximação da resposta em frequência por assíntotas (Bode, 1945, Figura 15.1).

### 9.2.1  A relação ganho-fase

Apesar de a maioria dos estudantes associar o nome de Bode ao seu diagrama, esse resultado foi um subproduto de uma contribuição de caráter mais fundamental. Em poucas palavras, Bode mostrou, pela primeira vez, que em um sistema dinâmico *realizável* a característica de módulo e de fase não são independentes. Do ponto de vista prático, isso significa que não é possível especificar ambas as características livre e simultaneamente. Pensando em termos de projeto, se a característica de ganho for especificada, a característica de fase estará automaticamente pré-especificada, sendo o contrário verdadeiro. Essa realidade foi expressa por Bode na forma de integrais equivalentes, duas das quais são:

$$\int_0^\infty (A - A_\infty)\mathrm{d}\omega = -\frac{\pi}{2}B_\infty, \tag{9.15}$$

em que $A$ e $B$ correspondem, respectivamente, às partes reais (atenuação) e imaginárias ("fase") de uma resposta em frequência, sendo que o subscrito $\infty$ indica que a grandeza se refere às altas frequências; e

$$\int_{-\infty}^{\infty} B \mathrm{d}u = \frac{\pi}{2}(A_\infty - A_0), \tag{9.16}$$

em que $u = \log\omega$ e $A_0$ corresponde à atenuação em frequência nula. Algumas das regras que hoje são utilizadas para gerar e interpretar os diagramas de Bode são perceptíveis nas expressões (9.15) e (9.16). Por exemplo, a fase total aumenta ou diminui em incrementos de $\pi/2$ e isso está relacionado ao valor da inclinação da atenuação em altas frequências.[31] O seguinte exemplo, analisado por Bode, é ilustrativo:

> "Se $A$ e $B$ forem a atenuação e a fase,[32] as unidades envolvidas em (13–19) [(9.16)] são nepers[33] e radianos e pode ser visto facilmente que a área da fase é igual a $90°$ multiplicada por um invervalo de frequência igual à mudança na atenuação expressa como uma razão de correntes. Por exemplo, um filtro passa-baixas que tenha uma atenuação de $40\,\mathrm{dB}$ em altas frequências terá uma área de fase igual a $90°$ ao longo de uma faixa de frequências de 100:1."[34]

Se para um sistema, ao longo de duas décadas de frequência (100:1), a atenuação é $A_\infty - A_0 = 40\,\mathrm{dB}$, a inclinação da assíntota de altas frequências é $-20\,\mathrm{dB/déc}$ (expresso em termos de ganho e não em termos de atenuação). Sabe-se que, nesse caso, a fase em altas frequências (o que Bode chama de área de fase) é de $-\pi/2\,\mathrm{rad}$, ou seja, o *defasamento* é de $90°$.

Uma outra maneira de expressar (9.16) muito utilizada por Bode é

$$B(f_c) = \frac{1}{\pi} \int_{-\infty}^{\infty} \frac{\mathrm{d}A}{\mathrm{d}u} \log \coth\frac{|u|}{2} \mathrm{d}u, \tag{9.17}$$

---

[31]Essa regra é verdadeira para sistemas de ordem inteira. Em sistemas de ordem fracionária, é possível incrementos em frações de $\pi/2$ e, no módulo, a assíntota de alta frequência pode ter inclinação que não seja um múltiplo de $-20\,\mathrm{dB/déc}$.

[32]Rigorosamente falando, $B$ na definição de Bode deve ser interpretado como uma "densidade espectral de fase", de tal forma que a sua integral em relação à frequência resulta em fase. Note que ele se refere à fase como área de fase, confirmando essa interpretação.

[33]O neper é uma unidade que expressa o logaritmo natural de uma razão, por exemplo, $z = \ln\frac{x}{y}$ nepers, assim como o decibel expressa o logaritmo na base 10 de uma razão $z = 10\log_{10}\frac{x}{y}$ dB.

[34]Citado de (Bode, 1945, p. 287).

*Análise no domínio de frequência* 257

em que $B(f_c)$ corresponde ao deslocamento de fase na frequência $f_c$ e $u = \log f/f_c$. Um ponto que Bode enfatizava muito era que as equações (9.15), (9.16) e (9.17) somente são válidas para sistemas de *fase mínima*. Para uma dada característica de atenuação, (9.16), por exemplo, determina qual deve ser a menor fase possível (para sistemas de fase mínima). No caso de sistemas de fase não mínima, a área de fase é necessariamente maior, ou seja, o *defasamento* é maior.[35]

Pela expressão (9.17) fica claro que o deslocamento de fase de determinado sistema não depende da derivada da atenuação naquela frequência apenas, mas depende dessa característica ao longo de toda a faixa de frequências. Tendo dito isso, ressalta-se que a parcela $\log \coth \frac{|u|}{2}$ pode ser interpretada como uma ponderação que fará com que a derivada da atenuação na frequência $f_c$ seja de muito maior peso para a determinação de $B(f_c)$ do que frequências mais afastadas de $f_c$.

A partir de expressões como (9.17), Bode definiu relações fixas entre atenuação e fase, como ilustradas na Figura 9.6. Tais relações deram origem ao que hoje se conhece como as regras para o traçado do diagrama de Bode.

As implicações das relações entre ganho e fase foram muito importantes para os projetistas da época, como o próprio Bode explicou:

> "Quando comecei a trabalhar em teoria de redes, os dispositivos de campo mais importantes eram os filtros e os equalizadores. Os filtros eram usados para separar [na frequência] os canais de telefonia. Os equalizadores eram projetados para fornecerem atenuação inversa às das linhas de transmissão, de tal maneira a manter a característica total [a resposta em frequência] plana (...)

> "Com o rápido crescimento do sistema de portadoras [em telefonia] o problema da filtragem tornou-se muito crítico e passei vários anos tentando melhorar a seletividade, a impedância e o defasamento (...) dos filtros. À medida que os sistemas de transmissão se tornavam

---

[35]Zeros com parte real positiva caracterizam sistemas estáveis de fase não mínima. Para fins do traçado do diagrama de Bode, a contribuição de tais zeros no diagrama de ganho é a mesma que para sistemas de fase mínima. Contudo, os zeros com parte real positiva defasam a saída, em relação à entrada, como se fossem polos. Ou seja, eles contribuem para um *maior* defasamento, o que corresponde a uma menor fase. Portanto, sistemas de fase mínima poderiam ser chamados, na terminologia de hoje, *sistemas de defasamento mínimo*. Uma outra maneira de justificar o porquê do termo "sistemas de fase mínima" é pensar em termos da *variação de fase*, que é menor para o caso de sistemas de fase mínima. Levando em conta que Bode pensava em termos de *defasamento*, e não em termos de *variação de fase* (ver Figura 9.6), a primeira justificativa parece mais provável do ponto de vista histórico.

mais ambiciosos, ficaram aparentes a necessidade e a importância de tecnologias mais adequadas para o projeto de equalizadores. A partir do início da década de 30, gastei boa parte de meu tempo com esse assunto (...)

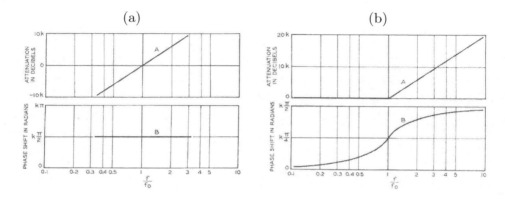

**Figura 9.6.** Relações de atenuação e defasamento para (a) um sistema de "inclinação unitária" ($\frac{f_0}{f}/j\omega$) e (b) um sistema de "inclinação constante semi-infinita" ($1/1 + \frac{f_0}{f}j\omega$) (Bode, 1940). Note como, em vez de ganho, usava-se *atenuação* e, no lugar da fase, utilizava-se *defasamento*. Figura reutilizada com a permissão da Nokia Corporation.

"A teoria de equalizadores pode ser relacionada à teoria de redes ativas e amplificadores realimentados, devido à semelhança entre as condições analíticas gerais de tais estruturas com o critério de estabilidade. No início, eu não tinha essas outras áreas em vista, mas simplesmente me dediquei intensamente a reformular certas áreas da teoria de redes relacionadas a equalizadores, como maneira de estudar o comportamento analítico no plano complexo de certas classes particulares de funções racionais. Hoje, isso parece bastante óbvio, mas tal estudo não havia sido feito de maneira sistemática até então, ainda que Mac-Coll e outros tenham indicado esse caminho. Como resultado desse estudo, surgiu um tipo de álgebra de características de transmissão para redes dissipativas, que incluía como caso particular o reconhecimento de uma condição de fase mínima, que, claro, é essencial para qualquer formulação não ambígua das relações entre a atenuação e a fase em circuitos físicos (...) Possivelmente a tarefa mais difícil foi

# Análise no domínio de frequência

me convencer e, posteriormente, convencer meus colegas de que polos e zeros no plano complexo eram parâmetros de projeto satisfatórios (...)

"Em 1934, esse trabalho com equalizadores me fez ter o primeiro contato com o problema da realimentação. Fora-me solicitado projetar um equalizador variável para compensar, ao longo de uma faixa de frequências bastante ampla, os efeitos esperados resultantes da variação de temperatura em um cabo coaxial. Tal problema não é tão simples quanto se possa imaginar (...)

"Então surgiu o principal problema. Também havia sido solicitado que o equalizador a ser projetado fosse colocado no ramo de realimentação de um amplificador, que já havia sido projetado. A inclusão do equalizador não deveria tornar o sistema instável [quando fechada a malha]. Por muito tempo trabalhei arduamente nesse problema, mas sem sucesso. Esse requisito adicional sobre o equalizador foi a gota d'água. Desisti de insistir em projetar o equalizador, e comecei a mexer no amplificador. Alterei o circuito de entrada, depois o de saída e, por fim, modifiquei os dois estágios intermediários. Por fim, depois de ter reprojetado toda a malha de controle, consegui uma solução.

"(...) Essa solução é expressa em termos de uma família de curvas de atenuação e de fase, que são garantidamente realizáveis fisicamente. Essas curvas são aproximadas e podem ser obtidas de maneira bastante direta."[36]

Essa importante característica de sistemas de fase mínima foi comparada por Bode a "um homem que tenta dormir debaixo de um cobertor que é curto demais. Toda vez que ele leva o cobertor ao queixo, seus pés ficam frios".[37] A descrição de Mindell é muito clara:

"O critério de Nyquist também sugeria que, para evitar a instabilidade, é benéfico que o ganho reduza tão rapidamente quanto possível fora da faixa de frequências de operação. Bode mostrou que o ganho deveria reduzir de forma mais gradual, pois uma redução muito rápida alteraria o defasamento de maneira a induzir a instabilidade. Em consequência da limitada taxa de decaimento, determinada por

---

[36]Citado de (Bode, 1964, pp. 116–117).

[37]Bode, H. W., "Design methods for feedback amplifiers — Case 19878", 1 May 1936, ATT; citado em (Mindell, 2002, p. 129).

260                    *Sistemas realimentados: uma abordagem histórica*

Bode, para garantir estabilidade, o amplificador deveria trabalhar em uma faixa de frequências mais larga do que a faixa de trabalho."[38]

## 9.2.2 Margens de ganho e de fase

Para a área de projeto de sistemas de controle, possivelmente os conceitos de margem de ganho e margem de fase foram as grandes contribuições de Bode.[39] A sua apreciação do problema originou-se não apenas com o critério de Nyquist, mas também a partir da relação que ele percebeu existir entre ganho e fase para sistemas de fase mínima. Tais relações normalmente envolvem um compromisso. Em outras palavras, não é possível fazer um projeto baseado apenas na característica de ganho imaginando que a característica de fase possa ser mantida em condições ideais.

Ao introduzir o tema, Bode considerou a condição ideal para a estabilidade absoluta segundo o critério de Nyquist: o defasamento não pode ser menor que -180° enquanto o ganho for unitário ou maior. Se o ganho em determinada faixa de frequências fosse maior, é natural imaginar aumentar a taxa de decaimento do ganho,[40] mas isso também diminuiria a fase. Suponha que seja possível se ter um amplificador cuja fase fosse -180° na faixa de frequências de interesse e que o ganho não seja maior que um nessa faixa. Apesar de estável, essa situação seria insatisfatória, pois "é inevitável que esse valor limite de fase seja excedido por pequenos desvios resultantes do projeto do amplificador ou de sua construção." Assim, Bode percebeu a necessidade de conferir ao sistema *robustez* e prosseguiu:

> "Portanto, será assumido que o valor limite de fase [defasamento] será 180° menos determinada margem. Isso é ilustrado na Figura 9 [Figura 9.7], em que a margem de fase é indicada por $y\pi$ radianos. Em frequências longe da faixa de interesse é fisicamente impossível, na maioria dos circuitos, restringir a fase a esse limite. Portanto, como suplemento, será assumido que defasamentos maiores são permitidos se o ganho de malha aberta é $x$ dB menor que zero. Isso está ilustrado na Figura 9.7[41] pelo arco tracejado (...)

---

[38]Citado de (Mindell, 2002, p. 130).

[39]Em entrevista feita por Michael Wolff, Harold S. Black parece reivindicar a prioridade intelectual sobre os conceitos de margem de ganho e de fase: "Os termos 'margem de canto' (*singing margin*) e 'margem de fase' foram usados pelo Dr. Bode muitas décadas depois em seu livro sobre o projeto de amplificadores. Esses eram dois termos que eu introduzi não com respeito a amplificadores, mas com relação a filtros e a transmissão bidirecional" (Black, 1977).

[40]Isso pode ser alcançado adicionando-se polos em frequências adequadas.

[41]É interessante notar que Bode foi um dos primeiros a considerar $(-1, j0)$ como o ponto

"Considera-se que as margens de ganho e de fase, $x$ e $y$,[42] serão escolhidas arbitrariamente de antemão. Se escolhermos valores elevados, poderemos permitir grandes tolerâncias no projeto e na construção dos dispositivos, sem o risco de instabilidade. Contudo, resulta que, dada uma faixa de frequências de atenuação, a quantidade de realimentação que pode ser conseguida na faixa útil diminui à medida que se aumentam as margens. Portanto, é geralmente desejável escolher margens tão pequenas quanto possível, enquanto isso for seguro."[43]

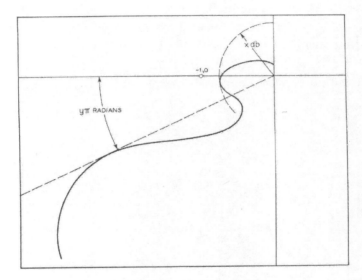

**Figura 9.7.** Diagrama utilizado por Bode para definir as margens de ganho e de fase de um laço de controle (Bode, 1940, p. 433) e (Bode, 1945, Figura 18-3). Note como o ponto crítico para estabilidade foi alterado por Bode para ser (-1, j0). Figura reutilizada com a permissão da Nokia Corporation.

### 9.2.3 Hendrik Wade Bode

Hendrik Wade Bode (Figura 9.8) nasceu em 24 de dezembro de 1905 em Madison, Wisconsin. Aos 14 anos, Bode havia concluído o ensino médio e tentou entrar

---

crítico em gráficos polares. Essa mudança já pode ser constatada na Figura 9.7, publicada em 1940. Sobre esse assunto, ver Nota 54 do Capítulo 7.

[42] Chama-se atenção para o fato de que a definição de margem de ganho e de fase proposta por Bode neste texto não é exatamente a mesma — ainda que filosoficamente o seja — que se usa hoje.

[43] Citado de (Bode, 1940, pp. 432–433).

na Universidade de Illinois, onde seu pai era professor, mas foi rejeitado por ser muito novo.[44] Recebeu os graus de bacharel e de mestre (ambos em Matemática) da Universidade do Estado de Ohio, onde seu pai também foi professor, respectivamente, nos anos de 1924 e 1926, ingressando, imediatamente, na Bell Telephone Laboratories, que posteriormente financiou seu doutoramento. Em 1935 recebeu o grau de PhD em Física da Universidade de Columbia, na cidade de Nova Iorque.

Em consequência de seu doutoramento, em 1944 Bode assumiu a direção do grupo de pesquisa em matemática da Bell Labs, cargo que ocupou até 1955. Desse ano até 1958, foi o diretor de pesquisa em ciências físicas. De 1958 a 1967, quando se aposentou, Bode assumiu o cargo de vice-presidente da Engenharia de Sistemas Militares da Bell Labs. Ao se aposentar, foi eleito para ocupar um cargo de alto prestígio acadêmico: a posição de Gordon McKay Professor of Systems Engineering, na Universidade de Harvard. Em 1974 aposentou-se das atividades acadêmicas e recebeu o título de professor emérito da Universidade de Harvard.

**Figura 9.8.** Hendrik Wade Bode (1905–1982), (Wikipedia, 2018).

Em 1975 recebeu a medalha Oldenburger da American Society of Mechanical Engineers. Antes de anunciar o nome daquele que seria agraciado com tal honra, o apresentador disse:

"Deixarei que vocês adivinhem seu nome a partir de algumas dicas [citações] copiadas de seu livro, que marcou época (. . .):

(a) projeto de amplificadores realimentados

---

[44]Em 1977 a mesma universidade lhe conferiu o grau de Sc.D. *honoris causa*, pela sua indiscutível contribuição para as áreas de engenharias elétrica e controle. Foi a maneira encontrada por aquela instituição de se redimir de seu erro no passado.

# Análise no domínio de frequência

(b) escalas em decibéis e escalas logarítmicas de frequência

(c) margens de ganho e de fase

(d) relações entre ganho e fase

(e) condição e circuitos de fase mínima

(f) compensação.

Ao chamar Hendrik Bode para receber a medalha, a citação foi: "Para Hendrik Wade Bode, em reconhecimento de suas conquistas no avanço da ciência e tecnologia do controle automático e, em particular, pelo seu desenvolvimento de técnicas no domínio da frequência que são amplamente usadas no projeto de sistemas realimentados."[45]

Foi nessa reunião, ao se pronunciar em agradecimento pela concessão do prêmio, que Bode teve a oportunidade formal de se retratar com respeito a uma opinião pessimista e crítica que havia feito à área em 1960. Tanto a opinião crítica quanto a sua correção foram citadas na Seção 6.4.

Seu livro *Network Analysis and Feedback Design* (Figura 9.9), publicado em 1945, é considerado um clássico na sua área.[46] Bode conseguiu 25 patentes, muitas delas ligadas à área de comunicações.

## 9.3   Considerações finais

A análise de Fourier é básica em cursos de engenharia e de ciências exatas em geral. Podemos dizer, sem medo de errar, que a análise de Fourier é uma das ferramentas matemáticas mais bem-sucedidas e com inúmeras aplicações. Contudo, é curioso notar que, durante o desenvolvimento dessa ferramenta, Fourier viveu um pouco o drama de "uma solução à procura de um problema". Ele havia encontrado uma solução (a Equação 9.14) para uma classe de problemas. Essa classe caracterizava-se por funções que pudessem ser escritas na forma de (9.13). Quão amplo era esse problema, ou que funções poderiam ser descritas como (9.13)? A busca por respostas a essa pergunta culminou com a gênesis da análise de Fourier.

---

[45]Citado de (ASME, 1976, p. 126).
[46]Em 2008, esse livro tinha aproximadamete 1500 citações no *ISI Web of Science*.

Network Analysis and
Feedback Amplifier Design

*By*

HENDRIK W. BODE, Ph.D.,
*Research Mathematician,*
BELL TELEPHONE LABORATORIES, INC.

*SEVENTH PRINTING*

D. VAN NOSTRAND COMPANY, INC.
TORONTO NEW YORK LONDON

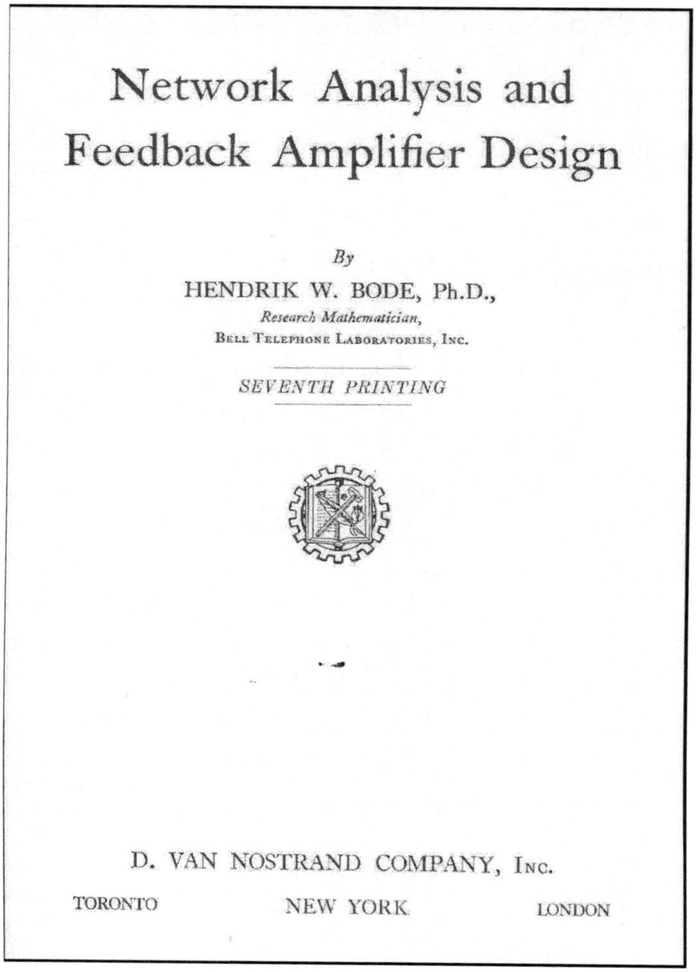

**Figura 9.9.** Frontispício do livro de Bode (1945).

O trabalho original de Fourier foi rejeitado por matemáticos de primeira linha, sob a alegação (parcialmente correta) de falta de rigor matemático. Sob esse aspecto, Lathi faz o seguinte interessante paralelo entre Jean-Baptiste Fourier e Oliver Heaviside:[47]

> "Fourier achou que o criticismo [dos matemáticos] era injustificado, mas foi incapaz de demonstrar suas reivindicações, pois as ferramentas necessárias para lidar com séries infinitas ainda não estavam disponíveis. Contudo, a posteridade mostrou que Fourier estava mais

[47]As constribuições de Heaviside para a engenharia serão tratadas no Capítulo 10.

*Análise no domínio de frequência* 265

próximo à verdade que seus críticos. Esse é o conflito clássico que existe entre matemáticos puros e físicos ou engenheiros, como visto (...) na vida de Oliver Heaviside."[48]

O ponto levantado por Lathi no parágrafo acima é verdadeiro e merece consideração. Contudo, há uma diferença fundamental entre a análise de Fourier e o cálculo operacional de Heaviside: ao passo que este deu lugar à transformada de Laplace, aquele permanece em uso até os dias de hoje.

A experiência de Fourier – por um lado, frustrante, mas, por outro, de grande sucesso – pode servir de alento para muitos:

"Apesar de três dos quatro revisores serem favoráveis à sua publicação, o artigo de Fourier foi rejeitado graças à veemente oposição de Lagrange. Quinze anos mais tarde, depois de diversas tentativas e muitos desapontamentos, Fourier publicou seus resultados em forma expandida, como o texto: *Théorie Analytique de la Chaleur*, que agora é um clássico."[49] [50]

Não se pode deixar de notar o impressionante número de matemáticos influentes, inclusive para a engenharia, que viveram na época da Revolução Francesa naquele país. O seguinte comentário sobre esse fato e com uma referência a Dirichlet é bastante instrutivo:

"A Revolução Francesa, com sua ruptura ideológica com o passado e suas muitas mudanças violentas, criou condições altamente favoráveis para o desenvolvimento da matemática. Assim, no século XIX, a matemática recebeu grande impulso, primeiro na França e depois, à medida que as forças responsáveis por esse avanço se espalharam, pelo norte da Europa, na Alemanha e, ainda mais tarde, na Grã-Bretanha. A nova matemática começou a se libertar dos laços que a ligavam à mecânica e à astronomia e uma nova perspectiva se anunciou (...)

"Proficiente em alemão e francês, Dirichlet serviu admiravelmente como um elo de ligação entre a matemática e os matemáticos das duas nações."[51]

---

[48]Citado de (Lathi, 2007, p. 545).

[49]Citado de (Lathi, 2007, p. 545).

[50]Possivelmente não apenas Lagrange se opôs ao trabalho de Fourier: "(...) matemáticos contemporâneos de Fourier, incluindo Lagrange, Laplace, LaCroix, Delembre, Monge, Legendre, Poisson, Cauchy e Dirichlet, ou não reconheceram a importância de seu trabalho ou ativamente bloquearam sua publicação, em alguns casos, por até quinze anos" (Rabins and Rabins, 1976).

[51]Citado de (Eves, 2004, pp. 536, 537).

A resposta senoidal de sistemas dinâmicos é, sem dúvida, clássica na área de circuitos elétricos e filtros acústicos. Em última instância, a resposta de um sistema a uma entrada senoidal está embutida em sua resposta em frequência, que deve ser entendida como a função complexa que determina a maneira pela qual um sistema responde, em estado estacionário, a sinais senoidais de todas as frequências. É esse sentido mais geral que nos interessa, ao fecharmos este capítulo. É consensual que a origem histórica das técnicas de resposta em frequência[52] remonta ao trabalho de Harold Black (Cap. 6) e aos desenvolvimentos motivados por seu trabalho, em particular por meio de Harry Nyquist (Cap. 7) e Hendrik Bode (Seção 9.2).

Como confirmação da última afirmativa, menciona-se que George Thaler, ao editar um livro cujo objetivo era "apresentar uma coleção de artigos de pesquisa que têm tido grande influência no desenvolvimento da teoria de controle" (Thaler, 1974, p. 1), na seção intitulada "A origem das ferramentas de resposta em frequência", ele cita apenas três trabalhos: (Nyquist, 1932), (Black, 1934) e (Bode, 1940).[53]

Uma das características que torna difícil a leitura do trabalho de Black e, principalmente, o de Bode é que toda a discussão é feita em termos de aplificadores e circuitos elétricos, utilizando nomenclatura específica e pouco usual.[54] Mas uma leitura desses trabalhos leva o leitor a questionar se o problema era apenas o de uma linguagem pouco geral. Ao que tudo indica, nenhum dos três colegas que trabalhavam para a *Bell Telephone Laboratories* realmente percebia a abrangência dos conceitos e ferramentas sendo propostos, pelo menos não quando foram propostos. Se o tivessem percebido, possivelmente a sua maneira de abordá-los e descrevê-los seria diferente. A percepção de que essas ferramentas eram aplicáveis

---

[52] A essa afirmativa deve ser acrescentado "conforme publicações em língua inglesa". Deve ser notado que, à época, havia pesquisadores envolvidos com métodos de resposta em frequência em outros países, especialmente a Rússia.

[53] A título de curiosidade, menciona-se que, em pesquisa realizada em 21 de outubro de 2008 no *ISI Web of Science*, o artigo de Nyquist aparece citado 309 vezes, o artigo de Black, 122 vezes e o artigo de Bode, 72 vezes. O artigo "Relations between attenuation and phase in feedback amplifier design" é considerado por alguns a contribuição mais sucinta e mais conhecida de Bode para a área de sistemas realimentados (Mindell, 2002, p. 129).

[54] A essas razões deve-se acrescentar o fato de que os conceitos abordados ainda estavam em fase de desenvolvimento e, portanto, ainda não se havia definido a melhor maneira de expor o assunto. Além disso, este autor suspeita que expressar-se por escrito possivelmente não era a principal virtude de Hendrik Bode. Bode tão bem argumentou que o projetista tem liberdade para especificar a atenuação *ou* a fase de um amplificador, mas não poderia atingir o ideal de projeto simultaneamente em ambas as características. Assim também acontece com as pessoas, como Bode, que conseguem ser notáveis em alguns aspectos, mas não em outros.

*Análise no domínio de frequência* 267

a sistemas de controle em geral surgiu durante o esforço de guerra, conforme explicado pela citação a seguir:

"Com o advento da Segund Guerra Mundial, tornou-se evidente de maneira simultânea para dois grupos – um grupo sob a liderança do Prof. Gordon Brown do MIT, e um outro grupo do *Bell Telephone Laboratories* – que as contribuições de Nyquist, Black e Bode poderiam ser aplicadas de maneira vantajosa tanto em problemas de controle automático como de comunicações. O interesse pelas técnicas de resposta em frequência foi fortemente intensificado, em parte, pela exigente demanda militar por baterias antiaéreas baseadas em radar, que fossem mais precisas."[55]

Em um de seus livros, publicado em 1948, Wiener fez a seguinte declaração, que revela como, por volta daquela época, começava a se formar a noção da abrangência e aplicabilidade da teoria de controle:

"No plano da engenharia de comunicações, já havia se tornado claro para o Sr. Bigelow e para mim que os problemas de engenharia de controle e engenharia de comunicação eram inseparáveis, e que elas se centravam não em técnicas de engenharia elétrica, mas em torno de noções muito mais fundamentais a respeito da mensagem, independente de esta ser transmitida por meio elétrico, mecânico ou neural. A mensagem é uma sequência, discreta ou contínua, de eventos mensuráveis que estão distribuídos no tempo – precisamente o que é chamado de série temporal pelos estatísticos (···) Decidimos, portanto, chamar toda a área das teorias de controle e comunicações, seja no contexto de equipamentos ou da vida animal, pelo nome *Cibernética* ..."[56]

O desenvolvimento da teoria de controle durante e logo após a Segunda Guerra Mundial foi formidável e vários livros seriam necessários para descrever tal avanço. O estado da arte das técnicas de resposta em frequência uma década depois da guerra pode ser encontrada em (Oldenburger, 1956).

---

[55]Citado de (Oldenburger, 1956, p. v).
[56]Citado de (Wiener, 1948, pp. 15, 16, 19).

# Capítulo 10

# Análise no domínio de Laplace

"O que sabemos é insignificante; o que não sabemos é imenso"[1]

"Todos os efeitos da natureza são apenas consequências matemáticas de um pequeno número de leis imutáveis"[2]

Pierre-Simon Laplace

"A Física está sobre a Matemática, e o escravo deve ser treinado para trabalhar de forma a atender as conveniências de seu mestre"[3]

Oliver Heaviside, 1889

Não é exagero dizer que praticamente qualquer livro-texto de controle "clássico" e de processamento de sinais apresenta e usa a transformada de Laplace. Sendo uma ferramenta tão útil e tão comum na atualidade, o jovem estudante imagina que a transformada de Laplace tem sido intensamente utilizada em diversos ramos da engenharia desde que foi descoberta e publicada pela primeira vez, no início do século XIX. Essa visão romântica antencipa em mais de um século o que realmente aconteceu com a transformada de Laplace e seu emprego na área de análise de sinais e sistemas lineares.[4]

Foi dito que o sentimento de muitos estudantes a respeito da transformada de Laplace pode ser expresso da seguinte maneira:

---

[1]Últimas palavras pronunciadas por Laplace antes de sua morte (Eves, 2004, p. 486).

[2]Citado de (Eves, 2004, p. 487).

[3]Parte de correspondência de Heaviside para Hertz. Citado em (Nahin, 2002, p. xviii).

[4]No artigo "Euler's version of the Laplace transform", *The American Mathematical Monthly*, 87(4):264–269, o autor, Michael A. B. Deakin, propõe que a formulação atualmente conhecida para a transformada de Laplace e sua ampla aceitação têm como ponto de partida o livro de

"(. . .) a sedução da transformada de Laplace é a sua habilidade de substituir a complicada operação de convolução pela multiplicação. Essa integral [de Laplace], ao longo de décadas, tem levado estudantes de Engenharia Elétrica à teologia, seja em busca de livramento [da transformada de Laplace], seja como uma carreira alternativa."[5]

Como visto em capítulos anteriores, no início do século XX já se registravam importantes contribuições e bastante atividade na área de controle. Se a transformada de Laplace só se difundiu nessa área após a Segunda Guerra Mundial, que ferramentas eram usadas até então? Que relação há entre tais ferramentas e a transformada que as substituiu de maneira gradual, mas definitiva? Quais foram as razões para que tal substituição ocorresse? Quais foram os principais personagens envolvidos nessa história? No presente capítulo algumas dessas questões serão discutidas e consideradas.

## 10.1  A contribuição de Laplace

O gênio do século XVII, Gottfried Wilhelm Leibniz (1646–1716), foi o primeiro a introduzir a ideia de usar um método simbólico no cálculo (Debnath and Bhatta, 2007, p. 2) e o primeiro a usar, em 29 de outubro de 1675, o símbolo $\int$ para indicar a integral. Esse símbolo, que é um S alongado, foi escolhido por ser a primeira letra da palavra latina *summa* (Eves, 2004, p. 443). Sobre esse notável matemático foi dito: "se eu tivesse que escolher um patrono para a cibernética entre a história da ciência, teria que escolher Leibniz. A sua filosofia orbita em torno de dois conceitos intimamente relacionados: simbolismo universal e o cálculo do raciocínio. Desses descendem a notação matemática e a lógica simbólica da atualidade" (Wiener, 1948, p. 20).[6]

---

Gustav Doetsch *Theorie und Anwendung der Laplace-Transformation*, Springer, Berlin, 1937. Paul Nahin confirma esse ponto de vista e acrescenta que, também em 1937, L. A. Pipes publicou a primeira "aplicação explícita" da transformada de Laplace a um problema de engenharia no artigo "Laplacian tranform circuit analysis", *Philosophical Magazine Series 7*, 24(161):502–511, 1937. O uso costumeiro dessa transformada em livros texto de controle clássico se deu a partir de meados do século XX (Aguirre, 2015b).

[5]Citado de (Nahin, 1991, p. 60).

[6]É notável que, após a publicação do livro *Cybernetics*, pelo qual reivindicou a paternidade de uma área, Wiener considerasse a hipótese de nomear um patrono para a cibernética. De fato, Leibniz trabalhou bastante no desenvolvimento de "máquinas de calcular" que, apesar de nunca terem tido muito êxito, anteciparam em séculos a computação analógica da qual Vannevar Bush (ver Seção 8.1) foi um dos ícones no início do século XX.

*Análise no domínio de Laplace* 271

Uma transformada integral geral pode ser escrita como

$$F(k) = \int K(x,k)f(x)dx, \tag{10.1}$$

em que a função a ser transformada é $f(x)$ e $K(x,k)$ é o núcleo da transformada. Euler,[7] em 1744, e, posteriormente, Lagrange estudaram transformações como (10.1), com $K(x,k) = e^{ax}$, $K(x,k) = x^a$ e $K(x,k) = e^{-ax}a^x$.

Iniciativas de estudo de transformações integrais remontam aos trabalhos de Laplace, na década de 1780, e de Fourier, apresentado à Academia de Ciências da França em 1807 (ver Seção 9.1). Por volta de 1785, Laplace usava transformações integrais, que escrevia como

$$X(s) = \int_0^\infty t^s x(t)dt, \tag{10.2}$$

que é bastante próxima da forma atual da transformada de Laplace. A expressão (10.2) ainda é utilizada sob o nome da transformada de Mellin.

Seguindo os passos de Euler, Laplace estudava formas de usar essas integrais para expressar as soluções de certas equações. Em 1785, Laplace mudou de filosofia, passando a aplicar uma transformação do tipo (10.1) à equação toda, objetivando conseguir resolvê-la de maneira mais simples. Essa prática é o uso mais comum da transformada de Laplace na atualidade no contexto da engenharia elétrica e engenharia de controle. Em 1807, após tomar conhecimento do trabalho que Fourier publicara nesse ano (ver Seção 9.1) sobre a propagação do calor, Laplace dedicou-se a resolver o mesmo problema. Seu conhecimento prévio sobre métodos integrais para solucionar equações certamente teve um papel importante

---

[7]Leonard Euler (1707–1783) foi um matemático suíço. À semelhança de outro grande matemático, Riemann, Leonhard Euler era filho de um pastor, que pretendia que seu filho estudasse Teologia. À semelhança de Riemann, que também preferiu estudar matemática, Euler contou com o apoio do pai para lançar-se na nova profissão. Tendo participado da Academia de São Petersburgo (ver Nota 12 do Capítulo 5) por quatorze anos, Euler chefiou a seção de matemática da Academia de Berlim por 25 anos, voltando para a Academia de São Petersburgo, onde ficou os últimos dezessete anos de sua vida. Mesmo cego do olho direito desde 1735, e tendo ficado completamente cego após regressar à Academia de São Petersburgo, a produção científica de Euler é insuperável na história da matemática, tendo publicado ao longo de sua vida, entre livros e artigos, 530 trabalhos. Curiosamente, Euler nunca ocupou o cargo de professor (Eves, 2004, pp. 471–472). Seria esse o segredo de tamanha produtividade? O impacto do trabalho de Euler e seu envolvimento na Academia de São Petersburgo são reconhecidos mesmo por autores russos: "Leonhard Euler e seus alunos ou colegas (...) desenvolveram ferramentas matemáticas que até mesmo agora são valiosas na solução de importantes problemas científicos" (Khramoi, 1969, p. 9).

nessa nova investigação. Esse esforço culminou com o desenvolvimento de sua própria transformada, publicada em 1812,[8] e também serviu de motivação para que Fourier generalizasse o resultado da sua (Fourier) série na forma da transformada de Fourier (Nahin, 1991).

No conhecido trabalho de Laplace *Théorie Analytique des Probabilités*, publicado em 1812, é possível encontrar resultados básicos da transformada de Laplace (Debnath and Bhatta, 2007, p. 1).

Pode parecer estranho que a transformada de Laplace tenha sido originalmente publicada em um texto sobre teoria de probabilidades, mas não é difícil entender a razão. Considere duas variáveis aleatórias independentes $X$ e $Y$, com densidades de probabilidade $f(x)$ e $f(y)$, respectivamente. Seja uma terceira variável aleatória $Z = X + Y$, a função densidade de probabilidade $f(z)$ é o resultado da convolução entre $f(x)$ e $f(y)$, ou seja, $f(z) = f(x) * f(y)$, em que o asterisco indica convolução. Aplicando a transformada de Laplace às funções de densidade de probabilidade, pode-se escrever $F(z) = F(x)F(y)$, em que letras maiúsculas foram usadas para indicar grandezas transformadas. Em outras palavras, a convolução das funções tornou-se o produto das respectivas transformadas. Foi nesse contexto que surgiu a transformada de Laplace. Mais de um século depois, essa transformada passou a ser usada para evitar a convolução entre a entrada, $u(t)$, de um sistema linear e invariante no tempo e a respectiva resposta ao impulso, $h(t)$, para achar a saída, $y(t)$.

Tanto Laplace como Lagrange contribuíram significativamente para a área de métodos simbólicos, que passaram a ser conhecidos como *cálculo operacional* (Debnath and Bhatta, 2007, p. 2), que foi a área de maior contribuição de Oliver Heaviside (ver Seção 10.2.3):

"O cálculo operacional (...) pode ser rastreado retrospectivamente até chegar ao trabalho de Oliver Heaviside (1850–1925). Ainda que vários cientistas (Leibniz, Lagrange, Cauchy, Laplace, Boole, Riemman e outros) tenham antecedido Heaviside na introdução de métodos operacionais na análise [matemática], o seu uso sistemático na Física e em problemas técnicos foi estimulado somente pelo trabalho de Heaviside."[9]

---

[8]Lathi menciona que Laplace publicou sua transformada em 1779 (Lathi, 2007, p. 322).
[9]Citado de (van der Pol and Bremer, 1955, p. 1).

# Análise no domínio de Laplace

## 10.1.1 Formulação atual da transformada de Laplace

A transformada (unilateral) de Laplace é definida como

$$\mathcal{L}\{x(t)\} = X(s) = \int_0^\infty x(t)e^{-st}dt, \quad \text{Re}[s] > \sigma_0, \tag{10.3}$$

em que $s$ é um número complexo e $\text{Re}[s]$ indica sua parte real e $\sigma_0$ é um escalar real tal que a integral em (10.3) convirja. Portanto, $\text{Re}[s] > \sigma_0$ define a região de convergência da transformada de Laplace. A transformada bilateral de Laplace, por sua vez, é definida como

$$\mathcal{L}\{x(t)\} = X(s) = \int_{-\infty}^\infty x(t)e^{-st}dt, \quad \text{Re}[s] > \sigma_0. \tag{10.4}$$

Aparentemente, Laplace usou a transformada (10.3), sendo que a transformada bilateral (10.4) passou a ser utilizada posteriormente. Um dos trabalhos dedicados inteiramente à transformada bilateral de Laplace é (van der Pol and Bremer, 1955). Do ponto de vista operacional, as transformadas em (10.3) e (10.4) permitem representar uma função no domínio do tempo, $x(t)$, em sua respectiva (função) imagem, $X(s)$, no domínio de Laplace, ou domínio $s$. A vantagem dessa transformação pode não ser reconhecida de forma imediata, mas, aplicando-se a transformada de Laplace a uma equação diferencial (em $t$), ela se torna uma equação algébrica (em $s$), de solução muito mais simples. Além disso, a presença de sinais com descontinuidades temporais, por exemplo uma função "degrau", é problemática quando é necessário derivá-las com respeito ao tempo. Situações como essa, comuns na prática, são facilmente manipuladas pelo cálculo operacional.

A transformada inversa de Laplace é dada pela integral de Bromwich (ver Seção 10.2.5):

$$\mathcal{L}^{-1}\{X(s)\} = x(t) = \frac{1}{2\pi j}\int_{c-j\infty}^{c+j\infty} X(s)e^{st}ds, \quad c > \sigma, \tag{10.5}$$

publicada em 1916.[10] Em (10.5) $\sigma$ é qualquer valor real tal que o caminho de integração, ou seja, a reta dada por $c \pm j\omega$, $(-\infty\ \infty)$, esteja contida na região de convergência de $X(s)$. Foi o matemático francês Paul Lévy (1886–1971) que mostrou[11] que a solução da equação integral (10.3) — ou seja, a determinação

---

[10]Bromwich, T. J. I'a., *Proc. Lond. Math. Soc.*, XV, 401, 1916 (van der Pol and Bremer, 1955, p. 4).

[11]P. P. Lévy, *Le calcul symbolique d'Heaviside*, Paris, 1926. Lützen atribui a Lévy a introdução do operador de convolução (Lützen, 1979, p. 189).

de $x(t)$ a partir do conhecimento de $X(s)$ — é dada pela integral de Bromwich (10.5), que é conhecida como a transformada inversa de Laplace.[12]

Se o leitor já teve a oportunidade (ou a necessidade!) de calcular a transformada inversa de Laplace, é possível que não esteja lembrado de ter resolvido a integral de Bromwich (10.5). A possível razão para isso é que a solução de (10.5) é apenas uma das formas — e a menos popular entre estudantes de engenharia — de determinar a transformada inversa de Laplace, que pode ser obtida de várias outras maneiras. A mais comum é a decomposição em frações parciais e a subsequente consulta a tabelas de pares de transformadas de Laplace. Por exemplo a transformada inversa de $X(s) = 1/s(s+a)$ pode ser obtida decompondo-se essa razão em *frações parciais* como:

$$\frac{1}{s(s+a)} = \frac{1}{a}\left[\frac{1}{s} - \frac{1}{s+a}\right],$$

de onde segue que $x(t) = (1 - e^{-at})/a$, $t > 0$. A decomposição em frações parciais ficou conhecida como o *teorema de expansão de Heaviside*, que será apresentado na Seção 10.2.1.

Outra maneira de achar $x(t)$ é pelo teorema da convolução. Como $X(s)$ é o produto de $1/s$ e $1/(s+a)$, pelo referido teorema sabe-se que $x(t)$ será a convolução das transformadas inversas de $1/s$ e $1/(s+a)$, ou seja,

$$\mathcal{L}^{-1}\left\{\frac{1}{s(s+a)}\right\} = u(t) * e^{-at} = \int_0^\infty e^{-a\tau}d\tau = \frac{1 - e^{-at}}{a},$$

em que $u(t)$ é a função *degrau unitário* ou *função de Heaviside* (ver Seção 10.3), e a estrela indica a operação de *convolução*.

A transformada inversa de Laplace pode ser determinada também utilizando a integral de Bromwich (10.5) e o *teorema de resíduos de Cauchy*, que, no presente

---

[12]Parece haver alguma incerteza relacionada à origem da assim chamada transformada inversa de Laplace. A integral de Bromwich (10.5) é atualmente reconhecida como a transformada inversa de Laplace. A integral de Bromwich foi citada com esse nome, por exemplo, em (Ahrendt and Taplin, 1951, p. 188) e em (Jury, 1964, p. 20). Por outro lado, van der Pol e Bremer relatam que essa integral já era conhecida de Riemann em 1859 (van der Pol and Bremer, 1955, p. 4). Bateman (1945, p. 644), por sua vez, reivindicou ter, em 1910, sugerido o uso da transformada inversa de Laplace em Bateman, H., The solution of a system of differential equations occurring in the theory of radio-active transformations, *Proc. Cambridge Philos. Soc.*, 15:423–427, 1910; Bateman, H., The solution of linear differential equations by means of definite integrals, *Trans. of Cambridge Plhilo. Soc.*, 21:171–196, 1909. Além disso, Bateman disse ter escrito cartas para J. R. Carson e M. D. Hersey recomendando o uso da transformada inversa de Laplace (Bateman, 1945, p. 644). Nessa referência, Bateman declarou que vinha ensinando tal método por praticamente quarenta anos.

# Análise no domínio de Laplace 275

caso, pode ser simplificado assim: a integral em (10.5) é igual à soma dos resíduos de $X(s)e^{st}$ nos polos de $X(s)$. Como $X(s) = 1/s(s+a)$ tem polos em $s = 0$ e $s = -a$, tem-se

$$
\begin{aligned}
r_1 &= \lim_{s \to 0} sX(s)e^{st} = \frac{1}{a} \\
r_2 &= \lim_{s \to -a} (s+a)X(s)e^{st} = \frac{1}{-a}e^{-at},
\end{aligned}
$$

portanto, a soma dos resíduos é $r_1 + r_2 = x(t) = (1 - e^{-at})/a$, $t > 0$, como esperado.

## 10.1.2 Pierre-Simon Laplace

Pierre-Simon Laplace (Figura 10.1) nasceu em 1749 em uma família pobre da Normandia, mas, graças a seu talento com a matemática, teve uma boa formação. Dos 7 aos 16 anos, frequentou seminários beneditinos e, dos 16 aos 19, estudou teologia (Ponczek, 2002, p. 123) na Universidade de Caen, na Normandia.[13] Assumiu a cadeira de Matemática da Escola Militar de Paris em 1769, por indicação de d'Alembert.[14] Conta-se a seguinte anedota sobre esse evento:

> "Quando Laplace, ainda bastante jovem, chegou a Paris à procura de um lugar no magistério, submeteu a d'Alembert as cartas de recomendação que levara, escritas por pessoas importantes. Como esse expediente não surtisse nenhum efeito, ele próprio escreveu uma carta a d'Alembert, onde expôs, com brilhantismo, os princípios gerais da mecânica. Foi o quanto bastou e d'Alembert lhe respondeu: 'Senhor, como percebeu, quase não dei atenção às suas cartas de recomendação. Elas, porém, não eram necessárias; o senhor soube se apresentar melhor.'"[15]

---

[13]Vaz, T. A., "Histórico da Transformada de Laplace e suas Aplicações", Trabalho de Conclusão do Curso de Ciências com Habilitação Plena em Matemática, Universidade Federal do Tocantins, 2007.

[14]Jean Le Rond d'Alembert (1717–1783) foi um matemático e filósofo francês, conhecido por ter compilado uma enciclopédia. Por ser um filho não legítimo, d'Alembert fora abandonado quando ainda bebê. Apesar de não reconhecer o filho, seu pai proveu para ele uma boa educação. D'Alembert foi admitido para a Academia de Ciências em 1741 e eleito para a Academia Francesa em 1754. Na área de matemática aplicada, dedicou-se ao estudo de dinâmica, sendo que em 1743 publicou o trabalho *Traité de Dynamique*, no qual foi enunciado o conhecido princípio de d'Alembert, que é uma generalização da terceira lei de Newton.

[15]Citado em (Eves, 2004, p. 486).

Tornou-se membro da Academia de Ciências de Paris em 1773 e, dois anos depois, examinou e aprovou o jovem Napoleão Bonaparte. Laplace também examinou a primeira versão do trabalho de Fourier (ver Seção 9.1), mas, nesse caso, o trabalho foi rejeitado. Durante a Revolução Francesa, junto com Lagrange e Lavoisier, Laplace definiu o sistema métrico decimal. Foi nomeado marquês em 1817, razão pela qual é chamado de Pierre-Simon marquis de Laplace. Segundo Stigler, é consenso entre muitos que Laplace foi o mais ilustre cientista francês (Stigler, 1986, p. 31).

**Figura 10.1.** Pierre-Simon Laplace (1749–1827), (Wikipedia, 2009).

Trabalhou em diversas áreas do conhecimento, como mecânica celeste, probabilidades e equações diferenciais. Entre seus dois trabalhos mais importantes, a obra intitulada *Traité de Mécanique Céleste*, que apareceu em cinco volumes de 1799 a 1825, rendeu-lhe o cognome de "Newton da França", termo utilizado por Poisson para referir-se a Laplace, quando do falecimento deste (Stigler, 1986, p. 31). O outro trabalho intitula-se *Théorie Analytique des Probabilités*, publicado em 1812. Alguns desses temas mereceram destaque no Palácio de Versalhes (Figura 10.2). A divisão em temas dos quatorze volumes de suas *Oeuvres Complètes* foi sugerida por Stigler: metade é dedicada à mecânica celeste, um quarto à matemática (excluído o tema de probabilidades) e o resto à probabilidade e física (Stigler, 1986, p. 31).

O historiador Howard Eves relaciona o nome de Laplace a quatro resultados principais: a hipótese nebular da cosmologia, a assim chamada equação de Laplace da teoria do potencial, a *transformada de Laplace*, e o teorema de Laplace da teoria dos determinantes (Eves, 2004, p. 486). No caso particular das áreas de sistemas dinâmicos lineares, o nome de Laplace está intimamente relacionado à sua transformada, pela qual equações diferenciais lineares e invariantes no tempo são transformadas em equações algébricas. Para muitos estudantes de engenharia, a transformada de Laplace não passa de uma ferramenta que permite evitar equações diferenciais. Apesar de simplista, essa visão da transformada de Laplace faz juz ao comentário feito sobre seu autor: "para Laplace, a matemática não passava de uma caixa de ferramentas a serem usadas na explicação da natureza" (Eves, 2004, p. 487).

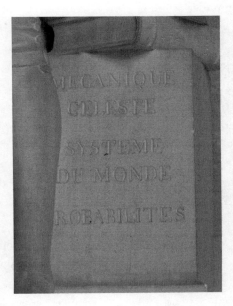

**Figura 10.2.** Estátua de Piere-Simon Laplace no Palácio de Versalhes. À direita e em cima, a inscrição aponta as principais áreas em que se encontram as contribuições de Laplace: *Mécanique Céleste, Système du Monde, Probabilités*. No detalhe da placa, à direita e embaixo, lê-se: *Laplace — Sénateur: Membre de l'Académie des Sciences, 1745–1827*. É curioso que, na placa, aparece o ano de 1745, sendo que Laplace nasceu em 1749.

## 10.2 O cálculo operacional

Por cálculo operacional entende-se um conjunto de métodos de análise matemática que, sob certas condições, reduz equações diferenciais a equações algébricas. Isso é conseguido definindo-se um *operador* de derivada $p \equiv \frac{d}{dt}$. Portanto, multiplicar uma variável por $p$ equivale a tomar a sua derivada em relação ao tempo. De maneira análoga, a divisão por $p$ corresponde à integral da variável $x(t)$, se $x(0) = 0$.[16] Essas propriedades do cálculo operacional são compartilhadas pela transformada de Laplace, pois multiplicar uma transformada por $s$, ou seja, $sX(s)$, corresponde a tomar a derivada $\frac{dx(t)}{dt}$, no domínio do tempo.

O cálculo operacional era conhecido pelos matemáticos,[17] mas o desenvolvimento e uso sistemático do cálculo operacional começou com Oliver Heaviside ao fim do século XIX, quando aplicou esse conjunto de técnicas em problemas de comunicações. Não é de admirar que normalmente se fala do *cálculo operacional de Heaviside*. Ele desenvolveu regras para manipular o operador $p$ e, assim, resolver diversos problemas. A real contribuição de Heaviside é resumida nas palavras de Paul Nahin:

> "(. . .) especialmente entre engenheiros eletricistas, há um certo mito de que Heaviside foi injustiçado por matemáticos tolos, rígidos e tão bitolados em sua forma de pensar que foram incapazes de entender algo novo. O que Heaviside realmente fez, e pelo que merece todo crédito, foi mostrar *como aplicar, em problemas físicos de importância tecnológica*, técnicas analíticas que, até então, não passavam de abstrações simbólicas."[18]

A despeito da inegável contribuição de Heaviside para o cálculo operacional, ele não se preocupou com aspectos formais nem com justificativas matemáticas.

---

[16]Os análogos no domínio de tempo discreto são os operadoradores de avanço $q$ e de atraso $q^{-1}$ (notação atual). Um dos pesquisadores do cálculo operacional para sistemas discretos foi B. M. Brown, do Royal Naval College, em Londres. Um de seus trabalhos relacionados ao tema foi: B. M. Brown, "Application of finite difference operators to linear systems", in *Automatic and Manual Control*, A. Tustin, editor, *Proceedings of the Cranfield Conference*, 1951, Butterworth Scientific Publications, London, 1952, pp. 490–518.

[17]Referindo-se ao trabalho de E. Koppelman, "The calculus of operations and the rise of abstract algebra" *Archive for History of Exact Sciences*, **8**:155-242, 1971, Paul Nahin comenta que a origem do cálculo operacional entre os matemáticos pode ser rastreada até o trabalho de John Bernoulli em 1695.

[18]Citado de (Nahin, 2002, p. 218).

*Análise no domínio de Laplace* 279

Posteriormente, pesquisadores como Bromwich, van der Pol,[19] Carson,[20] Vannevar Bush,[21] entre outros, fundamentaram o cálculo operacional em bases matemáticas mais sólidas. Por exemplo, Bromwich o fez utilizando a transformada de Laplace (ver Equação 10.5 e discussão *in loco*).

## 10.2.1 Resultados do cálculo operacional de Heaviside

Uma conhecida propriedade da transformada de Laplace é também conhecida como o *primeiro teorema do deslocamento de Heaviside* (Debnath and Bhatta, 2007, p. 140):

$$e^{-pt}x(t) \doteqdot X(p+a),$$

em que o símbolo $\doteqdot$ relaciona o domínio e a imagem, sendo que o ponto superior é usado do lado da função no tempo. Pelo *princípio da dualidade* é possível escrever (van der Pol and Bremer, 1955, p. 34):

$$x(t+a) \doteqdot e^{pt}X(p).$$

Um dos resultados mais importantes do cálculo operacional é o (segundo) *teorema de expansão de Heaviside*. Uma versão desse teorema é muito semelhante ao procedimento de decomposição em frações parciais. Seja (van der Pol and Bremer, 1955, p. 142):

$$X(p) = \frac{N(p)}{D(p)} = \sum_{n=1}^{N} \sum_{k=1}^{m_n} \frac{a_{n,k}}{(p-p_n)^k},$$

em que $p_n$ são as raízes do polinômio $D(p)$. A correspondente função no domínio do tempo é dada por

$$x(t) = u(t) \sum_{n=1}^{N} e^{p_n t} \sum_{k=1}^{m_n} a_{n,k} \frac{t^{k-1}}{(k-1)!}, \qquad \mathrm{Re}[p] > \mathrm{Re}[p_1] < \infty, \qquad (10.6)$$

---

[19]Balthasar van der Pol (1889–1959) foi um físico holandês. Estudou Física e recebeu o título de doutor em 1920. Estudou Física experimental com Sir John Ambrose Fleming (ver Nota 5 do Capítulo 6). Ingressou nos laboratórios de pesquisa e desenvolvimento da Phillips em 1921, onde permaneceu até sua aposentadoria, em 1949. Um dos principais temas de interesse de van der Pol eram as oscilações não lineares, sendo que o oscilador autônomo $\ddot{y} - \mu(1-y^2)\dot{y} + y = 0$ leva seu nome. Escreveu um conhecido livro sobre cálculo operacional (van der Pol and Bremer, 1955).

[20]Ver Nota 65 deste capítulo.

[21]Ver Nota 9 do Capítulo 8.

280                    *Sistemas realimentados: uma abordagem histórica*

em que $u(t)$ é a função de Heaviside. Nessa forma, o teorema de expansão de Heaviside não difere muito do atual procedimento de decomposição em frações parciais. Lützen, que fornece provas do teorema de expansão, escreveu:

> "O teorema da expansão, como já observei, foi a ferramenta mais poderosa usada por Heaviside em seu procedimento de algebrização. Ainda que sua demonstração usando cálculo operacional somente se aplica a funções racionais, Heaviside também aplicou o referido resultado a funções transcendentais."[22]

Uma outra formulação, aplicável quando não há raízes múltiplas ($k = 1$), fornece a função no tempo como (Debnath and Bhatta, 2007, p. 165):

$$x(t) = \sum_{n=1}^{N} e^{p_n t} \frac{N(p_n)}{D'(p_n)}, \tag{10.7}$$

sendo $D'(p)$ a derivada do polinômio $D(p)$. Seja $D(p) = p^2 - 3p + 2$ e $N(p) = p$. Nesse caso $p_1 = 1$ e $p_2 = 2$. Usando (10.7) pode-se escrever:

$$x(t) = \frac{N(2)}{D'(2)} e^{2t} + \frac{N(1)}{D'(1)} e^t = 2e^{2t} - e^t.$$

À semelhança da transformada de Laplace, utilizando o cálculo operacional de Heaviside, a convolução de duas funções $x(t) * y(t)$ é substituída pelo produto de suas imagens, ou seja, $X(p)Y(p)$. A integral de convolução já havia sido utilizada por pessoas como Duhamel, Rayliegh e Lévy, contudo, ao que parece, Heaviside não conhecia tal integral, pois não foram encontradas referências a ela nos seus trabalhos, publicados e não publicados (van der Pol and Bremer, 1955, p. 40).

Um resultado importante foi demonstrado pelo matemático Alfred Tauber (1866–1942) em 1897. Partindo de um outro teorema (teorema de Abel), Tauber mostrou que é possível descrever o comportamento de uma função para valores de $t$ pequenos e grandes, a partir do comportamento da sua transformada. Na atualidade, os teoremas "tauberianos" são conhecidos como o *teorema do valor inicial* e o *teorema do valor final*. Esses resultados são atualmente apresentados no contexto da transformada de Laplace (Debnath and Bhatta, 2007, p. 168).

---

[22]Citado de (Lützen, 1979, p. 172). O mesmo autor afirma que não era conhecida a demonstração do teorema da expansão até 1925 (ano da morte de Heaviside), quando o engenheiro eletricista alemão K. W. Wagner encontrou nos escritos de Heaviside a primeira demonstração que este formulara. A mesma descoberta foi realizada de maneira independente em M. S. Vallarta, "Heaviside's proof of his expansion theorem", *Transactions of the American Institute of Electrical Engineers*, 65:429–434, 1926.

*Análise no domínio de Laplace* 281

Uma exposição detalhada dos teoremas de Abel e de Tauber pode ser encontrada em (van der Pol and Bremer, 1955, Capítulo VII).

## 10.2.2 Admitâncias, impedâncias e séries

Uma importante contribuição de Heaviside para a área de análise de redes elétricas foi o conceito de admitância.[23] Seguindo seu conceito de operadores, Heaviside concebeu o *operador de admitância* como sendo o operador matemático $A(\mathrm{d}/\mathrm{d}t) = A(p)$ que, ao ser aplicado à função temporal de tensão $e(t)$, fornece a corrente $i(t)$ resultante da referida tensão. A impedância é definida como o operador inverso:

$$i(t) = A\left(\frac{\mathrm{d}}{\mathrm{d}t}\right) e(t), \quad e(t) = Z\left(\frac{\mathrm{d}}{\mathrm{d}t}\right) i(t).$$

Na definição de Heaviside, a tensão $e(t)$ poderia ser qualquer. Atualmente, os conceitos de admitância e impedância envolvem excitação senoidal, ou seja,

$$i(t) = A(j\omega)e^{j\omega t} = \frac{e^{j\omega t}}{Z(j\omega)},$$

em que a tensão aparece na forma do fasor $e^{j\omega t}$,[24] e que usa os conceitos de resposta em frequência. Heaviside referia-se à impedância como o "operador de resistência" e dizia que era uma função dos parâmetros do circuito e do operador de diferenciação $p$.

Possivelmente, Heaviside foi um dos primeiros a usar o conceito de função de transferência e resposta em frequência, ainda que não os tenha formalmente definido. A utilidade de se representar sistemas dinâmicos lineares, tanto para resposta senoidal como para determinar o regime transiente, foi reconhecido no século XX, por exemplo (van der Pol and Bremer, 1955), ainda que os termos função de transferência e resposta em frequência não fossem usados.

A título de ilustração, considere o circuito mostrado na Figura 10.3. Utilizando o conceito de impedância e o operador $p$, Heaviside escreveria

$$i(t) = \frac{e(t)}{Z(p)},$$

em que $Z(p) = R + Lp$.

---

[23]Heaviside, O., *Proc. Roy. Soc.*, LII, 504, 1892–1893 (van der Pol and Bremer, 1955, p. 161).

[24]Nesse caso a corrente também será um fasor, mas com módulo e fase determinados por $A(j\omega)$ ou $Z(j\omega)$.

Caso se aplicasse uma tensão constante de amplitude 1 V no instante $t = 0$, qual será a corrente $i(t)$, $t \geq 0$? Indicando por **1** (ver Equação 10.17) a função degrau (de tensão) aplicada ao circuito, a corrente resultante é expressa por[25][26]

$$i(t) = \frac{1}{Z(p)}\mathbf{1} = \frac{1}{Lp(\frac{R}{Lp}+1)}\mathbf{1}. \qquad (10.9)$$

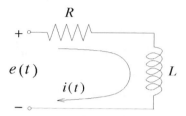

**Figura 10.3.** Circuito $RL$ série.

Um resultado conhecido da teoria de séries é

$$\frac{1}{1+x} = 1 - x + x^2 - x^3 + \ldots, \quad |x| < 1. \qquad (10.10)$$

Heaviside, tratando $p$ como se fosse uma entidade algébrica e não como um operador, aplicava o resultado em (10.10) em (10.9) para obter[27]

$$i(t) = \frac{1}{R}\left[\frac{1}{p}\frac{R}{L} - \frac{1}{p^2}\left(\frac{R}{L}\right)^2 + \frac{1}{p^3}\left(\frac{R}{L}\right)^3 - \ldots\right]\mathbf{1}, \qquad (10.11)$$

sem, contudo, preocupar-se em explicar em que sentido deveria ser considerado que $|R/Lp| < 1$, para que a série em (10.11) fosse convergente. Lembrando que a

---

[25] O leitor que tentar fazer um paralelo com a transformada de Laplace provavelmente sentirá falta da divisão por $p$, uma vez que a transformada de Laplace do degrau unitário é $1/s$ e na Equação 10.9 aparece simplesmente **1**. Nesse particular Lützen observou que, "se Heaviside tivesse escolhido a função $\delta(t)$ como operando padrão, no lugar de $H(t)$, a correspondente transformação integral teria sido a transformada de Laplace" (Lützen, 1979, p. 187). Portanto, a transformada

$$X(p) = p\int_0^\infty x(t)e^{-pt}dt, \qquad (10.8)$$

é conhecida como a transformada de Carson-Laplace (Carson, 1926, p. 28). Uma das vantagens de se utilizar (10.8) é que a transformada de Carson-Laplace de uma constante é a própria constante. Para outras vantagens o leitor pode consultar o livro em português (Vianna, 1971).

[26] Outros detalhes de análise desse circuito usando o cálculo operacional podem ser encontrados em (Tonidandel and Araújo, 2012) e (Tonidandel and Araújo, 2017, Cap. 1).

[27] É possível obter (10.11) por divisão longa: $1 : Lp + R$. O que ocorre se a divisão realizada for $1 : R + Lp$?

*Análise no domínio de Laplace* 283

divisão por $p$ corresponde à operação de integração, tem-se

$$\frac{1}{p}\mathbf{1} = \int_0^t \mathbf{1}dt = t, \quad t \geq 0$$
$$= 0, \quad t < 0.$$

Baseado nesse resultado, Heaviside escrevia para o caso geral

$$\frac{1}{p^n}\mathbf{1} = \frac{t^n}{n!}, \quad t \geq 0 \tag{10.12}$$
$$= 0, \quad t < 0,$$

que, ao ser substituído em (10.11), resulta em

$$i(t) = \frac{1}{R}\left[\frac{R}{L}t - \left(\frac{R}{L}\right)^2\frac{t^2}{2!} + \left(\frac{R}{L}\right)^3\frac{t^3}{3!} - \dots\right]. \tag{10.13}$$

Outro resultado conhecido da área de expansão em séries é

$$e^x = \sum_{m=0}^{\infty} \frac{x^m}{m!}$$
$$e^x - 1 = x + \frac{x^2}{2!} + \frac{x^3}{3!} + \dots,$$
$$e^{-(R/L)t} - 1 = -(R/L)t + \left(\frac{R}{L}t\right)^2\frac{1}{2!} - \left(\frac{R}{L}t\right)^3\frac{1}{3!} + \dots \tag{10.14}$$

Finalmente, comparando o lado direito de (10.14) com a parcela entre colchetes em (10.13), Heaviside chegava ao resultado

$$i(t) = \frac{1}{R}\left[1 - e^{-(R/L)t}\right], \quad t \geq 0, \tag{10.15}$$

que, como sabemos, está correto. No desenvolvimento acima, $p$ foi considerado ora um operador, ora uma entidade algébrica. Possivelmente essa era a razão de Heaviside chamar tal procedimento de "algebrizar o problema".[28] Esse tipo de "algebrização" era contundentemente criticado por alguns matemáticos da época. Comparando-se o procedimento acima com (10.6), percebe-se que o teorema de expansão de Heaviside é mais um resultado da algebrização de funções que envolvem o operador $p$. Mas a "algebrização" de Heaviside ia além disso.

---

[28]Em um artigo escrito na última década do século XX, Kullstam fala do esforço de alguns autores de "rigorizar" o método de Heaviside (Kullstam, 1992, p. 266). Essa expressão é uma clara menção ao termo "algebrizar" cunhado por Heaviside.

284　　　　　　　　　　　　　　　*Sistemas realimentados: uma abordagem histórica*

O circuito mostrado na Figura 10.3 é de parâmetros concentrados. O resultado disso é que a fração (ou será o operador?) $1/p$ aparece elevada a potências inteiras. Contudo, na análise de um circuito a parâmetros distribuídos, como um circuito telegráfico de grande extensão, a parcela $1/p$ aparece elevada a potências fracionárias. Em particular, Heaviside chegou ao resultado[29][30]

$$p^{1/2}\mathbf{1} = \frac{1}{\sqrt{\pi t}}, \tag{10.16}$$

que já era conhecido dos matemáticos (Nahin, 2002, p. 221). Mas qual era a interpretação de $p^{1/2} = \sqrt{(\mathrm{d}/\mathrm{d}t)}$?[31] Não é difícil ver porque Heaviside recebeu tão forte oposição por parte daqueles que prezavam o rigor matemático.

O procedimento que normalmente era seguido por Heaviside foi resumido por Lützen como:

1) Formular o problema usando equações diferenciais.

2) Achar a solução operacional. Isso consistia em substituir $\mathrm{d}/\mathrm{d}t$ por $p$ e tratar $p$ como uma entidade algébrica.

3) Algebrização:

    3.1) para entrada senoidal;

    3.2) para entrada em degrau (a função de Heaviside).

        3.2.1) Expansão em série com potências de $p$ decrescentes. Usar a regra (10.12) para conseguir uma solução em potências de $t$.

        3.2.2) Expansão em série com potências de $p$ ascendentes e considerar $p^n\mathbf{1} = 0$. Isso resultava em uma expansão assintótica para a solução. Se o procedimento 3.2.1 ou 3.2.2 resultar em diferenciação fracionária, usa-se a expressão (10.16).

        3.2.3) Usar o teorema de expansão (relacionado à decomposição em frações parciais).

---

[29]Esse resultado já era conhecido por Lacroix em 1819, mas, ao que tudo indica, Heaviside chegou ao mesmo resultado de maneira independente (Lützen, 1979, p. 167).

[30]Paul Nahin apresenta um desenvolvimento desse resultado e de outros do mesmo tipo partindo da *função gama* estudada por Euler (Nahin, 2002, pp. 234–236).

[31]Derivadas e integrais de ordem fracionária são conhecidos na área de cálculo diferencial desde o Século XVIII. Uma referência atual é I. Podlubny, *Fractionnal Differential Equations*, Academic Press, 1999, London.

*Análise no domínio de Laplace* 285

## 10.2.3  Oliver Heaviside

Heaviside (Figura 10.4) nasceu em Londres em 18 de maio de 1850. Ainda novo sofreu de escarlatina, o que deixou sequelas na sua capacidade auditiva. Mesmo com essa dificuldade, Heaviside foi um bom aluno até a idade de 16 anos, quando saiu da escola para tornar-se um autodidata. O famoso Charles Wheatstone (1802–1875) – da celebrada *ponte de Wheatstone* usada em medidas elétricas e instrumentação –, que na década de 1830 foi um dos inventores do telégrafo, preocupou-se com a formação do sobrinho.[32] Assim, possivelmente incentivado pelo tio, Heaviside começou a estudar telegrafia e eletromagnetismo por conta própria.

Aos 18 anos de idade, Heaviside conseguiu seu primeiro (e único!) emprego, como operador de telégrafo, tornando-se rapidamente o operador-chefe. Mesmo trabalhando, Heaviside nunca deixou de estudar. Aos 21 anos de idade publicou alguns resultados de pesquisa sobre circuitos elétricos e telegrafia. Aos 24 anos de idade, deixou o emprego e voltou a dedicar-se aos estudos em tempo integral.

Um ano antes de se demitir, Heaviside conheceu o trabalho de James Clerk Maxwell, publicado em dois volumes: *Tratado sobre Eletricidade e Magnetismo*. Nesse trabalho, as famosas equações de Maxwell são vinte equações em vinte variáveis, muito diferentes das quatro equações em forma vetorial usadas na atualidade. O que poucas pessoas sabem é que foi Oliver Heaviside, em 1884, quem reformulou as equações de Maxwell, expressando-as em forma vetorial. O mesmo foi feito de maneira independente pelo alemão Heinrich Hertz, e que foi publicado em 1892. Outras invenções de Heaviside incluem o cabo coaxial, patenteado em 1880.

**Figura 10.4.** Oliver Heaviside (1850–1925), (Wikipedia, 2009).

---

[32]Wheatstone era casado com a tia de Heaviside.

Em 1891 Heaviside foi nomeado *fellow* da Royal Society, e em 1905 recebeu o título de Doutor *Honoris Causa* da Universidade de Göttingen. Ele mesmo agrupou seus artigos em dois volumes: *Electrical Papers*, que contém os artigos publicado entre 1873 e 1891, e *Electromagnetic Theory*, em três volumes. O volume I contém os artigos de 1891 a 1893; o volume 2 tem artigos de 1894 a 1898; e o volume 3 é composto por artigos dos anos 1900 a 1912 (Lützen, 1979, p. 163).

Oliver Heaviside foi colocado entre alguns dos maiores nomes da ciência por um influente matemático, nas seguintes palavras:

> "Assim, a engenharia de comunicações começou com Gauss, Wheatstone e os primeiros telegrafistas. Recebeu seu primeiro tratamento razoavelmente científico das mãos de Lord Kelvin, depois da falha do primeiro cabo transatlântico, em meados do século XIX. A partir da década de 80 daquele século, foi provavelmente Heaviside quem mais contribuiu no sentido de dar a forma atual ao tema"[33]

E sobre o cálculo operacional foi dito:

> "Devemos colocar o cálculo operacional junto à descoberta de Poincaré das funções automórficas, e a descoberta de cálculo tensorial por parte de Ricci como os três avanços mais importantes da matemática dos últimos 25 anos do século XIX."[34]

## 10.2.4 A controvérsia com a Royal Society

Como *fellow* da Royal Society, Heaviside tinha a prerrogativa de publicar nos respectivos anais "qualquer trabalho" que submetesse. Em fevereiro de 1893, submeteu a primeira parte de uma descrição abrangente sobre o seus procedimentos com o cálculo operacional.[35] Na introdução desse trabalho, Heaviside escreveu:

> "Com respeito ao seguinte breve esboço, por mais imperfeito que seja, tem a seu favor o fato de ter sido desenvolvido em uma mente incontaminada por preconceitos formados por conhecimento prévio adquirido de segunda mão."[36]

---

[33]Citado de (Wiener, 1948, p. 50, 51).

[34]Citado de (Lützen, 1979, p. 163).

[35]Heaviside, O., "On operator in physical mathematics. Part I", *Proceedings of the Royal Society*, 52:504–529, February 1893.

[36]Citado em (Nahin, 2002, p. 222).

# Análise no domínio de Laplace

Não é difícil imaginar o tipo de reação que afirmações como essa tenha causado aos leitores de uma Academia de Ciências tão tradicional quanto a Royal Society. Mas o pior ainda estava por vir. Em junho do mesmo ano, Heaviside publicou a segunda parte desse trabalho,[37] em que, ao "algebrizar" certas expressões, deparou-se com séries *divergentes*, as quais ele tratou com "naturalidade". As palavras de seu biógrafo Paul Nahin merecem nota:

> "Foi aqui [na parte II] que Heaviside introduziu sua interpretação e uso singulares de expansões em séries *divergentes* (...), um tratamento praticamente destituído de cautela matemática e de apreciação pelo bom senso dos matemáticos."[38]

Nesse trabalho, Heaviside acrescentou:

> "*Matemática é uma ciência experimental* [!, grifo meu], e definições não vêm primeiro, mas depois. Elas se produzem depois que a natureza do assunto foi suficientemente desenvolvida. Seria absurdo enunciar a lei de antemão."[39]

Nesse trecho Heaviside usou o conceito de *matemática experimental*, uma expressão que empregaria em outras ocasiões. Contudo, a parte II do trabalho sobre operadores foi a gota d'água para os demais *fellows* da Royal Society. Quando Heaviside submeteu a parte III, ao contrário das duas partes anteriores, ela foi enviada para um revisor, que a criticou severamente e foi rejeitada. E. T. Whittaker,[40] que ouviu a explicação desse evento, relatou:

> "Havia uma certa tradição de que um *fellow* da Royal Society poderia publicar praticamente o que desejasse nos *Proceedings of the Royal Society* sem ser atribulado por revisores. Mas depois de Heaviside haver publicado dois artigos sobre seus métodos simbólicos, sentimos que era necessário estabelecer os limites. Portanto demos um basta."[41]

---

[37]Heaviside, O., "On operator in physical mathematics. Part II", *Proceedings of the Royal Society*, 54:105–143, June 1893.

[38]Citado de (Nahin, 2002, p. 222).

[39]Citado em (Nahin, 2002, pp. 222–223).

[40]Edmund Taylor Whittaker (1873–1956) foi um matemático inglês, formado em Cambridge no Trinity College. Assim como Maxwell, foi *second wrangler*, no ano em que se formou, 1895.

[41]Whittaker, E.T., "Oliver Heaviside", *The Bulletin of the Calcuta Mathematical Society*, 1928; reimpresso no livro de D. H. Moore, *Heaviside Operational Calculus*, American-Elsevier, New York, 1971, conforme citado em (Nahin, 2002, p. 239).

288          *Sistemas realimentados: uma abordagem histórica*

Assim, em novembro de 1893, Heaviside retirou a parte III de seu artigo e passou a cultivar certa amargura contra a Royal Society, e os seus matemáticos, especialmente os de Cambridge. Ele compreendeu, contudo, que a principal razão para a recusa de seu artigo havia sido a falta de rigor. Contra-argumentando, foi que Heaviside escreveu uma de suas célebres frases:

"Devo recusar meu jantar por não entender completamente o processo digestivo? Não, não se estiver satisfeito com o resultado."[42]

Em 1894, o editorial do periódico *The Electrician*[43] anunciou que daria início a uma nova série de artigos de Heaviside. Esse editorial, que tinha forte viés a favor de Heaviside, anunciou o artigo com as palavras:

"(...) um pequeno conhecimento da natureza deve melhorar o matemático puro e uma pequena quantidade de conhecimento da natureza é suficiente para distinguir os matemáticos puros de Cambridge do físico matemático. Consideremos um artigo elaborado sobre esse assunto, escrito por um físico matemático."[44]

Heaviside, que certamente percebeu o favorável teor do editorial, no segundo artigo que publicou nesse periódico resolveu afrouxar suas críticas, com a suas famosas palavras:

"Acima de tudo, tentemos ser justos. Até mesmo os matemáticos de Cambridge merecem justiça. Não posso ser cúmplice de um ataque geral a eles. Devemos aos matemáticos de Cambridge a maioria dos trabalhos na área de física-matemática feitos neste país. Não vem de Cambridge a maioria dos físicos matemáticos? Thomson e Tait, Maxwell e Rayleigh não são matemáticos de Cambridge?"[45]

O debate sobre o cálculo operacional esfriou gradualmente até por volta de 1916, quando recebeu um novo impulso, dessa vez positivo, vindo de um lugar inesperado: Cambridge.

---

[42]Citado em (Nahin, 2002, p. 224).

[43]*The Electrician* era um periódico, editado pela Williams & Co., que publicava trabalhos na área de eletromagnetismo.

[44]Citado em (Nahin, 2002, p. 226).

[45]Citado em (Nahin, 2002, p. 227).

## 10.2.5 Um aliado em Cambridge

Thomas John l'Anson Bromwich (1875–1929) foi um influente matemático de Cambridge, onde havia estudado e se tornado *senior wrangler* em 1895 (ver Nota 26 do Cap. 4), à semelhança de Routh e outros notáveis matemáticos. Em 1906 foi eleito *fellow* da Royal Society, tendo sido o vice-presidente em 1919 e 1920 (Nahin, 2002, p. 227). O matemático "ultrapuro" Godfrey Harold Hardy escreveu o obituário de Bromwich (Figura 10.5) e disse que era "o melhor matemático 'puro' entre os matemáticos aplicados, e o melhor matemático aplicado entre os matemáticos 'puros'."

A julgar pela descrição acima, é difícil imaginar que alguém com o perfil de Bromwich simpatizasse com Heaviside e seus procedimentos matemáticos. Bromwich e Heaviside correspondiam-se desde 1913. Em 17 de abril de 1915 Bromwich escreveu a Heaviside pedindo-lhe detalhes sobre aspectos históricos do desenvolvimento do cálculo operacional, pois estava concebendo um método diferente, mas equivalente, ao de Heaviside:

> "(...) esse meu método tem me conduzido a uma maneira independente de interpretar sua formulação simbólica, por exemplo, $\sqrt{\partial/\partial t}\, \mathbf{1} = 1/\sqrt{\pi t}$ (...) Espero escrever (esse novo método) em breve, de forma que você poderá ao menos ver um matemático ortodoxo (ou conservador) fazendo o melhor que pode para converter outros para métodos heterodoxos (...)"[46]

**Figura 10.5.** Thomas John l'Anson Bromwich (1875–1929), (Wikipedia, 2009).

---

[46]Citado em (Nahin, 2002, pp. 228–229).

290            *Sistemas realimentados: uma abordagem histórica*

O escrito ao qual Bromwich se referiu era um artigo, que veio a ser publicado em 1916,[47] e que foi o primeiro passo na direção de substituir o procedimento de Heaviside por uma integral de linha (ver Equação 10.5) no plano complexo. De fato, nesse artigo "Bromwich apresentou um método baseado em teoria de funções como substituto do cálculo de Heaviside."[48] Esse artigo, cujo esboço comentado pode ser encontrado em (Lützen, 1979, pp. 176–180), foi muito influente e as ideias ali expostas culminaram com a difusão do uso da transformada de Laplace como a conhecemos hoje. Nas palavras de Paul Nahin, o artigo de Bromwich foi – ainda que não de maneira intencional – a "sentença de morte" do trabalho de Heaviside (Nahin, 2002, p. 229).

Depois de se afastar desse estudo, em função da Primeira Guerra Mundial, ao regressar, Bromwich percebeu que, mesmo sendo um especialista em integrais de linha, ele tinha mais facilidade em manipular expressões simbólicas utilizando o cálculo operacional de Heaviside. Em abril de 1919 escreveu para Heaviside:

"(...) Ainda considero a integral complexa como um método útil para convencer os mais puros entre os matemáticos puros que o método $p$ apoia-se sobre fundamentos sólidos, mas estou convencido de que o método $p$ é a forma prática de fazer essas coisas (...)"[49]

Graças ao trabalho de Bromwich, o cálculo operacional de Heaviside foi vindicado. Graças ao trabalho de Bromwich, o cálculo operacional de Heaviside foi deixado de lado e passou-se a usar a transformada de Laplace. Bromwich surpreendeu a família e os amigos ao cometer suicídio, em 24 de agosto de 1929.

## 10.3    Funções impulso e degrau

À semelhança de Laplace, Heaviside também tomava o limite inferior da integral (ver Equação 10.3) como zero. Ao fazer isso, ignorava qualquer valor que a função tivesse antes de $t = 0$. Uma maneira matemática de "zerar" uma função para valores de $t < 0$ é multiplicá-la pela função:

$$\mathbf{1}(t) = \mathbf{1} = \begin{cases} 1, & t \geq 0 \\ 0, & t < 0. \end{cases} \tag{10.17}$$

---

[47]Bromwich, T. J. I'A., "Normal coordinates in dynamical systems", *Proceedings of the London Mathematical Society*, 15:401–448, 1916.

[48]Citado de (Lützen, 1979, p. 179)

[49]Citado em (Nahin, 2002, p. 229).

*Análise no domínio de Laplace* 291

A função em (10.17), que Heaviside indicava simplesmente por **1**, atualmente é conhecida como função *degrau unitário*, entre os engenheiros – que comumente a indicam como $u(t)$ –, e como *função de Heaviside*, entre os físicos – que geralmente a indicam como $\Theta$. Portanto,

$$\int_{-\infty}^{\infty} x(t)u(t)e^{-st}dt = \int_{0}^{\infty} x(t)e^{-st}dt,$$

em que $u(t)$ foi usada para representar a função de Heaviside. Em engenharia, é comum usar a função degrau unitário como um sinal de entrada, para representar uma rápida transição entre dois valores.

Antes de Heaviside, matemáticos já usavam funções semelhantes. A contribuição de Heaviside ao definir e usar a função degrau parece ser que, ao contrário das funções utilizadas até então, essa função é descontínua. No início do século XIX, Cauchy já usava a função (van der Pol and Bremer, 1955, p. 56):

$$u(t) = \frac{1}{2}\left(1 + \frac{t}{\sqrt{t^2}}\right), \tag{10.18}$$

à qual ele se referia como *coefficient limitateur* ou *restricteur*. Outros matemáticos utilizavam funções suaves que, no limite, aproximavam-se de (10.17). Por exemplo, uma aproximação à função degrau unitário é (van der Pol and Bremer, 1955, p. 57):

$$u(t, \lambda) = \lim_{\lambda \to \infty}\left(\frac{1}{2} + \frac{1}{\pi}\arctan(\lambda t)\right), \tag{10.19}$$

e que é mostrada na Figura 10.6.

Uma importante "função" relacionada à função degrau unitário é o *impulso unitário*:

$$\delta(t) = 0, \ \forall t \neq 0$$
$$\int_{-\infty}^{\infty} \delta(t)\, dt = 1. \tag{10.20}$$

O sinal $\delta(t)$ é também conhecido como a *função delta de Dirac*[50] e, em certo sentido, não é uma função comum, mas uma *função generalizada* (Tonidandel and Araújo, 2015). Ela é a derivada do degrau unitário. Contudo, como o degrau é uma função descontínua, a sua derivada, na descontinuidade, é infinita. Essas

---

[50]Paul Adrien Maurice Dirac (1902–1984) foi um físico teórico britânico, prêmio Nobel de Física em 1933. Uma de suas áreas de atuação foi a física quântica. Em seu livro *Principles of Quantum Mechanics*, publicado em 1930, Dirac introduziu a função impulso, que é conhecida na literatura de Física como o delta de Dirac.

características faziam com que os matemáticos buscassem alternativas "suaves", como

$$\delta(t,\lambda) = \frac{\mathrm{d}\,u(t,\lambda)}{\mathrm{d}t} = \frac{\lambda}{\pi(\lambda^2 t^2 + 1)}, \qquad (10.21)$$

que é conhecida como a função de Cauchy (van der Pol and Bremer, 1955, p. 63), e que é mostrada na Figura 10.7.

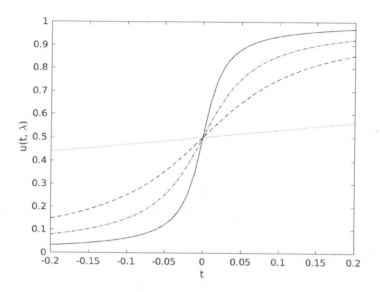

**Figura 10.6.** Aproximação suave da função degrau utilizando (10.19) para $(\cdots)\ \lambda = 1,\ (--)\ \lambda = 10,\ (-\cdot-)\ \lambda = 20$ e $(—)\ \lambda = 50$.

Possivelmente a característica mais importante de funções como (10.21), e certamente o impulso, é o de "peneiramento" ou "amostragem". Seja $x(t)$ uma função qualquer e $\delta(t - t_0)$ a função impulso unitário deslocada para a posição $t = t_0$, então $x(t)\delta(t-t_0) = x(t_0)\delta(t-t_0)$. Em palavras, o produto de uma função por um impulso unitário é igual a um impulso na referida posição, com peso igual ao valor da função nessa posição. Essa é a *propriedade de peneiramento*.

Assim como Cauchy,[51] na mesma época Poisson[52] usou a função:

$$\delta(x,\lambda) = \frac{k}{\pi(k^2 + x^2)}, \qquad (10.22)$$

---

[51] Cauchy, A. L., *Théorie de la propagation des ondes*, (Prix d'analyse mathématique), Concours de 1815 e de 1816, pp. 140–142, (van der Pol and Bremer, 1955, p. 63).

[52] Poisson, S. D., *Mémoire sur la théorie des ondes* (lu le 2 octobre et le 18 décembre 1815), pp. 85–86 (van der Pol and Bremer, 1955, p. 63).

que se reduz à Equação 10.21, usada por Cauchy, para aproximar a função impulso. Em seus estudos sobre a teoria ondulatória da luz, Kirchhoff também usou uma função que aproxima o impulso[53]

$$f(t) = \frac{\lambda}{\sqrt{\pi}} e^{-\lambda^2 t^2}. \qquad (10.23)$$

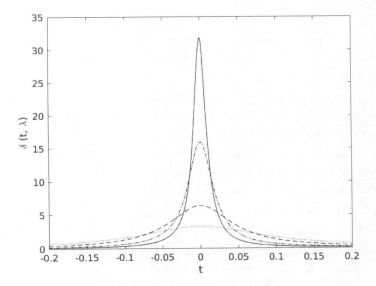

**Figura 10.7.** Aproximação suave da função impulso utilizando (10.21) para $(\cdots)$ $\lambda = 10$, $(--)$ $\lambda = 20$, $(-\cdot-)$ $\lambda = 50$ e $(—)$ $\lambda = 100$.

Hermann von Helmholtz[54] usou uma função que se aproximava do impulso para demonstrar o teorema de Kirchhoff. Entre outros está Lord Kelvin, que utilizou uma função parecida para descrever uma fonte de calor. No século XX, Heaviside utilizou a função impulso unitário, bem como outras que também tinham a propriedade de peneiramento. Finalmente, Dirac utilizou a função impulso em seu trabalho sobre mecânica quântica,[55] razão pela qual a denominação *delta de*

---

[53]Kirchhoff, G. R. e Kön, S. G., *Akad. Wiss. Berlin vom 22 Juni* 1882, p. 641 (van der Pol and Bremer, 1955, p. 64).
[54]Hermann Ludwig Ferdinand von Helmholtz (1821–1894) foi um influente físico e médico alemão que fez diversas contribuições à ciência moderna. Na área de fisiologia, desenvolveu a "matemática do olho" e diversas teorias sobre visão e percepção. Na física, Helmholtz é conhecido por seus trabalhos em conservação de energia, eletrodinâmica e termodinâmica.
[55]Dirac, P. A. M., *The Principles of Quantum Mechanics*, Oxford, 1930, pp. 63–66, (van der Pol and Bremer, 1955, p. 65).

294 *Sistemas realimentados: uma abordagem histórica*

*Dirac* é comum. Dirac, ciente de que o emprego do impulso unitário poderia causar desconforto para aqueles mais rigorosos, escreveu:

> "A introdução da função $\delta$ em nossa análise não será em si mesma uma fonte de falta de rigor na teoria, pois qualquer equação que envolva a função $\delta$ pode ser reescrita de forma equivalente sem o uso de $\delta$, mas tal notação será mais pesada. Portanto, a função $\delta$ é meramente uma notação conveniente."[56]

Antes de Paul Dirac, o matemático Leopold Kronecker[57] havia definido e usava o análogo ao delta de Dirac em tempo discreto: o delta de Kronecker, definido como $\delta(k) = 1$, $k = 0$ e $\delta(k) = 0$, $\forall k \neq 0$.

Esses são alguns exemplos do uso de funções suaves que aproximam a função impulso, que é descontínua. Heaviside fez uso da função impulso em seus trabalhos, fornecendo aplicações físicas, em alguns casos, como a função temporal da corrente em um indutor ao qual se submete uma tensão elétrica em degrau. Na atualidade, qualquer livro de análise de sinais e sistemas dinâmicos faz uso da função impulso unitário, o que não era verdade em geral na primeira metade do século XX. Um dos primeiros livros de controle a usar as funções impulso e degrau unitários foi (James et al., 1947, p. 31, 37). É curioso que nesse livro tais funções já fossem indicadas pelos símbolos $\delta(t)$ e $u(t)$, tão comumente utilizados na atualidade para referir-se a essas funções. Por outro lado, nesse livro os autores referem-se à resposta ao impulso como a função de ponderação, indicada por $W(t)$.[58]

## 10.4 Uso do cálculo operacional e da transformada de Laplace

Parece interessante notar, em documentos que foram influentes, qual foi o uso que tiveram o cálculo operacional e a transformada de Laplace, especialmente na primeira metade do século XX. A descrição a seguir não é exaustiva e está organizada em ordem cronológica dos trabalhos citados.

---

[56]Citado em (van der Pol and Bremer, 1955, p. 65).

[57]Leopold Kronecker (1823–1891) foi um matemático alemão, nascido na Prússia. Foi o orientador do matemático Georg Cantor, um dos primeiros a trabalhar com fractais e criador do *conjunto de Cantor*. Contudo, Kronecker, "como finitista, condenava o trabalho de Cantor, que considerava como teologia e não como matemática" (Eves, 2004, p. 616).

[58]O uso de $W$ não é por acaso, pois a resposta ao impulso era chamada na literatura de língua inglesa de "weighting function".

*Análise no domínio de Laplace* 295

Como mencionado na introdução deste capítulo, Paul Nahin considera que a primeira aplicação explícita da transformada de Laplace a um problema de engenharia foi publicada em (Pipes, 1937). Alguns aspectos dessa publicação são curiosos e merecem destaque. Em primeiro lugar, o uso da transformada de Laplace não é tão "explícita" quanto pode parecer, tomando por base o comentário de Nahin. O autor descreve o método como um "procedimento operacional geral". Na introdução desse artigo, Pipes cita um artigo de van der Pol[59] em que foi mostrado que "os métodos de Heaviside podem ser modificados para incluir condições de contorno mais gerais e que tal procedimento se baseia na transformada *laplaciana*". Tendo definido

$$g(p) = \int_0^\infty e^{-pt} i(t) dt, \tag{10.24}$$

em que $p$ é um *número complexo*.[60] O leitor imediatamente reconhecerá em (10.24) a expressão para a transformada unilateral de Laplace. Logo a seguir, Pipes "introduziu" o *operador integral*

$$Q = \int_0^\infty e^{-pt} (\ ) dt, \tag{10.25}$$

o que revela que ele ainda pensava em termos de operadores. No artigo, a integral (10.5) é comumente utilizada para obter as funções no domínio do tempo, sem, contudo, mencionar seu inventor, Bromwich.

Um importante trabalho na área de controle é o artigo (Callender et al., 1936). Nesse trabalho os autores analisam o problema de um sistema de controle com atraso puro de tempo. Apesar de iniciar considerando um sistema de controle de temperatura, os autores esclareceram que "o argumento é geral e independe da grandeza física controlada (e.g. temperatura, pressão, quantidade de $CO_2$, tensão elétrica) e do tipo particular de equipamento de controle [atuador] (e.g. válvula a vapor ou reostato) ..."[61] Após fazer toda a análise no domínio do tempo, os autores apresentam a Seção 4 com o título: "Uso do método operacional de Heaviside". Nessa seção os autores determinaram a "representação operacional" do distúrbio considerado (o equivalente à transformada de Laplace do sinal de distúrbio) e, usando o operador $p$, reescreveram as equações diferenciais que descrevem

---

[59]van der Pol, B., *Philosophical Magazine Series 7*, p. 1153, 1929.

[60]É importante perceber que Pipes, ao contrário de Heaviside, usou $p$ como uma variável, não como um operador, apesar de que a escolha da letra $p$ é certamente influência dos procedimentos de Heaviside.

[61]Citado de (Callender et al., 1936, p. 416).

296  *Sistemas realimentados: uma abordagem histórica*

o sistema e o controlador. Por fim, os autores obtiveram uma expressão para o desvio do sistema em malha fechada em torno do ponto de operação como sendo

$$\theta = \frac{p\phi(p)}{F(p)}, \qquad [20] \tag{10.26}$$

em que $F(p) = p(p+\mu)+e^{-p}(\nu_1+\nu_2 p+\nu_3 p^2)$, sendo $\mu$ e $\nu_i$ parâmetros constantes. Em seguida consideraram a decomposição em frações parciais de (10.26) usando uma expressão muito semelhante à Equação 10.7.[62] Prosseguindo com a análise, os autores mostraram que se $\nu_1 \neq 0$ – o que corresponde a uma lei de controle com ação integral –, então $\theta \to 0$ para $t \to \infty$ para todos os distúrbios considerados no artigo (degrau e outras funções com valores constantes para $t \to \infty$). Semelhantemente, argumentaram que, se $\nu_1 = 0$, o sistema apresentará erro em estado estacionário quando sujeito a distúrbios. O curioso é que tais resultados foram obtidos a partir de argumentos no domínio do tempo, sem o uso do teorema do valor final. Nota-se que os autores usaram o cálculo operacional de Heaviside de maneira fundamentalmente equivalente ao uso atual da transformada de Laplace em problemas lineares de controle.

Na apresentação do livro *Automatic Control Engineering*, de Ed. Smith, Theodore Olive escreveu que se tratava do "primeiro livro de controle propriamente dito a aparecer em inglês" (Smith, 1944, p. v). Esse livro, em um extenso apêndice, descreve tanto o cálculo operacional de Heaviside quanto a transformada de Laplace, apesar de não utilizar nem um nem o outro ao longo do texto. O livro *Principles of Industrial Process Control* faz uma análise qualitativa de sistemas de controle e não faz qualquer menção às técnicas de Heaviside e de Laplace (Eckman, 1945). O influente livro *Theory of Servomechanisms*[63] apresenta e usa a transformada de Laplace, ainda que empregando o símbolo $p$ no lugar de $s$. Isso é verdadeiro também para o livro contemporâneo *The Dynamics of Automatic Controls* (Oldenbourg and Sartorius, 1948). Nesse livro a transformada de Fourier é a ferramenta dominante. Tanto o livro de Smith quanto o de Oldenbourg e Sartorius marcam a transição do cálculo operacional de Heaviside para a transformada de Laplace. É interessante notar que ambos os livros citam o livro de Carson (ver Seção 10.5). Sobre a influência desses livros, ver o início do Capítulo 12.

---

[62] Ao descrever essa decomposição em frações parciais, os autores procederam de maneira conhecida: por um lado, consideraram que as raízes reais de $F(p) = 0$ resultariam em exponenciais reais e, por outro, escreveram que as raízes complexas e conjugadas dariam origem a oscilações. O curioso é que, devido ao atraso puro de tempo considerado, $F(p)$ tem o termo exponencial $e^{-p}$. Os autores não mencionam como lidaram com esse termo na determinação das raízes de $F(p) = 0$.

[63] Foi nesse livro que, pela primeira vez, foi publicada a carta de Nichols (James et al., 1947, p. 181).

# 10.5 Considerações finais

É comum ver no trabalho de Bromwich a justificativa teórica para o cálculo operacional de Heaviside. Possivelmente não é nenhum exagero dizer que Bromwich mostrou que o procedimento de Heaviside conduzia aos mesmos resultados que a transformada de Laplace, mas sem a elegância e rigor matemático desta. Portanto, o trabalho de Bromwich decretou o fim do cálculo operacional, enquanto ferramenta, entre os engenheiros. Contudo não devemos imaginar que a influência de Heaviside tenha desaparecido completamente. O próprio Bromwich, depois de ficar dois anos e meio sem estudar o assunto, ao retomar a pesquisa, sentiu dificuldade em resolver a sua integral de linha (ver Equação 10.5).

Na prática da engenharia elétrica e a de controle e automação, dificilmente resolvemos tais integrais na determinação de uma transformada inversa de Laplace.[64] O procedimento alternativo é decompor a transformada em frações parciais e consultar uma tabela de transformadas básicas. A decomposição em frações parciais está claramente relacionada ao teorema de expansão de Heaviside (ver Seção 10.2.1). É questionável se o cálculo operacional de Heaviside teria sido substituído pela transformada de Laplace caso fosse necessário avaliar integrais de linha toda vez que uma transformada inversa fosse necessária. Uma constatação disso é fornecida no livro *Automatic Controls: Principles of Systems Dynamics*, que usa a transformada de Laplace como na atualidade (Goldberg, 1964). O Apêndice C desse livro, que descreve o procedimento de decomposição em frações parciais, começa com as palavras: "Descrevem-se procedimentos gerais para o cálculo da transformada inversa de Laplace" (Goldberg, 1964, p. 340). O título desse apêndice é *Heaviside Expansion Theorems* (ver Seção 10.2.1).

Além de Bromwich na Inglaterra, Heaviside contou com o esforço de John Carson[65] da AT&T, do outro lado do Atlântico, para formalizar seu procedimento.

---

[64]De fato, em um dos mais conhecidos livros texto de teoria clássica de controle é dito: "Entretanto, a integral de inversão é complicada e, dessa maneira, sua utilização não é recomendada para encontrar transformadas inversas de Laplace de funções comumente encontradas na engenharia de controle" (Ogata, 2003, p. 27).

[65]John Renshaw Carson (1886–1940) recebeu o grau de bacharel em engenharia elétrica da Universidade de Princeton em 1907 e o de mestre em 1912. Depois de ocupar, por pouco tempo, um lugar na Universidade de Princeton, em 1913 foi para a AT&T, onde trabalhou com experimentos na área de rádio. Desenvolveu um sistema de banda lateral (modulação) que permitia a transmissão simultânea de mais de um canal no mesmo circuito. Em 1924 recebeu o Prêmio Liebman Memorial da IRE (Institute of Radio Engineers). De 1925 até a sua morte, trabalhou como matemático e engenheiro na Bell Telephone Laboratories. Recebeu o título de doutor *Honoris Causa* da Brooklyn Polytechnic Institute em 1937 e dois anos depois recebeu a Medalha Elliott Cresson, do Instituto Franklin. Seu trabalho mais conhecido é o livro *Electric*

# 298 Sistemas realimentados: uma abordagem histórica

Esse aspecto pode ser percebido de trechos do prefácio do trabalho de Carson:

"(...) os primeiros cinco capítulos são dedicados a uma exposição bastante completa, sistemática e crítica do cálculo operacional de Heaviside, que é um método notavelmente direto e poderoso para a solução de equações diferenciais da teoria de circuitos elétricos.

"(...) O nome de Oliver Heaviside é conhecido de engenheiros por todo o mundo. Contudo, seu cálculo operacional é conhecido e empregado por relativamente poucos especialistas, a despeito de suas impressionantes propriedades (...) Na opinião do autor, esse desconhecimento não se deve tanto à dificuldade intrínseca do assunto, mas sim a aspectos obscuros na exposição de Heaviside. No presente trabalho o cálculo operacional é relacionado a uma equação integral a partir da qual as regras e fórmulas de Heaviside podem ser rigorosamente provadas (...)"[66]

A respeito do trabalho de Carson, foi dito que "o elemento mais essencial da reinterpretação de Carson do cálculo operacional é uma equação integral para a admitância indicial" (Lützen, 1979, p. 181). Essa equação pode ser vista em (12.4). A contribuição de Carson consistia em reescrever a transformada de Laplace de maneira um pouco diferente, o que passou a ser conhecido com a transformada de Carson-Laplace (ver Nota 25 deste capítulo).

A partir da publicação dos trabalhos de Bromwich e Carson,[67][68] gradualmente, a transformada de Laplace foi substituindo o cálculo operacional de Heaviside.[69] A esse respeito, Paul Nahin conta que em 1942 o professor de matemática da Cornell University, Ralph Palmer Agnew, publicou o que se tornaria um texto clássico em equações diferenciais: *Differential Equations*. Nesse livro tanto os métodos "clássicos" como o cálculo operacional de Heaviside foram incluídos, mas não havia qualquer menção à transformada de Laplace. Agnew, na segunda

---

*Circuit Theory and the Operational Calculus* (Carson, 1926). Mindell menciona que, em livro sobre o mesmo tema, Vannevar Bush (ver Seção 8.1) formalizou matematicamente as ideias de Carson (Mindell, 2002, p. 145).

[66]Citado de (Carson, 1926, p. v).

[67]Em seu livro, Carson cita três trabalhos de Bromwich (Carson, 1926, p. 190).

[68]Lützen detalha as contribuições de Bromwich, Carson e outros no esforço de estabelecer o cálculo operacional em bases teóricas firmes (Lützen, 1979).

[69]Mindell menciona que Vannevar Bush (ver Nota 9 do Capítulo 8), usando o trabalho de Carson como base, colocou o cálculo operacional em uma firme base matemática (Mindell, 2002, p. 145).

*Análise no domínio de Laplace* 299

edição desse livro publicada em 1960, apresentou tanto o cálculo operacional de Heaviside quanto a transformada de Laplace e disse que ambos eram métodos eficientes. Contudo prosseguiu dizendo: "O método da transformada de Laplace parece haver vencido, definitivamente, a batalha pela atenção, pois é mais interessante, é mais facilmente aplicável a problemas rotineiros e (...) é mais versátil."[70]

Outra interpretação dos fatos foi proposta por Lützen (1979). Segundo ele, logo após os trabalhos de Bromwich, Carson e Wagner, houve um claro aumento de interesse pelos métodos de Heaviside, que haviam ficado dezesseis anos sem serem usados. A razão para essa falta de interesse, segundo Lützen, foi "a maneira obscura" com que Heaviside apresentava seus resultados. Assim que tais resultados foram apresentados de maneira mais clara, passaram a ser utilizados por engenheiros. A partir de 1920 periódicos de engenharia elétrica e física estavam cheios do cálculo operacional, sendo que a maioria das aplicações eram em engenharia elétrica (Lützen, 1979, p. 184). Esses fatos são incontestáveis, bem como o declínio do uso do cálculo operacional na segunda metade do século XX.

Uma reflexão sobre a vida de Oliver Heaviside levará o leitor a diversas conclusões. Em particular com respeito ao seu cálculo operacional, não podemos deixar de concluir que, para que uma solução seja bem-aceita, não basta que funcione. Além de funcionar, deve ser consistente, estar bem fundamentada teoricamente e sua apresentação deve ser tão clara e elegante quanto possível. Esses ingredientes parecem ter faltado em alguma medida nos procedimentos de Heaviside, que, sem dúvida, funcionavam. Bromwich e Carson, cientes da necessidade de um embasamento matemático e de maior elegância na apresentação do cálculo operacional, escreveram seus trabalhos com o fim de promover a teoria de Heaviside. Ao fazê-lo, inconscientemente, ofereceram ao "mercado" um produto mais consistente, teoricamente mais bem fundamentado e mais elegante: a transformada de Laplace. Não é de surpreender que a partir desses trabalhos, gradualmente, essa transformada passou a ganhar espaço, até substituir completamente o cálculo operacional de Heaviside nos livros texto. Por exemplo, em um livro atual de controle clássico, que apresenta uma seção intitulada "Uma História de Sistemas de Controle", o nome de Heaviside não é sequer mencionado (Nise, 2011).

Contudo, ainda há vigorosos defensores do cálculo operacional de Heaviside, que argumentam fortemente pelo seu retorno aos currículos de engenharia (Kullstam, 1991; Kullstam, 1992). Mesmo uma rápida leitura desses artigos mostra que

---

[70]Citado em (Nahin, 2002, p. xiii).

a simplicidade favorece os métodos relacionados à transformada de Laplace. O equilíbrio parece ser o ensino da transformada de Laplace, como ferramenta de análise, e a menção ao cálculo operacional de Heaviside, como história.[71]

---

[71] Infelizmente, poucos livros sobre sinais, sistemas e controle fazem qualquer menção a Oliver Heaviside e a seu trabalho. Uma exceção a essa regra é (Lathi, 2007).

# Capítulo 11

# O controlador PID

"Um aquecedor tubular para elevar a temperatura do leite ao ponto de pasteurização pode ser projetado com uma generosa área de aquecimento e o vapor de alimentação pode ser adequado, contudo manter a temperatura de saída constante, por meio da atuação de uma válvula de vapor, é muito difícil se a temperatura de entrada do leite variar repentinamente. Um bom controlador, tendo ocorrido um distúrbio da temperatura [do leite] de entrada, será capaz de trazer a temperatura do leite de volta para o valor correto ao custo de, por um período de tempo, sofrer algum desvio do valor almejado. Durante esse período de recuperação ocorrerá uma perda, pois qualquer aumento da temperatura de pasteurização do leite põe a perder a 'linha da nata' do produto e qualquer queda da temperatura requer seu reprocessamento."[1]

John Ziegler e Nathaniel Nichols, 1943

Imaginemos um sistema cujo comportamento em torno de um ponto de operação é descrito pela equação diferencial

$$A\frac{\mathrm{d}^2\alpha}{\mathrm{d}t^2} + B\frac{\mathrm{d}\alpha}{\mathrm{d}t} + k\rho(t) = D(t), \qquad (11.1)$$

em que $\alpha(t)$ é a variável de interesse (saída) do sistema, $D(t)$ é uma variável qualquer e $\rho(t)$ é uma variável que pode ser manipulada de maneira a forçar que $\alpha(t)$ se comporte de alguma maneira predeterminada a despeito da presença de $D(t)$. Um *problema de controle típico* é determinar $\rho(t)$ de maneira a garantir que $\alpha(t)$ tenha um comportamento "satisfatório". Em outras palavras, um problema

---

[1]Citado em (Bennett, 2001, p. 48).

302          *Sistemas realimentados: uma abordagem histórica*

de controle *realimentado* consiste em definir a lei de variação de $\rho(t)$ em função do estado do sistema ou, alternativamente, como função da saída, ou seja, procura-se por uma *lei de controle* da forma

$$\frac{\mathrm{d}\rho}{\mathrm{d}t} = f(\alpha). \tag{11.2}$$

Em um dos primeiros controladores comercializados para aplicações industriais, o chamado controlador PID: a lei de controle $f$ é proporcional ao erro – o desvio entre o valor almejado para a saída e seu valor medido $\alpha$ –, proporcional à integral do erro e à derivada do erro.

O tema central deste capítulo é o controlador PID. Apesar de ter sido um dos primeiros controladores com ampla aceitação e aplicação, na atualidade ainda é o controlador mais utilizado na indústria (Åström and Hägglund, 1995; Bazanella e da Silva Jr., 2005).

Em *teoria de controle* um "controlador" é uma lei, uma expressão, que determina a *ação de controle*. Assim, o controlador determina qual deve ser a ação a ser tomada a fim de se atingir o alvo desejado, da maneira pretendida. Na visão de Norbert Wiener, o controlador é um processador de informação e, nesse sentido, pouco difere de um sistema de comunicação, pois o controlador recebe informação (o erro na variável controlada), processa-a utilizando uma lei (de controle) e a transmite na forma de um outro sinal (ação de controle) para o receptor, que é o atuador que implementará tal ação. Em *tecnologia de controle*, ou em *instrumentação*, o "controlador" é o equipamento que implementa a lei de controle, quer seja na forma analógica, quer na forma de um programa que roda em um computador digital. Assim, ao longo deste capítulo é o contexto que determinará se a palavra "controlador" refere-se à lei ou ao equipamento.

Leis de controle proporcionais ao erro e proporcionais à integral do erro já eram conhecidas e utilizadas no contexto dos dispositivos reguladores (Cap. 3). Ao considerar o desenvolvimento do controlador PID, a abordagem será feita em quatro etapas. Em primeiro lugar, serão revistos exemplos em que essas ações foram utilizadas (Seção 11.1). Em segundo lugar, será descrita a contribuição de Nikolas Minorsky, que foi quem, pela primeira vez, formalizou a lei PID, que é a combinação linear das ações proporcional, integral e derivativa (Seção 11.2). Nessa seção, o foco será o controlador enquanto lei de controle. Em terceiro lugar, na Seção 11.3, será descrito brevemente o desenvolvimento do controlador industrial, enquanto equipamento. Na Seção 11.4 serão revistas as principais contribuições do clássico artigo de Ziegler e Nichols sobre a sintonia do controlador PID.

# 11.1 Ações P, I ou D ao longo da história

Como visto na Seção 3.2.1, em particular na Equação 3.9 e na Figura 3.5 a ação proporcional não apenas era conhecida, como também já fora analisada no artigo *On Governors*, publicado por Maxwell em 1868. Também, sistemas muito mais antigos, como os ilustrados nas Figuras 1.6 e 1.13, as ações de controle eram aproximadamente proporcionais à mudança na variável controlada.

Em 1790, os irmãos franceses Périer inventaram uma válvula de boia que tinha ação integral para controlar a velocidade de uma máquina de vapor. Em palavras, a ação de controle era implementada por uma alavanca que manipulava uma válvula que, por sua vez, era capaz de alterar o fluxo de saída da máquina de vapor. A alavanca era montada em uma boia, que flutuava dentro de um recipiente, cujas vazões de entrada e saída são indicadas, respectivamente, por $q_e$ e $q_s$. A vazão $q_s$ é constante e é ajustada para servir de referência de velocidade. A vazão de entrada, $q_e$, é proporcional à velocidade da máquina a vapor. O balanço de massa no recipiente resulta em $A\dot{h} = q_e - q_s$, em que $A$ é a área da seção transversal do recipiente e é constante, e $h$ é o nível de água no recipiente. Lembrando o singnificado de $q_e$ e $q_s$, o balanço de massa pode ser reescrito como

$$A\dot{h} \propto \hat{v}_{\text{planta}} - v_{\text{ref}}, \tag{11.3}$$

e, portanto, o nível da boia pode ser expresso como

$$h \propto -\frac{1}{A} \int e_{\text{vel}} \mathrm{d}t + C. \tag{11.4}$$

Como a ação de controle relaciona-se ao movimento da boia e este, por sua vez, é aproximadamente proporcional à integral do erro, não é difícil perceber que a proposta dos irmãos Périer implementava ação integral e, naturalmente, conseguia regular a velocidade com erro nulo em estado estacionário para valores de referência constantes. Mayr considera essa implementação a primeira a incluir ação integral (Mayr, 1970, p. 117).

As ações proporcional, integral e derivativa não só eram conhecidas como também eram utilizadas antes do século XX. Contudo, a escolha e a implementação desta ou daquela ação era uma questão *ad hoc*. Não havia um entendimento generalizado de teoria de sistemas, nem de teoria de controle. Essa situação lembra os trabalhos de Black, Nyquist e Bode, que foram desenvolvidos e propostos para resolver problemas específicos na área de comunicações, e vários anos se passaram antes que a generalidade dessas técnicas fosse reconhecida, até pelos próprios autores. No início do século XX foram desenvolvidos controladores gerais com ação de controle contínua. Tais controladores podiam ser aplicados a uma grande diversidade de processos.

## 11.2 A lei de controle PID

Diversos trabalhos publicados nas primeiras décadas do século XX refletem o esforço de entender o problema de controle como tendo caráter geral, isto é, entender tal problema do ponto de vista sistêmico. O estado da arte à época, na área de controle de processos, pode ser verificado em livros como (Smith, 1944) nos Estados Unidos e (Oldenbourg and Sartorius, 1948) na Alemanha. Como salientado por Bennett:

> "Os escritores de muitos desses trabalhos desconheciam que, em 1922, Nikolas Minorsky, em seu artigo '*Directional stability of automatically steered bodies*', havia analisado e discutido as propriedades do controlador de três termos. Esse artigo é, junto com os de Maxwell, Routh e Hurwitz, uma das primeiras discussões formais da teoria de controle."[2]

O objetivo desta seção, portanto, é analisar a importante contribuição do artigo (Minorsky, 1922), que é de uma clareza incomum aos trabalhos na área de controle escritos à época. Esse artigo foi colocado ao lado dos artigos de Maxwell, Nyquist, Hurwitz, Bode, entre outros em (Bellman and Kalaba, 1964) e foi considerado uma das primeiras discussões formais da teoria de controle a ser publicada na lingua inglesa (Flugge-Lotz, 1971).

### 11.2.1 Prolegômenos

Em seu artigo *Directional stability of automatically steered bodies*, Minorsky começou discutindo o controle de veículos de maneira geral, por exemplo, navios mercantes, navios de guerra e aviões. Depois de uma breve introdução, o foco do artigo passou a ser o controle da direção de um navio. Partindo do pressuposto de que a direção do navio é medida, Minorsky observou que seria possível, em tese, conceber um sistema de direção automática "se conectarmos o leme ao aparelho indicador de direção ..." (Minorsky, 1922, p. 282).

Na sequência do argumento, Minorsky comentou que tal solução simplista não seria eficaz para grandes navios e propôs a seguinte explicação para isso: "É sabido que nenhum bom timoneiro acionará o timão apenas observando a indicação do

---

[2]Citado em (Bennett, 1984, p. 10).

# O controlador PID

compasso, sem levar em consideração a velocidade angular do navio. Tal acionamento seria muito ineficiente, pois o efeito (a ação do leme) aconteceria sempre
muito depois da causa (o distúrbio original)". Nesse comentário, Minorky claramente mostra que um bom timoneiro usa informação proporcional e derivativa do
erro de posição, para garantir um melhor desempenho transiente do controle de
direção do navio.

"O êxito de um bom timoneiro deve-se à sua intuição e, portanto, é impossível
substituir essa intuição por um equipamento". Esse tipo de raciocínio foi refutado
por Minorsky em seu artigo. O argumento usado é digno de nota:

> "Tal ponto de vista parece errado, no que concerne à direção automá-
> tica de navios, pois não se trata propriamente de intuição, mas sim de
> ações temporais adequadas baseadas em observação. Se o timoneiro
> ficar sem o elemento da observação, o navio não poderá ser direcionado
> com precisão qualquer que seja a intuição do timoneiro.

> "A questão, portanto, é como deve a observação ser correlacionada
> ao movimento temporal do leme de maneira a conseguir uma direção
> precisa?[3]

> "Portanto, se o direcionamento preciso do navio nada mais é do que
> um tipo especial de movimento do leme, agravado pela inércia do
> navio, deve ser possível estabelecer analiticamente que ação temporal
> é necessário adotar de maneira a atingir as melhores condições de
> estabilidade de direção do navio, que deve manter o seu curso."[4]

Com essas palavras, Minorsky concluiu a introdução ao artigo e deu início à
parte de análise, onde deixou claro que os resultados seriam válidos apenas para
pequenos desvios do navio da direção desejada. Portanto, implicitamente o autor
assumiu trabalhar com modelos linearizados, o que ele logo escreveu na forma

$$A\frac{\mathrm{d}^2\alpha}{\mathrm{d}t^2} + B\frac{\mathrm{d}\alpha}{\mathrm{d}t} + k\rho = D, \tag{11.5}$$

em que $\rho$ é o ângulo do leme (variável manipulada), $\alpha$ é o ângulo entre o eixo
longitudinal do navio e a direção a ser seguida (erro de posição, ou ângulo de
proa); $A$ e $B$ são constantes, sendo que $A$ está relacionada ao momento de inércia
do navio e $B$, ao amortecimento; e $D$ é o distúrbio, que tira o navio do seu curso.

---

[3]Isso corresponde a definir a ação de controle em função do sinal realimentado.
[4]Citado de (Minorsky, 1922, p. 283).

306         *Sistemas realimentados: uma abordagem histórica*

Tendo definido o modelo do navio (Equação 11.5), Minorsky considerou em detalhe duas classes de reguladores. Na primeira classe, a variável manipulada é o ângulo do leme, o que pode ser descrito por

$$\rho = m\alpha + n\frac{\mathrm{d}\alpha}{\mathrm{d}t} + p\frac{\mathrm{d}^2\alpha}{\mathrm{d}t^2}. \tag{11.6}$$

Na segunda classe, a variável manipulada é a taxa de variação do ângulo do leme, ou seja,

$$\frac{d\rho}{\mathrm{d}t} = m_1\alpha + n_1\frac{\mathrm{d}\alpha}{\mathrm{d}t} + p_1\frac{\mathrm{d}^2\alpha}{\mathrm{d}t^2}. \tag{11.7}$$

A seguir mostraremos os pontos principais da análise dessas duas classes de reguladores feita por Minorsky.

## 11.2.2 Dispositivos da primeira classe

O autor começou analisando um regulador *proporcional*, ou seja, considerou apenas o primeiro termo em (11.6), ou seja, $\rho = \pm m\alpha$, em que $m$ é uma constante de proporcionalidade. Substituindo esse valor de $\rho$ em (11.5) e fazendo $km = C$, tem-se a equação do sistema controlado:

$$A\frac{\mathrm{d}^2\alpha}{\mathrm{d}t^2} + B\frac{\mathrm{d}\alpha}{\mathrm{d}t} \pm C\alpha = D, \tag{11.8}$$

em que deve ser notado que a ação de controle é $\pm C\alpha$, uma grandeza dependente do erro de posição, $\alpha$ – justificando, assim, a ação puramente proporcional do regulador. Reconhecendo em (11.8) a equação de um "pêndulo",[5] o autor imediatamente concluiu que, a fim de que as soluções sejam convergentes, a ação de controle deve ser apenas $+C\alpha$, o que corresponde a eliminar a possibilidade de realimentação positiva. A seguir Minorsky escreveu as conhecidas soluções para equações do tipo (11.8) para o caso de duas raízes (da equação característica) reais e para duas raízes complexas conjugadas. Ele analisou a equação homogênea $(D = 0)$ e notou que o amortecimento da solução depende da parte real das raízes complexas, que é $B/2A$, e, ao fazer isso, à semelhança de Maxwell e Wischnegradski, mostrou que a qualidade da solução depende dos parâmetros do sistema. Nesse caso em particular, a constante do controlador, implícita em $C$, só altera a frequência das oscilações, mas não o amortecimento delas.[6]

---

[5]Minorsky deve ter pensado em termos de um sistema massa, mola amortecedor, o que chamou de pêndulo.

[6]Essa observação procede imediatamente do fato de que as raízes da equação característica de (11.8) são dadas por

$$\lambda = \frac{-B \pm \sqrt{B^2 - 4AC}}{2A}.$$

# O controlador PID

A seguir, Minorsky considerou o caso do regulador com ação puramente *derivativa*, ou seja, tomou apenas o segundo termo em (11.6), e inserindo-o no modelo (11.5), chegou à seguinte equação homogênea:

$$A\frac{\mathrm{d}^2\alpha}{\mathrm{d}t^2} + (B + E)\frac{\mathrm{d}\alpha}{\mathrm{d}t} = 0, \tag{11.9}$$

em que $E = nk$. Minorsky justificou o fato de analisar apenas a equação homogênea em nota de rodapé: "Sabe-se que as características intrínsecas de um sistema oscilatório são perfeitamente determinadas pela equação diferencial sem o segundo membro (...)" (Minorsky, 1922, p. 295). Basicamente, o que o autor quis dizer é que qualquer sistema dinâmico linear (não apenas os oscilatórios) é caracterizado pela solução natural, ou seja, pela solução da equação homogênea.

Referindo-se à Equação 11.9, Minorsky observou que o efeito do regulador é o de aumentar o quociente de amortecimento aparente do sistema. Em suas próprias palavras: "O movimento ocorre da mesma maneira que seria se a água, em vez de se opor ao movimento angular do navio com resistência $B$, fosse um fluido mais viscoso, capaz de se opor ao movimento com resistência $B + E$, maior que $B$. Assim, o controle (*sic*) da velocidade angular, conforme descrito, equivale a um aumento no amortecimento."[7]

A análise prosseguiu nos mesmos moldes e, ao considerar um regulador duplamente derivativo – a variável manipulada é a aceleração do ângulo do leme –, chegou à equação

$$(A + F)\frac{\mathrm{d}^2\alpha}{\mathrm{d}t^2} + B\frac{\mathrm{d}\alpha}{\mathrm{d}t} = 0. \tag{11.10}$$

Essa parte do estudo concluiu considerando o caso em que o regulador consiste da combinação linear[8] das três ações avaliadas de maneira individual até esse ponto. O sistema controlado dessa maneira é, portanto, descrito por

$$(A \pm F)\frac{\mathrm{d}^2\alpha}{\mathrm{d}t^2} + (B \pm E)\frac{\mathrm{d}\alpha}{\mathrm{d}t} \pm C\alpha = 0, \tag{11.11}$$

em que os sinais $\pm$ foram utilizados para indicar a generalidade do procedimento, mas que, na prática, nem todas as combinações são úteis. Uma interessante

---

[7]Nesta frase o autor cometeu um erro de terminologia relativamente comum. Minorsky referiu-se à velocidade angular do leme como a variável controlada, quando, na realidade, deveria ter dito que essa é a variável manipulada. Ao longo de todo o artigo, a variável controlada é a direção do navio.

[8]Preocupado com aspectos práticos, Minorsky argumentou que um mecanismo baseado em engrenagens diferenciais permitiria implementar ações de controle conforme definidas por (11.6) e (11.7).

308          *Sistemas realimentados: uma abordagem histórica*

observação feita por Minorsky baseada na Equação 11.11 é que o regulador que manipula a aceleração do ângulo do leme pode aumentar $(A + F)$ ou diminuir $(A - F)$ o momento de inércia aparente do navio. O aumento dese momento de inércia tem a vantagem de tornar o navio menos susceptível a perturbações, mas tem a desvantagem de que, uma vez tendo sofrido o efeito do distúrbio, o redirecionamento do navio também se torna mais difícil.

A análise de Minorsky sobre dispositivos de primeira classe é muito instrutiva, na medida em que permite claramente interpretar os efeitos individuais que cada ação – proporcional, derivada primeira ou derivada segunda – tem sobre o sistema dinâmico linear de segunda ordem em estudo (Equação 11.5). Uma importante observação é que, nessa análise, o distúrbio $D$ não foi considerado, o que pode ser notado nas equações (11.9), (11.10) e (11.11), em que o lado direito é zero. Isso significa que a presença de um distúrbio que não se anule com o passar do tempo alterará os resultados obtidos. Uma maneira de contornar essa dificuldade foi a concepção de uma outra classe de dispositivos.

### 11.2.3    Dispositivos da segunda classe

"Na segunda classe de dispositivos direcionadores, o ângulo de proa $\alpha$ e suas derivadas não afetam o *ângulo* do leme, mas a *taxa com que esse ângulo varia*" (Minorsky, 1922, p. 300). Com essas palavras Minorsky iniciou a análise da segunda classe de dispositivos, aquela que resultaria na lei de controle PID.

Pela descrição, percebe-se que a segunda classe de reguladores é descrita pela Equação 11.7. No seu desenvolvimento, Minorsky utilizou tal equação, mas com parâmetros $m, n$ e $p$, em vez de $m_1, n_1$ e $p_1$. Faremos o mesmo para manter consistência com a terminologia do artigo original.

À semelhança do que fez para a primeira classe, Minorsky inseriu a variável manipulada $\rho$, conforme dada por (11.7) em (11.5), resultando em

$$A\frac{\mathrm{d}^2\alpha}{\mathrm{d}t^2} + B\frac{\mathrm{d}\alpha}{\mathrm{d}t} + k \int \left(m\alpha + n\frac{\mathrm{d}\alpha}{\mathrm{d}t} + p\frac{\mathrm{d}^2\alpha}{\mathrm{d}t^2}\right) \mathrm{d}t = D, \qquad (11.12)$$

ou ainda

$$A\frac{\mathrm{d}^2\alpha}{\mathrm{d}t^2} + B\frac{\mathrm{d}\alpha}{\mathrm{d}t} + \left(k \int m\alpha \, \mathrm{d}t\right) + kn\alpha + kp\frac{\mathrm{d}\alpha}{\mathrm{d}t} = D, \qquad (11.13)$$

em que claramente é possível distinguir as ações proporcional, $kn\alpha$; integral, $k \int m\alpha \, \mathrm{d}t$; e derivativa, $kp\frac{\mathrm{d}\alpha}{\mathrm{d}t}$. Derivando-se (11.12) em relação ao tempo e reagrupando os termos, tem-se

$$A\frac{\mathrm{d}^3\alpha}{\mathrm{d}t^3} + (B + kp)\frac{\mathrm{d}^2\alpha}{\mathrm{d}t^2} + kn\frac{\mathrm{d}\alpha}{\mathrm{d}t} + km\alpha = \frac{\mathrm{d}D}{\mathrm{d}t}, \qquad (11.14)$$

# O controlador PID

309

sendo que $dD/dt = 0$ indica distúrbios constantes no tempo, o que revela que o sistema controlado não é sensível a tal tipo de distúrbios. Deve ser notado que essa robustez a distúrbios constantes decorre da presença da ação integral (ver Equação 11.13), que não estava presente na primeira classe de dispositivos.

A seguir Minorsky aplicou o critério de Routh-Hurwitz[9] e, assim, escreveu as condições para a estabilidade do navio com o controlador PID:

$$(B + kp) > 0 \tag{11.15}$$

$$(B + kp)kn - Akm > 0 \tag{11.16}$$

$$km > 0, \tag{11.17}$$

sendo que a última condição é sempre satisfeita se a realimentação for negativa. A primeira condição mostra que a ação derivativa torna o sistema mais estável, mas, ainda que ela não fosse usada ($p = 0$), o sistema controlado ainda seria estável. Assim, Minorsky concluiu que a estabilidade do navio depende inteiramente da segunda condição e observou que a estabilidade sempre pode ser alcançada, bastando para isso aumentar $n$ (o ganho da ação proporcional).

A fim de apresentar uma análise completa, Minorsky prosseguiu considerando uma terceira classe de dispositivos reguladores

$$\frac{d^2\rho}{dt^2} = m_2\alpha + n_2\frac{d\alpha}{dt} + p_2\frac{d^2\alpha}{dt^2}. \tag{11.18}$$

Tendo procedido como anteriormente, Minorsky concluiu que a classe de reguladores dada por (11.18) não tem relevância prática. Lembrou que a primeira classe de reguladores, dada por (11.6), "é decididamente objetável tendo em vista a incerteza do curso do navio sob a ação de distúrbios, apesar de que na ausência deles tal classe de reguladores fornece uma solução correta para o problema." Assim, finalmente, Minosrky concluiu: "Os dispositivos da segunda classe parecem ser a solução lógica para o problema do direcionamento automático" (Minorsky, 1922, p. 305). Concluía, assim, a primeira e mais clara análise das virtudes do controlador PID.

## 11.2.4 Influência do atraso de transporte

No que concerne à lei de controle PID, poderíamos concluir esta descrição do célebre artigo de Minorsky neste ponto. Contudo, na Seção 9 de seu trabalho, ele apresentou uma interessante análise – certamente uma das primeiras – dos efeitos

---

[9]Minorsky refere-se ao critério de Hurwitz-Blondel e cita um trabalho de M. A. Blondel, *Journal de Physique*, 1919.

310          *Sistemas realimentados: uma abordagem histórica*

do atraso puro de tempo sobre a estabilidade do sistema controlado. A análise foi feita considerando-se um controlador PID que define a ação de controle, usando para isso medições de $\alpha$, $\dot\alpha$ e $\ddot\alpha$ fornecidas por instrumentos distintos, cada um com um atraso puro de tempo. Em particular, escreveu (compare com Equação 11.12):

$$A\frac{d^2\alpha(t)}{dt^2} + B\frac{d\alpha(t)}{dt} + k\int\left[m\alpha(t-T_1) + n\frac{d\alpha(t-T_2)}{dt} + p\frac{d^2\alpha(t-T_3)}{dt^2}\right]dt = D.$$

$$(11.19)$$

A seguir, Minorsky derivou (11.19) em relação ao tempo e expandiu as parcelas com atraso de tempo utilizando a série de Taylor da seguinte maneira:

$$\alpha(t - T_1) = \alpha(t) - T_1\dot\alpha(t) + \frac{T_1^2}{2!}\ddot\alpha(t) - \frac{T_1^3}{3!}\dddot\alpha(t) + \ldots \qquad (11.20)$$

e, considerando os atrasos $T_i$ pequenos, desprezou os termos de ordem 2 e superior. Assim, usou $\alpha(t - T_1) \approx \alpha - T_1\dot\alpha$; $\dot\alpha(t - T_2) \approx \dot\alpha - T_2\ddot\alpha$ e $\ddot\alpha(t - T_3) \approx \ddot\alpha - T_3\dddot\alpha$, para escrever a equação característica do sistema realimentado

$$(A - kpT_3)\dddot\alpha + (B + kp - knT_2)\ddot\alpha + k(n - mT_1)\dot\alpha + km\alpha = \dot D. \qquad (11.21)$$

Mais uma vez Minorsky aplicou o critério de estabilidade de "Hurwitz-Blondel" a (11.21), chegando a

$$B + kp - knT_2 > 0 \qquad (11.22)$$

$$(B + kp - knT_2)k(n - mT_1) - (A - kpT_3)km > 0 \qquad (11.23)$$

$$km > 0. \qquad (11.24)$$

À exceção da última condição, que se manteve inalterada, as primeiras duas indicam claramente que os atrasos puros de tempo afetam a estabilidade do sistema controlado. Em particular, olhando para a primeira condição, é possível perceber que um aumento em $T_2$ eventualmente tornará o sistema instável. A partir da segunda condição, percebe-se que o aumento de $T_1$ (e de $T_2$) reduz a margem de estabilidade do sistema, ao passo que o aumento de $T_3$ pode até mesmo aumentá-la. O efeito tipicamente desestabilizador de atrasos de transporte em malhas de controle é um resultado geralmente aceito.

### 11.2.5   Nicolas Minorsky

Nicolas (ou Nicolai) Minorsky (Figura 11.1)[10] nasceu no dia 24 de setembro de 1885, em Korcheva, na Rússia. Estudou na Escola Naval de São Petersburgo e,

---

[10]Fotografia fornecida por Peter Minorsky, neto de Nicolas Minorsky, para o sistema Wikimedia OTRS.

em 1908, foi estudar no departamento de engenharia elétrica da Université de Nancy, na França, onde teve Floquet[11] como um de seus professores (Flugge-Lotz, 1971). Em 1914 terminou o doutorado em ciências aplicadas no Imperial Technical School, em São Petersburgo – que à época era chamada de Petrogrado – e dessa data até 1917 serviu na marinha da Rússia. É inevitável imaginar que a experiência de Minorsky na marinha tenha influenciado o desenvolvimento da lei PID e sua análise. Em junho de 1918 emigrou para os Estados Unidos, onde permaneceu até se aposentar em 1950.[12]

**Figura 11.1.** Nicolas Minorsky (1885–1970). Autor: Peter Minorsky, (Wikimedia, 2015).

Durante seus primeiros quatro anos nos Estados Unidos, Minorsky trabalhou como assistente de Charles P. Steinmetz na General Electric Company, em Nova Iorque. É interessante observar que outro importante nome na história do controle, Harold Black, também foi decisivamente influenciado por Steinmetz (ver página 163), e o mais curioso é notar que nem no artigo de Black nem no artigo de Minorsky é clara a "ligação temática" dos respectivos trabalhos com o de Steinmetz. A influência de Steinmetz sobre Black e Minorsky parece ter sido a análise de problemas sob o enfoque da teoria de sistemas.

---

[11] Achille Marie Gaston Floquet (1847?-1920) foi um matemático francês que se especializou em aspectos da estabilidade de soluções de equações diferenciais.

[12] A importância da Universidade de São Petersburgo para a área de controle nos dias de Liapunov (poucos anos antes de Minorsky haver estudado lá) foi brevemente mencionada na Seção 5.3.

312 *Sistemas realimentados: uma abordagem histórica*

Entre 1923 e 1934 trabalhou como professor na Universidade da Pensilvânia, na área de eletrônica e física aplicada. A partir de 1934, até 1940, trabalhou para a marinha americana em problemas relacionados à rolagem de navios. De 1940 a 1946 trabalhou como consultor em problemas de guerra associados a táticas antissubmarino, mas especialmente em problemas da estabilização ativa de navios. Foi nesse contexto que seu interesse por efeitos não lineares aumentou muito.

Escreveu vários livros, entre os quais encontram-se: *Nonlinear Oscillations*, Van Nostrand, 1962; e *Theory of Nonlinear Control Systems*, McGraw Hill, 1969. Um dos méritos desses livros é que neles o trabalho pioneiro de pesquisadores russos foi reconhecido, em uma época em que poucos pesquisadores no Ocidente tinham acesso à produção científica realizada na Ásia (Flugge-Lotz, 1971).

Tendo se aposentado em 1950, foi morar ao sul da França, onde sua esposa tinha um imóvel. Faleceu no dia 31 de julho de 1970, na Itália. A sua área de maior atuação foi a de mecânica não linear, um assunto em que trabalhou praticamente até o dia de sua morte (Flugge-Lotz, 1971).

## 11.3 Controladores PID

Esta seção será escrita com base nos trabalhos de Stuart Bennett (1993, 2001).

Ainda que a ação proporcional seja quase tão antiga quanto a própria realimentação, o primeiro controlador pneumático foi instalado pela C. J. Tagliabue Company na cidade de Nova Iorque em 1907 para o controle de temperatura em uma planta de pasteurização de leite. "Esse controlador, assim como os modelos mais antigos da Taylor Instrument Companies, usava a variação de pressão no elemento de medida, por exemplo um termômetro de bulbo com mercúrio, para operar uma válvula piloto que manipulava a pressão de ar que acionava a válvula principal que, por sua vez, manipulava a vazão de vapor enviado para o processo" (Bennett, 2001, p. 44). O uso de diafragmas e foles para conectar os elementos de medição e as válvulas era comum nos primeiros controladores. Assim, em tais equipamentos o sensor, a lei de controle e o atuador frequentemente eram encontrados em um único "sistema" chamado *controlador*. Esses controladores, na prática, somente implementavam leis de controle do tipo liga-desliga, pois qualquer movimento do fole ou do diafragma resultava na abertura total ou no fechamento completo da válvula atuadora. Além disso, a força necessária para acionar a válvula piloto carregava o sensor e dependia, de maneira não linear, do movimento dela.

Esse cenário é claramente reconhecível na seguinte descrição feita por Ziegler e Nichols em um clássico artigo da área de controle, a ser considerado na Seção 11.4:

# O controlador PID

"Para simplificar a terminologia consideraremos o tipo mais comum de circuito de controle, no qual o controlador interpreta o movimento da pena do registrador como a necessidade de uma ação corretiva que é conseguida mudando a pressão de ar que reposiciona uma válvula acionada por diafragma (...)"

"Nosso controlador traduzirá o movimento da pena em o movimento de uma válvula (...) O termo válvula cobre qualquer dispositivo semelhante [elemento final de controle ou atuador], isso é, um basculante ou um reostato que devem ser operados pelo controlador a fim de manter correta a condição do processo."[13]

Buscando aliviar o problema do carregamento, William H. Bristol propôs o uso de uma versão modificada de um tubo de Bourdon, o que se tornou um padrão para a época. Trabalhando nessa área, dois irmãos, Edgar H. Bristol e Bennet B. Bristol, fundaram em 1914 uma companhia que posteriormente se tornaria a Foxboro Instrument Company, que desenvolveu um dos primeiros controladores pneumáticos. Esses controladores baseavam-se em um aplificador pneumático, o *flapper-nozzle*. A variação de 1% da grandeza medida provocava uma variação de 100% na pressão. A instalação desse dispositivo entre o transdutor e a válvula piloto reduziu grandemente o efeito de carga, mas sua alta sensibilidade (ganho) era tal que o sistema em malha fechada facilmente apresentava ciclos limite (oscilações não amortecidas).

A companhia Leeds & Northup Company fornecia um controlador com ação "degrau proporcional" que, na realidade, era ação integral. Apesar de eliminar o erro em estado estacionário, por não possuir ação proporcional, para garantir estabilidade, as mudanças de referência deveriam ser lentas. Em 1920, Morris E. Leeds, fundador da Leeds & Northup Company, conseguiu uma patente por um controlador com ação PI. Apesar das dificuldades inciais de construir um controlador com tais características, em 1929 a Leeds & Northup Company já comercializava controladores PI. É interessante notar que essas datas, em certa medida, se sobrepõem ao período em que Minorsky desenvolveu e publicou seu artigo sobre a lei de controle PID (ver Seção 11.2).

Um pedido de patente para um dispositivo que usava um diafragma, tubos capilares e o conceito de realimentação para modificar o comportamento do controlador pneumático foi depositado por Clesson E. Mason[14] em 1928. A função

---

[13]Citado de (Ziegler and Nichols, 1942, p. 759).

[14]Clesson Mason não deve ser confundido com outro importante nome na área de controle: S. J. Mason, conhecido pelo desenvolvimento da "fórmula de ganho de Mason", publicada em

314          *Sistemas realimentados: uma abordagem histórica*

de transferência entre a posição $x$ do basculante ou palheta (*flapper*) e a variação de pressão $p$ na saída do bucal (*nozzle*) do dispositivo patenteado por Mason era

$$\frac{P(s)}{X(s)} = \frac{k(1 + aTs)}{1 + Ts}, \tag{11.25}$$

em que $a$ é uma constante de projeto. Apesar de conseguir um bom controle, algumas peças do novo dispositivo quebravam com frequência. Parte das dificuldades era devida à não linearidade em alguns componentes, o que levou Mason a aperfeiçoar o dispositivo realimentando a pressão que acionava a válvula de controle para o *flapper-nozzle*. Com relação ao novo dispositivo, Bennet observou:

> "Há fortes paralelos entre a invenção de Mason e o amplificador realimentado inventado por Harold Stephen Black. Ambos, Mason e Black, perceberam que o comportamento do sistema em malha fechada poderia ser alterado pelos componentes inseridos no ramo de realimentação."[15]

O mecanismo de Mason foi incorporado ao controlador *Stabilog 10* da Foxboro, que foi lançado no mercado em 1931 (Figura 11.2). Não tendo recebido a devida atenção por parte do mercado, a Foxboro, 1934, voltou a fazer o lançamento do *Stabilog 10*, desta vez com um folheto que esclarecia como operava e quais eram as vantagens de usá-lo: "a importância do *Stabilog* era que combinava uma ampla banda proporcional com uma ação integral que eliminava o erro em estado estacionário resultante quando apenas a ação proporcional era usada" (Bennett, 1993, p. 40). Estima-se que entre 1925 e 1935 nada menos que 75 mil controladores automáticos foram vendidos nos Estados Unidos, sendo que em 1935 a venda de tais controladores representava 32% do total de vendas da indústria americana de instrumentos (Bennett, 1993, p. 59).

Muitos dos atuadores utilizados possuíam ação integral. Assim, uma ação proporcional comandada pelo controlador tinha o efeito de ação integral. Ao longo da década de 1920, percebeu-se a necessidade de atuar de maneira mais rápida e houve esforços no sentido de desenvolver controladores que se antecipassem ao aumento exagerado do erro. Mesmo quando ações derivativas eram usadas, devido à ação integral do atuador, a ação resultante era proporcional. Contudo, essa ação permitia respostas transientes mais rápidas.

---

Mason, S. J., "Feedback theory: some properties of signal flow graphs", *Proceedings of the IRE*, 41:1144–1156, 1953; e Mason, S. J., "Feedback theory: further properties of signal flow graphs", *Proceedings of the IRE*, 44:920–926, 1956.

[15] Citado de (Bennett, 2001, p. 46).

A ação derivativa propriamente dita resultou de investigações feitas pela Taylor Instrument Companies e testadas com sucesso pela primeira vez em uma planta de celulose em 1935. Os engenheiros dessa companhia chamavam a ação derivativa de *pre-act*. Tal ação era instalada por encomenda específica, sempre que os engenheiros da Taylor Instrument Companies entendessem que era necessária. A ação derivativa passou a fazer parte da configuração padrão do controlador Fulscope (Taylor Instrument Companies) em 1939.

**Figura 11.2.** Controlador Stabilog da Foxboro. Figura reproduzida de (Bennett, 1993).

A inclusão da ação derivativa no controlador Stabilog da Foxboro foi o resultado de George A. Philbrick etre 1937 e 1938. Nesse período, Philbrick também desenvolveu um simulador analógico, eletrônico, capaz de simular tanto o processo quanto o controlador.Processos de até quarta ordem e controladores P, PI e PID poderiam ser usados nesse simulador.

Apenas o controlador Fulscope permitia a sintonia de seus parâmetros em campo. O Stabilog, por sua vez, permitia ajuste em campo apenas para a banda proporcional. Os parâmetros relacionados às ações integral e derivativa deveriam ser escolhidos entre quatro opções pré-ajustadas na fábrica. Por um lado, a limitação de não poder fazer ajustes de campo nos parâmetros do controlador pode parecer séria. Contudo, deve-se lembrar que, à época, tais ajustes em campo constituíam-se em um problema, pois não havia procedimentos estabelecidos para determinar a sintonia de controladores PID. A Taylor Instrument Companies, ciente dessa dificuldade, promoveu uma investigação intensa objetivando chegar a um procedimento que permitisse escolher os parâmetros do controlador de maneira "ótima". O resultado foi um par de artigos publicados por John Ziegler e Nathaniel Nichols em 1942 e 1943. O primeiro desses artigos é revisado na próxima seção.

## 11.4 Sintonia do controlador PID

O famoso artigo *Optimum settings for automatic controllers*, de John Ziegler e Nathaniel Nichols, é de grande interesse no estudo da história da área de controle por diversas razões. Além de ser o primeiro artigo a propor uma forma de sintonia de controladores P, PI e PID, esse trabalho traz diversas curiosidades aos estudiosos da evolução da área. A própria terminologia utilizada é, em vários aspectos, diferente da atual. O artigo é bastante claro e não apresenta desenvolvimentos matemáticos – algo incomum entre os artigos da área de controle da atualidade. Além disso, alguns aspectos que ainda são relevantes foram considerados, ainda que de maneira indireta, nesse artigo. Entre tais tópicos estão a identificação (não paramétrica) em malha aberta e fechada, os efeitos de não linearidade e a autossintonia.

O artigo divide-se em duas grandes seções. Na primeira, os autores descrevem uma a uma as ações proporcional, integral e derivativa, denominadas por eles de *proporcional, reset automático* e *pré-ação*. Ao fim da primeira parte, o leitor tem à sua disposição três conjuntos de fórmulas que fornecem a sintonia de controladores P, PI e PID a partir de valores obtidos de testes em malha fechada. Na segunda parte do artigo, os autores discutem como sintonizar os mesmos controladores, mas a partir de testes em malha aberta ou, nas palavras dos autores, a partir da "curva de reação". Ao fim da segunda parte, os autores fornecem fórmulas de sintonia que fornecem os ajustes para os controladores a partir de grandezas obtidas da curva de reação do processo. Na sequência, as principais observações e as regras propostas por Ziegler e Nichols serão apresentadas.

Na língua portuguesa, uma introdução a técnicas de sintonia de controladores PID pode ser encontrada em (Campos and Teixeira, 2006; Bazanella e Reginatto, 2007; Geromel e Korogui, 2019).

# O controlador PID

## 11.4.1 Sintonia em malha fechada

Ao considerar a ação de controle proporcional, que os autores chamaram de *proportional response*, começaram com uma descrição do ponto de vista físico do controlador (instrumento) em questão: "fornece um movimento de válvula proporcional ao movimento da pena, isto é, um movimento da pena de dois graus resulta em o dobro de movimento da válvula que se teria no caso de um movimento de pena de 1 grau" (Ziegler and Nichols, 1942, p. 759).

Na sequência, os autores definiram a "razão de amplitudes" como sendo o quociente entre a amplitude de um ciclo da variável controlada, pela amplitude do ciclo anterior. Posto isso, definiram a "sensibilidade limite" (*ultimate sensitivity*), $S_u$, como sendo a sensibilidade que resulta em uma razão de amplitudes unitária. Por fim, argumentaram que $S_u$ "parece ser um bom indicador para considerar o ajuste de sensibilidade na maioria das aplicações de controle".

Os autores mostraram figuras contendo o registro da variável controlada para diversos valores da sensibilidade e observaram que valores elevados desse parâmetro resultam em valores pequenos da razão de amplitudes (pouco amortecimento), o que é tipicamente indesejável em uma malha de controle. Por outro lado, mostraram também nos gráficos que o *offset* (erro em estado estacionário) é inversamente proporcional à sensibilidade, concluindo assim que "o ajuste racional da sensibilidade da resposta proporcional é simplesmente uma questão de equilibrar esses dois males: *offset* e razão de amplitudes. Para a maioria das aplicações um bom compromisso é o valor de sensibilidade que resulta em uma razão de amplitudes de 25%. Essa sensibilidade estará muito próximo da metade da sensibilidade limite" (Ziegler and Nichols, 1942, p. 761).

A seguir consideraram a ação integral, à qual chamaram de *automatic reset response*, e que definiram como "uma resposta que fornece uma velocidade de válvula proporcional ao deslocamento da pena da referência."[16] Assim como a sensibilidade era a medida utilizada para sintonizar a resposta proporcional, a "taxa de reset", com unidade 1/min, foi a grandeza utilizada para caracterizar a resposta integral (Figura 11.3). A interpretação dos autores dessa unidade é importante: "o número de vezes por minuto que o reset automático [ação integral] duplica a resposta proporcional [ação proporcional] corretiva causada pela disparidade entre a pena e o valor de referência" (Ziegler and Nichols, 1942, p. 761).

---

[16]Nesse ponto o procedimento de Ziegler e Nichols se aproximou ao de Minorsky, que considerou a taxa de variação da ação de controle proporcional ao erro (ver Equação 11.7). Note que é precisamente esse termo que resulta na ação integral na Equação 11.13. Portanto, definir a taxa de variação da ação de controle como sendo proporcional ao erro é equivalente a dizer que a ação de controle é proporcional à integral do erro.

Nesse ponto do artigo, chamou-se de $P_u$ o período da oscilação que se obtém quando se utiliza a sensibilidade limite $S_u$. Os autores, então, argumentaram que $P_u$ é um bom indicador para se fazer o ajuste da ação integral. Assim, chegaram às fórmulas de sintonia para um controlador PI:

$$\text{sensibilidade} = 0{,}45 S_u$$
$$\text{taxa de reset} = 1{,}2/P_u.$$

Encerrando a primeira parte do artigo, os autores passaram a considerar a ação derivativa, que chamaram de *pre-act response*. A justificativa de se considerar essa ação é curiosa:

"Em algumas aplicações de controle, a inclusão da resposta pré-ação [ação de controle derivativa] provocou melhoras tão marcantes que parecia ser a corporificação de controladores 'antecipativos' místicos. Em outras aplicações, parecia ser pior do que nada. Somente a dificuldade de se predizer a utilidade e de se ajustar essa resposta é o que a impediu de ser utilizada de maneira muito mais ampla."[17]

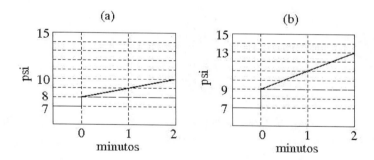

**Figura 11.3.** Figura semelhante à usada em (Ziegler and Nichols, 1942) para definir a "taxa de reset", o inverso do tempo integral. Nos gráficos desta figura, a taxa de *reset* é de 1/min, que é o número de vezes que a ação integral repete a ação proporcional no determinado período de tempo.

Ao explicar essa ação do ponto de vista do *hardware*, os autores esclareceram: "a pré-ação [ação derivativa] simplesmente provê um movimento adicional à válvula proporcional à velocidade da pena. Somente é utilizada em conjunto com a resposta proporcional [ação proporcional]". A unidade dessa ação é o tempo da

---
[17] Citado de (Ziegler and Nichols, 1942, p. 762).

ação em minutos e corresponde ao tempo que levaria à ação proporcional atingir a ação de controle derivativa (Figura 11.4).

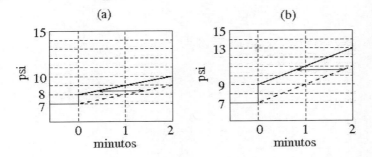

**Figura 11.4.** Figura semelhante à usada em (Ziegler and Nichols, 1942) para definir o "tempo de pré-ação". O tempo derivativo que, nesta figura, é de 1 minuto e corresponde ao tempo em que o acréscimo da ação derivativa antecipa a ação proporcional, indicado pelas setas. O tracejado indica a ação proporcional, enquanto a linha sólida, a ação proporcional e derivativa.

As fórmulas de sintonia para um controlador PID foram, então, fornecidas:

$$\begin{aligned} \text{sensibilidade} &= 0{,}6 S_u \\ \text{taxa de reset} &= 2/P_u \text{ por minuto} \\ \text{tempo derivativo} &= P_u/8 \text{ minutos.} \end{aligned}$$

### 11.4.2 Sintonia em malha aberta

A seguir os autores apresentaram o que chamaram de uma curva de reação (*reaction curve*), que nada mais é do que o início da resposta ao degrau de um processo autorregulável (Figura 11.5).

A partir das definições gráficas de $L$ (atraso) e $R$ (taxa de reação), conforme ilustrado na Figura 11.5, os autores definiram a taxa de reação unitária como sendo $R_1 = R/\Delta F$, em que $\Delta F$ é a amplitude do degrau utilizado no teste em malha aberta para registrar a curva de reação. Foi então indicado que os novos parâmetros, obtidos em malha aberta, se relacionam aos parâmetros obtidos em malha fechada por

$$\begin{aligned} S_u &= 2/R_1 L \\ P_u &= 4L. \end{aligned}$$

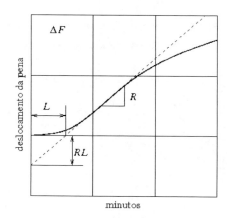

**Figura 11.5.** Figura semelhante à usada em (Ziegler and Nichols, 1942) para definir os parâmetros $L$ (atraso) e $R$ (taxa de reação) de um processo em malha aberta ao qual foi aplicado um degrau de amplitude $\Delta F$.

Assim, passou a ser possível reescrever os ajustes para os controladores P, PI e PID, não apenas em termos de $S_u$ e $P_u$, mas usando $R_1$ e $L$ também. Os autores apresentaram todas as fórmulas em um apêndice intitulado "Resumo de Ajustes de Controladores", reproduzido abaixo.

Para controladores proporcionais:

$$\text{sensibilidade} \;=\; 0{,}5S_u = \frac{1}{R_1 L}.$$

Para controladores proporcionais e integrais:

$$\text{sensibilidade} \;=\; 0{,}45S_u = \frac{0{,}9}{R_1 L}$$

$$\text{taxa de reset} \;=\; \frac{1{,}2}{P_u} = \frac{0{,}3}{L}.$$

Para controladores proporcionais, integrais e derivativos:

$$\text{sensibilidade} \;=\; 0{,}6S_u = \frac{1{,}2}{R_1 L}$$

$$\text{taxa de reset} \;=\; \frac{2{,}0}{P_u} = \frac{0{,}5}{L}$$

$$\text{tempo derivativo} \;=\; \frac{P_u}{8} = 0{,}5L.$$

Com o passar do tempo, as regras de sintonia desenvolvidas por Ziegler e Nichols foram mais bem conhecidas e suas limitações, determinadas. Como acontece com a maioria dos métodos, há processos para os quais as regras de Ziegler e

Nichols funcionam melhor. É possível classificar tais processos utilizando a razão entre o atraso puro de tempo e a constante de tempo dominante do processo, $\tau_d/\tau$. Alguns autores referem-se a essa razão como o *fator de incontrolabilidade* (Campos and Teixeira, 2006, p. 52). Quando tal fator se encontra entre 0,1 e 0,3, as regras de sintonia de Ziegler e Nichols têm bom desempenho. Contudo, para processos com $\tau_d/\tau > 4$, as regras de sintonia geram laços de controle instáveis (Campos and Teixeira, 2006, p. 52).

### 11.4.3 Nathaniel Nichols

Nathaniel B. Nichols (Figura 11.6) nasceu em 1914 em Michigan, nos Estados Unidos. Obteve o grau de bacharel em ciências pela Central Michigan University em 1936, e o grau de mestre em Física, pela Universidade de Michigan em 1937. Posteriormente, o título de doutor *honoris causa* foi-lhe conferido pela Case Western Reserve University e pela Central Michigan University.

**Figura 11.6.** Nathaniel B. Nichols (1914–1997). À direita mostra-se uma imagem da *IFAC Nichols Medal*. A inscrição diz: IFAC Nathaniel B. Nichols Award. Reproduzido de (Kahne, 1997).

Começou a trabalhar na Taylor Instrument Companies,[18] onde, em companhia de John Ziegler, dedicou-se ao problema de sintonia de controladores PID. Durante a Segunda Guerra Mundial, foi enviado pela Taylor Instrument Comapies para o

---

[18] O historiador Otto Mayr (ver Seção 1.1.1), que foi colega de Nichols na Taylor Instrument Companies, relata que apesar de ter presença carismática na companhia e ser responsável por pesquisa, Nichols foi abruptamente despedido (Mayr, 2002, p. 89).

# 322 Sistemas realimentados: uma abordagem histórica

MIT (Massachusetts Institute of Technology) como parte do esforço de guerra. Ali trabalhou em diversos problemas de projeto de servomecanismos, principalmente com aplicações em artilharia antiaérea. Sobre esse assunto, a seguinte citação é interessante:

> "Nichols e seus colegas perceberam que o cálculo da resposta de sistemas lineares em malha fechada a partir das características em malha aberta era um problema frequentemente enfrentado por projetistas. A determinação algébrica do máximo ganho de malha e a frequência na qual tal ganho ocorre é tediosa até mesmo para os modelos lineares que eram utilizados. A partir dessa necessidade é que surgiu o método gráfico de auxílio ao projeto, que hoje chamamos da *carta de Nichols* [Figura 11.8].[19] Essa é uma ferramenta a partir da qual o projetista lê o valor de ganho em malha fechada diretamente de um gráfico do ganho (logarítmico) de malha e fase parametrizado pela frequência. É discutível, mas foi mostrado que essa ferramenta foi a mais útil, na história da área de controle, para o projeto de sistemas realimentados. Esse método foi apresentado à comunidade da engenharia de controle especialmente graças à sua inclusão em uma série de livros que surgiram do Radiation Laboratory, do MIT após a guerra. O Capítulo 4, do agora famoso Volume 25, "Theory of Servomechanisms" por James, Nichols e Phillips, publicado em 1947 [Figura 11.7], é, possivelmente, o documento sobre projeto de sistemas de controle mais lido em todos os tempos. É notável que esse tratado, escrito ao final dos anos 40, tenha mantido sua importância na nossa área de controle, que, graças às constantes mudanças tecnológicas, avança a grande velocidade. A carta de Nichols é uma entre várias contribuições pelas quais Nick Nichols foi honrado com a criação da *IFAC Nichols Medal* [Figura 11.6]."[20] [21]

Nichols é conhecido pelo método de sintonia (método Ziegler-Nichols), publicado em 1942 com John Ziegler, e pelo livro *Theory of Servomechanisms* (James et al., 1947), em que, pela primeira vez, apresentou a técnica de controle baseada em um ábaco que veio a ser conhecido como a *carta de Nichols* (Figura 11.8).

---

[19] A carta de Nichols foi denominada carta de contornos $M - N$ ($M - N$ *contour chart*) em (Brown and Campbell, 1948, Seção 8.7).

[20] Citado do obituário de Nathaniel Nichols publicado em (Kahne, 1997).

[21] A primeira *IFAC Nichols Medal* foi concedida a Juergen Ackermann, por suas contribuições para a área de controle automotivo (Kahne, 1997). A sigla IFAC corresponde à International Federation of Automatic Control.

# THEORY OF SERVOMECHANISMS

*Edited by*

HUBERT M. JAMES
PROFESSOR OF PHYSICS
PURDUE UNIVERSITY

NATHANIEL B. NICHOLS
DIRECTOR OF RESEARCH
TAYLOR INSTRUMENT COMPANIES

RALPH S. PHILLIPS
ASSOCIATE PROFESSOR OF MATHEMATICS
UNIVERSITY OF SOUTHERN CALIFORNIA

OFFICE OF SCIENTIFIC RESEARCH AND DEVELOPMENT
NATIONAL DEFENSE RESEARCH COMMITTEE

FIRST EDITION
SIXTH IMPRESSION

NEW YORK · TORONTO · LONDON
McGRAW-HILL BOOK COMPANY, INC.
1947

**Figura 11.7.** Frontispício do livro publicado por Hubert James, Nathaniel Nichols e Ralph Phillips em 1947. É o volume 25 da *Radiation Laboratory Series* publicada pelo MIT.

No livro, esse ábaco era chamado "diagrama de decibel-ângulo de fase de malha" (*decibel-phase angle loop diagram*), e o diagrama de Bode era referido como sendo o "gráfico de decibel-log-frequência" (*decibel-log-frequency graph*). Em 1968 foi o presidente da IEEE Control Systems Society. Foi presidente do American Automatic Control Council em 1974 e, em 1975, recebeu o *Richard E. Bellman*

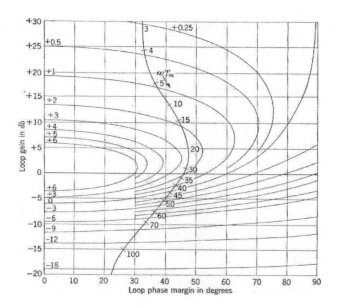

**Figura 11.8.** Exemplo de carta de Nichols, conforme publicado em (James et al., 1947, p. 201). Note o uso da frequência normalizada $\omega T_m$.

Na carta de Nichols tem-se informação da resposta em frequência do sistema, tanto em malha aberta, quanto em malha fechada. Os eixos desse gráfico dizem respeito à resposta em frequência em malha aberta $G(j\omega)$. Assim, no eixo das abscissas do gráfico mostrado na Figura 11.8 pode-se ver a indicação de graus angulares e, no eixo de ordenadas, está o ganho em decibéis. Portanto, é possível, para um determinado número de valores da frequência $\omega$, determinar o módulo e a fase da função complexa $G(j\omega)$.

No exemplo da Figura 11.8, os autores utilizaram a frequência normalizada $\omega T_m$. Expressando o módulo em decibéis e a fase em graus, esses valores podem ser registrados na carta de Nichols, como mostrado na Figura 11.8 pela curva que corta o gráfico de cima para baixo (aumento da frequência). As "curvas de nível" mostradas na Figura 11.8 indicam distintos valores do ganho *em malha fechada*. O máximo valor do ganho em malha fechada pode ser lido achando-se qual é a curva de nível que tangencia a resposta em malha aberta. Pelo gráfico nota-se que é uma curva pouco menor de +3 dB. Além disso, esse valor de máximo ocorre para uma frequência (normalizada) entre 20 e 30 rad/s. Outra informação interessante é obtida encontrando-se para que frequência (normalizada) $G(j\omega)$ cruza a curva de nível correspondente a -3 dB. No gráfico esse valor é aproximadamente 55 rad/s e corresponde à banda passante do sistema em malha fechada.

# 11.5 Considerações finais

A história do desenvolvimento do controlador PID, com seus personagens e desafios, levanta uma série de questões que merecem atenção.

Em primeiro lugar, houve o esforço de unificar fragmentos de conhecimento e generalizá-los na forma de uma "teoria de aplicação mais ampla": o controlador PID.[22]

Em segundo lugar, é interessante notar que a válvula governadora de Watt, que foi construída em 1788 e usada a partir de então, passou a ser analisada várias décadas depois, começando com o artigo de Maxwell, *On Governors*, em 1868 (Seção 3.2) e o trabalho de Wischnegradski (Seção 3.3), pouco mais de uma década depois do trabalho de Maxwell. No caso desse dispositivo governador, a tecnologia antecedeu o respectivo desenvolvimento teórico em diversas décadas. Por outro lado, no caso do PID, se considerarmos o artigo de Minorsky publicado em 1922 como ponto de partida e lembrarmos que os primeiros controladores comerciais com ações proporcional, integral e derivativa foram comercializados ao fim da década de 1930, percemos que houve uma inversão, pois a teoria passou a antecipar a tecnologia, ainda que por poucos anos.[23] Não há como negar que hoje em dia a teoria de controle atingiu um patamar que poderá exigir muitas décadas para que alguns dos resultados recentemente obtidos se tornem comuns na prática da tecnologia de controle.

Em terceiro lugar, mencionamos a influência de Steinmetz sobre Harold Black e Nikolas Minorsky. O desenvolvimento do amplificador realimentado experimentou uma importante mudança de rumo após Black ter assistido a uma palestra de Steinmetz. O curioso é que Black não se recordava do assunto dessa palestra, mas o uso de uma "teoria de sistemas" na abordagem de Steinmetz deixara marcas inesquecíveis em Black. No caso de Minorsky, não há em seus artigos nenhuma menção à General Electric Company, onde trabalhou como assistente de Steinmetz, nem aos problemas ali investigados.[24] Contudo, como aconteceu posteriormente com Black, a maneira de Steinmetz abordar problemas de engenharia

---

[22]Hoje em dia poucos se atreveriam a chamar o PID de uma teoria unificadora na área de controle, mas no início do século XX, quando foi investigado, desenvolvido e proposto, esse controlador teve tal papel.

[23]Essa observação não sugere que o artigo de Minorsky, publicado em 1922, tenha servido de fator motivacional para o desenvolvimento de PIDs comerciais.

[24]Durante seu serviço na marinha Russa, Minorsky interessou-se por problemas de guiagem. Em 1916 fez medições com o objetivo de quantificar a sensibilidade do olho humano a variações de velocidade angular. O objetivo era comparar a habilidade de uma pessoa detectar pequenas rotações angulares como a do girômetro que havia inventado.

influenciou também Minorsky, que analisou, pela primeira vez, o controlador PID como uma lei de controle de caráter geral. Essa abordagem contrastava com o procedimento *ad hoc*, baseado em problemas específicos, que governava a prática do controle de processos até então.

Não é possível considerar a influência que Steinmetz teve sobre Black e Minorsky (e, possivelmente, sobre vários outros) sem reconhecer nele um verdadeiro educador de teoria de sistemas e controle. O que o destaca não é o fato de que soubesse resolver este ou aquele problema – o que certamente ele sabia muito bem fazer na sua área de atuação: industrial elétrica –, nem a sua autoria de diversas patentes – detinha mais de duzentas delas quando faleceu –, mas foi precisamente seu caráter generalista-teórico que fez com que influenciasse pessoas além das fronteiras da sua área de aplicação. O *know-how* de Steinmetz, que decidiu aplicar a problemas industriais elétricos, extravasou para áreas as mais diversas, como comunicações e náutica, pelo canal da teoria de sistemas.

# Capítulo 12

# Notação e nomenclatura

"Esta condição [de estabilidade] é matematicamente equivalente à condição de que todas as raízes possíveis e que todas as partes possíveis das raízes impossíveis, de uma certa equação, sejam negativas."[1]

James Maxwell, 1868

"No que se refere ao sinal algébrico, a sensibilidade é considerada negativa para um regulador e positiva para um medidor. Nos estágios iniciais da análise é melhor seguir a prática dos matemáticos, para poder utilizar seus trabalhos ($\cdots$) Mas como nos estágios finais – trabalhando como engenheiro, com valores numéricos reais nas equações – passa a ser mais conveniente seguir a prática da engenharia de utilizar os sinais adequados de tal forma que as grandezas e suas constantes sejam positivas."[2]

Ed Smith, 1944

Um interessante aspecto a ser abordado no estudo histórico de qualquer disciplina é o uso de notação e nomenclatura. Mesmo uma rápida leitura de alguns documentos mais antigos revelará que, até há relativamente pouco tempo, a nomenclatura e a notação utilizadas eram bastante diferentes daquelas empregadas na atualidade. Não apenas isso, notação e nomenclatura distintas eram usadas na mesma época, mas em lugares diferentes, em épocas em que o intercâmbio de informação não se dava à velocidade que conhecemos hoje. Por exemplo, os dois

---

[1]Citado de (Maxwell, 1868, p. 271).
[2]Citado de (Smith, 1944, p. 58).

trechos com os quais começa este capítulo mostram claramente a falta de uma linguagem clara para descrever as questões técnicas sendo consideradas.

Assim, é muito instrutivo observar como certos termos evoluíram ao longo do tempo até atingirem a forma conhecida e utilizada atualmente. O presente capítulo pretende abordar alguns aspectos referentes à evolução da notação e terminologia utilizada na área de controle. Por conveniência, este capítulo se aterá ao caso contínuo, deixando para outra ocasião a investigação da evolução da nomenclatura de sinais e sistemas discretos.

Uma dificuldade na abordagem desse assunto é sua própria abrangência. Seria possível estudar e agrupar artigos e livros por época de publicação e observar como cada um referiu-se a certos conceitos. Alternativamente, pode-se escolher alguns assuntos-chave e verificar como foram abordados e referidos em diversos trabalhos. Tal será a abordagem do presente capítulo. Ao abordar certos conceitos, tanto a nomenclatura quanto a notação serão consideradas.

O presente capíutlo fará referência a alguns trabalhos em particular. O livro de John Carson é considerado um clássico na área de análise de circuitos elétricos (Carson, 1926) e foi citado posteriormente como uma referência sobre cálculo operacional (Smith, 1944). O livro de Ed Smith (1944) é considerado por alguns o primeiro livro em inglês sobre engenharia de controle propriamente dita[3] e foi de grande influência nos anos que seguiram à sua publicação (Bennett, 1993). O livro[4] de LeRoy MacColl é reconhecido como o documento que reformulou os resultados de Nyquist e lhes deu a forma na qual hoje se conhece o critério de estabilidade de Nyquist[5] (MacColl, 1945). Contemporâneo ao livro de MacColl é o livro de Hendrik Bode, que tornou-se uma referência muito influente em assuntos de análise e projeto no domínio da frequência (Bode, 1945).

Um importante livro para a área de controle é (James et al., 1947). Possivelmente foi o primeiro livro na área a abordar o assunto de uma maneira que veio a ser conhecida como "controle clássico". Na opinião de alguns[6] esse foi o primeiro livro da área de controle.

---

[3]Segundo Theodore R. Olive, que escreveu a apresentação do livro de Ed Smith. Um importante impulso para a área de engenharia de controle ocorreu a partir de 1936, quando Ed Smith deu início a trabalhos que levariam à formação de um comitê da American Society of Mechanical Engineers sobre Reguladores e Instrumentos Industriais (Bennett, 2001).

[4]No prefácio do seu livro, MacColl conta que o conteúdo da obra havia sido preparado para ser publicado na forma de artigo, mas, em função do "esforço de guerra", ele foi convencido a publicá-lo como livro.

[5]Veja as Notas 38 e 41 do Capítulo 7.

[6]Um exemplo é o prof. Karl Åstrom.

# Notação e nomenclatura

O livro de Oldenbourg e Sartorius será usado como importante fonte no presente capítulo (Oldenbourg and Sartorius, 1948). Sobre esse livro, originalmente publicado na Alemanha em 1944, foi dito que, além de ser um clássico, trata-se de uma obra notável em diversos aspectos (Bissell, 1996, p. 76). Esse livro, sendo de origem alemã,[7][8] ajuda a verificar o uso de termos e símbolos na Europa.[9] Referenciam-se também os artigos clássicos (Nyquist, 1932; Black, 1999). Outras referências, quando usadas, serão citadas *in loco*.

## 12.1 Sinais elementares

Um sinal elementar, possivelmente o mais elementar de todos, é o impulso unitário $\delta(t)$. Oliver Heaviside chegou a utlizar essa função (ver Seção 10.3), mas o seu uso não se tornou comum até meados do século XX.[10] Em diversos importantes artigos e livros publicados na década de 1940, não era comum mencionar o impulso unitário (veja a Nota 14 deste capítulo). Por exemplo, em seu livro, Ed Smith começa a abordar a análise quantitativa de sistemas de controle a partir da resposta ao degrau, em vez da resposta ao impulso, como possivelmente é o

---

[7]No prefácio à edição americana do livro (Oldenbourg and Sartorius, 1948), existe um comentário muito revelador. Em 1945, o U. S. Department of Commerce (aproximadamente equivalente ao Ministério de Desenvolvimento, Indústria e Comércio Exterior), enviou para a Alemanha uma equipe de especialistas de instrumentos industriais com o objetivo de descobrir quais haviam sido os avanços realizados na Alemanha nessa área, durante o período da Segunda Guerra Mundial. Foi então que a equipe encontrou a monografia que posteriormente seria publicada nos Estados Unidos na forma do livro (Oldenbourg and Sartorius, 1948). O que destacou a referida monografia dos demais documentos investigados, nas palavras de H. L. Mason, que escreveu o prefácio desse livro, foi: "o tratamento profundo e completo, sua simplicidade e clareza graças à aplicação da transformada de Laplace e equações diferenciais, além da utilidade prática de seus resultados, apresentados de maneira gráfica". Essa visão elogiosa sobre o livro de Oldenbourg e Sartorius é amplamente confirmada por Bissell (Bissell, 1996, p. 76).

[8]Bissell fornece diversos detalhes sobre essa publicação. Seus autores, que eram engenheiros que trabalhavam no projeto de sistema de controle industriais para a Siemens & Halske, publicaram o livro quando tinham pouco mais de trinta anos de idade. O livro já se encontrava na gráfica quando esta foi destruída por um ataque aéreo, durante a Segunda Guerra Mundial. O livro, que finalmente foi publicado em 1944, foi produzido a partir de um conjunto de "provas de prelo" que estavam em posse de um dos autores (Bissell, 1996, p. 76). O livro foi reimpresso em 1951, com poucas modificações (Bissell, 1996, p. 77).

[9]Foi dito que a escola alemã de controle automático manteve por bastante tempo uma convenção e terminologia que diferiam significativamente da americana e britânica (Bissell, 1996, p. 77).

[10]Um exemplo é (Zadeh and Ragazzini, 1950, p. 646) em que o símbolo $\delta(t)$ e o nome 'impulso unitário' foram utilizados.

330                                        *Sistemas realimentados: uma abordagem histórica*

caso mais comum na atualidade (Smith, 1944).[11] Nyquist fez menção ao impulso unitário e à resposta de uma rede a essa excitação em seu conhecido artigo (Nyquist, 1932).[12] Essa é uma das primeiras menções à resposta ao impulso, mas ainda está longe do formalismo e do seu extesivo uso na atualidade.

Um outro sinal elementar é o degrau unitário $u(t)$, mencionado no parágrafo anterior e definido como um sinal cujo valor é zero no intervalo aberto $t \in (-\infty, 0)$ e um no intervalo semiaberto $t \in [0, \infty)$. O degrau unitário pode ser obtido integrando-se o impulso unitário $\delta(t)$. À semelhança de $\delta(t)$, o degrau unitário também era usado por Oliver Heaviside. Mais do que isso, essa função foi definida por Heaviside e era por ele indicada por $\mathbf{1}(t)$ ou simplesmente $\mathbf{1}$.[13] Até o presente, em áreas como a física, fala-se em termos da *função de Heaviside*, em vez da função degrau unitário.

Ao contrário do impulso unitário, a função degrau unitário já era extensivamente utilizada na área de controle de processos e análise de sinais, mesmo na primeira metade do século XX. Essa função era chamada de *função de Heaviside* (Carson, 1926), função *degrau unitário* (Smith, 1944), ou simplesmente função *degrau* (MacColl, 1945; Oldenbourg and Sartorius, 1948).

Quanto ao uso da rampa unitária, as observações não parecem ser tão relevantes. Smith já usava tais sinais na análise de sistemas de controle, apesar de chamá-los de *sinal de mudança linear* (Smith, 1944). MacColl apresenta, além do degrau, a rampa e a parábola, apesar de não utilizá-las e, em nota de rodapé, afirma que a denominação "função rampa" foi sugerida por K. K. Darrow (MacColl, 1945, p. 38).

---

[11]Apesar de não fazer uso extensivo do degrau, nem da resposta ao degrau, em um dos exemplos de seu livro, Bode utilizou a resposta ao degrau unitário, mas sem menção à integral de Duhamel (Bode, 1945, p. 112).

[12]Nyquist tinha grande interesse em telegrafia, assunto que estudou profundamente. Alguns de seus resultados mais conhecidos na área de teoria da informação – como o "teorema da amostragem" – foram consequência de seu estudo nessa área. Lembrando que o sinal de telégrafo era composto por rápidos pulsos, não é de admirar que Nyquist tenha mencionado a resposta de um circuito elétrico a um impulso.

[13]Heaviside estudou o problema de achar a resposta de uma rede ou circuito elétrico a uma excitação em tensão que era nula antes de $t = 0$ e passava a ser unitária nesse instante. A busca pela solução desse problema levou Oliver Heaviside a desenvolver o cálculo operacional (Carson, 1926).

_Notação e nomenclatura_ 331

## 12.2 Integrais de Convolução e de Duhamel

Uma vez que o impulso unitário não era utilizado em geral, também não havia menção à resposta ao impulso.[14] Sendo assim, não é de admirar que a integral de convolução, que na segunda metade do século XX tornou-se o ponto de partida de praticamente qualquer livro em análise de sinais e teoria de controle, sequer fosse mencionada em alguns dos mais influentes livros e artigos do início do século XX.[15]

Como mencionado na seção anterior, em vez do impulso, falava-se da função de Heaviside, que é o correspondente à função degrau unitário. Assim, mesmo que não se falasse da resposta ao impulso, falava-se da resposta ao degrau, que era chamada da _resposta indicial_ (resposta indicativa) (Carson, 1926; Smith, 1944; Oldenbourg and Sartorius, 1948), ou _admitância indicial_, no caso de sistemas elétricos (Carson, 1926; Smith, 1944). Essa resposta era comumente indicada por $A(t)$ (Carson, 1926; Smith, 1944), ou $\psi(t)$ (Oldenbourg and Sartorius, 1948).

A integral de convolução é a operação que fornece a resposta de um sistema linear e invariante no tempo (LIT) a uma entrada qualquer, a partir da resposta ao impulso $h(t)$ desse sistema. Semelhantemente, é possível expressar a resposta de um sistema LIT, $i(t)$, a partir de sua resposta indicial, $A(t)$, por meio da _integral de Duhamel_[16]

$$i(t) = A(t)E(0) + \int_0^t A(t-\tau)\frac{d}{d\tau}E(\tau)d\tau, \tag{12.1}$$

em que $E(t)$ é o sinal de excitação. John Carson demonstrou que a integral de Duhamel (12.1) pode ser expressa como (Carson, 1926, p. 16)

$$\begin{aligned} i(t) &= \frac{d}{dt}\int_0^t A(t-\tau)E(\tau)d\tau \tag{12.2}\\ &= \frac{d}{dt}\int_0^t E(t-\tau)A(\tau)d\tau. \end{aligned}$$

---

[14]No livro de MacColl, onde há um capítulo sobre sistemas amostrados, ao descrever tais sistemas e o processo de amostragem, MacColl faz referência ao "impulso de intensidade unitária" e à resposta do sistema a esse impulso (MacColl, 1945, p. 89). A representação matemática utilizada por ele é mostrada na Equação 12.6. A menos dessa instância, tais conceitos não foram utilizados no restante de seu livro. Outra exceção parece ser o artigo de Nyquist em que ele chama de $G(t)$ a resposta de uma rede a um impulso unitário (Nyquist, 1932).

[15]Os livros de Carson (1926) e de Smith (1944) não falam da resposta ao impulso, nem da integral de convolução.

[16]Jean Marie Constant Duhamel (1797–1872) foi um matemático francês que dedicou boa parte de seu trabalho ao estudo de equações diferenciais parciais, principalmente aplicadas ao problema de transmissão de calor e de acústica. Em 1840 ele sucedeu a Poisson na Academia de Ciências de seu país.

# 332        *Sistemas realimentados: uma abordagem histórica*

O leitor atento percebeu que o resultado de Carson revela que a integral de Duhamel essencialmente é uma integral de convolução entre a entrada e a resposta indicial, daí a necessidade da derivada temporal nas expressões (12.1) e (12.2). A integral de convolução foi chamada de *integral de superposição* em (Zadeh and Ragazzini, 1950, p. 646).

## 12.3    Funções complexas e transformadas

Para a surpresa de muitos leitores modernos, a transformada de Laplace[17] passou a ser uma ferramenta formalmente reconhecida e utilizada na área de controle somente na segunda metade do século XX. Por exemplo, no citado livro de Ed Smith, todos os desenvolvimentos de análise e projeto de seu livro são feitos no domínio do tempo. A menção à transformada de Laplace é muito breve e está restrita a um apêndice. O cálculo operacional de Heaviside, também mencionado em apêndice, recebeu maior atenção em (Smith, 1944). Uma relevante exceção é o livro (Oldenbourg and Sartorius, 1948), que, mesmo sendo da área de controle de processos, faz extensivo uso da transformada de Laplace, ainda que a nomenclatura seja a de Heaviside (uso de $p$ no lugar de $s$, e assim por diante).

Antes da transformada de Laplace ganhar reconhecido espaço nos livros de controle, tal espaço era ocupado pelo cálculo operacional. É inquestionável que há interessantes semelhanças entre os procedimentos, mas há também importantes diferenças. A principal é a alegada falta de rigor matemático no procedimento de Oliver Heaviside, quando comparado à transformada de Laplace. Por outro lado, as semelhanças são suficientes para justificar que alguns vejam no cálculo de Heaviside uma "transformada de Laplace prática"[18] ou, como Heaviside mesmo o chamava: "matemática experimental". A matemática utilizada por MacColl na maior parte de seu livro é o cálculo operacional de Heaviside (MacColl, 1945). Mesmo no artigo de Nyquist, há claros resquícios dos procedimentos utilizados por Heaviside (Nyquist, 1932, exemplos 1 e 2), apesar de ele utilizar, mas sem chamá-las pelo nome, as transformadas de Laplace e de Fourier.

Um importante resultado que não era comum nos livros de controle é o teorema do valor final. Destaca-se aqui o uso desse resultado em (Oldenbourg and Sartorius, 1948, p. 67, 100), ainda que não com esse nome.

---

[17]Pierre Simon Marquis de Laplace (1749–1827) foi um expressivo matemático francês que fez importantes contribuições em diversas áreas da física e matemática. O estudante de engenharia imediatamente associa Laplace à transformada que leva seu nome.

[18]Kreyszig, E., *Advanced Engineering Mathematics*, 8th edition, p. 251., John Wiley and Sons, New York, 1999.

*Notação e nomenclatura* 333

Um ponto central no desenvolvimento de Heaviside não foi apenas o uso do operador de derivada $p = d/dt$, mas o fato de que $p$ era frequentemente tratado como uma variável complexa, à semelhança da variável $s$ da transformada de Laplace. No que se segue, será usada a variável $p$ como argumento em funções complexas no "domínio de Heaviside".[19]

Seja um sistema descrito pela equação diferencial

$$\frac{d^n}{dt^n}y(t) + a_{n-1}\frac{d^{n-1}}{dt^{n-1}}y(t) + \ldots + a_1\frac{d}{dt}y(t) + a_0y(t) = f(t). \tag{12.3}$$

Utilizando o operador de derivada $p = d/dt$, a equação (12.3) pode ser escrita como $Z(p)y(t) = f(t)$, ou ainda $y(t) = \frac{1}{Z(p)}f(t)$, em que $Z(p) = 0$ representa a equação característica do sistema.[20] A letra $Z$ era utilizada, pois os sistemas em análise eram frequentemente circuitos elétricos, e $Z(p)$ era a impedância. A resposta indicial $A(t)$ do sistema era a resposta ao degrau unitário $f(t) = \mathbf{1}$, ou seja, $A(t) = \frac{1}{Z(p)}$, de onde se pode entender porque $A(t)$ era às vezes chamada de *admitância indicial*.

John Carson mostrou que $A(t)$ e $Z(p)$ poderiam ser relacionadas da seguinte forma (Carson, 1926, p. 19):

$$\frac{1}{pZ(p)} = \int_0^\infty A(t)e^{-pt}dt. \tag{12.4}$$

Como o próprio Carson observou, a Equação 12.4 é uma equação integral do tipo de Laplace. De fato, se na integral tomarmos $s$ em vez de $p$ prontamente se reconhece a transformada de Laplace da resposta ao degrau. Por outro lado, $\frac{1}{pZ(p)}$ corresponde à integral da resposta ao impulso no "domínio de Heaviside", que nada mais é do que resposta ao degrau.[21]

O aluno que hoje começa a estudar a teoria de sinais e sistemas pode ter a impressão de que, desde os dias de Fourier e Laplace, é corriqueiro o uso das transformadas que levam seus nomes. Não é bem assim, como atestado pelas duas citações a seguir.

---

[19]No seu livro, famoso por ter descrito o critério de estabilidade de Nyquist baseado no princípio do argumento de Cauchy, LeRoy MacColl apresenta todas as suas funções complexas com argumento $p$ (MacColl, 1945).

[20]É possível perceber que, apesar de $Z(p)$ representar uma grandeza transformada (ver a Equação 12.2), ela aparece relacionando duas funções do tempo. Como pode ser visto, o cálculo operacional de Heaviside não goza do rigor matemático da transformada de Laplace.

[21]Ao apresentar (12.4), Carson fez a seguinte observação (Carson, 1926, p. 19): "se $Z(p)$ for especificado, $A(t)$ pode ser determinado unicamente", indicando que a preocupação era a da solução de equações diferenciais.

# 334  Sistemas realimentados: uma abordagem histórica

"A aplicação da série de Fourier em eletrotécnica é comum; contudo, o uso da integral de Fourier tem permanecido, na maioria dos casos, nas mãos de matemáticos profissionais. Uma distinção de grande importância entre a série e a integral $(\cdots)$ é que a série somente representa funções periódicas, regularmente recorrentes, enquanto a integral é capaz de representar uma função aperiódica"[22][23]

"No caso em que as equações diferenciais são lineares, comumente faz-se uso efetivo do cálculo operacional e, para transientes, do cálculo operacional de Heaviside. Além disso, matemáticos avançados usam pares da integral de Fourier e algumas de suas modificações mais recentes, ou transformadas"[24]

## 12.4  Termos técnicos

Diversos termos técnicos foram ganhando significado específico à medida que a respectiva área de aplicação foi amadurecendo. É interessante observar como os mesmos termos eram utilizados anteriormente. A consistência de nomenclatura em uma determinada área do conhecimento é uma indicação da maturidade da área. A lista abaixo não é exaustiva e os termos citados aparecem em ordem alfabética. Para melhor referência do leitor, entre parêntesis são fornecidos os termos correspondentes em inglês.

Atraso de capacidade (*capacity lag*) é o atraso devido à dinâmica de um sistema e normalmente é quantificado por constantes de tempo (Smith, 1944).

Atraso de transporte ou atraso de distância/velocidade (*transportation lag*), também conhecido por atraso puro de tempo, que não deve ser confundido com o atraso de capacidade (Smith, 1944).

Autocontrolado (*self-controlling*) foi utilizado em (Ziegler and Nichols, 1942, p. 764) para indicar um processo autorregulado, ou seja, um processo que é do

---

[22]Citado de (Carson, 1926, p. 174).

[23]A diferença entre a série e a transformada de Fourier pode parecer sutil ou de pouca importância para alguns leitores. Certamente não é o caso, como pode ser constatado nessa citação de John Carson. Como ilustração desse mesmo ponto, chama-se a atenção do leitor para o desenvolvimento de Nyquist, em que a Equação 7.2, desenvolvida para estado estacionário – e que, posteriormente, ele mesmo reconheceu estar errado – foi modificada para considerar o regime transiente (aperiódico) por meio de transformadas do tipo (7.3). Nyquist utilizou a tranformada de Fourier em seu clássico artigo, apesar de não ter chamado a transformada pelo nome com que é conhecida hoje (Nyquist, 1932, ver Eqs. 5 e 6).

[24]Citado de (Smith, 1944, p. 71).

# Notação e nomenclatura

tipo zero, ou ainda um processo cuja saída estabiliza em um valor finito quando excitado por uma entrada em degrau.

Caça (*hunting*) era um termo muito utilizado para descrever a ação oscilatória de sistemas. Sistemas oscilatórios, especialmente aqueles com oscilações não amortecidas, eram descritos como sistemas onde havia "caça" (*hunting*) (Black, 1999; Smith, 1944).[25] Também chamado de "ciclagem" (*cycling*) e definido como mudança de um valor para um outro da variável controlada (Eckman, 1945, p. 225).

Capacidade simples (*single capacity*) era usado no lugar de *primeira ordem*, na caracterização de sistemas dinâmicos (Smith, 1944). Semelhantemente, um sistema de segunda ordem era chamado de sistema com duas capacidades (*two capacity system*).

Carta de contornos $M - N$ (*M − N contour chart*) foi o nome usado para a carta de Nichols em (Brown and Campbell, 1948, Seção 8.7).

Aparelho de controle (*control apparatus*) foi usado para indicar o controlador, e equipamento de controle (*controlling gear*) foi usado para indicar o atuador no clássico artigo (Callender et al., 1936, p. 415).

Controlabilidade (*controllability*) era usado aproximadamente no mesmo contexto em que é utilizado na atualidade (Smith, 1944). A principal diferença é que, depois do trabalho de R. E. Kalman, controlabilidade passou a ser uma qualidade rigorosamente definida e quantificável, ao passo que antes de Kalman o termo era utilizado de maneira subjetiva para referir-se ao potencial de se controlar um determinado processo. Para ilustrar o uso "pré-Kalman" do termo cita-se o seguinte: "A controlabilidade é considerada melhor em uma planta do que em outra se um regulador mais barato $(\cdots)$ puder ser utilizado" (Smith, 1944, p. 148).

O verbo *controlar* é muitas vezes utilizado de maneira incorreta. Às vezes é usado no sentido de *manipular* uma grandeza, mas mais frequentemente é usado no sentido de monitorar, como em "rodovia controlada por radar". A nota de rodapé reproduzida a seguir indica uma possível origem dessa confusão de termos: "a palavra *kontrol* (controle) usada em russo indica inspeção, checagem ou verificação, e não significa influenciar ativamente" (Khramoi, 1969, p. 19).

Controle de taxa (*rate control*) era usado para referir-se ao controle derivativo (Smith, 1944).

Controle de taxa-proporcional-reset (*rate-proporcional-reset*) era usado para referirse ao controle PID (Smith, 1944).

Controle flutuante de velocidade proporcional ou reset (*proportional-speed*

---

[25] A razão para um termo tão estranho parece ter sua origem no fato de que tais sistemas pareciam "caçar" (procurar) o seu valor (constante) em estado estacionário, mas com dificuldade. De qualquer maneira, esse tipo de operação – o "caçar" – deveria ser evitado.

*floating control* or *reset control*) era usado para referir-se ao controle integrativo (Smith, 1944). Para entender essa nomenclatura, considere a expressão (Eckman, 1945, p. 61):

$$\frac{dP}{dt} = f(c - \theta), \tag{12.5}$$

em que $P$ é a posição de uma válvula de controle em p.u. (porcentagem dividido por 100), $f$ é a "taxa de flutuação" em deslocamento por minuto percentual da válvula por desvio percentual, $c$ referência e $\theta$ é a variável controlada. A partir de (12.5), a posição do elemento final de controle (a válvula), $P$ é proporcional à integral do erro de controle $(c - \theta)$.

Controle por estrangulamento (*throttling control*) foi usado como sinônimo ao controle proporcional em (Bennett, 2001, p. 45). Nesse mesmo contexto, *throttling range* foi usado para designar o recíproco da sensibilidade, ou seja, o movimento da pena do registrador necessário para acionar a válvula até o fim (Ziegler and Nichols, 1942, p. 759).

Diagrama de decibel-ângulo de fase de malha (*decibel-phase angle loop diagram*). Assim foi que Nichols chamou o que atualmente chamamos de *carta de Nichols* (James et al., 1947, p. 181). Foi nesse livro que a carta de Nichols foi publicada pela primeira vez.

Diferença de retorno (*return difference*), razão de retorno (*return ratio*), ou ainda transmissão de laço (*loop transmission*) eram termos utilizados para indicar a função de transferência de malha aberta (Bode, 1945, p. 154).

Erro de carga (*load error*), mais conhecido na atualidade como erro em estado estacionário (Smith, 1944).

Estabilidade (*stability*) foi utilizado por Black para indicar a *robustez* do amplificador realimentado a pequenas variações paramétricas (Black, 1999) e a variações temporais (Mindell, 2000).

Evitar o "canto" (*avoid singing*) foi o termo utilizado por Black no lugar do atual evitar a *instabilidade* (Black, 1999).[26]

Fator de controle (*control factor*), indicado por $\eta$, era usado para designar o erro em estado estacionário para entrada em degrau de um sistema com função de transferência de malha aberta do tipo zero (Oldenbourg and Sartorius, 1948).

Fator de realimentação (*feedback factor*), foi usado por Terman em seu livro *Radio Engineer's Handbook* e citado por Bode para indicar a função de transferência de malha aberta (Bode, 1945, p. 32).

A função de ponderação (*weighting function*) é o termo utilizado em (James et al., 1947, p. 31) para referir-se à resposta ao impulso.

---

[26]Sobre isso, veja a Nota 46 do Capítulo 6.

# Notação e nomenclatura

O termo função de transferência foi utilizado em (Bode, 1945, p. 226) e parece ser uma das primeira menções a esse termo. Deve ser notado que Bode usou esse termo para incluir os termos admitância de transferência e impedância de transferência, normalmente utilizados por ele. Contudo, Bode já definia impedância de transferência como a razão entre tensão e corrente complexas, ou ainda como uma entidade algébrica obtida da equação diferencial em que o operador $p = d/dt$ é substituído por $p = i\omega$ (Bode, 1945, p. 22). Nessas descrições usadas por Bode pode-se reconhecer diversos conceitos que atualmente são associados à definição de função de transferência.

O termo *governador* era utilizado para indicar um sistema realimentado com regulação contínua. O uso mais abrangente desse termo refere-se a toda a malha regulatória, excluído o processo (Khramoi, 1969, p. 118).

Gráfico de decibel-log-frequência (*decibel-log-frequency graph*) foi o termo usado por Nichols para se referir ao diagrama de Bode (James et al., 1947, p. 181). Bode se referia aos diagramas simplesmente como "gráficos" (*charts*) ou, mais raramente, como curvas de ganho e fase (Bode, 1945, p. 413).

A integral de convolução foi chamada de *integral de superposição* em (Zadeh and Ragazzini, 1950, p. 646).

Lei de controle (*law of control*) já foi usado no clássico artigo (Callender et al., 1936, p. 418) com o mesmo significado usado hoje em dia.

Margem de estabilidade (*"stability by an ample margin"*) já era assunto abordado por MacColl, ainda que de maneira informal (MacColl, 1945). O leitor é lembrado que MacColl, Black, Bode e Nyquist eram colegas na Bell Laboratories.

Modulação (*modulation*) foi utilizado por Black para indicar a *distorção* no amplificador realimentado (Black, 1999).

Onda temporária (*temporary wave*) foi o termo usado por Nyquist para se referir a um sinal transiente (Nyquist, 1932).

Produto de composição (*composition product*) era outro termo utilizado para a *integral de convolução* (van der Pol and Bremer, 1955, p. 40).

Raízes possíveis e impossíveis eram os termos utilizados por Maxwell para referir-se a raízes reais e complexas. Dirigindo-se aos membros da London Mathematical Society, em 23 de janeiro de 1868, Maxwell inquiriu "se algum membro presente poderia indicar um método para determinar em que casos a parte possível [real] de todas as raízes impossíveis [complexas] de uma equação é negativa" (Bennett, 1979, p. 67).

Raízes pseudonegativas era o termo utilizado por Liénard para referir-se a raízes complexas com parte real negativa (Bateman, 1945, p. 608).

Razão de transmissão (*transmission ratio*) era o termo usado por MacColl para se referir a uma função de transferência (MacColl, 1945). A função de transferência de ramo direto ele chamava de razão de transmissão do amplificador. A função de transferência de malha aberta ele chamava de "razão de transferência em estado estacionário ao longo do laço de realimentação do servomecanismo"! O termo "transferência" (*transference*) era utilizado por Oldenbourg e Sartorius para indicar a resposta em frequência (Oldenbourg and Sartorius, 1948). Terminologia similar era adotada por Bode, que se referia à função de transferência de malha aberta no contexto do amplificador de Black como sendo a "transmissão ao longo de todo o laço formado pelos circuitos $\mu$ e $\beta$" (Bode, 1945, p. 44).

Realimentação *feedback* passou a ser utilizado apenas a partir do início do século XX (Bennett, 1979). Anteriormente utilizava-se o termo "ciclo fechado" (*closed-cycle*) nos Estados Unidos e, no Reino Unido, utilizava-se o termo *reset*. Bode usou os termos realimntação regenerativa (*regenerative feedback*) e degenerativa (*degenerative feedback*) para referir-se à realimentação positiva e negativa, respectivamente (Bode, 1945, p. 285).

Regulador isócrono (*isochronous*) e não isócrono (*nonisochronous*) era utilizado para indicar reguladores com resposta proporcional e integral, respectivamente (Mayr, 1971b, p. 428).

Regulador proporcional-flutuante (*proportional-plus-floting regulator*) era usado para designar um regulador PI (Smith, 1944).

Resposta indicial (*indicial response*) era usado no lugar de resposta ao degrau (Carson, 1926; Oldenbourg and Sartorius, 1948). Essa resposta era considerada a resposta característica do sistema, o que na atualidade se prefere fazer por meio da resposta ao impulso.

Sensibilidade (*sensitivity*) era muito usado no lugar da palavra *ganho*, preferida na atualidade (Smith, 1944; Oldenbourg and Sartorius, 1948).

Sistema sem inércia (*inertia-free*) ou livre de atrasos (*free from lag*) eram termos usados para designar sistemas estáticos, ou sem memória (Oldenbourg and Sartorius, 1948).

Sobressinal ou sobre-elevação (*overshoot*) foi utilizado em (MacColl, 1945), mas não aparece em (Smith, 1944; Oldenbourg and Sartorius, 1948).

Transferência dependente de frequência complexa (*complex frequency-dependent transference*) ou simplesmente "transferência" era o termo utilizado por Oldenbourg e Sartorius para indicar a resposta em frequência (Oldenbourg and Sartorius, 1948).

Vivacidade (*liveliness*) é um termo usado por Smith para referir-se de maneira muito informal à velocidade de resposta de um sistema, como pode ser observado

# Notação e nomenclatura

da seguinte citação: "vivacidade é um fator que tanto aparece em plantas quanto em seus reguladores. Em ambos os casos, vivacidade implica o mínimo de atrasos, que são inimigos de um controle contínuo e exato. Se, por um lado, livrar-se de tais atrasos é bom, por outro, isso pode ser acompanhado por uma característica ruim: a falta de estabilidade" (Smith, 1944, p. 149). O subjetivismo dessa citação confirma que, à época, a área de controle de processos ainda estava em sua infância.

É curioso notar que no livro de Ed Smith não foram usados termos comuns em controle de processos, como: função de transferência, malha aberta, malha fechada, resposta em frequência, erro em estado estacionário (Smith, 1944). Por outro lado, na solução de equações diferenciais, alguns termos já eram definidos e utilizados como os conhecemos hoje, por exemplo: constante de tempo,[27] frequência natural, quociente de amortecimento. Apesar de tratar de controle de sistemas e de mencionar questões referentes à estabilidade de sistemas realimentados, Ed Smith não apresenta nem usa nenhum critério de estabilidade no corpo de seu livro, apesar de que alguns resultados parecem ter sido obtidos aplicando-se o critério de Routh-Hurwitz. O critério de estabilidade de Nyquist aparece na última página, antes do índice remissivo, como parte do quinto apêndice do livro.

## 12.5 Simbologia

Atualmente é comum indicar por $G(s)$ e $G(s)H(s)$ as funções de transferência de ramo direto e de malha aberta, respectivamente. Essas grandezas, tão fundamentais para a análise e síntese de sistemas de controle, foram indicadas por diversos símbolos ao longo dos anos. Alguns exemplos incluem: $\mu$ e $\mu\beta$ (Black, 1999); $Y_1(p)$ e $Y_0(p)$ (MacColl, 1945), e $AJ(i\omega)$, usado por Nyquist para representar a resposta em frequência de malha aberta (Nyquist, 1932).

O operador $p$, originário do cálculo operacional de Heaviside, era extensivamente utilizado no lugar do $s$, da transformada de Laplace (Carson, 1926; MacColl, 1945; Oldenbourg and Sartorius, 1948). Deve ser notado que mesmo ao apresentar a transformada de Laplace, alguns autores antigamente ainda usavam $p$ no lugar de $s$ (Oldenbourg and Sartorius, 1948). Smith, em um dos apêndices de seu livro, usa $s$ ao apresentar rapidamente a transformada de Laplace.

---

[27]Foi Aurel Boleslaw Stodola quem introduziu, em 1893, a ideia de constante de tempo (Bennett, 1979, p. 84).

340 *Sistemas realimentados: uma abordagem histórica*

MacColl relacionou a resposta ao impulso, $H_2'(t)$, e a "razão de transferência", $Y_2(p)$, da seguinte forma (MacColl, 1945, p. 90):

$$H_2'(t) = \frac{1}{2\pi i} \int_{c-i\infty}^{c+i\infty} Y_2(p)e^{tp}dp. \tag{12.6}$$

A Equação 12.6 revela que algumas convenções atuais no uso de símbolos ainda não estavam em vigor na primeira década do século XX. Por exemplo, não era comum utilizar a mesma letra para designar a mesma grandeza representada em domínios diferentes, e o uso de letras maiúsculas para indicar funções escalares não se limitava aos domínios das transformadas. Em (12.6), $H_2'(t)$ seria substituído por $y_2(t)$ na maioria dos textos atuais.

O costume de Nyquist não parecia diferir do de seu colega MacColl, quando escreveu (Nyquist, 1932):

$$J(i\omega) = \int_{-\infty}^{+\infty} G(t)e^{-i\omega t}dt. \tag{12.7}$$

Uma expressão semelhante a (12.6) é (Oldenbourg and Sartorius, 1948, p. 29)

$$\psi(t) = \frac{1}{2\pi i} \int_{-\infty}^{+\infty} \frac{F(i\omega)}{\omega}e^{i\omega t}d\omega, \tag{12.8}$$

em que $\psi(t)$ e $F(i\omega)$ são, respectivamente, a resposta indicial e a transferência do sistema. A Equação 12.8 foi também escrita por esses autores utilizando a transformada de Laplace como (Oldenbourg and Sartorius, 1948, p. 97):

$$F(p) = p\mathcal{L}\left(\psi(t)\right). \tag{12.9}$$

Há exemplos também de simbologia que resistiu aos anos. Por exemplo é comum indicar a ordem de um sistema dinâmico com a variável $n$. Esse foi o símbolo utilizado por Liapunov na sua tese de doutorado para indicar a ordem de um sistema dinâmico geral (Lyapunov, 1892).[28] Antes dele, Poincaré, a quem Liapunov reconhece no prefácio de sua tese, também usara $n$ para indicar a ordem de um sistema dinâmico geral (Poincaré, 1886, p. 167). Em particular, tanto Poincaré como Liapunov representaram o sistema da seguinte forma:

$$\frac{dx_1}{dt} = X_1, \quad \frac{dx_2}{dt} = X_2, \quad \ldots, \quad \frac{dx_n}{dt} = X_n. \tag{12.10}$$

Ao escrever o sistema dinâmico como em (12.10), Poincaré foi um dos primeiros a estabelecer o conceito da representação de sistemas no espaço de estados.

---

[28]O título original da tese, publicada pela Sociedade Matemática de Kharkov em 1892, é *Obshchaya zadacha ob ustoichivosti dvizheniya*. Uma tradução para o inglês feita por A. T. Fuller (Fuller, 1992) foi poublicada no *International Journal of Control* por ocasião do centenário da tese de Liapunov (Lyapunov, 1992).

Notação e nomenclatura                                                         341

## 12.6  Considerações finais

O intuito do presente capítulo foi mostrar que, menos de um século atrás, alguns conceitos que hoje são fundamentais na teoria de controle, apesar de já existirem, eram vistos e chamados de maneiras distintas. Somente com o passar dos anos é que se constatou o amadurecer da área, e esse amadurecimento refletiu-se na notação e nomenclatura utilizada.

A terminologia e o simbolismo comum, utilizado em uma determinada área do conhecimento, via de regra, reflete o estado de maturidade dos conceitos utilizados nessa área.

Diversos dos documentos utilizados como base bibliográfica do presente capítulo datam do fim da primeira metade do século XX. Se, como alguns sugerem, o artigo de Maxwell *On Governors*, publicado em 1868, for considerado o início da "ciência do controle", pois foi o primeiro trabalho em que um sistema realimentado foi matematicamente descrito e analisado do ponto de vista de estabilidade,[29] os trabalhos citados neste capítulo, em sua maioria, foram publicados no primeiro século de existência da nova ciência. Assim, não devemos nos surpreender com a diversidade de terminologia, com a diferença entre essa terminologia e a que se usa hoje, nem tampouco com a subjetividade de alguns conceitos e "definições". Tudo isso confirma não apenas o nascimento, mas também o gradual estabelecimento e amadurecimento de uma nova ciência: a teoria de controle.

Mesmo nessa nova área há caminhos diferentes. Uma distinção que parece clara nos primórdios da época é aquela entre os engenheiros de controle de processos – majoritariamente engenheiros mecânicos – e engenheiros de comunicações – que, em sua maioria, eram engenheiros eletricistas. As contribuições desses grupos, todas importantes, tinham características distintas. Trabalhos de engenheiros da área de controle de processos (Smith, 1944; Oldenbourg and Sartorius, 1948)[30] eram voltados para a física de processos e instrumentos e sua caracterização por meio de equações diferenciais. Por outro lado, o trabalho de pessoas envolvidas em comunicações (MacColl, 1945; Bode, 1945; Nyquist, 1932) era de um conteúdo matemático muito mais sofisticado, sendo que a principal diferença era o uso de algum tipo de transformada. O seguinte trecho parece atestar essa posição:

---

[29]O leitor deve lembrar de que o trabalho de George Airy sobre um governador a fricção, que antecedeu o artigo *On Governors* de Maxwell por mais de duas décadas, é o primeiro trabalho conhecido em que um sistema realimentado foi descrito e analisado matematicamente. Ao contrário de Maxwell, Airy não analisou a estabilidade do sistema em estudo.

[30]Smith era membro da ASME (American Society of Mechanical Engineers) e o livro de Oldenbourg e Sartorius foi publicado pela ASME.

"O método das equações diferenciais tem a vantagem óbvia de tratar diretamente com o que é de interesse: a resposta temporal de um sistema às entradas que efetivamente ocorrem na prática. Por outro lado, tem a desvantagem de requerer computações matemáticas difíceis ($\cdots$) Parece que, em função das desvantagens desse procedimento comumente seguido na arte do projeto de servomecanismos, o desenvolvimento foi lento.

"O método de estado estacionário [método da transformada] segue um caminho para o alvo, que é mais longo, mas tem a vantagem de reduzir o trabalho matemático a álgebra simples e está relacionado de perto a métodos modernos de projeto e estudo de sistemas. Além disso, o método de estado estacionário tem a considerável vantagem de tornar disponível imediatamente, para fins de projeto de servomecanismos, uma grande quantidade de informação e experiência que vêm sendo acumuladas na área de projeto de amplificadores realimentados."[31]

Com relação a essa dualidade entre as áreas de controle de processos e comunicações; entre a análise no domínio do tempo e o domínio de frequência, veja os comentários de Hendrik Bode citados na Seção 6.4.

Finalmente, assim como no desenvolvimento pessoal cada um passa por processos que exigem um crescente grau de formalismo e precisão nas formas de expressão oral e escrita, a mesma tendência pode ser observada na área de controle. Ao longo de seus 150 anos de existência, houve momentos em que se sentiu a necessidade de um maior formalismo na abordagem, como constatado no trecho a seguir:

"Artigos técnicos[32] são necessários para verificar quão próximos estão a teoria e o desempenho de sistemas regulados. O uso pleno de matemática avançada para atacar assuntos de controle deve ser continuado, ou melhor, deve ser reiniciado sempre que possível. Dessa maneira a *ciência* do controle avançará solidamente, tornando-se algo de utilidade crescente para engenheiros de controle, que trabalham nessa *arte*."[33]

---

[31]Citado do livro (MacColl, 1945, p. 104).

[32]Deve ser lembrado que esse texto foi escrito em uma época em que os artigos técnicos eram mais raros do que na atualidade e, por isso, costumavam abordar aspectos mais fundamentais de uma determinada área, em comparação com a média dos trabalhos publicados na atualidade.

[33]Citado do livro (Smith, 1944, p.157).

É curioso observar como, em 1944, a prática da engenharia de controle era vista como uma *arte*, mas também se reconhecia o desejo e a necessidade de torná-la uma ciência. Quanto disso mudou desde então?

# Bibliografia

Aguirre, L. A. (2015a). *Introdução à Identificação de Sistemas,* quarta edição. Editora UFMG, Belo Horizonte.

Aguirre, L. A. (2015b). The historical development of texts for teaching classical control of linear systems. *Annual Reviews in Control,* 39:1–11.

Ahrendt, W. R. and Taplin, J. F. (1951). *Automatic Feedback Control.* McGraw Hill, New York.

Anderson, B. D. O. (1992). Control engineering from the 17th to the 21st century. *Public Lectures 1991–92 of the Australian Academy of Science,* pages 79–110.

ASME (1976). The Oldenburger Medal 1975. *Journal of Dynamic Systems, Measurement and Control, Tans. ASME,* 98:125–129.

Åström, K. J. and Hägglund, T. (1995). *PID Controllers: theory, design and tuning,* 2nd. edition. Instrument Society of America, Research Triangle Park, NC.

Åström, K. J. and Murray, R. M. (2008). *Feedback Systems: An Introduction for Scientists and Engineers.* Princeton University Press, New Jersey.

Axelby, G. S. and Parks, P. C. (1992). Lyapunov centenary. *Automatica,* 28(5):863–864.

Balchin, J. (2009). *100 Cientistas que Mudaram o Mundo.* Madras, Santana, S. P.

Barnett, S. and Siljak, D. D. (1977). Routh's algorithm: A centennial survey. *International Journal of Control,* 19(3):472–489.

Barrett, J. F. (1992). Bibliography of A. M. Lyapunov's work. *International Journal of Control,* 5(3):785–790.

Bateman, H. (1945). The control of an elastic fluid. *Bulletin of the American Mathematical Society,* 51:601–646.

Bazanella, A. S. and da Silva Jr., J. M. G. (2005). *Sistemas de Controle: princípios e métodos de projeto.* UFRGS Editora, Porto Alegre.

Bazanella, A. S. and Reginatto, R. (2007). Controlador PID: estrutura e métodos de sintonia. In Aguirre, L. A., Pereira, C. E., Piqueira, J. R. C., and Peres, P. L. D., editors, *Enciclopédia de Automática: Controle & Automação,* Vol. 2, Capítulo 12, pp. 261–280. Edgar Blücher, São Paulo.

345

346 *Sistemas realimentados: uma abordagem histórica*

Bellman, R. and Kalaba, R. (1964). *Selected Papers on Mathematical Trends in Control Theory*. Dover, New York.

Bennett, S. (1979). *A History of Control Engineering 1800–1930*. Peter Peregrinus Ltd., London, UK.

Bennett, S. (1984). Nicolas Minorsky and the automatic steering of ships. *IEEE Control System Magazine*, 4(4):10–15.

Bennett, S. (1985). Harold Hazen and the theory and design of servomechanisms. *International Journal of Control*, 42(5):989–1012.

Bennett, S. (1993). *A History of Control Engineering 1930–1955*. Peter Peregrinus Ltd., London, UK.

Bennett, S. (2001). The past of PID controller. *Annual Reviews in Control*, 25:58–65.

Bennett, S. (2002). Otto mayr: Contributions to the history of feedback control. *IEEE Control Systems Magazine*, 22(3):29–33.

Bernstein, D. S. (2002). Feedback control: An invisible thread in the history of technology. *IEEE Control System Magazine*, 22(2):53–68.

Bernstein, D. S. and Bushnell, L. G. (2002). The history of control: from idea to technology. *IEEE Control System Magazine*, 22(2):21–23.

Bhaya, A. (2007). Estabilidade de sitemas dinâmicos lineares. In Aguirre, L. A., Pereira, C. E., Piqueira, J. R. C., and Peres, P. L. D., editors, *Enciclopédia de Automática: Controle & Automação*, Vol. 2, Capítulo 3, pp. 67–91. Edgar Blücher, São Paulo.

Bissell, C. C. (1986). Karl Küpfmüller: a German contributor to the early development of linear system theory. *International Journal of Control*, 44(4):977–989.

Bissell, C. C. (1989a). Control engineer and much more: aspects of the work of Aurel Stodola. *Measurement and Control*, 22:117–122.

Bissell, C. C. (1989b). Stodola, Hurwitz and the genesis of the stability criterion. *International Journal of Control*, 50(6):2313–2332.

Bissell, C. C. (1991). Secondary sources for the history of control engineering: an annotated bibliography. *International Journal of Control*, 54(3):517–528.

Bissell, C. C. (1992a). Russian and Soviet contributions to the development of control engineering: a celebration of the lyapunov centenary. *Transactions of the Institute of Measurement and Control*, 14(4):170–178.

Bissell, C. C. (1992b). Six decades in control: an interview with Winfried Oppelt. *IEE Review*, pages 17–21.

Bissell, C. C. (1996). Textbooks and subtexts: A sideways look at the post-war control engineering textbooks, which appeared half a century ago. *IEEE Control System Magazine*, 16(2):71–78.

# Bibliografia

Bissell, C. C. (2009). A history of automatic control. In Nof, Y., editor, *Springer Handbook of Automation*, chapter A4, pages 1–17. Springer, Berlin.

Black, H. S. (1934). Stabilized feed-back amplifiers. *Bell System Technical Journal*, 13:1–18.

Black, H. S. (1977). An interview conducted by Michael Wolff. *IEEE History Center*, 20 May and 29 June.

Black, H. S. (1999). Stabilized feed-back amplifiers. *Proceedings of the IEEE*, 87(2):379–385.

Bode, H. W. (1940). Relations between attenuation and phase in feedback amplifier design. *Bell System Technical Journal*, 19:421–454.

Bode, H. W. (1945). *Network analysis and feedback amplifier design*. D. Van Nostrand Company, New York.

Bode, H. W. (1964). Feedback — the history of an idea. In Bellman, R. and Kalaba, R., editors, *Selected papers on mathematical trends in control theory*, chapter 6, pages 106–123. Dover Publications, New York.

Braga, M., Guerra, A., e Reis, J. C. (2005). *Breve história da ciência moderna*, Vol. 3. Jorge ZAHAR Editor, Rio de Janeiro.

Bretas, N. G., Alberto, L. F. C., e Martins, A. C. P. (2007). Equilíbiro e estabilidade. In Aguirre, L. A., Pereira, C. E., Piqueira, J. R. C., and Peres, P. L. D., editors, *Enciclopédia de Automática: Controle & Automação*, Vol. 2, Capítulo 6, pp. 129–147. Edgar Blücher, São Paulo.

Brown, G. S. (1981). Eloge: Harold Locke Hazen, 1901–1980. *Annals of the History of Computing*, 3(1):4–12.

Brown, G. S. and Campbell, D. P. (1948). *Principles of Servomechanisms: Dynamics and synthesis of closed-loop control systems*. John Wiley & Sons., New York.

Bush, V. (1931). The differential analyzer. a new machine for solving differential equations. *Journal of the Franklin Institute*, 212:447–488.

Callender, A., Hartree, D. R., and Porter, A. (1936). Time lag in a control system. *Philosophical Transactions of the Royal Society*, (756):415–444.

Campos, M. C. M. M. e Teixeira, H. C. G. (2006). *Controles Típicos de Equipamentos e Processos Industriais*. Edgar Blücher, São Paulo.

Carson, J. R. (1926). *Electric Circuit Theory and the Operational Calculus*. McGraw Hill Book Company Inc., New York.

Castrucci, P. B. L. (1969). *Controle Automático: Teoria e Projeto*. Editora Edgar Blücher, São Paulo.

Castrucci, P. B. L. e Bottura, C. P. (2007). Apresentação. Em Aguirre, L. A., Bruci-apaglia, A. H., Miyagi, P. E., and Takahashi, R. H. C., editores, *Enciclopédia de Automática: Controle & Automação*, Vol. 1, Apresentação, pp. 8–14. Edgar Blücher, São Paulo.

Castrucci, P. B. L. e Curti, R. (1982). *Controle Automático de Sistemas Não-Lineares.* Edgar Blücher, São Paulo.

Clark, R. N. (1992). The Routh-Hurwitz stability criterion, revisited. *IEEE Control System Magazine*, 12(3):119–120.

Condoor, S. (2004). Importance of teaching the history of technology. In *34th ASEE/IEEE Frontiers in Education Conference*, pages T2G–7–T2G–10, October 20–23, Savannah, GA.

Crease, R. P. (2006). *Os 10 mais belos experimentos científicos.* Jorge ZAHAR Editor, Rio de Janeiro.

da Silveira, M. A. (2007). Controle e automação: história e caracterização. Em Aguirre, L. A., Bruciapaglia, A. H., Miyagi, P. E., e Takahashi, R. H. C., editores, *Enciclopédia de Automática: Controle & Automação*, Vol. 1, Capítulo 1, pp. 24–39. Edgar Blücher, São Paulo.

Daintith, J. (2009). *Biographical Encyclopedia of Scientists,* 3rd Edition. CRC-Taylor & Francis, Boca Raton.

D'Azzo, J. J. and Houpis, C. H. (1966). *Feedback Control System Analysis and Design,* 2nd Edition. McGraw-Hill, New York.

Debnath, L. and Bhatta, D. (2007). *Integral Transforms and Their Application,* 2nd Edition. Chapman & Hall/CRC, New York.

Diniz, P. S. R., Silva, E. A. B. d., e Lima Netto, S. (2004). *Processamento Digital de Sinais, projeto e análise de sistemas.* Bookman, São Paulo.

Distefano, J. J., Stubberud, A. R., and Williams, I. J. (1964). *Theory and Problems of Feedback and Control Systems.* McGraw Hill.

Eckman, D. P. (1945). *Principles of Industrial Process Control.* John Wiley and Sons, London.

Editorial Board of Scientific American (1955). *Automatic Control, A Scientific American Book.* Simon and Schuster, New York.

Evans, G. W. (2004). Bringing root locus to the classroom. *IEEE Control System Magazine*, 24(6):74–81.

Evans, G. W. (2016a). Bringing Root Locus to Classroom, 1948-1954. (Não publicado).

Evans, G. W. (2016b). The Spirule Company - The Early Years 1948-1952. (Não publicado).

# Bibliografia

Evans, W. R. (1950). Control system synthesis by root locus method. *AIEE Transactions*, 69:66–69.

Evans, W. R. (1954). *Control system dynamics*. McGraw-Hill, New York.

Eves, H. (2004). *Introdução à História da Matemática*. Editora UNICAMP., Campinas.

Fasol, K. H. (2002). A short history of hydropower control. *IEEE Control System Magazine*, 22(4):68–76.

Figueiredo, D. G. de. (2005). *Análise de Fourier e Equações Diferenciais Parciais*. IMPA, Rio de Janeiro.

Flugge-Lotz, I. (1971). Memorial to N. Minorsky. *IEEE Transactions on Automatic Control*, 16(4):289–291.

Frey, W. (1946). Sur une généralisation des critères de stabilité de Nyquist et de Leonard. *Revue Brown Boveri*, 33(3):59–65.

Friedland, B. (1999). Introduction to "stabilized feed-back amplifiers". *Proceedings of the IEEE*, 87(2):376–378.

Fuller, A. T. (1975). *Stability of motion: A collection of early scientific papers by Routh, Clifford, Sturm & Bôcher*. Taylor & Francis, London.

Fuller, A. T. (1976a). The early development of control theory. *Journal of Dynamic Systems, Measurement, and Control, Trans. ASME*, 98:109–118.

Fuller, A. T. (1976b). The early development of control theory II. *Journal of Dynamic Systems, Measurement, and Control, Trans. ASME*, 98:224–235.

Fuller, A. T. (1977). Edward John Routh. *International Journal of Control*, 26(2):169–173.

Fuller, A. T. (1992). Lyapunov centenary issue. *International Journal of Control*, 55(3):521–527.

Garcia, C. (2005). *Modelagem e Simulação, segunda edição*. EPUSP, São Paulo.

Geromel, J. C. e Korogui, R. H. (2019). *Controle linear de sistemas dinâmicos: teoria, ensaios práticos e exercícios, segunda edição*. Edgar Blücher, São Paulo.

Gille, J. C., Pelegrin, M. J., and Decaulne, P. (1959). *Feedback Control Systems: Analysis, synthesis and design*. McGraw Hill, New York.

Gleick, J. (2011). *The Information: A History, A Theory, A Flood*. Pantheon Books, New York.

Goldberg, J. H. (1964). *Automatic Controls: Principles of Systems Dynamics*. Allyn and Bacon, Inc., Boston.

Hall, A. C. (1943). *The Analysis and Synthesis of Linear Servomechanisms*. The Technology Press, Massachusetts Institute of Technology, Cambridge, Massachusetts.

Hall, C. W. (2008). *A Biographical Dictionary of People in Engineering: From Earliest Records to 2000.* Purdue University Press, West Lafayette.

Harms, A. A., Baetz, B. W., and Volti, R. R. (2004). *Engineering in Time.* Imperial College Press, London.

Hazen, H. L. (1934). Theory of servo-mechanisms. *Journal of the Franklin Institute*, 218(3):279–331.

Headrick, M. V. (2002). Origin and evolution of the anchor clock escapement. *IEEE Control Systems Magazine*, 22(2):41–52.

Hémery, D., Debeir, J. C., and Deléage, J. P. (1993). *Uma História da Energia.* Editora UnB., Brasília.

Hewitt, E. and Hewitt, R. E. (1979). The Gibbs-Wilbraham phenomenon: An episode in Fourier analysis. *Archive for History of Exact Science*, 21:129–160.

Hurwitz, A. (1964). On the conditions under which an equation has only roots with negative real parts, translated by Bergmann, H. G. In Bellman, R. and Kalaba, R., editors, *Selected Papers on Mathematical Trends in Control Theory*, chapter 4, pages 70–82. Dover, New York.

James, H. M., Nichols, N. B., and Phillips, R. S. (1947). *Theory of Servomechanisms.* McGraw Hill, New York.

Jarvis, A. (2001). Why teach history to engineers? *Engineering Science and Education Journal*, 10(3):92–98.

Jung, W. G. (2002). OmpAmp history. In Jung, W. G., editor, *OmpAmp Applications*, chapter H, pages H1–H72. Analog Devices, São Paulo.

Jury, E. I. (1964). *Theory and Application of the z-transform method.* Wiley, New York.

Jury, E. I. (1996). Remembering four stabilitytheory pioneers of the nineteenth century. *IEEE Transactions on Circuits and Systems I*, 43(10):821–823.

Kahne, S. (1997). Obituary of Nathaniel B. Nichols 1914–1997. *Automatica*, 33(12):2101–2102.

Khramoi, A. V. (1969). *History of Automation in Russia Before 1917*, translated from the Russian edition of 1956. Israel Program of Scientific Translations, Jerusalem.

Kreyszig, E. (1999). *Advanced Engineering Mathematics, (8th Edition).* John Wiley & Sons, New York.

Kullstam, P. A. (1991). Heaviside's operational calculus: Oliver's revenge. *IEEE Transaction on Education*, 34(2):155–166.

Kullstam, P. A. (1992). Heaviside's operational calculus applied to electrical circuir problems. *IEEE Transaction on Education*, 35(4):266–277.

Lathi, B. P. (2007). *Sinais e Sistemas Lineares.* Bookman, Porto Alegre.

# Bibliografia

Lepschy, A. M., Mian, G. A., and Viaro, U. (1988). A geometrical interpretation of the Routh test. *Journal of the Franklin Institute*, 325(6):695–703.

Lepschy, A. M., Mian, G. A., and Viaro, U. (1992). Feedback control in ancient water and mechanical clocks. *IEEE Transactions on Education*, 35(1):3–10.

Lozier, J. C. (1976). The Oldenburger award response: An appreciation of Harry Nyquist. *Journal of Dynamic Systems, Measurement and Control, Tans. ASME*, 98:127–129.

Lützen, J. (1979). Heaviside's operational calculus and the attempts to rigorise it. *Archive for History of Exact Sciences*, 21:161–200.

Lyapunov, A. M. (1892). *The General Problem of the Stability of Motion* (in Russian). Mathematical Society of Kharkov.

Lyapunov, A. M. (1992). The general problem of the stability of motion. *International Journal of Control*, 55(3):531–773.

MacColl, L. A. (1945). *Fundamental theory of servomechanisms*. Dover Publications, New York.

MacFarlane, A. G. J. (1979). The development of frequency-response methods in automatic control. *IEEE Transactions on Automatic Control*, 24(2):250–265.

MacFarlane, A. G. J. and Fuller, A. T. (1977). Editorial of Routh centenary issue. *International Journal of Control*, 26(2):167–168.

Mansour, M. (1996). Discrete-time and sampled-data stability tests. In Leviene, W. S., editor, *The Control Handbook*, chapter 9.3, pages 146–151. CRC Press, Boca Raton, FL.

Mawhin, J. (2005). Alexandr mikhailovich liapunov, the general problem of the stability of motion (1892). In Grattan-Guinness, I., editor, *Landmark Writings in Western Mathematics, 1640–1940*, pages 664–676. Elsevier, Amsterdam.

Maxwell, J. C. (1868). On governors. *Proceedings of the Royal Society*, 16(100):270–283.

Mayr, O. (1970). *The Origins of Feedback Control*. MIT Press, Cambridge, Massachusetts.

Mayr, O. (1971a). *Feedback Mechanisms in the Historical Collections of the National Museum of History and Technology*. Smithsonian Institution Press, Washington DC.

Mayr, O. (1971b). Maxwell and the origins of cybernetics. *ISIS*, 62(214):425–444.

Mayr, O. (1975). Yankee practice and engineering theory: Charles T. Porter and the dynamics of the high-speed steem engine. *Technology & Culture*, 16(4):570–602.

Mayr, O. (2002). A feedback story. *IEEE Control Systems Magazine*, 22(3):88–91.

Michel, A. N. (1996). Stability: the common thread in the evolution of feedback control. *IEEE Control Systems Magazine*, 16(3):50–60.

Mindell, D. A. (2000). Opening Black's box: rethinking feedback's myth of origin. *Technology & Culture*, 41:405–434.

Mindell, D. A. (2002). *Between Human and Machine*. John Hopkins Univ. Press, Baltimore.

Minorsky, N. (1922). Directional stability of automatically steered bodies. *Journal of the American Society of Naval Engineers*, 42(2):280–309.

Monteiro, L. H. A. and da Cruz, J. J. (2008). Simple answers to usual questions about unusual forms of the Evan's root locus plot. *Controle & Automação*, 19(4):444–449.

Nagel, E. (1955). Self-regulation. In Scientific American Board, editor, *Automatic Control, A Scientific American Book*, chapter 1, pages 2–9. Simon and Schuster, New York.

Nahin, P. J. (1991). Behind the Laplace transform. *IEEE Spectrum*, 28(3):60.

Nahin, P. J. (2002). *Oliver Heaviside: The Life, Work and Times of an Electrical Genius of the Victorian Age*. John Hopkins, Baltimore.

Nise, N. S. (2011). *Control Systems Engineering*, 6th Edition. John Wiley & Sons, Hoboken.

Nyquist, H. (1932). Regeneration theory. *Bell System Technical Journal*, 11:126–147.

Nyquist, H. (1956). The regeneration theory. In Oldenburger, R., editor, *Frequency Response*. The Macmillan Company, New York.

Ogata, K. (1970). *Modern Control Engineering*, 1st Edition. Prentice Hall, Englewood Cliffs.

Ogata, K. (2003). *Engenharia de Controle Moderno*, quarta Edição. Pearson, São Paulo.

Oldenbourg, R. C. and Sartorius, H. (1948). *The Dynamics of Automatic Controls*. The American Society of Mechanical Engineers, New York.

Oldenburger, R. (1956). *Frequency response*. The Macmillan Company, New York.

Peterson, E., Kreer, J. G., and Ware, L. A. (1934). Regeneration theory and experiment. *Proceedings of the Institute of Radio Engineers*, 22(10):1191–1210.

Phillips, C. L. and Harbor, R. D. (2000). *Feedback Control Systems*, 4th Edition. Prentice Hall, Upper Saddle River, N.J.

Pipes, L. A. (1937). Laplacian tranform circuit analysis. *Philosophical Magazine Series 7*, 24(161):502–511.

Poincaré, H. (1886). Sur les courbes définies par les équations différentielles. *Journal de Mathématiques*, 4 série(t. 2):151–217.

Ponczek, R. L. (2002). Da Bíblia a Newton: uma visão humanística da mecânica. In Rocha, J. F., editor, *Origens e Evolução das Idéias da Física*, chapter 1, pages 21–135. EDUFBA, Salvador.

# Bibliografia

Popov, E. P. (1962). *The Dynamics of Automatic Control Systems*. Pergamon Press, London.

Porter, A. (1950). *Introductio to Servomechanisms*. John Wiley & Sons, New York.

Profos, P. (1976). Professor Stodola's contribution to control theory. *Journal of Dynamic Systems, Measurement and Control, Tans. ASME*, 98(2):119–120.

Rabins, J. and Rabins, M. (1976). Jean Baptiste Fourier, 1768–1830. *Journal of Dynamic Systems, Measurement, and Control, Trans. ASME*, 98:123–124.

Rosenbrock, H. H. (1969). Control: past, present and future. *Radio and Electronic Engineer*, 37(1):30–32.

Routh, E. J. (1877). *Treatise on the Stability of a Given State of Motion*. McMillan and Co., London.

Shcherbakov, P. S. (1992). Alexander Mikhailovitch Lyapunov: on the centenary of his doctoral dissertation on stability of motion. *Automatica*, 28(5):865–871.

Siljak, D. D. (1976). Alexander Mikhailovich Liapunov (1857–1918). *Journal of Dynamic Systems, Measurement and Control, Tans. ASME*, 98:121–122.

Singh, S. (1999). *O Último Teorema de Fermat*. Editora Record, Rio de Janeiro.

Slotine, J. E. (1991). *Applied nonlinear control*. Prentice Hall International, Englewood Cliffs, New Jersey.

Smirnov, V. A. (1992). Biography of A. M. Lyapunov. *International Journal of Control*, 5(3):775–784.

Smith, E. S. (1944). *Automatic Control Engineering*. McGraw Hill, New York.

Spencer, D. L., Philipp, L., and Philipp, B. (2001). Root loci design using Dickson's technique. *IEEE Transaction on Education*, 44(2):176–184.

Steklov, V. A. (2007). Discurso sobre a. m. liapunov, pronunciado na academia de ciências da rússia em 3 de maio de 1919. tradução de v. kisin. *Regular and Chaotic Dynamics*, 12(5):566–576.

Stigler, S. M. (1986). *The History of Statistics: The measurement of uncertainty before 1900*. Harvard University Press, Cambridge, Massachusetts.

Strothman, J. (2003). Leaders of the pack: From the plant to academia, InTech's 50 most influential industry innovators since 1774. *ISA-InTech*, (50th-Anniversary Issue).

Teixeira, M. C. M., Assunção, E. and Machado, E. R. M. D. (2004). A method for plotting the complementary root locus using the root-locus (positive gain) rules. *IEEE Trasactions on Education*, 47(3):405–409.

Thaler, G. J. (1974). *Automatic control: Classic linear theory*. Dowden Hutchinson & Ross, Stroudsburg, Pennsylvania.

Thaler, G. J. and Brown, R. G. (1953). *Servomechanism Analysis*. McGraw Hill, New York. 62-52 T365s 1953.

Tonidandel, D. A. V. e Araújo, A. E. A. (2012). Transformada de Laplace: uma obra de engenharia. *Revista Brasileira de Ensino de Física*, 34(2601):1–6.

Tonidandel, D. A. V. e Araújo, A. E. A. (2015). A função delta revisitada: de Heaviside a Dirac. *Revista Brasileira de Ensino de Física*, 37(3), 3306.

Tonidandel, D. A. V. e Araújo, A. E. A. (2017). *Invertendo Domínios: o Conceito de Transformada*. Editora Ciência Moderna, Rio de Janeiro.

Trinks, W. (1919). *Governors and the Governing of Prime Movers*. D. Van Nostrand Company, New York.

Tustin, A. (1955). Feedback. In Scientific American Board, editor, *Automatic Control, A Scientific American Book*, chapter 2, pages 10–23. Simon and Schuster, New York.

van der Pol, B. and Bremer, H. (1955). *Operational Calculus Based on the Two-Sided Laplace Integral*. Cambridge University Press, Cambridge.

Vianna, F. (1971). *Transformação de Carson-Laplace (Cálculo Operacional)*. Ao Livro Técnico, S. A., Rio de Janeiro.

Wellstead, P. (2010). Systems biology and the spirit of Tustin. *IEEE Control Systems Magazine*, 30(1):57–71, 102.

Wiener, N. (1948). *Cybernetics*. The Technology Press, John Wiley & Sons, Hermann et Cie, New York, Paris.

Wiener, N. (1954). *The Human use of Human Beings*. Da Capo Press, Cambridge, Massachusetts.

Woodcroft, B. and Greenwood, J. G. (1851). *The Pneumatics of Hero of Alexandria, from the original Greek*. Taylor, Walton and Maberly, London.

Zadeh, L. A. and Ragazzini, J. R. (1950). An extention of Wiener's theory of prediction. *Journal of Applied Physics*, 21(7):645–655.

Ziegler, J. G. and Nichols, N. B. (1942). Optimum settings for automatic controllers. *Transactions of the American Society of Mechanical Engineers*, 64:759–768.

# Índice remissivo

Academia de Ciência
  da Rússia, 149
  em São Petersburgo, 149
admitância, 281
Adolf Hurwitz
  retrato, 130
AIEE, 188
Airy
  análise de, 86
Airy, Gerorge Biddell, 85
ajuste de laço, 201
algebrização de Heaviside, 283
algoritmo
  de Euclides, 122
analisador de rede, 211
Aristóteles, 32
Armstrong, Edwin Howard, 184
assintota
  Bode, 255
autocontrolado, 335
autoregulado, 335
avoid singing, 336

Bôcher, Maxime, 250
Bernard, Claude, 33
Black, Harold, 157, 266
Bode
  diagrama de, 337
Bode, Hendrik, 51, 157, 241, 262, 266
Boulton, Matthew, 53
Bromwich, integral de, 273

Bromwich, Thomas John I'Anson, 289
Brown, Gordon S., 218
Burdin, Claude, 56
Bush, Vannevar, 210

círculos M e N, 219
cálculo operacional, 278, 330
cadeia de Sturm, 123
caixa branca, 174
caixa preta, 174
Cannon, Walter B., 33
Cantor, Georg, 294
capacity, 335
capacity lag, 334
Carson, John Renshaw, 298
carta de Nichols, 336
Carty, John Joseph, 159
Cauchy
  índice de, 123, 131
  fórmula de, 180
  teorema de, 193
Cauchy, Augustin-Louis, 181
cavalo vapor, 71
centrifugal governor, 72
Chebyshev, Pafnuty Lvovich, 111, 141,
  150
Chikolev, Vladimir Nikolaevich, 234
ciclo fechado, 32
clepsidra, 36
Clifford, William Kingdon, 115
closed-cycle, 32, 338

355

complex frequency-dependent transference, 338

composition product, 337

constante de tempo, 127

contour chart, 335

control factor, 336

controlador PID, 302

controlo, 28

convolução, 273

    teorema de, 274

critério

    de Leonhard-Mikhailov, 124

critério de estabilidade

    de Cremer-Leonhard, 201

    de Leonhard, 201

    de Mikhailov-Nyquist, 201

    de Nyquist, 187

    de Routh, 122

critério de Hurwitz-Blondel, 309

cronométrico, 94

Cybernetics, 267

cycling, 335

d'Alembert, Jean Le Rond, 275

Davydov, A.P., 234

de Dondi, G., 43

de Prony, Gaspard C. F. M. R., 77

decibel-phase angle loop diagram, 336

degenerative feedback, 338

degrau unitário, 291, 330

delta

    de Dirac, 291, 292, 294

    de Kronecker, 294

Descartes, René, 116

determinantes de Hurwitz, 132

De Gua, Jean Paul, 116

diagrama

    de Bode, 254, 337

atenuação, 255

    defasamento, 255

de Nyquist, 253

Diels, H., 36

dinâmica de erro, 224

Dirac, Paul Adrien Maurice, 291

Dirichlet, Peter Gustav Lejeune, 248

dispositivos governadores, 86

Drebbel, Cornelius Jacobszoon, 46

Duhamel, Jean M. C., 331

Edison, Thomas Alva, 74

eolípila, 68

equação característica, 105, 114, 128

equações diferenciais

    em controle, 88

escapement, 45

espaço de estados, 340

estabilidade

    assintótica, 114, 142

    de Liapunov, 142

    neutra, 142

Euler, Leonhard, 271

Evans, Walter, 233

experimento alfa, 37

Faraday, Michael, 74

Farcot, Jean J. L., 78

Farcot, Marie J., 78

fator

    de controle, 336

    de incontrolabilidade, 321

    de realimentação, 336

feedback, 28, 338

feedback factor, 336

Fitch, John, 70

Fleeming Jenkin, Henry Charles, 94

Fleeming Jenkin, Henry Charles , 99

Fleming, John Ambrose, 158

# Índice remissivo

Floquet, Achille Marie Gaston, 311
fly-ball, 72
Forest, Lee de, 158
Fortescue, Charles LeGeyt, 207
Foucault, Jean B. L., 78, 93
Fourier
    retrato, 251
Fourier e Heaviside, paralelo entre, 264
Fourier, Jean-Baptiste Joseph, 241
Foxboro Instrument Company, 313
frações parciais, 274
free from lag, 338
Friis, H.T., 173
função
    de Heaviside, 291, 330
    de Liapunov, 102, 147
    de ponderação, 336
    de transferência, 337
    degrau, 331
    gama, 284
    impulso, 331

Galilei, Galileu, 37
ganho-fase, relação de, 255
Gauss, Johann Carl Friedrich, 116
Gibbs, fenômeno de, 249
Gibbs, Josiah Willard, 249
governador, 92, 337
    cronométrico, 76, 94
    isócrino, 78
governadores, 86
    eletromagnéticos, 75
gradiente, 147

Hall, Albert C., 219
Hardy, Godfrey Harold, 289
Hartley, Ralph Vinton Lyon, 162
Hazen, Harold, 207, 211, 226
Heaviside, Oliver, 330

Helmholtz, H.L.F.v, 293
Hermite, Charles, 115
Heron, 26, 39
Hilton, Robert, 64
homeostase, 33
Hooper, Stephen, 65
Horton, J.W., 173
Humes, David, 32
hunting, 335
Hurwitz, Adolf, 129
Huygens, Christian, 35, 44

IEEE, 188
IFAC
    *Nichols Medal*, 322
impedância, 281
impulso
    propriedade de peneiramento, 292
    unitário, 291
    unitário, 330
indicial response, 338
inertia-free, 338
integrais
    de Bode, 255
integral
    de Bode, 256
    de Bromwich, 273
    de convolução, 280, 331, 337
    de Duhamel, 331
    de superposição, 337
IRE, 188
isócrono, 98
isochronous, 338

Jenkin, H. C. Fleeming, 92
Jensen, A.G., 173
Jury, Eliahu Ibrahim, 116

Küpfmüller, Karl, 201

Kargl, Ludwig, 109, 111
Konstantinov, Konstantin I., 75
Krasovskii, N. N., 155
Kronecker, Leopold, 294

Lévy, Paul P., 274
Lagrange, Joseph-Louis, 244
Laplace, Pierre S. M., 332
law of control, 337
Lee, Edmund, 49, 57
Legendre, Adrien-Marie, 244
lei de controle, 31
Leibniz, Gottfried Wilhelm, 270
Lenz, Heinrich F. E., 74
Liapunov
    método direto de, 147
Liapunov, A. M., 149, 340
liveliness, 339
load error, 336
loop shaping, 201
loop transmission, 336
Lord Kelvin, 93

máquina a vapor
    de Newcomen, 69
    de Savery, 69
    de Watt, 71
máquina atmosférica, 68
método de Liapunov
    primeiro método, 145, 152
    segundo método, 147, 152
método direto de Liapunov, 147, 152
MacColl, LeRoy Archibald, 190
malha aberta, 37
malha fechada, 28
margens de ganho e fase, 260
Markov, Andrei Andreyevich, 152
Mason, Clesson E., 314
Mason, S. J., 314

matriz jacobiana, 143
Maxwell
    análise de, 95
Maxwell, James C., 83, 84, 99, 113, 327
Mayr, Ott, 34
Mead, Thomas, 64
Meikle, Andrew, 58
Mendeleev, Dmitri Ivanovich, 150
Michelson, Albert Abraham, 249
Mikhailov, A. V., 137
Minorsky
    retrato, 311
Minosrky, Nicolas, 310
moderador, 92, 97
modulation, 337
moinho
    leme, 58
    leque, 58
moinhos, 55
    regulação, 56

números característicos, 146
Newcomen, Thomas, 69
Nichols
    carta de, 336
    diagrama, 219
Nichols, N.B., 301
Norbert Wiener, 252
Nyquist
    critério de estabilidade, 187
Nyquist, Harry, 51, 177, 188, 266

Oldenbourg, R. C., 329
Oliver Heaviside, 269
ordem fracionária, 256
overshoot, 338

pêndulo centrífugo, 64
Papin, Denis, 48, 49, 68

# Índice remissivo

parâmetros
de Wischnegradski, 106
patente
amplificador realimentado, 175
Philon, 39
PID, 302, 308, 312
Pierre-Simon Laplace, 269, 275
Poincaré, H., 340
polinômio de Hurwitz, 132
Pollio, Marcus Vitruvius, 36
polos
representação, 229
Polzunov, Ivan Ivanovich, 49
Poncelet, Jean-Victor, 85
Porter, Charles Talbot, 77
Prêmio Adams, 96
princípio
da invariância, 155
do ângulo, 117
do argumento, 117, 180, 191, 193
processo tipo zero, 335
product integraph, 213
Profos, Paull, 229
proportional-plus-floting regulator, 338
proportional-speed floating control, 336
propriedade
de peneiramento, 292

rate control, 335
rate-proportional-reset, 335
razão de transferência, 191
realimentação, 28
negativa, 31, 167
positiva, 31, 167
regenerative feedback, 338
regra
de sinais de Descartes, 116
regulação, 31

regulador, 208
astático, 98
chamado governador, 84
estático, 98
isócrono, 98
não-isócrono, 98
relógio cônico, 45
relógios, 36
Rennie, John, 65, 72
reset, 32
reset control, 336
resposta
em frequência, 252
senoidal, 266
ao impulso, 188, 336
transiente, 78
resposta em frequência, 188, 242
de malha, 183
de malha aberta, 183
de ramo direto, 183
retrato
Airy, 87
Albert Michelson, 250
Alexander Liapunov, 150
Aristóteles, 33
Boulton, 71
Cauchy, 181
Claude Bernard, 33
Clifford, 119
David Hume, 33
Drebbel, 47
Foucault, 103
Harold Locke Hazen, 227
Harry Nyquist, 189
Heaviside, 286
Hendrik Bode, 262
Hermite, 121
Heron, 39

Huygens, 45
Josiah Gibbs, 250
Laplace, 276
Maxwell, 93
Papin, 71
Routh, 125
Savery, 69
Siemens, 76
Steinmetz, 164
Stodola, 128
Sturm, 118
Tesíbios, 35
Thomas Bromwich, 289
Thomson, 103
Vannevar Bush, 211
Vitruvius, 35
Walter Richard Evans, 233
Watt, 71
retroação, 28
retroalimentação, 28
return difference, 336
Revolução Francesa, 265
robustez, 260
Romilly, Worms de, 111
Rosenbrock, Howard H., 172
Routh, critério de estabilidade, 124
Routh, Edward John, 124
Rufus Oldenburger, medalha, 227

série de Fourier, 247
    convergência de, 249
Sartorius, H., 329
Saturno, estabilidade dos anéis, 96
Savery, Thomas, 69
Segund Guerra Mundial, 267
self-controlling, 335
servo, 78
servomecanismo, 78, 208

Shannon, Claude Elwood, 215
Siemens, Carl Wilhelm Siemens, 76
Siemens, Ernst Werner von, 76
Siemens, William, 99
sistema
    regular, 146
Smith, Ed, 328, 341
Steinmetz, Charles Proteus, 163, 326
Stewart, Balfour, 94, 99
Stodola, Aurel Boleslaw, 127
Sturm
    cadeia de, 123
    teorema de, 123
Sturm, Jacques Charles Françoi, 115
Swan, Joseph W., 74
Sylvester, James J., 120

tautochrone, 45
temporary wave, 337
teorema
    da amostragem, 215
    da convolução, 274
    da integral de Fourier, 248
    de Abel, 281
    de Cauchy, 193
    de expansão de Heaviside, 274, 279,
        283
    de resíduos de Cauchy, 275
    de Shannon, 215
    de Sturm, 123
    de Tauber, 281
    do deslocamento de Heaviside, 279
    do pequeno ganho, 200
    do valor final, 281, 332
    do valor inicial, 281
termostato, 47
Tesíbios, 34, 39
The Yellow Peril, 252

# Índice remissivo

Thomson, William, 93, 94, 99
throttling control, 336
transference, 338
transformada
    de Carson-Laplace, 282
    de Fourier, 248
    de Laplace, 273
    de Mellin, 271, 272
    inversa de Laplace, 273, 274
transmission ratio, 338
transportation lag, 334
Trinks, Willibald, 84
Tustin, Arnold, 26

Ure, Andrew, 47

válvula governadora, 86
válvula governadora de Watt, 71
van der Pol, Balthasar, 279
verge and foliot, 40
Vitruvius, ver Pollio, 36
Volta, Alessandro G. A. A., 74

Watt, James, 70
Watt, válvula governadora de, 71
weighting function, 336
Western Electric Company, 162
Whittaker, Edmund Taylor, 287
Wiener, Norbert, 25, 26, 252
Wilbraham, Henry, 250
Wischnegradski, Ivan A., 104
Woods, Joseph, 76

Yastrzhembskii, Nikolai Feliksovich, 92
Young, Thomas, 85

zeros
    representação, 229
Ziegler, J.G., 301